LE CORPS POLYCHROME
COULEURS ET SANTÉ

Antiquité, Moyen Âge,
Époque moderne

Rencontres d'histoire de la médecine, des pratiques et des représentations médicales dans les sociétés anciennes

Publications précédentes :
Air, miasmes et contagion. Les épidémies dans l'Antiquité et au Moyen Âge, études réunies par D. Quéruel, É. Samama et S. Bazin-Tachella, Langres : D. Guéniot, juin 2001, 198 pages, ISBN 2-87825-208-X

Le corps à l'épreuve. Poisons, remèdes et chirurgie : aspects des pratiques médicales dans l'Antiquité et au Moyen Âge, études réunies par Fr. Collard et É. Samama, Langres : D. Guéniot, juillet 2002, 192 pages, ISBN 2-87825-233-0

Mires, physiciens, barbiers et charlatans. Les marges de la médecine de l'Antiquité au XVIe siècle, études réunies par Fr. Collard et É. Samama, Langres : D. Guéniot, mars 2004, 180 pages, ISBN 2-87825-277-2

Pharmacopoles et apothicaires, les « Pharmaciens » de l'Antiquité au Grand Siècle, études réunies par Fr. Collard et É. Samama, Paris : L'Harmattan, août 2006, 196 pages, ISBN 978-2-296-01061-X

Handicaps et sociétés dans l'histoire. L'estropié, l'aveugle et le paralytique, études réunies par Fr. Collard et É. Samama, Paris : L'Harmattan, mars 2010, 226 pages, ISBN 978-2-296-11443-2

Dents, dentistes et art dentaire. Histoire, pratiques et représentations Antiquité, Moyen Âge, Ancien Régime, études réunies par Fr. Collard et É. Samama, Paris : L'Harmattan, décembre 2012, 370 pages, ISBN 978-2-336-29012-6

Poux, puces, punaises, la vermine de l'homme. Découverte, descriptions et traitements, Antiquité, Moyen Âge, Epoque moderne, études réunies par Fr. Collard et É. Samama, Paris : L'Harmattan, décembre 2015, 408 pages, ISBN 978-2-343-07898-4

Franck COLLARD et Évelyne SAMAMA (dir.)

LE CORPS POLYCHROME
COULEURS ET SANTÉ

Antiquité, Moyen Âge,
Époque moderne

L'Harmattan

Comité de lecture pour le présent ouvrage :
Nicoletta Palmieri et Antoine Pietrobelli
Maria Sorokina
François Zanetti

Edition, mise en page et maquette :
Franck COLLARD et Évelyne SAMAMA

© L'Harmattan, 2018
5-7, rue de l'École-Polytechnique – 75005 Paris

www.editions-harmattan.fr

ISBN : 978-2-343-15931-7
EAN : 9782343159317

Avant-propos

Depuis plus de vingt ans maintenant, selon un rythme triennal fidèlement suivi, les « Rencontres d'histoire de la médecine, des pratiques et des représentations médicales dans les sociétés anciennes » réunissent, dans une démarche résolument diachronique, comparatiste et pluridisciplinaire, littéraires, philologues, philosophes, historiens généralistes et historiens des sciences, historiens de l'art, archéologues et anthropologues pour interroger le passé éloigné, de l'Antiquité aux Temps modernes, de l'Orient au Nouveau Monde, sur des questions touchant à la santé, au corps et aux catégories professionnelles qui les avaient en charge. À chacune de ces rencontres sont associés des praticiens et chercheurs du monde médical et scientifique, heureuse et trop rare occasion de confronter les approches, de mesurer les évolutions et les constantes ainsi que de rattacher aux réalités et aux savoirs actuels les questions traitées par les sciences humaines et sociales qui fonctionnent parfois trop en vase clos, comme le fait d'ailleurs réciproquement une certaine médecine ultra-technicisée tournant le dos au passé. Si grandes aient-elles été, les révolutions survenues depuis le XIXe siècle n'ont pas coupé totalement l'art médical, les soignants et les patients des réalités pathologiques et thérapeutiques qui prévalurent, des siècles durant, dans des sociétés dites « traditionnelles », certes pauvres en moyens de guérison, mais moins résignées qu'on a pu le dire à la souffrance et aux maladies, et riches d'une pensée que sa péremption globale ne rend pas pour autant indigne de considération. Les représentations forgées par les périodes reculées sont à explorer, à reconstituer et à comprendre dans leur contexte et leur logique, en excluant toute téléologie, toute condescendance rétrospective et toute linéarité progressiste, trois défauts majeurs d'une histoire des sciences « scientiste », heureusement devenue hors de saison.

Le thème de ce nouveau volume porte sur un élément d'observation longtemps primordial aux yeux des soignants et magnifiquement exploré, dans une approche plus générale, par Michel Pastoureau : la couleur. La huitième édition des « Rencontres d'histoire de la médecine, des pratiques et des représentations médicales dans les sociétés anciennes » s'est intéressée au chromatisme naturel de l'enveloppe, des sécrétions et des excrétions corporelles ainsi qu'au rôle, à la place et au statut des couleurs dans la médecine des sociétés préindustrielles. Si la couleur des yeux, des cheveux, de la peau, est visible dès le premier coup d'œil et peut informer sur la personne, notamment son origine ou son âge, elle a constitué longtemps pour les médecins un des signes prépondérants à prendre en compte dans le diagnostic et le pronostic. Selon leur époque et leur compétence, les soignants en usèrent comme d'indices pour identifier les maladies possibles. Les auteurs de traités savants tentèrent, en étudiant, puis codifiant les couleurs, d'en établir une typologie signifiante, quoique fragile et instable. Les textes littéraires ont apprécié aussi la polychromie humaine comme signe de « bonne » ou de « mauvaise » santé. Sont ici pris en compte, dans des textes de différente nature ressortissant à différents genres ainsi que dans l'iconographie, les couleurs de la peau, des cheveux, des yeux ou des dents, mais aussi celles du sang — par effusion ou sécrétion —, du lait et des différentes excrétions, des selles et, last but not least, de l'urine, substance-reine de la sémiologie chromatique pratiquée par les médecins devant l'urinal « miré », c'est-à-dire regardé attentivement, ce rôle de « mire-couleur » ayant fourni au praticien médical une de ses appellations médiévales.

Le thème croise nécessairement celui de la couleur des humeurs, fondement de (presque) toute l'étiologie et la nosologie du passé, tout comme la théorie de la physiognomonie. Sont abordées les nuances et les expressions proposées par les différents lexiques et les teintes offertes par les représentations des corps malades ou sans vie, dans l'art occidental. Pâleur, rougeur, teint jaune ou grisâtre, de l'imagerie antique à la miniature médiévale et à la peinture moderne, les artistes ont souvent tenu à donner au corps une palette de couleurs riches de signification mais parvenues jusqu'à nous non sans altérations risquant de fausser l'analyse.

Les contributions s'attachent aussi à mettre en évidence la transmission des savoirs en ces domaines rien moins qu'immobiles ou figés, ainsi que celle des savoir-faire des praticiens. L'enquête laisse, en revanche, délibérément de côté les couleurs artificielles, qu'elles relèvent des peintures sur le corps, des tatouages ou des fards et produits cosmétiques, ainsi que le domaine de la thérapeutique qui doit faire l'objet d'un colloque, organisé par Isabelle Boehm et Laurence Moulinier, à Lyon en novembre 2018, sous le titre « Couleurs et soins ». Faute de place ou de matière, certaines sécrétions sont restées également non traitées comme les larmes, la sueur, la salive ou le sperme.

Les vingt-cinq textes réunis dans le présent volume sont la forme écrite de communications présentées au colloque international des 14, 15 et 16 mars 2018 à l'Université de Versailles-St-Quentin-en-Yvelines, à la Bibliothèque de la Sorbonne et à l'Université de Paris Nanterre. Deux journées d'études préparatoires, tenues en novembre 2016 à l'UVSQ puis en mars 2017 à Nanterre, avaient préalablement permis de dégager les grands axes de la réflexion qui forment l'ossature de ce volume. Le colloque et les journées d'études ont pu se tenir grâce au financement de la MSH Paris-Saclay, ainsi que des deux laboratoires, le Centre d'Histoire des sociétés et des cultures de l'Occident (CHiSCO, EA 1587) de l'Université de Paris-Nanterre et Dynamismes patrimoniaux et culturels (DyPaC, EA 2449) de l'Université de Versailles Saint-Quentin. La MSH Paris-Nord et l'École doctorale de l'Université de Nanterre (ED-395) ont permis la publication des actes, relus avec attention par Nicole Moine, Nicoletta Palmieri, Antoine Pietrobelli, Maria Sorokina et François Zanetti que nous remercions sincèrement.

Historienne, c'est-à-dire soucieuse de comparer les époques et les aires pour mettre en évidence les transmissions, les permanences et les évolutions, la démarche suivie a visé à dégager les voies d'approche d'un thème très vaste et mouvant (tant il est vrai qu'on peut discuter des heures des goûts et des couleurs) et à confronter les données matérielles, textuelles et iconographiques, en faisant varier les modes de présence documentaire des teintes corporelles, sujets de considérations scientifiques et médicales, de création artistique et langagière, mais aussi objets de réflexion politique ou morale.

Le propos a été divisé en trois sections. La première regroupe des réflexions sur les modes de significations, pathologiques ou physiologiques, de la couleur corporelle. C'est un élément de première importance, on l'a dit, que cette sémiologie chromatique dans la pensée médicale savante des sociétés traditionnelles. Sur le corps, la peau et le visage en particulier, ou dans les fluides et matières qu'il contient et / ou rejette, la couleur doit faire signe et faire sens, essentiellement à partir de la théorie humorale, et donc manifester visuellement un état pathologique dont il revient aux médecins d'établir l'origine et la nature. L'enrichissement du nuancier chromatique des urines, à la fin du Moyen Âge, marque le paroxysme d'une approche des maladies par les couleurs, alors même que l'instabilité des perceptions et l'équivocité des manifestations colorées fragilisent grandement une voie chromatique aujourd'hui pratiquement abandonnée par les toxicologues, voire par les médecins traitants, qu'on dit désormais par trop négligents du teint et de la mine.

La seconde section explore les aspects plus proprement pathologiques et physiologiques des maladies (premier ensemble de contributions), des tempéraments ou des affects « colorants » ou « décolorants » (second ensemble) ainsi que les raisonnements tenus pour expliquer ces manifestations chromatiques telles que décrites par des théoriciens ou constatées par des praticiens, voire reconstituées par les historiens parfois abusivement, comme dans le cas de la peste dite apocryphement « noire ». Il est des maladies polychromes comme la lèpre, dans les quatre formes qui lui furent prêtées au Moyen Âge. Le critère chromatique ne pèse pas peu dans les jugements du tribunal de la Purge en Auvergne. Il est des maladies altérant le teint, comme celles de maints ouvriers des ateliers de l'Ancien Régime : manipuler des colorants affecte la couleur du travailleur. Il en est même de nos jours des maladies contractées consécutivement à la volonté de changer de couleur de peau. Par ailleurs, à côté de la médecine, la physiognomonie qui relève, comme la science médicale, de la philosophie naturelle, offre une certaine place à la coloration, de la face avant tout. Si l'explication des tempéraments par les humeurs et la complexion intègrent le chromatisme physiognomonique dans le système de pensée prédominant dans l'Antiquité et au Moyen Âge, la Renaissance s'intéresse aux colorations éphémères que provoquent les émotions individuelles en puisant largement aux sources antiques dans lesquelles on peut déjà lire pourquoi le peureux blêmit, l'amoureux rosit et le honteux s'empourpre.

La dernière section est consacrée à l'imaginaire des couleurs corporelles par le biais de leur symbolique textuelle (premier sous-ensemble de contributions) et de leur mise en image (second sous-ensemble), elle-même largement conditionnée par des valeurs symboliques. L'imaginaire politique comme l'imaginaire littéraire affectent aux couleurs du corps une codification rigide qui brouille la réalité. De l'Égypte pharaonique au Grand Siècle, loin d'être un accident, la couleur est une nécessité de représentation, parfois très éloignée de la perception naturaliste des choses. Il est un teint « royal », une coloration de chevelure « aristocratique » pour les dames, une blancheur capillaire érémitique, et, évidemment, des couleurs du Mal. Les peintres modernes évoluent largement dans ce cadre ultra-codifié que les progrès modernes de l'individuation et le souci du réalisme commencent cependant à désagréger, même si la peinture hollandaise demeure attachée à l'association entre le chromatique et l'éthique. L'âme exprimant le corps, comme le disaient les Grecs, les couleurs de celui-ci ont forcément à voir avec la personnalité des vivants et leur sensibilité. Même le grand fossoyeur du corps qu'est Platon accorde de l'intérêt à sa couleur.

Miser sur la couleur pour étudier l'histoire des corps permet d'explorer des systèmes de représentation d'une grande richesse et d'une forte cohérence, fussent-ils devenus totalement obsolètes. Comme il a aimanté l'attention des médecins qui l'ont parfois surinvesti, le chromatisme corporel et ses infinies variations continuent de fasciner les historiens. Puisse-t-il aussi susciter l'intérêt du lecteur !

Franck Collard et Evelyne Samama
18 août 18

PREMIÈRE PARTIE

LE SENS DE LA COULEUR : APPROCHES CHROMATIQUES DU CORPS ET DE SES FLUIDES

La couleur du corps chez Galien.
Coloration naturelle et couleurs modifiées dans la polychromie du vivant

Isabelle BOEHM[1]

Le médecin qui observe un patient fait appel, en premier lieu, à tous ses sens : « il faut rechercher ce qu'il est possible de saisir par la vue, le toucher, l'ouïe, l'odorat, le goût et l'intelligence » affirme le traité hippocratique de l'*Officine du médecin*[2]. Dans la tradition médicale en Grèce ancienne, c'est évident, les sens sont les premiers outils — et presque les seuls outils — de connaissance du vivant. Ils permettent d'avoir accès, en quelque sorte, à ce qui est — sauf accident — invisible, c'est-à-dire les parties internes du corps. Ses sens permettent aussi au médecin de mesurer l'écart entre le « normal » et « l'anormal », c'est-à-dire entre le « naturel », κατὰ φύσιν, « selon la nature », et le « contre nature », παρὰ φύσιν.

Mais, dans la tradition hippocratique, les couleurs du corps, telles que les observe le médecin, sont en quelque sorte « sous influence », d'une part des théories philosophiques sur la couleur[3], et d'autre part des théories sur la constitution et le fonctionnement du corps humain, voire plus largement du vivant. Ces deux domaines théoriques, d'ailleurs, sont liés entre eux[4]. Galien, en héritier de ces diverses orientations théoriques[5], et en héritier de savoirs hippocratiques[6], se sert des couleurs en philosophe et en médecin à la fois.

Dans le domaine médical, l'usage des couleurs a des caractéristiques propres, que le médecin, Galien pour le moins, a bien présentes à l'esprit. C'est avec tout un appareil théorique et pratique à la fois que Galien nomme les couleurs naturelles du corps et observe leurs altérations[7]. Est

---

[1] Professeur de Langue et Littérature grecques à l'Université Lumière-Lyon 2, UMR 5189 HiSoMA.

[2] *Officine du médecin*, 1. Sur les analyses du passage et le rôle des sens dans la *Collection hippocratique* [désormais abrégée *CH*] cf. Jacques JOUANNA, « Sur la dénomination et le nombre des sens d'Hippocrate à la médecine impériale », in Isabelle BOEHM et Pascal LUCCIONI (dir.), *Les cinq sens dans la médecine de l'époque impériale : sources et développements*, Actes de la table ronde du 14 juin 2001, Lyon : Public. de l'Université Jean Moulin, 2003, p. 9-20.

[3] Sur les rapports entre théories aristotéliciennes et théories galéniques, voir Philip van der EIJK, « Galens Auseinandersetzung mit Aristoteles' Ansichten zum Gesichts- und Geruchssinn », in Jochen ALTHOFF, Sabine FÖLLINGER et Georg WÖHRLE (dir), *Antike Naturwissenschaft und ihre Rezeption*, Trèves : Wissenchaftlicher Verlag, 2010, p. 81-107.

[4] La question est en partie abordée dans l'article de Vivien Longhi dans ce volume.

[5] Sur le rapport entre théories hippocratiques et théories galéniques, le livre de Philip DE LACY, *Galen. On the Elements according to Hippocrates*, Berlin, 1996, reste fondamental.

[6] Pour une approche globale de la question des sensations dans la *CH* et ses rapports avec Galien, cf. Bruce Stansfield EASTWOOD, « Galen on the Elements of Olfactory Sensation », *Rheinisches Museum für Philologie*, 124, 1981, p. 268-290.

[7] Pascal LUCCIONI, « Galien et le visible dans le *De Elementis* : l'usage des couleurs dans la connaissance du vivant », *Aitia* 7, 2, 2017, p. 1-14.

particulièrement significative la présentation de couleurs envisagée en séries de deux, trois ou quatre couleurs que l'on pourrait qualifier de « couleurs de base ». Comment Galien organise-t-il ces séries et comment sont-elles mises en relation avec les parties du corps et la bonne ou la mauvaise santé ? Ces séries de « couleurs de base »[8] sont aussi au service du médecin comme autant de références fixes par rapport à des couleurs qui varient de teinte avec les changements d'état du malade. Comment décrire ces modifications pour être, autant que possible, en adéquation avec la conception de la santé et de la maladie ?

Les termes de couleur chez Galien : un système ?

Dans le cadre de l'examen du malade, le médecin perçoit *simultanément* les couleurs, les odeurs, les sons, les saveurs, la chaleur et le froid, le souple et le dur, le visqueux, l'humide, le sec. Le savoir acquis par l'expérience personnelle est tel qu'en « voyant » une couleur, le médecin, en quelque sorte, touche, entend, sent, goûte à la fois. Les couleurs, certaines d'ailleurs plus que d'autres, ont donc des « qualités », dont, au premier chef, celle de chaudes ou de froides. Dans le cadre de l'examen médical en tout cas, les couleurs sont donc pleinement associées à la « matière » du corps vivant dans tout ce que cette matière a de perceptible par les sens et par l'intelligence, ou plus précisément une intelligence qui est celle de la connaissance acquise. C'est Galien lui-même qui affirme que les couleurs ont les qualités fondamentales de chaud ou froid, sec ou humide : « Pour chaque *teinte* on trouve le chaud et le froid, l'humide et le sec »[9].

Il faut cependant lire cette remarque de Galien avec toute la prudence qui s'impose, c'est-à-dire en tenant compte de deux choses, le sens du terme χρόα d'une part, les correspondances établies dans la tradition médicale entre couleurs, certaines d'entre elles en tout cas, et parties du corps d'autre part.

Le terme χροιά ou χρόα a d'abord un sens bien spécifique, celui de « couleur de la peau », ou bien « couleur de surface » du corps, même si chez Galien la distinction n'est pas toujours bien nette, et si on peut avoir l'impression que le terme peut être quasi équivalent, quelquefois, de χρῶμα[10]. En tout cas, d'une manière générale en grec, et encore chez Galien, χρῶμα « couleur » s'applique à une couleur en quelque sorte « de référence », une couleur «fixe»[11], alors que χροιά, « teint » ou χρόα, la « teinte » ou

---

[8] Sur les couleurs et leurs rapports avec les symptômes de maladies dans la *CH*, voir Laurence VILLARD, « Couleurs et maladies dans la *Collection Hippocratique* : les faits et les mots », in L. VILLARD (dir.), *Couleurs et vision dans l'Antiquité classique*, Actes de la Journée d'études « Couleurs-perception visuelle », Université de Mont-Saint-Aignan, 4 mai 2001, Rouen : Public. de l'Univ. de Rouen, 2002, p. 44-64.

[9] *Facultés des médicaments simples*, IV, 23 (Kühn XI, 702-703) : καθ' ἑκάστην γὰρ **χρόαν** εὑρίσκεται καὶ θερμὰ καὶ ψυχρὰ καὶ ξηρὰ καὶ ὑγρά. Les références au texte de Galien sont indiquées dans l'édition de Carl Gottlob Kühn (*cf.* bibliographie, *infra*), par le n° du volume et par le n° de page, par ex. ici, vol XI, p. 702-703.

[10] Sur les emplois de ces termes, voir *supra*.

[11] De plus une couleur à « large spectre ».

« coloration »[12] est plutôt une couleur du vivant, « mobile », changeante, susceptible de transformations. De plus il faut bien tenir compte du contexte dans lequel Galien fait cette remarque : il s'agit de pharmacologie. La remarque s'applique donc d'abord aux qualités des simples au service de la thérapeutique[13], dont il donne d'ailleurs des exemples dans la suite du développement (oignon, scille[14], vin).

Dans le cadre de l'examen médical, les couleurs sont, pour une partie d'entre elles, mises en rapport avec des parties du corps. Le savoir d'un médecin expérimenté et instruit, comme Galien, lui permet d'associer telle couleur à telle partie du corps, ou plutôt d'identifier un dysfonctionnement d'une partie vitale avec un teint particulier, c'est-à-dire *anormal* :

> « Sachez que sur bien d'autres personnes j'identifiai les signes de maladie à partir de **l'observation du *teint* (χροιά),** de telle sorte que je déclarais que chez elles soit le foie, soit la rate étaient affectés, sans m'être renseigné sur les symptômes antérieurs et **sans avoir diagnostiqué par le toucher** l'affection des viscères »[15].

Cela signifie-t-il qu'au foie, à la rate, au cœur, au poumon correspond une couleur particulière ? En réalité ce sont le foie et la rate auxquels sont associées des couleurs spécifiques, dans la mesure où ils produisent des humeurs.

Plus encore qu'à des éléments vitaux, les couleurs sont associées aux « humeurs », χυμοί. Galien retient des théories hippocratiques un système des humeurs à quatre éléments, sang, phlegme, bile jaune et bile noire[16]. Il présente de manière récurrente les couleurs sous forme de liste de quatre[17]

---

[12] La « coloration » χρόα de la bile peut changer, *cf.,* par exemple, *De la bile noire* 2, 11 (CMG V, 4, 1, 1 p. 73 ; Kühn V, 109) μιγνυμένης τῆς λεπτῆς ὑγρότητος ἡ ξανθὴ χολὴ κατά τε τὴν χρόαν ὠχροτέρα καὶ κατὰ τὴν σύστασιν ὑγροτέρα γίνεται, « mélangée à une humidité subtile, la bile blonde prend une coloration plus pâle et une consistance plus humide » (tr. Barras-Birchler-Morand).

[13] Le texte se poursuit en effet : καθ᾽ ἕκαστον μέντοι γένος ἢ σπέρματος ἢ ῥίζης ἢ χυλοῦ δυνατόν ἐστι κἀκ τῆς χρόας ἔνδειξίν τινα λαβεῖν τῆς κράσεως « pour chaque type de semence ou de racine ou de suc il est possible, à partir de la couleur, d'avoir une indication de ses vertus ». Sur les couleurs des *pharmaka* et leurs qualités, *cf.* Isabelle BOEHM, « Couleur et odeur chez Galien », in *Couleurs et vision ... op. cit.* (*supra* note 8), p. 77-96, part. p. 94-95.

[14] *Drimia maritima,* plante à bulbe, à fleurs blanches, toxique, utilisée entre autres comme diurétique. Théophraste, *Recherches sur les plantes,* II, 5, 5 (ed. Suzanne Amigues, CUF, 1988).

[15] *Lieux affectés* V, 9 (Kühn VIII, 357) : οὕτω δὲ καὶ ἄλλους πολλοὺς ἴστε με σημειωσάμενον, ὡς **ἐκ τῆς χροιᾶς ἀποφήνασθαι,** ποτὲ μὲν ἧπαρ εἶναι τὸ πάσχον αὐτοῖς, ποτὲ δὲ σπλῆνα, μήτε τῶν προγεγονότων ἀκηκοότα τι **μήτε διὰ τῆς ἀφῆς γνωρίσαντα** τὸ πάθημα τῶν σπλάγχνων.

[16] Plus fondamental pour lui est le système des quatre qualités fondamentales de chaud, froid, sec et humide. *Cf.* Véronique BOUDON-MILLOT, *Galien de Pergame. Un médecin grec à Rome*, Paris : Les Belles Lettres, 2012, p. 261-262.

[17] Mais cette liste varie, entre quatre et cinq, avec des variantes. *Cf.,* par exemple, *Pronostic par le pouls* III, 6 (Kühn IX, 367) : οὔτ᾽ οὖν ἐπ᾽ ἄλλην φέρουσιν αἴσθησιν τό τε λευκὸν καὶ μέλαν καὶ ξανθὸν καὶ πυρρὸν, ὠχρόν τε καὶ φαιὸν καὶ κυανοῦν, ὅσα τ᾽ ἄλλα χρωμάτων ἐστὶν ὀνόματα πλὴν τῶν ὁρατῶν. « On n'attribue pas à une autre perception sensorielle que celle des éléments visibles blanc, noir, jaune vif, rouge feu, jaune pâle, brun, bleu foncé et toutes les autres couleurs ». *Cf.* I. BOEHM, « Couleur et odeur chez Galien », in *Couleurs et vision ... op. cit.* (*supra* note 8), p. 77-96 et V. BOUDON-MILLOT, « La théorie galénique de la vision : couleur du corps et couleur des humeurs », *ibid.*, p. 65-75.

couleurs que l'on peut qualifier de « fondamentales », qui sont : le blanc (peut-être comme le phlegme), le noir (comme la bile noire), le rouge (comme le sang), le jaune (comme la bile jaune)[18]. Ainsi, c'est dans le cadre d'un développement sur la question du nombre des humeurs que Galien, dans le cours du commentaire au livre I de *Nature de l'Homme*, rapporte l'affirmation : « le phlegme est blanc, et la bile noire est noire » :

> « Le sang est doux tandis que la bile jaune-*blonde* est piquante, et le phlegme est blanc tandis que la bile noire est noire, voilà qui est à présent correctement formulé »[19].

La correspondance entre les « humeurs » et les couleurs est donc loin d'être toujours univoque, puisque les qualités des quatre humeurs ne sont pas systématiquement de l'ordre de la couleur.

Par ailleurs, dans le cadre de réflexions sur les différentes perceptions sensorielles et la façon dont on peut les qualifier, les couleurs peuvent être présentées par paires :

> « Chaque qualité naturelle des éléments perçus par les sens tient à un sens propre : le froid et le chaud et le dur et le mou au toucher, **le blanc et le noir et le jaune et le rouge**, et, pour envisager de manière complète le type de couleur dans sa totalité, à la vue »[20].

Dans cet ensemble les quatre couleurs fonctionnent bien par deux, blanc et noir, jaune et rouge, dans la mesure où elles sont présentées parallèlement aux qualités perceptibles par le toucher, c'est-à-dire chaud et froid ainsi que dur et mou. Dans le même type de contexte, c'est-à-dire une réflexion sur les qualités des perceptions sensorielles et leur dénomination, le même parallèle sert à présenter ces deux paires de manière un peu différente. C'est ce que font certaines écoles médicales, comme le rapporte Galien, en considérant que, de même qu'entre la santé et la maladie il y a des états intermédiaires, de même qu'entre chaud et froid il y a tiède et tempéré, entre blanc et noir il y a des « tons intermédiaires » (pour reprendre l'expression de J. Boulogne dans sa traduction) :

> « En quoi est-il tout à fait pertinent de nier que la maladie soit le contraire de la bonne santé précisément parce qu'entre les deux il y a quelque chose ? Il est évident que, dans cet ordre d'idées, le blanc ne sera pas non plus le contraire du noir, précisément parce qu'entre eux il y a le *xanthon* ("blanc cassé" tr. Boulogne) et le *phaion* ("gris" tr. Boulogne[21]), le rouge et le *okhron* ("orange" tr. Boulogne) et chacune

---

[18] Voir par exemple *Facultés des médicaments simples* X, 13 (Kühn XII, 275) : ἔμαθες γὰρ εἶναι τοὺς πάντας ἐν ἑκάστῳ τῶν ἐναίμων ζώων χυμοὺς τέσσαρας, αἷμα καὶ φλέγμα καὶ χολὴν ξανθήν τε καὶ μέλαιναν, « tu as appris qu'il existe en tout quatre humeurs dans tous les êtres vivants sanguins, le sang, le phlegme, la bile jaune et la bile noire ».

[19] *Commentaire à la* Nature de l'Homme *d'Hippocrate* (CMG V, 9, 1, p. 20 ; Kühn XV, 35) : γλυκὺ μὲν γὰρ τὸ αἷμα, πικρὰν δὲ τὴν ξανθὴν χολήν, καὶ λευκὸν μὲν τὸ φλέγμα, μέλαν δὲ τὴν μέλαιναν εὔλογον εἰρῆσθαι νῦν.

[20] *Facultés des médicaments simples*, I, 37 (Kühn XI, 445) : Ἑκάστη τις φύσις τῶν αἰσθητῶν ἰδίᾳ ὑποβέβληται· θερμότης μὲν καὶ ψυχρότης καὶ σκληρότης καὶ μαλακότης ἀφῇ, **λευκότης δὲ καὶ μελανότης καὶ ξανθότης, ἐρυθρότης** τε καὶ συλλήβδην εἰπεῖν ἅπαν τὸ τῶν χρωμάτων γένος ὄψει.

[21] Cette traduction correspond aussi à une définition de cette couleur, que l'on trouve dans les *Causes des symptômes*, I, 6 (Kühn VII, 120) : τὸ μὲν οὖν φαιὸν ἐκ λευκοῦ τε ἅμα καὶ

des autres couleurs, non plus que le chaud le contraire du froid, car il y a entre eux le tiède et le tempéré »[22].

Mais une telle affirmation n'appartient qu'aux théoriciens qui sont « enfoncés dans l'erreur ». Galien la récuse : en réalité santé et maladie, chaud et froid, comme blanc et noir, sont bien des termes de sens opposé, même s'il y a des « états intermédiaires » ; de plus, les « couleurs intermédiaires » μέσον αὐτῶν, sont elles-mêmes, ironie peut-être de la part de Galien, présentées par paires. Dans le cadre de la description du corps vivant, les couleurs ne sont pas organisées de la sorte.

Les changements de couleur

Qui plus est, les humeurs ont la capacité de changer de couleur, selon les modifications de leur équilibre dans le corps ou bien selon les modifications de fonctionnement des organes qui les produisent. Le sang, ou la bile surtout, peuvent prendre des teintes particulières. Ainsi, c'est le changement de couleur, ou plutôt de *teinte* (Galien utilise le terme χρόα), de la bile qui signale la maladie.

Si la bile noire μέλας est noire, et la bile jaune (appelée, elle, simplement *bile*) est jaune ξανθός « jaune, jaunâtre, blond »[23], dans certains cas elle est qualifiée de ὠχρά... « jaunâtre, jaune pâle ». « Mais le fait que la bile (jaune) *blonde* est parfois appelée *ôchros* (jaunâtre, jaune pâle), tu le sais ; et le fait que, dans la zone de la poche qui se trouve au foie, elle est parfois *ôchros* (jaunâtre) et parfois *blonde*, nous l'observons dans la dissection des animaux »[24].

Dans la suite du développement, la distinction entre les deux teintes de la bile est associée à la différence de qualité (chaleur et consistance), la bile « blonde » étant plus chaude et plus épaisse que la bile « jaunâtre ». Et lorsqu'à la bile blonde est mêlé un liquide séreux, alors on a de la bile « jaunâtre ». La bile « jaunâtre », elle, si elle devient plus chaude devient

---

μέλανος κραθέντων γίγνεται, « le *phaion* "gris" provient du mélange du blanc avec le noir ». Cette description est envisagée dans un développement orienté : celui des affections de la vue, qui supporte mieux des couleurs intermédiaires comme le *phaion* « gris » plutôt que des couleurs tranchées comme blanc ou noir.

[22] *Méthode thérapeutique* I, 7 (Kühn X, 58) : τί γὰρ δὴ καὶ πρὸς ἔπος οὐκ εἶναι τὴν νόσον ἐναντίον ὑγείᾳ, διότι μέσον αὐτῶν ἐστί τι ; δῆλον γὰρ ὡς οὐδὲ τὸ λευκὸν ἐναντίον ἔσται τῷ μέλανι, διότι μέσον αὐτῶν ἐστι τὸ ξανθόν τε καὶ τὸ φαιόν, ἐρυθρόν τε καὶ ὠχρὸν ἕκαστόν τε τῶν ἄλλων χρωμάτων · οὐδὲ τὸ θερμὸν τῷ ψυχρῷ, καὶ γὰρ καὶ τούτων ἐστὶ μέσα χλιαρόν τε καὶ εὔκρατον. Traduction de J. Boulogne, 2009.

[23] *Facultés des médicaments simples* X, 13 (Kühn XII, 275) : ἔμαθες δὲ καὶ ὡς ἔθος ἐστὶν οὐ μόνον τοῖς ἰατροῖς, ἀλλὰ καὶ τοῖς Ἕλλησιν ἅπασιν τὴν μὲν ξανθὴν χολὴν ἁπλῶς ὀνομάζειν χολήν, ὡς ὑπακουσομένων τῶν ἀκουσάντων τὸ τῆς χρόας ὄνομα, τὴν μέλαιναν δ' οὐχ ἁπλῶς ὀνομάζειν χολήν, ἀλλὰ μετὰ προσθήκης ὅλου τούτου μέλαιναν χολήν, « Tu as appris que c'est l'usage non seulement chez les médecins mais chez tous les Grecs d'appeler la "bile blonde" simplement "bile", dans la mesure où les auditeurs vont sous-entendre le nom de la "teinte", alors que la bile noire on ne l'appelle pas simplement "bile" mais avec l'intégralité du qualificatif associé, "bile noire" ».

[24] *Facultés des médicaments simples* X, 13 (Kühn XII, 276) : ἀλλὰ καὶ ὡς τὴν ξανθὴν χολὴν ἐνίοτε καλοῦσιν ὠχρὰν ἐπίστασαι καὶ ὡς κατὰ τὴν ἐπὶ τῷ ἥπατι κύστιν ἐνίοτε μὲν ὠχράν, ἐνίοτε δὲ ξανθὴν ἐν ταῖς τῶν ζῴων ἀνατομαῖς ὁρῶμεν αὐτήν.

aussi plus épaisse, et a alors la teinte de la bile « blonde » : « Quand de l'humidité séreuse est mêlée à la bile blonde, c'est de la bile jaunâtre qui se produit, exactement comme la bile jaunâtre qui devient plus chaude est, pour ce qui est de la consistance, plus épaisse et, **pour ce qui est de la teinte**, "blonde" »[25].

La teinte peut même virer à la couleur noire, πρὸς τὸ μέλαν ἐκτρέπεται χρῶμα, chez les animaux que la fièvre rend chauds et qui souffrent de faim et de soif. Cette couleur noire, ou plutôt très foncée, est elle-même tantôt ferrugineuse (ἰῶδες ἔχουσα τοῦτο), tantôt minérale (bleu foncé) ποτὲ δὲ κυανοῦν, tantôt celle du pastel (un bleu clair), qui est précisément plus sombre que celle du chou[26].

> « Et lorsque les animaux souffrent de faim et de soif, la couleur vire vers le noir : la bile a cette couleur tantôt rouille, tantôt minérale, tantôt celle du pastel, qui est précisément plus sombre que celle du chou. Sois donc toi aussi attentif à la couleur des humeurs bilieuses dans la préparation d'un médicament qui contient aussi de la bile »[27].

Les différentes variations de teinte sont décrites à l'aide d'adjectifs dérivés de nom de matière, comme les minéraux pour le bleu foncé (le lapis-lazuli), la rouille / le vert de gris[28], ou bien des végétaux. La présence de ces adjectifs de matière doit être mise en rapport avec le contexte, celui de la préparation de médicaments, dans lesquels on utilise par exemple de la bile de taureau, de hyène, de coq, ou de perdrix. Le verbe grec employé dans ce passage pour désigner le changement de couleur, ἐκτρέπειν, « changer de direction, faire demi-tour », dans le corpus médical et en particulier dans le corpus galénique, a deux caractéristiques : d'une part il désigne une modification de la « disposition physique du corps » τοῦ σώματος διάθεσις qui passe d'un état « naturel, conforme à la nature », κατὰ φύσιν, à un état παρὰ φύσιν « contre nature »[29] ; d'autre part il s'applique au mouvement des liquides, ou plus précisément des humeurs dans le corps[30].

---

[25] *Facultés des médicaments simples* X, 13 (Kühn XII, 276) : μιγνυμένης γὰρ ὀρρώδους ὑγρότητος τῇ ξανθῇ χολῇ τὴν ὠχρὰν συμβαίνει γίνεσθαι, καθάπερ καὶ τὴν ὠχρὰν θερμαινομένην ἐπὶ πλέον παχεῖαν μὲν ἀποτελεῖσθαι τῇ συστάσει, ξανθὴν δὲ τῇ **χρόᾳ**.

[26] Sur ces comparaisons, *cf.* I. BOEHM, « Couleurs et fonctionnement des parties du corps chez Galien », in Jean-Pierre ALBERT, Bernard ANDRIEU *et al.* (dir.), *Coloris Corpus*, Actes du colloque CNRS « Corps et couleur », Paris, 10-12 janvier 2007, Paris : CNRS Editions, 2008, p. 125-134.

[27] *Facultés des médicaments simples* X, 13 (Kühn XII, 276) : καὶ ὅταν γε τὰ θερμὰ ζῷα πεινήσαντα τύχῃ καὶ διψήσαντα, πρὸς τὸ μέλαν ἐκτρέπεται χρῶμα, ποτὲ μὲν ἰῶδες ἔχουσα τοῦτο, ποτὲ δὲ κυανοῦν, ἐνίοτε δὲ τὸ τῆς ἰσάτιδος, ὅπερ ἐστὶ φαιότερον τοῦ τῆς κράμβης. πρόσεχε τοίνυν καὶ σὺ τῷ χρώματι τῶν χολῶν, ὅταν σκευάζῃς φάρμακον ἐν ᾧ καὶ χολῆς τι περιέχεται.

[28] Le substantif a à la fois le sens de « vert-de-gris, rouille », et a un homonyme ou bien un autre sens, celui de « poison ».

[29] *Méthode thérapeutique*, I, 7 (Kühn X, 62) : ἕπεται γὰρ ἐξ ἀνάγκης ταύτῃ κατὰ φύσιν μὲν ἐχούσῃ κατὰ φύσιν ἐνεργεῖν, ἐξισταμένῃ δὲ τοῦ κατὰ φύσιν εὐθὺς καὶ τὴν ἐνέργειαν εἰς τὸ παρὰ φύσιν ἐκτρέπειν.

[30] Par exemple, à propos du sang, qu'il faut arrêter en cas d'hémorragie. Une plaie ouverte doit être refermée et le sang doit être détourné et refoulé : *Méthode thérapeutique*, V, 3 (Kühn X, 314) στεγνώσαντες μὲν τὸ ἐρρωγὸς, ἐκτρέψαντες δὲ καὶ ἀποστρέψαντες ἑτέρωσε τὸ δι' αὐτοῦ φερόμενον, ὡς εἴ γε καὶ τοῦτ' ἐπιρρέοι.

Ainsi, dans le traité *De la bile noire*, le teint peut-il perdre sa *teinte* (ἀχροία), il s'altère et s'assombrit jusqu'à même « virer au plus foncé » πρὸς τὸ μελάντερον ἐκτρεπόμενος, en particulier lorsque la rate ou le foie sont en mauvais état : « La rate, lorsqu'elle est longuement atteinte, soit par une inflammation soit par un squirre, soit par une atonie, provoque une pâleur sur tout le corps et le rend plus noir »[31].

La rate, lorsqu'elle fonctionne mal sur une durée trop longue, soit sous l'effet d'une inflammation, soit sous celui d'une induration, soit sous celui d'une absence d'énergie (relâchement fonctionnel), provoque des décolorations du teint sur l'ensemble du corps (ἀχροίας ἐργάζεται κατὰ πᾶν τὸ σῶμα) en le faisant virer vers du plus noir (πρὸς τὸ μελάντερον ἐκτρεπόμενος). Cet « assombrissement » du teint est directement dû à l'altération de l'humeur produite par la rate dont les fonctions sont elles-mêmes altérées. La variation du teint est la manifestation de la variation des humeurs.

L'humeur, en « virant » de couleur, vire simultanément de qualité. Dans un autre passage du même traité de la *Bile noire*, sont développées les différences entre le sang et le phlegme : le sang est généralement « doux » (γλυκύ) et le phlegme neutre, sans qualité (ἄποιον), comme l'eau. Mais si le phlegme vire et perd sa qualité naturelle (ἐκτρεπόμενόν γε τῆς κατὰ φύσιν ποιότητος), au lieu de doux, il devient salé et aigre (ὀξύ), voire « doux » comme le sang : « Le sang semble en général sucré et le phlegme sans qualité, comme l'eau. Mais lorsque ce dernier s'écarte de sa qualité naturelle, il devient non seulement salé, mais aussi acide et acquiert parfois une qualité sucrée »[32].

Tout se passe exactement de la même manière que pour le teint : le teint comme l'humeur virent au point de prendre des qualités qui sont très différentes, voire à l'opposé des leurs. Ces modifications ou plutôt ces altérations des qualités des humeurs et des teintes sont visibles ou bien directement, lorsque les humeurs s'échappent du corps, ou lorsqu'elles « déteignent », si je puis dire, sur la surface du corps. L'altération du teint sur l'ensemble du corps ou de la teinte d'une partie du corps, en particulier de la langue ou des yeux, fait partie des symptômes qui permettent d'identifier l'humeur qui est de qualité anormale et par conséquent quelle partie du corps est atteinte.

« Les signes reconnaissables des lieux affectés se tirent des symptômes, de la lésion de la fonction et de la qualité des excrétions, et encore des tumeurs contre nature, ou des douleurs, ou d'une altération du teint consécutive, soit sur le corps tout entier, soit sur une partie, ou deux, en particulier les yeux et la langue »[33].

---

[31] *Bile noire* 6, 4 (CMG V, 4, 1,1 p. 83 : Kühn V, 127) : κακοπραγῶν ἐν χρόνῳ πλείονι σπλήν, εἴτε διὰ φλεγμονήν, εἴτε διὰ σκίρρον, εἴτε δι' ἀτονίαν ἀχροίας ἐργάζεται κατὰ πᾶν τὸ σῶμα, πρὸς τὸ μελάντερον ἐκτρεπόμενος. Tr. Barras-Morand-Birchler.

[32] *Bile noire* 2, 8 (CMG V, 4, p. 73 : Kühn V, 108) : τοὐπίπαν δὲ τὸ μὲν αἷμα γλυκὺ φαίνεται, τὸ δὲ φλέγμα ἄποιον, καθάπερ ὕδωρ. ἀλλ' ἐκτρεπόμενόν γε τῆς κατὰ φύσιν ποιότητος οὐχ ἁλυκὸν μόνον, ἀλλὰ καὶ ὀξὺ γίνεται, μεταλαμβάνει δέ ποτε καὶ γλυκείας ποιότητος. Tr. Barras-Morand-Birchler.

[33] *Lieux affectés* II, 10 (Kühn VIII, 123) : τὰ γνωρίσματα οὖν τῶν πεπονθότων τόπων ἀπὸ συμπτωμάτων εἰσίν, ἀπό τε τῆς βεβλαμμένης ἐνεργείας καὶ τῆς τῶν ἐκκρινομένων ποιότητος,

Par exemple la langue, si elle est rouge, indique un excès de sang, si elle est blanche, un excès de phlegme, si elle est noire, un excès de bile noire. Le changement de couleur de la langue peut être interprété comme un des symptômes d'une affection du foie : « la couleur[34] de la langue devient pour commencer plus rouge, ensuite elle va jusqu'à noircir »[35].

Couleurs intermédiaires et couleurs « mixtes »

La palette de base de couleurs tranchées et « fondamentales », le blanc, le noir, le rouge et le jaune doré ou blond, n'est pas toujours strictement uniforme. Dans cette palette, certaines couleurs ne portent pas toujours le même nom. C'est le cas du rouge : on peut trouver πυρρόν à la place d'ἐρυθρόν : « On n'attribue pas à une autre perception sensorielle que celle des éléments visibles blanc, noir, jaune vif, rouge feu, jaune pâle, brun / gris, bleu foncé et tous les noms des autres couleurs »[36].

Le terme πυρρόν est appliqué, chez Galien, soit à la teinte d'une partie du corps, comme les cheveux[37], soit à celle des urines, ou d'autres excrétions. Le terme de couleur πυρρόν est ainsi distingué de ἐρυθρόν dans la description des symptômes d'affections pulmonaires graves, avec une toux accompagnée d'expectorations de couleur variable : « Avec la toux ils expectorent des crachats colorés de couleur variée : en effet ils paraissent tantôt rouges, tantôt jaune doré, orangés, écumeux, noirs et livides »[38].

De plus, certaines couleurs « franches », comme le jaune doré ou « blond » ξανθόν de la bile, peuvent avoir des nuances plus claires[39], comme ὠχρόν, « jaune pâle ». Cette coloration de la bile est celle aussi du teint pâle.

ἔτι δὲ τῶν παρὰ φύσιν ὄγκων, ἢ ἀλγημάτων, ἢ ἀχροίας τινὸς ἑπομένης, ἤτοι δι' ὅλου τοῦ σώματος, ἢ καθ' ἕν τι μόριον, ἢ δύο, μάλιστ' ὀφθαλμούς τε καὶ γλώτταν.

[34] Le terme « couleur » χρῶμα — et non celui de « teint » ou de « teinte » — est le seul qui soit utilisé pour la langue, à l'exception d'une seule attestation de « teint » de la langue, τῆς γλώττης χρόα, qui se trouve d'ailleurs dans le *Commentaire aux* Epidémies *d'Hippocrate* V, 14 (Kühn XVII B, 274).

[35] *Lieux affectés*, V, 8 (Kühn VIII, 348) : καὶ τὸ τῆς γλώττης χρῶμα κατ' ἀρχὰς μὲν ἐρυθρότερον γιγνόμενον, ὕστερον δὲ καὶ μελαινόμενον.

[36] *Pronostic par le pouls* III, 6 (Kühn IX, 367) : οὔτ' οὖν ἐπ' ἄλλην φέρουσιν αἴσθησιν τό τε λευκὸν καὶ μέλαν καὶ ξανθὸν καὶ πυρρόν, ὠχρόν τε καὶ φαιὸν καὶ κυανοῦν, ὅσα τ' ἄλλα χρωμάτων ἐστὶν ὀνόματα πλὴν τῶν ὁρατῶν.

[37] Ce qui est très net dans l'*Art médical* VI, 12 (voir V. BOUDON-MILLOT, « La théorie galénique de la vision : couleur du corps et couleur des humeurs », in *Couleurs et vision ... op. cit.* (*supra* note 8), p. 65-75, part. p. 74), mais aussi *Tempéraments* II, 5 (Kühn I, 619), à propos du rapport entre climat et caractéristiques physiques du corps. Ainsi la pilosité est proportionnelle à la dureté du climat : une pilosité plus importante se développera sur un *derme* sec et chaud (par comparaison avec les animaux). Sur un corps plus froid et plus mou, le *derme* sera blanc et le corps sans pilosité σύμπαν τὸ σῶμα ψιλὸν τριχῶν ἁπαλόν τε καὶ λευκὸν τὸ δέρμα et la pilosité tirera sur le roux καὶ ὑπόπυρρον ταῖς θριξί (*Tempéraments* II, 6, Kühn I, 626).

[38] *Lieux affectés* II, 5 (Kühn VIII 121) : ἀναπτύουσί τε μετὰ βηχὸς κεχρωσμένον τὸ πτύελον ἄλλοτ' ἄλλῳ χρώματι · καὶ γὰρ ἐρυθρὸν ἐνίοτε καὶ ξανθὸν καὶ πυρρὸν ἀφρῶδές τε καὶ μέλαν καὶ πελιδνὸν φαίνεται.

[39] Sur l'expression des nuances de couleurs et sur les couleurs indéfinissables, *cf.* Alain BLANC, « Rendre les nuances de couleur en grec », in *Couleurs et vision... op. cit.* (*supra* note 8), p. 11-27.

Il en est de même pour φαιόν, « gris » (ou aussi « brun »), qui est bien une couleur intermédiaire. Cette couleur s'applique d'ailleurs au teint « gris » d'un patient, chez qui elle est un signe de mauvaise santé.

Lorsque les humeurs sont plus abondantes, la coloration du corps est soit plus nettement rouge, s'il y a abondance de sang, soit plus blanche, s'il y a abondance de bile :

> « L'amas de sang est hyper-rouge, celui de bile blonde tire sur le jaunâtre pâle, et lorsque c'est le phlegme qui domine, il vire vers ce qui est plus blanc en s'éloignant de sa couleur naturelle, tout comme c'est vers le plus noir si c'est la bile noire »[40].

Une autre façon de nommer une couleur qui est entre deux couleurs ou qui contient deux couleurs à la fois est d'utiliser un terme composé à partir de deux adjectifs de couleur[41] :

> « S'ils <les vins> sont blancs au début, en vieillissant ils prennent une couleur jaune vif (blonde, dorée), et dans l'intermédiaire deviennent d'abord jaunâtres, puis finalement jaune pâle, et s'ils prennent plus de temps, ils finissent par sembler jaune blond-pâle »[42].

C'est dans ce cas précis que se trouve la seule attestation chez Galien de l'adjectif composé ὠχρόξανθος. La modification par étapes du passage du blanc au « blond doré » ne concerne pas le corps ni les humeurs mais le vin ; le contexte n'a rien à voir avec les couleurs du corps.

Un autre terme composé est utilisé par Galien pour nommer un teint intermédiaire entre ὠχρόν, « jaune pâle » et une autre couleur, le blanc. Un teint plombé (μολιβδῶδες τῆς χροιᾶς) ou bien jaune pâle-blanc (ὀχρώλευκον) peut constituer un signe précurseur de la *mélancholie* : « Tu auras comme signe la coloration plombée du teint ou le jaune pâle-blanc pour l'ensemble plutôt que rouge et le pouls inégal »[43].

Cette teinte est comparée par Galien à celle de l'herbe dans une description des différentes colorations du teint d'un malade qui souffre du foie[44]. L'ensemble du corps (ὅλον τὸ σῶμα γιγνόμενον) peut prendre la teinte blanc pâle-blanc qui ressemble à celle de l'herbe (ὅμοιον ὠχρολεύκοις πόαις) ou une coloration proche du plomb (μολίβδῳ παραπλήσιον ἔχον τὴν χρόαν), ou plus grise (φαιοτέραν) que cette dernière, ou bien d'autres teintes particulières que l'on ne peut nommer[45].

---

[40] *Pléthore* 11 (Kühn VII, 574) : ἐξέρυθρον μὲν γὰρ τὸ τοῦ αἵματος πλῆθός ἐστιν, ὕπωχρον δὲ τὸ τῆς ξανθῆς χολῆς, ἐπὶ δὲ τὸ λευκότερον ἐκτρέπεται τοῦ κατὰ φύσιν, ὅταν τὸ φλέγμα κρατῇ, καθάπερ ἐπὶ τὸ μελάντερον, ἢν ἡ μέλαινα χολή.

[41] Sur les adjectifs composés pour désigner des couleurs, voir A. BLANC *op. cit.* (*supra* note 39), *ibid.*

[42] *Hygiène* IV, 2 (CMG V, 4, 2, p. 145, Kühn VI, 336) : διὸ κἂν πάνυ λευκοὶ κατ' ἀρχὰς ὦσι, παλαιούμενοι προσλαμβάνουσί τινα ξανθότητα, δι' ἣν ὕπωχροι μὲν τὸ πρῶτον, ὕστερον δὲ τελέως ὠχροὶ γίνονται, κἂν ἐπὶ πλεῖστον ἥκωσι χρόνῳ, τελευτῶντες ὠχρόξανθοι φαίνονται.

[43] *Traitement par la saignée* 10 (Kühn XI, 282) : ἕξεις δὲ αὐτῶν γνώρισμα τό τε τῆς χροιᾶς μολιβδῶδες ἢ ὀχρώλευκον ἅπαντά τε μᾶλλον ἢ ἐρυθρὸν, καὶ τὴν τῶν σφυγμῶν ἀνωμαλίαν.

[44] *Lieux affectés*, V, 8 (Kühn VIII, 356) : mauvais fonctionnement du foie, ἐπὶ κακοπραγίαις ἥπατος.

[45] *Lieux affectés*, V, 8 (Kühn VIII, 356) : ἐνίοτε μὲν ὅμοιον ὠχρολεύκοις πόαις ὅλον τὸ σῶμα γιγνόμενον, ἐνίοτε δὲ μολίβδῳ παραπλήσιον ἔχον τὴν χρόαν, ἢ καὶ φαιοτέραν τῆσδε, καί τινας ἄλλας ἀρρήτους ἰδιότητας χρωμάτων.

Les termes composés de ce type sont relativement rarement employés par Galien et, lorsqu'ils le sont, servent à qualifier plutôt une couleur des humeurs qu'une couleur du « teint » ; le mélange de couleurs correspond à un mélange des humeurs. Ainsi un mélange de sang et de phlegme dans les urines donnera une teinte jaune pâle-blanche ou rouge-blanche ou jaune-blond-blanche[46].

Conclusion

Le corps dans les traités galéniques est-il polychrome ? L'expression employée chez Galien pour exprimer la multiplicité des couleurs ἡ ποικιλία τῆς χρόας, « la variété de la teinte », s'applique aux humeurs. Cette variété correspond au mélange des humeurs, comme il le rappelle dans le traité *De la bile noire* :

> « Le fait que toutes les humeurs sont contenues dans les veines et les artères est indiqué par la diversité de couleur et de consistance de ces dernières ; il se manifeste également par ce que nous venons de dire et, outre cela, par ce qu'Hippocrate a écrit dans son traité *De la Nature de l'Homme* »[47].

Les couleurs « de référence » du corps chez Galien correspondent aux humeurs produites par des parties vitales. C'est pourquoi les couleurs sont bien plus que des couleurs perceptibles par la vue, ce sont des manifestations sensibles du vivant : il s'agit de matière vivante chaude ou froide, odorante, aigre ou douce.

Ces couleurs de référence sont des couleurs « selon la nature », c'est-à-dire dans la dépendance directe du fonctionnement « normal » de l'organe qui les produit. Dans la mesure où ce fonctionnement est susceptible de varier et de s'écarter de la normale, les couleurs se transforment. Elles se teintent différemment, et perdent leur couleur naturelle. Ces modifications sont des modifications de *teinte* (μεταβολὴ τῆς χροιᾶς) qui signalent un dysfonctionnement d'une partie interne du corps. Selon l'importance de ce dysfonctionnement, la teinte s'écartera plus ou moins nettement de la couleur naturelle. Le médecin peut alors la qualifier de « mauvaise » parce qu'elle est un mauvais signe de l'état du malade : il y a « bonne teinte » εὐχροία et « mauvaise teinte » δύσχροια ou κακόχροια[48] comme il y a bonne

---

[46] *Commentaire aux* Epidémies *VI d'Hippocrate* (CMG V, 10, 2, p. 25, Kühn XVII A, 835) : ἐὰν μέντοι μιχθῇ τισιν ὀλίγον αἵματος φλέγματι παχεῖ τε καὶ γλίσχρῳ, κατὰ τὴν ἐπικράτειαν ἡ χρόα γίνεται τῶν ὑφισταμένων τοῖς οὔροις ἐνίοτε μὲν οἷον ὠχρόλευκος ἢ ἐρυθρόλευκος ἢ ξανθόλευκος, ἔστι δ᾽ ὅτε καὶ <πυρρά>, συντελοῦντος εἰς τὰς τῶν χρωμάτων διαφορὰς καὶ αὐτοῦ τοῦ κατὰ τὸ αἷμα χρώματος, « si est mélangé un peu de sang au phlegme épais et visqueux, la couleur des urines deviendra parfois jaune pâle-blanc ou rouge-blanc ou jaune blond-blanc et parfois orangée, selon les différences de couleurs et selon la couleur même du sang ».
[47] *De la bile noire* (CMG V, 4, 1, 1 p. 79, Kühn V, 119) : Ὅτι μὲν οὖν ἐν ταῖς φλεψὶ καὶ ταῖς ἀρτηρίαις οἱ χυμοὶ περιέχονται πάντες, ἐνδείκνυται μὲν καὶ ἡ ποικιλία τῆς χρόας τε καὶ τῆς συστάσεως αὐτῶν, δηλοῖ δὲ καὶ τὰ νῦν εἰρημένα καὶ πρὸς τούτοις ὅσα κατὰ τὸ Περὶ φύσεως ἀνθρώπου γέγραπται τῷ < Ἱπποκράτει >. Tr. Barras-Birchler-Morand.
[48] *Bons et mauvais sucs des aliments* 13 (CMG V, 4, 2, p. 429, Kühn VI, 814-815) : οἷς δ᾽ ἡ κακοχυμία μελαγχολικὴ, καρκίνοι καὶ λέπραι καὶ ψῶραι καὶ πυρετοὶ τεταρταῖοι καὶ

mine et mauvaise mine ou bonne et mauvaise couleur des yeux[49]. Ainsi, dans le cas de graves affections du foie, ou d'un dérangement chronique de la rate, la coloration de l'intégralité du corps est « mauvaise » : « pour les maladies du foie il se passe la même chose dans les formes de *mélancholie* chronique avec faiblesse de la rate, avec apparition de coloration mauvaise sur l'ensemble du corps »[50].

L'absence de coloration, ἄχροια, « pâleur du teint », est un autre signe inquiétant de mauvaise santé, par opposition au « bon teint » de la bonne santé[51].

Galien envisage les couleurs du corps dans le prolongement direct de la tradition hippocratique : les couleurs de référence sont celles des humeurs associées aux parties du corps qui les sécrètent. Ces couleurs sont associées à la matière des humeurs dont elles révèlent, pour l'œil exercé du médecin, les qualités fondamentales. En dehors du domaine anatomique et physiologique, Galien peut utiliser des procédés différents pour décrire les couleurs, par exemple tel adjectif composé rare, ou tel adjectif dérivé d'un nom de végétal particulier. Dans tous les cas, couleur et matière sont indissociablement liées. Au changement de couleur correspond une transformation de la matière. Dans la pensée médicale galénique, la polychromie est polymorphie du vivant.

Bibliographie complémentaire :
Claudii Galeni opera omnia, editionem curavit D. Carolus Gottlob Kühn, Lipsiae, in officina C. Cnoblochii, coll. « Medicorum Graecorum opera quae exstant », 1821-1833, 20 vol. [réimpr. : Hildesheim : Olms, 1964-1965 ; reprod. en facsim. Hildesheim : Olms, 1997].

Bile noire
Galeni De propriorum animi cuiuslibet affectuum dignotione et curatione ; De animi cuiuslibet peccatorum dignotione et curatione ; *De atra bile*, edidit Wilko De Boer, Lipsiae / Berolini : Teubner, Corpus Medicorum Graecum [CMG] V 4, 1, 1, 1937.
De la bile noire, introduction, traduction et notes par Vincent Barras, Terpsichore Birchler et Anne-France Morand, Paris : Gallimard, 1998.

μελαγχολίαι κακόχροιαί τε μέλαιναι μετὰ σπληνὸς ὄγκου παραπλησίου, καὶ κιρσοὶ δὲ μέλανες αἱμορροΐδες τε πολλοῖς ἐγένοντο διὰ τοιοῦτον χυμόν.

[49] Les yeux changent de couleur (χρῶμα) ou de teinte (χροιή), précise le texte, selon l'état de santé, *Commentaire aux* Epidémies *VI d'Hippocrate*, V, 28 (Kühn XVII B, 215) : ἐὰν μὲν γὰρ εὐχροῶσιν οἱ ὀφθαλμοί, τὸ <γυῖον> ὑγιεινῶς ἔχειν δηλοῦσι, τουτέστιν ὅλον τὸ σῶμα. κακόχροιαν δέ τινα ἔχοντες καὶ εὐθὺς <αὐ>τὸ πᾶν βεβλάφθαι δηλοῦσι.

[50] *Différences des fièvres* (Kühn VII, 345) : καὶ μὴν καὶ τοῖς ἰκτεριώδεσι παθήμασιν ἀνάλογον αἱ ἐπὶ σπληνὸς ἀρρωστίαι χρόνιαι μελαγχολικαί, καὶ δύσχροιαι περὶ τὸ σύμπαν γίνονται σῶμα.

[51] *Traitement par la saignée*, 6 (Kühn XI, 269) : εὐχροιάν τε καὶ ἄχροιαν.

Bons et mauvais sucs des aliments

Galeni De sanitate tuenda, edidit Konradus Koch ; *De alimentorum facultatibus ; De bonis malisque sucis*, edidit Georgius Helmreich ; *De victu attenuante*, edidit Carolus Kalbfleisch ; *De ptisana*, edidit Otto Hartlich, Lipsiae / Berolini, in aedibus Teubneri, CMG V 4, 2, 1923.

Galeni De propriorum animi cuiuslibet affectuum dignotione et curatione ; De animi cuiuslibet peccatorum dignotione et curatione ; *De atra bile*, edidit Wilko De Boer, Lipsiae / Berolini : Teubner, CMG V 4, 1, 1, 1937.

Commentaire aux Epidémies *d'Hippocrate*

Galeni In Hippocratis Epidemiarum *librum VI commentaria I-VI*, edidit E. Wenkebach ; *commentaria VI-VIII*, in Germanicam linguam transtulit F. Pfaff, edito altera Excerpta a Mose Maimonide e Galeni *Commentariis in Epid.* libr. I, II, III, VI sumpta addiderunt Karl Deichgraeber et Karl-Heinz Deller, Berolini, in aedibus Academiae litterarum, CMG V 10, 2, 2, 1956.

Commentaire à la Nature de l'Homme *d'Hippocrate*

Galeni In Hippocratis de Natura hominis, edidit Ioannes Mewaldt ; *In Hippocratis de Victu acutorum*, edidit Georgius Helmreich ; *De diaeta Hippocratis in morbis acutis*, edidit Joannes Westenberger, Lipsiae / Berolini : Teubner, CMG V 9, 1, 1914.

Hygiène

Galeni De sanitate tuenda, edidit Konradus Koch ; *De alimentorum facultatibus ; De bonis malisque sucis*, edidit Georgius Helmreich ; *De victu attenuante*, edidit Carolus Kalbfleisch ; *De ptisana*, edidit Otto Hartlich, Lipsiae / Berolini, in aedibus Teubneri, CMG V 4, 2, 1923.

Méthode thérapeutique

Galien, *Méthode de traitement*, trad. intégrale du grec et annotation par Jacques Boulogne, Paris : Gallimard, 2009.

Galen, *Method of Medicine*, ed. and transl. by Ian Johnston and Greg H. R. Horsley, Cambridge (Mass.) / London : Harvard UP, The Loeb Classical Library, 2011, 3 vol.

Une sémiologie salernitaine haute en couleurs

Mireille AUSÉCACHE[1]

Entre le XIe et le XIIIe siècle, l'abondante production des *magistri Salerni* qui firent la gloire de « l'École de Salerne »[2] accorde une place très importante à la sémiologie. L'étude des signes de la maladie est indispensable au praticien pour établir diagnostic et pronostic de la pathologie et suivre ainsi les conseils prodigués par Hippocrate au début du traité du *Pronostic* :

> « Pour le médecin, à mon avis, le mieux est de pratiquer le pronostic. En effet en prévoyant et en prédisant, au chevet des malades, le présent, le passé et l'avenir, ainsi qu'en expliquant en détail ce que les patients laissent de côté, il suscitera la conviction qu'il connaît mieux qu'un autre la situation des malades, si bien que les individus accepteront de s'en remettre d'eux-mêmes au médecin »[3].

La littérature sémiologique salernitaine s'illustre notamment dans un grand nombre de traités s'intéressant aux deux indicateurs principaux de la recherche des symptômes : les urines et le pouls[4]. Cependant, les ouvrages de la pratique, les *Practice*, envisagent, quant à eux, l'ensemble des *signa* que le médecin doit prendre en compte dans l'examen clinique du malade. L'observation, le « jugement » des urines[5] et la prise du pouls complètent

---

[1] Docteur de l'École pratique des hautes études [ÉPHÉ] (Paris).

[2] Le terme souvent utilisé d'« École de Salerne » semble inapproprié, car il ne s'agit sans doute pas d'une structure organisée sur le plan institutionnel mais plutôt d'un regroupement d'élèves autour de maîtres réputés pour la valeur de leur enseignement et de leurs écrits. Les traités et surtout les commentaires rédigés à Salerne s'inscrivent dans le cadre d'une philosophie naturelle enrichie des traductions, notamment d'Aristote, effectuées aux XIe et XIIe siècles. *Cf.* Paul Oskar KRISTELLER, « The School of Salerno: its Development and its Contribution to the History of Learning », *Studies in Renaissance Thought and Letters*, I, Rome, 1956, 495-551 ; *Studi sulla Scuola salernitana*, Naples : Istituto Italiano per gli Studi Filosofici, 1986.

[3] Hippocrate, *Pronostic*, ed. Jacques Jouanna, Paris : Les Belles Lettres, CUF, 2013, p. 1-2.

[4] À l'origine de la réflexion salernitaine sur les urines et les pouls se trouvent deux ouvrages d'origine byzantine, le *De urinis* de Théophile et le *De pulsibus* de Philaret qui constituèrent rapidement avec l'*Isagoge Johannitii*, les *Aphorismes* et le *Pronostic* d'Hippocrate un corpus désigné comme *Ars medicine*. Cet ensemble fut élargi (*Tegni* de Galien, *Régime des maladies aiguës* d'Hippocrate) et devint l'*Articella*. *Cf.* Tiziana PESENTI, « Arti e Medicina: la formazione del curriculum medico », in *Luoghi e Metodi di insegnamento nell'Italia Medioevale (sec. XII-XIV), Atti del Convegno Internazionale di Studi, Lecce-Otranto, 6-8 ott. 1986*, dir. Luciano GARGAN e Oronzo LIMONE, Galatina : Congedo, 1989, p. 153-177. Dans le sillage de l'ouvrage de Théophile et de celui d'Isaac Israeli, des grands maîtres salernitains tels Platearius, Maurus, Urso rédigèrent des traités des urines. *Cf.* Laurence MOULINIER-BROGI, *L'uroscopie au Moyen Âge. « Lire dans un verre la nature de l'homme »*, Paris : Honoré Champion, 2012. De la même façon, l'ouvrage de Philaret inspira des traités *De pulsibus* aux maîtres salernitains Alphanus, Musandinus, Salernus…

[5] Notion que l'on retrouve dans le titre du poème de Gilles de Corbeil consacré aux urines, le *De urinarum iudiciis*. *Cf. infra* note 8.

alors un faisceau de signes visibles sur le corps du patient ou obtenus par le questionnement du malade et de son entourage. Là encore la référence se trouve chez Hippocrate, notamment au *Pronostic*, 2, qui décrit le fameux « faciès hippocratique » caractéristique d'une mort imminente :

> « Il faut observer de la façon suivante dans les maladies aiguës: d'abord le visage du malade pour savoir s'il est semblable à celui des gens en bonne santé, et surtout s'il est semblable à lui-même. Ce sera l'état le plus favorable, alors que l'état opposé au semblable est le plus redoutable. Voici quel sera cet état : nez effilé, yeux enfoncés, tempes affaissées, oreilles froides et contractées, lobes des oreilles écartés, peau du front sèche, tendue et aride, teint de l'ensemble du visage jaune ou même noir, livide ou plombé.
>
> Si donc c'est au début de la maladie que le visage présente un tel aspect et qu'il n'est pas possible de faire des conclusions en s'appuyant sur les autres signes, il faut de surcroît interroger pour savoir si par hasard l'individu a souffert d'insomnie, ou s'il a une forte diarrhée, ou s'il est affamé. Et s'il répond par l'affirmative sur l'un de ces points, il faut considérer son état comme moins redoutable. De fait, de tels signes se jugent en un jour et une nuit, si c'est pour ces raisons que son visage présente un tel aspect. À l'inverse, s'il répond non à ces questions et ne recouvre pas un aspect normal dans le laps de temps précédemment indiqué, il faut savoir que c'est là un signe de mort »[6].

Ainsi, le praticien devra-t-il s'attacher à l'ensemble des signes lui permettant de comprendre l'état du malade. À partir de ces observations, les écrits des médecins de Salerne nous transmettent différents types de discours.

Couleurs et examen clinique

Les signes cliniques de la maladie sont présents dans les ouvrages de la pratique, les *Practice* salernitaines, qui ont en commun un même schéma d'exposition présentant les maladies et leur traitement *a capite ad calcem*. Pour chacune des pathologies abordées, l'auteur divise son propos selon le triptyque *causa, signa, cura*. Les *signa* désignent le faisceau d'éléments visibles à prendre en compte et parmi lesquels les manifestations colorées tiennent une place importante. Il s'agit bien sûr de la couleur des urines[7], mais aussi de la teinte de tous les autres écoulements et déjections ainsi que des couleurs « de surface » : visage, yeux, ongles, peau…

Le lexique des *signa* colorés est riche. Même en laissant de côté les vingt couleurs d'urines, force est de reconnaître la recherche lexicographique de certains auteurs en matière de nuances colorées.

Le médecin-poète Gilles de Corbeil[8], porteur enthousiaste des doctrines salernitaines, s'efforce dans tous ses poèmes médicaux de concilier

---

[6] Édition de J. Jouanna (voir *supra* note 3), p. 4-6.
[7] Elle est analysée dans ce volume par Laurence Moulinier.
[8] Gilles de Corbeil, médecin français (*ca.* 1140 - *ca.* 1220), qui commença vraisemblablement ses études à Paris à l'École du Petit-Pont, étudia la médecine à Salerne auprès de maîtres illustres tels Musandinus, Maurus, Matheus Platearius dont il chante les louanges dans ses différents ouvrages. Ayant choisi la poésie didactique comme vecteur de son enseignement, il

les nécessités d'un vocabulaire précis en termes de maladies et de traitements avec les contraintes de la prosodie et de la métrique. Ainsi, un relevé rapide dans le *Viaticum de signis et symptomatibus aegritudinum*[9] montre l'emploi d'un certain nombre de substantifs désignant une couleur[10] et de verbes indiquant un changement de coloration d'une partie du corps du patient[11]. Mais c'est surtout dans le domaine des qualificatifs exprimant les nuances colorées par des adjectifs ou des périphrases que le vocabulaire se diversifie et s'enrichit en se nuançant[12].

Ainsi, par exemple, pour signifier la pâleur le poète peut utiliser les termes *albedo, pallor* et comparer la couleur du visage à celui de la cire, *cera*. Mais il recourt également aux qualificatifs tels *albus, discolor, pallidus* et à des expressions comme *privata colore, spoliata colore, remissus color*. La pâleur progressive est signifiée par les verbes *albeo, palleo, pallesco* et les adjectifs qui en dérivent *albens, albescens, pallens*.

La terminologie désignant les couleurs significatives de certaines maladies est parfois particulièrement évocatrice. C'est le cas de la présentation des caractéristiques de l'ictère. Ainsi trouve-t-on dans la *Practica* de Platearius[13] cette définition : « L'ictère est la transformation de la peau sans déformation. On l'appelle également *morbus regius, aurigeus* ou *arcuatus* parce qu'on dit que la couleur de l'ictère est celle du roitelet, de l'or ou de l'arc-en-ciel »[14].

Il s'agit là de désignations héritées de l'Antiquité, le terme *arquatus* étant le plus ancien, « sûrement antérieur à la deuxième moitié du IIe siècle av. J.-C. », l'évocation de l'arc-en-ciel faisant sans doute référence « à la

---

est l'auteur de quatre poèmes médicaux : *De urinis, De pulsibus,* ed. Ludwig Choulant, *Aegidius Corboliensis Carmina medica,* Leipzig : L. Voss, 1826 ; *De uirtutibus et laudibus compositorum medicaminum,* ed. Mireille Ausécache, Florence : Sismel-Edizioni del Galluzzo, 2017 ; *Viaticum de signis et symptomatibus aegritudinum,* ed. Valentin Rose, Leipzig : Teubner, 1907. Il rédigea également un long poème satirique à l'encontre du clergé, la *Hierapigra ad purgandos prelatos,* encore inédit, extraits dans la monographie de Camille VIEILLARD, *Essai sur la société médicale et religieuse au XIIe siècle. Gilles de Corbeil médecin de Philippe Auguste et chanoine de Notre-Dame, 1140-1224, avec fac-simile de la Hierapigra,* Paris : H. Champion, 1908.

[9] *Cf.* note précédente.

[10] *Albedo, aurum, cera, citrus, crocum, livor, nigredo, pallor, plumbum, rubor, rufedo, viror.*

[11] *Albeo, caligo, coloro, denigro, inpinguo, liveo, livesco, nigresco, nigro, obscuro, obumbro, palleo, pallesco, rubeo, rutilo, vireo.*

[12] *Albens, albescens, albus, ater, aureus, aurigeneus, cereus, citrinus, croceus, discolor, errante colore (vultus), Ethiopes, igneus, ignitus, inopos, intensus (color urine), limpidus, livens, livescens, lividus, niger, nescia coloris, obscurus, pallens, pallescens, pallidus, privata colore (urina), puro colore (sanguis), remissus color, rubescens, rubeus, rubicundus, rufus, rutilans, sanguineus, spoliata colore (urina), subcitrinus, subrufus, terrestris, terreus, virens, viridis, vitellinus.*

[13] *La Practica de Plateario,* Edición crítica, traducción y estudio de Victoria Recio Muñoz, Florence : Sismel-Edizioni del Galluzzo, 2016. La famille Platearius comporte plusieurs médecins, il peut s'agir de Iohannes Platearius également auteur de *Regulae urinarum* publiées par Salvatore De Renzi dans la *Collectio Salernitana,* Naples, 1852-1856, vol. IV, p. 409-412. Sur les problèmes d'identification voir p. 13-14 de l'édition de la *Practica.*

[14] Platearius, *Practica, De yctericia : Yctericia est fedacio cutis absque ipsius inequalitate. Alio nomine dicitur morbus regius vel aurigeus vel arcuatus, eo quod colorem ycteris vel reguli vel auri vel arcus celestis pretendat* (ed. cit. *supra* note 13, p. 636).

mutation chromatique du teint du malade passant de la couleur normale de la santé au jaune »[15]. Si le terme *aurigeus* renvoie clairement à une coloration semblable à celle de l'or, l'appellation de *morbus regius* suscite davantage d'interrogations. Alors que Platearius se réfère à la couleur du roitelet, des auteurs en faisaient auparavant une « maladie des rois », due à des excès alimentaires ou soignée par des remèdes réservés aux plus riches et aux plus délicats[16]. Cependant, nous trouvons également, chez les auteurs salernitains, d'autres termes pour désigner l'ictère. Ainsi, la définition de Maurus[17] dans ses *Regulae urinarum* :

> « L'ictère est la modification générale de la couleur naturelle de la peau en une couleur non naturelle : jaune, verte ou noire. Il en existe trois types : l'ictère jaune *regius morbus*, l'ictère vert ou *agriaca pegmosilontis* ou bien belette agreste, l'ictère noir ou *melanchiron* »[18].

Cette terminologie salernitaine trouve sans doute son origine dans l'ouvrage de Gariopontus[19], le *Passionarius*, dans lequel on peut lire que l'ictère provient « d'un épanchement d'une bile noire dans tout le corps avec une coloration corporelle pâle et noirâtre que les Grecs appellent *melachlon* ». Plus loin l'auteur donne une autre appellation : « cette maladie est appelée par les Grecs *agriaca petriselontas* c'est-à-dire belette agreste et les patients ont les yeux dorés »[20]. Gilles de Corbeil reprend, à sa façon, ces différentes dénominations :

> « Il y a une triple division de l'ictère. Il y a l'*aurigineus* qui colore les membres d'une couleur jaune, l'ictère *agriaca megaleodis* vert et celui dont le nom indique qu'il enlaidit en le noircissant le

[15] Jacques ANDRÉ, « Chronologie des noms latins de trois maladies », *Mémoires du Centre Jean Palerme VIII. Études de médecine romaine*, dir. Guy SABBAH, Saint-Etienne : Publ. de l'Univ., 1988, p. 9-18, part. p. 9-10.

[16] *Ibid.* p. 10.

[17] La mort de ce médecin qualifié d'*optimus phisicus* est enregistrée dans le nécrologe de Saint Matthieu de Salerne en 1214. Son œuvre est importante notamment en matière de sémiologie fondée surtout sur l'examen des urines. Il est également l'auteur d'un commentaire à l'*Ars medica* de 6 textes. *Cf.* Laurence MOULINIER, « La science des urines de Maurus de Salerne et les *Sinthomata magistri Mauri* inédits », in *La Scuola Medica Salernitana. Gli autori e i testi*, dir. Danielle JACQUART e Agostino PARAVICINI BAGLIANI, Florence : Sismel-Edizioni del Galluzzo, 2007, p. 261-281.

[18] *Ictericia est universalis permutatio naturalis coloris cutis in non naturalem colorem, ut in croceum, viridem, vel nigrum. Cujus tres sunt species : 1. Crocea ycteritia 2. Viridis icteritia, seu agriaca pegmosilontis, vel agrestis mustela 3. Nigra ycteritia seu melanchiron. Regulae urinarum magistri Mauri*, ed. Salvatore De Renzi, *Collectio Salernitana*, vol. III, repr. Naples : M. d'Auria, 2001, p. 2-51, part. p. 39-40.

[19] Ce médecin actif à Salerne au XIe siècle rédigea son *Passionarius* en rassemblant des ouvrages d'auteurs plus anciens tels Galien, Caelius Aurelianus, Esculapius, Alexandre de Tralles. Cette œuvre, transmise par plus de 65 manuscrits, eut une grande influence sur les maîtres de Salerne. *Cf.* Florence Eliza GLAZE, « Gariopontus and the Salernitans : Textual Traditions in the Eleventh and Twelfth Centuries », in *La Collectio Salernitana di Salvatore De Renzi*, dir. Danielle JACQUART e Agostino PARAVICINI BAGLIANI, Florence : Sismel-Edizioni del Galluzzo, 2008, p. 149-190.

[20] Cologny, Fondation Martin Bodmer, *Cod.* Bodmer 177, p. 131-132 (http://www.e-codices.unifr.ch/fr/list/one/fmb/cb-0177), Élisabeth PELLEGRIN, *Manuscrits latins de la Bodmeriana*, Cologny-Genève : Fondation Martin Bodmer, 1982, p. 420.

corps, semblable à un Ethiopien à la peau noire, l'ictère *melanchiros* »[21].

Cependant, le meilleur signe pour identifier chaque type d'ictère, au-delà de l'examen clinique du malade, passe par l'observation de ses urines dont la couleur donnera de précieuses indications au médecin. Selon Maurus :
« On reconnaîtra les différentes sortes d'ictère grâce à l'urine. En effet, l'urine rousse ou sous-rousse, rouge ou sous-rouge, rubiconde ou sous-rubiconde, à la substance moyennement légère ou ténue, ou bien moyennement épaisse, avec une abondante écume jaune en surface indique un ictère jaune. Avec une écume verte, il s'agit d'un ictère vert. L'urine de couleur rouge vineux, d'une substance épaisse avec de l'écume noire en surface est l'indication d'un ictère noir »[22].

On a ici une rapide illustration de la richesse du vocabulaire désignant les différentes couleurs d'urines, avec une volonté de précision pour en établir toutes les nuances[23]. Il s'agit là d'indications strictement sémiologiques, le type de coloration servant à désigner plus précisément la maladie. Mais ces différentes appellations correspondent également à l'origine de l'affection, à la cause du mal, cause que le praticien se doit de bien connaître afin de soigner efficacement son patient. La thérapie nécessite que l'approche nosographique soit complétée par une interrogation étiologique sur le point de départ de l'affection[24].

Humeurs et couleurs

Reprenons le cas de l'ictère. Si les exemples précédents désignent uniquement les caractéristiques cliniques des différents aspects de la maladie, nous trouvons chez Platearius une présentation associant signes colorés et origine de l'affection : « L'ictère se présente sous trois aspects :

---

[21] *Viaticum de signis, Ycterici species : Continet ictericum triplex divisio morbum. | est aurigineus croceo qui membra colore | inficit, est viridis agriaca migaleodis, | ex re nomen habens deformes denigrat artus | Ethiopem simulans cum pelle melanchiros atra* (ed. cit. *supra* 8, p. 54-55, v. 1312-1316). Les difficultés de compréhension et de transmission des termes grecs sont à l'origine de bien des variantes, voir la note de V. Rose.

[22] Maurus, *Regulae urinarum* (ed. cit. *supra* note 18, p. 40) : *Hec autem species yctericie per urinam significantur. Urina igitur in colore rufa vel subrufa, rubea vel subrubea, rubicunda vel subrubicunda, in substantia mediocriter tenuis vel mediocris, vel mediocriter spissa, cum multa spuma crocea superius, croceam significat ycteritiam. Cum spuma viridi, viridem significat ycteritiam. Urina in colore inopos, in substantia spissa cum spuma nigra superius melanchiron significat.*

[23] Voir L. Moulinier, *L'uroscopie ... op. cit.* (*supra* note 4), p. 148-166.

[24] Cette approche s'impose à Salerne sous l'influence des traductions d'ouvrages arabes par Constantin l'Africain (XIᵉ siècle), notamment l'*Isagoge Johannitii*, le *Pantegni* et le *Viaticum*. *Cf.* Danielle JACQUART, Françoise MICHEAU, *La médecine arabe et l'Occident médiéval*, Paris : Maisonneuve & Larose, 1990, p. 96-129 ; Danielle JACQUART, « The Introduction of Arabic Medicine into the West. The Question of Etiology », in *Health, Disease and Healing in Medieval Culture*, Sheila CAMPBELL, Bert HALL et David KLAUSNER (dir.), New York : St Martin's Press, 1992, p. 186-195, repris dans D. JACQUART, *La science médicale occidentale entre deux renaissances (XIIᵉ-XVᵉ s.)*, Aldershot : Brookfield, 1997 (III).

safran due à la bile naturelle, *agriaca pegasilontis* due à la bile verte, *melanchiron* due à l'humeur noire c'est-à-dire à la bile brûlée »[25].

L'origine humorale de la pathologie est ainsi affirmée, les signes visibles de la maladie sont mis en relation avec la couleur de l'humeur responsable du déséquilibre. Et, de fait, chez les auteurs salernitains l'énoncé des signes, notamment colorés, s'accompagne le plus souvent de ce type de mention. Chacune des quatre humeurs présentes dans le corps humain est dotée de qualités premières (chaud, froid, sec, humide) mais aussi d'une ou plusieurs couleurs en fonction des mélanges qui peuvent se produire. Le cadre théorique de ces conceptions se trouve dans l'*Isagoge Iohannitii*, ouvrage transmettant le galénisme sous la forme prise à Alexandrie puis chez les médecins arabes [26]. L'ouvrage définit d'abord les sept « choses naturelles » : éléments, complexions, humeurs, membres, vertus, fonctions, esprits. Chaque humeur y est abordée en termes de qualités premières : « Le sang est chaud et humide, le flegme froid et humide, la bile rouge chaude et sèche, la bile noire froide et sèche »[27]. Mais l'auteur développe surtout plus longuement les différentes sortes de bile. La *colera rubea*, bile rouge d'abord, dont la couleur et donc les effets varient en fonction de l'organe dont elle provient et des mélanges qui peuvent se produire avec d'autres humeurs :

> « Il y a cinq sortes de bile : la bile rouge claire par nature et essence, son origine est le foie. Il y a aussi la bile citrine qui provient d'un mélange de flegme aqueux et de bile rouge, ainsi elle est moins chaude. Il y a la bile couleur de jaune d'œuf, née du mélange de flegme coagulé et de bile rouge clair, elle est moins chaude. La quatrième sorte est la bile verte comme le marrube qui a pour origine l'estomac. Il y a aussi la bile verte comme le vert-de-gris du cuivre et elle brûle comme un venin, elle naît en effet de trop d'échauffement, elle a sa propre chaleur et sa propre nocivité »[28].

---

[25] Platearius, *Practica* (ed. cit. *supra* note 13, p. 636) : *De yctericia* : *Sunt autem tres species yctericie* : *crocea ex colera naturali, agriaca pegasilontis ex colera viridi, melanchiron ex humore nigro, scilicet ex colera adusta.*

[26] Conçu comme une introduction à la *Techne* de Galien, il s'agit d'une traduction, réalisée au XIe siècle par Constantin l'Africain, de fragments de l'œuvre de Hunain ibn Ishaq (*Johannitius*), donnant les définitions essentielles des humeurs, des complexions, des esprits (*pneumata*), des forces ou fonctions, des constituants solides du corps. L'auteur place la médecine dans le sillage de la philosophie naturelle en élaborant une classification des différents objets de l'anatomie, de la physiologie, de la pathologie et de la thérapeutique. L'accent y est également mis sur la recherche des causes, l'appréhension des signes, des facteurs extérieurs qualifiés de « choses non naturelles » (climat, bain, diététique...), ed. Gregor Maurach, « Hunain ibn Ishaq, *Ysagoge Johannitii ad Tegni* », *Sudhoffs Archiv für Geschichte der Medizin*, 62, 1978, p. 148-174. *Cf.* D. JACQUART, « À l'aube de la renaissance médicale des XIe-XIIe siècles : l'*Isagoge Johannitii* et son traducteur », *Bibliothèque de l'École des Chartes*, 144, 1986, p. 209-240, repris dans *La Science médicale..., op. cit.* (*supra* note 24) (I).

[27] *De compositionibus* : *Sanguis calidus est et humidus, flegma frigidum et humidum, colera rubea calida et sicca, colera nigra frigida et sicca* (p. 152).

[28] *De colera rubea* (V *modis*) : *Est colera rubea clara naturaliter et substantialiter, cuius origo ab epate est. Citrina quoque est, cuius exordium est ex compositione aquosi flegmatis et colerae rubeae, ideoque haec est minus calida. Est et colera similis vitellis ovorum, quae nascitur ex commixtione flegmatis coagulati et colerae rubeae clarae, quae est minus calida.*

La bile noire, *colera nigra*, est également présentée dans ses différents aspects :

> « Il y a deux sortes de bile noire : l'une est naturelle, elle est comme la lie du sang et de sa perturbation, elle est de couleur noire, lorsqu'elle se répand à l'extérieur dans la partie inférieure ou supérieure, et elle est vraiment froide et sèche. Une autre sorte est de cause extra-naturelle et son origine vient de la brûlure d'un mélange de biles et elle est véritablement appelée bile noire, elle est plus chaude et plus légère, ayant en elle d'une façon plus intense une agressivité, une nature funeste et pernicieuse »[29].

Ces humeurs colorées interviennent dans la coloration de la peau :

> « La couleur rouge, noire, citrine signale la chaleur dominant le corps, la citrine seule est le signe de la bile rouge, la noire seule marque la bile noire, la rouge seule l'abondance de sang. La couleur blanche, la verdâtre indiquent la froideur mais lorsque la couleur verdâtre vient de la *melancolia* et que la blanche naît du flegme c'est le signe de maladies »[30].

Ainsi, en cas de maladie, les humeurs provoquent par leur propre couleur des signes colorés distinctifs. Dans un style très elliptique, Gilles de Corbeil évoque les humeurs pouvant être à l'origine de la *frenesis* : « le visage rougit ou bien la face citrine présente la nature de la bile, la noirceur envahit le palais »[31]. De la même façon, l'examen attentif, notamment en termes de couleurs, des crachats du malade atteint de *peripleumonia* permet de déterminer le type d'humeur responsable du déclenchement de la maladie :

> « Si le sang ou le flegme est la cause, si une quantité de bile ou de bile noire est la cause ordinaire de la matière nocive, le crachat couvert de sanie sera jaune à cause de la bile, rouge à cause du sang, il exhale une odeur lorsqu'il est livide, il est blanc par la nature du flegme »[32].

Quarto modo est colera viridis, quemadmodum prasium cuius origo est magis a stomacho. Est etiam colera viridis, quemadmodum aeris aerugo et urit ad modum veneni, nascitur enim ex nimia adustione, quae proprium habet calorem propriamque malitiam (p. 152).

[29] *De colera nigra (II modis) : Uno modo est naturalis in modum faecis sanguinis et eiusdem perturbationis, et cognoscitur esse a coloribus nigris, cum inferius vel superius extra manat, et iste modus veraciter est frigidus et siccus. Est et alius modus extra naturalem causam et origo eius est de adustione colericae commixtionis, et hic veraciter appelatur niger, i. colera nigra, et est calidior et levior, a superiori modo habens in se impetum et qualitatem pernecabilem et perniciosam* (p. 153).

[30] *De coloribus cutis. Color namque rubeus et niger et citrinus significant calorem dominantem corpori, citrinus solus significat coleram rubeam, niger vero solus coleram nigram, rubeus solus abundantiam sanguinis ; albus namque et glaucus abundantem frigiditatem, sed glaucus ex melancolia, albus ex flegmate sui causas habere designat* (p. 155-156).

[31] Gilles de Corbeil, *Viaticum de signis, signa frenesis : vultus rubet aut citrina recludit / naturam colerae facies, nigredo palatum inficit* (ed. cit. supra note 8, p. 8, v. 152-154). La note de l'éditeur renvoie au *Breviarium* de Iohannes de Sancto Paulo : *nigredo lingue, mutatio coloris cutis in citrinum si ex colera, vel in rubeum si ex sanguine.*

[32] *Ibid. de peripleumonia signis : Si sanguis vel flegma nocet, si felleus agger / aut colerae nigrae cumulus sit causa nocivae / materiae mediocris, erit sputum saniosum / ex colera*

Cependant, le praticien doit également tenir compte des « causes non naturelles »[33] qui ont, elles aussi, leur part dans l'origine de la maladie et de ses manifestations sémiologiques, notamment colorées :

> « Si la chaleur est à l'origine de la maladie le visage rougit, la couleur de l'urine que des petits grains colorent, est semblable à celle de l'or et est éclatante, une vapeur brûlante dessèche le nez et un écoulement nuisible écorche la chair sous l'effet d'une chaleur douloureuse. À ce sujet, la saison, le mode de vie, le lieu, la complexion peuvent susciter le doute. Le sang en abondance enfle les vaisseaux, teinte les yeux d'une ardeur rouge, imprègne la langue d'une saveur douce. Le sang teinte de rouge les déjections, prépare au battement l'artère molle. La soif, le visage desséché, l'amertume dans la bouche, un écoulement ténu et rouge de sang, le pouls rapide d'artères durcies annoncent l'action violente de la bile »[34].

Le diagnostic et l'acte thérapeutique s'appuient donc sur l'examen clinique et la recherche des causes de la maladie. Mais au-delà des nécessités de la pratique la médecine salernitaine est marquée par la recherche d'une compréhension plus approfondie du fonctionnement du corps humain.

Explications d'ordre physiologique

Certains auteurs salernitains, tout en étant des praticiens, entendent mener une réflexion plus poussée. Dès lors, les considérations sémiologiques, nosographiques et étiologiques se complètent de réflexions plus théoriques[35]. Ainsi, comme Platearius avant lui, Maurus met-il en relation les différentes couleurs de l'ictère avec les modifications de l'état de la bile, humeur qui est toujours à l'origine de cette maladie. Mais il explique également comment se fait la coloration de la peau sous l'effet du mélange des différents types de bile avec le sang qui « nourrit les membres » :

> « L'ictère jaune est dû à la bile naturelle existant dans son propre équilibre. L'ictère vert vient de la bile couleur de poireau. L'ictère noir est provoqué par la bile brûlée. Quel que soit le type de bile, naturelle, verte ou brûlée, elle est essentiellement mélangée au sang qui est transmis pour la nourriture des membres. Ainsi la bile par

---

croceum, rubeum de sanguine, livens / felle nigro redolet, natura flegmatis albet (ed. cit. supra note 8, p. 35, v. 845-849).

[33] Il s'agit également d'une notion présente dans l'*Isagoge Johannitii* qui range au nombre des « choses non naturelles » l'air, les saisons, les vents, les lieux, l'exercice, l'oisiveté, le sommeil, l'alimentation, les accidents de l'âme... Cf. ed. cit. supra note 26, p. 157-160.

[34] Gilles de Corbeil, *Viaticum de signis et symptomatibus aegritudinum. De coriza cause cum signis* : *Si calor in causa est, rubet os, color aemulus auri / urinae rutilat quam grana minuta colorant, / exurit nares vapor igneus atque nocivus / egrediens humor pungenti caumate carnem / excoriat. Super hoc dubium proscribere possunt / tempora vita locus complexio. Sanguis habundans / vasa tumere facit, oculos ardore ruboris / infundit, linguam reficit dulcore. Rubentem / inpinguat sanguis faecem, succingit ad ictum / arteriam mollem. Sitis, arens vultus, amarum / os, tenuis faex ignea sanguinis, inpiger ictus / arteriae durae coleram saevire fatentur* (ed. cit. supra note 8, p. 27, v. 626-637).

[35] Cf. D. JACQUART, « *Theorica* et *practica* dans l'enseignement de la médecine à Salerne au XIIᵉ siècle » in *Vocabulaire des écoles et des méthodes d'enseignement au Moyen Âge*, dir. Olga WEIJERS, Turnhout : Brepols, 1992, p. 102-110 ; repris dans D. JACQUART, *La science médicale ..., op. cit.* (*supra* note 24) (VII).

sa violence change la nature du sang alors que le sang ne peut modifier celle de la bile. Ce qui est pur dans le sang est incorporé, le reste impur à cause de la bile se dépose sous la peau et l'imprègne en la modifiant selon sa nature et c'est ainsi qu'il y a différentes sortes d'ictères »[36].

C'est surtout dans le cadre de commentaires aux œuvres canoniques constituant l'*Ars medicine* que s'exprime cette orientation vers un discours plus théorique[37]. Le commentaire magistral est un outil pédagogique destiné à permettre le passage du versant pratique de la médecine à des considérations plus abstraites. Cette démarche s'appuie alors sur les traductions récentes d'ouvrages d'Aristote tel le *De generatione et corruptione* traduit par Burgundio de Pise[38]. Concernant la sémiologie, le commentaire au *Pronostic* d'Hippocrate donne aux auteurs salernitains l'occasion de s'interroger sur les *signa* colorés. Prenons l'exemple du *Pronostic* IX qui présente cette observation et mise en garde : « Si, en plus de cette lourdeur, les ongles et les doigts deviennent livides, il faut s'attendre à la mort dans l'immédiat »[39]. Observons maintenant deux commentaires de ce passage, ceux d'Archimattheus[40] et de Maurus.

Archimattheus glose le *Pronostic* IX, à partir du lemme suivant : « Si une couleur livide mélangée à du vert atteint les ongles et les doigts, tu ne peux douter de l'issue mortelle », axiome qu'il explique ainsi :

« Hippocrate établit un pronostic à partir de la couleur des ongles. Les ongles en effet sont faits à partir d'une fumosité venant du cœur et dissoute par les esprits et qui est envoyée par la continuité des

---

[36] Maurus, *Regulae urinarum* (ed. cit. *supra* note 18, p. 40) : *Crocea ycteritia fit de colera naturali existente in fine sue temperantie. Viridis icteritia fit de colera prassina. Nigra icteritia fit de colera adusta. Quarum quelibet sic habet fieri : dum enim colera naturalis existens in fine sue temperantie sive prassina sive adusta, substantialiter admiscetur sanguini, qui sanguis ad nutrimentum membrorum transmittitur : unde ipsa colera sui violentia potius immutat naturam sanguinis quam sanguis coleram valeat immutare. Id quod purum est ex eo sanguine incorporatur, reliquum in impurorum ipsa colera cuti subponatur, quam secundum se inficit et immutat, et sic diverse sunt species ycteritie.*

[37] Paul Oskar KRISTELLER, « Bartholomaeus, Musandinus and Maurus of Salerno and other early commentators of the "Articella", with a tentative list of texts and manuscripts », *Italia Medioevale e Umanistica*, 19, 1976, p. 57-87, repr. in *Studies in Renaissance Thought and Letters*, III, Rome, 1993, p. 403-429 ; Mark D. JORDAN, « Medicine as Science in the Early Commentaries on *Johannitius* », *Traditio*, 43, 1987, p. 121-145.

[38] D. JACQUART, « Aristotelian Thought in Salerno », in Peter DRONKE (dir.), *A History of Twelfth-Century Western Philosophy*, Cambridge : University Press, 1988, p. 407-428 ; « Médecine et philosophie naturelle à Salerne au XIIᵉ siècle », in *Salerno nel XII secolo. Istituzioni, società, cultura*, dir. Paolo DELOGU e Paolo PEDUTO, Salerne, 2004, p. 399-405.

[39] Ed. J. Jouanna, p. 25.

[40] Archimattheus, maître salernitain actif dans la seconde moitié du XIIᵉ siècle est considéré par certains comme l'initiateur de la pratique du commentaire à Salerne. Cf. Faith WALLIS, « The *Articella* commentaries of Bartholomaeus of Salerno », in *La Scuola Medica Salernitana, op. cit.* (*supra* note 17), p. 125-164, part. p. 127-128. Giovanni VITOLO, « La Scuola Medica Salernitana come metafora della storia del Mezzogiorno », *ibid.*, p. 535-559, part. p. 542 et p. 552. Nous sont parvenus ses commentaires à l'*Isagoge Johannitii*, aux *Aphorismes* et au *Pronostic* d'Hippocrate, tous trois édités par Hermann Grensemann et mis en ligne : *Erklärungen zur hippokratischen Schrift Prognostikon*, Hambourg, 2002 rev. 2004 ; *Glossae in Isagogas Johannitii*, Hambourg, 2004 ; *Erklärungen zu den hippokratischen Aphorismen*, Hambourg, 2005.

artères jusqu'aux parties extrêmes c'est-à-dire jusqu'aux doigts. Le plus subtil de cette fumosité est consumé par la chaleur ou s'évapore par les pores mais ce qui est plus grossier est retenu, condensé, desséché par l'air extérieur et transformé en essence de l'ongle. Ainsi les ongles témoignent plutôt de la disposition du cœur. Donc, s'il y a une couleur verte sur les ongles, cela dénote un funeste échauffement des esprits, si c'est la couleur livide cela indique la mort qui survient à cause d'un défaut de chaleur dans les esprits et ainsi, en voyant les ongles de cette couleur, tu ne peux douter que la mort est proche »[41].

L'explication passe donc par la nature et l'origine des ongles, « une fumosité dissoute par les esprits » mais dont la partie la plus grossière est condensée et transformée en ongles. Ces « esprits » sont les *spiritus* définis dans l'*Isagoge Iohannitii* :

> « Il y a trois esprits : le premier, naturel, vient du foie ; l'esprit vital vient du cœur ; le troisième, l'animal, procède du cerveau. Le premier se diffuse dans tout le corps par les veines qui n'ont pas de pulsations ; le second se trouve dans les artères ; le troisième est présent dans les nerfs »[42].

Si, pour Archimattheus, la couleur livide des ongles est due à un affaiblissement de l'esprit vital, Maurus, quant à lui, interprète différemment cette coloration :

> « Mais en cas de lividité, celle-ci provient du froid qui entraîne un défaut de digestion et ainsi le froid provoquant ce défaut fait sortir de la matière non digérée une humidité aqueuse, comme dans un pressoir. De ce fait la matière non digérée est terrestre et elle imprègne les ongles des doigts d'une couleur livide »[43].

Ce passage fait intervenir différentes notions. La digestion d'abord qui, selon l'*Isagoge* se fait *per caliditatem et humectationem*[44] et qui est donc

---

[41] *Ad Pronostic* IX : *Quod si livor admixtus viridi unguibus digitisque affuerit, mortem adventare non dubitabis. Prognosticatur Ypocras circa colores unguium. Ungues enim fiunt ex fumositate a corde et spiritualibus resoluta, que per arteriarum continuitatem mittitur usque ad extremas partes, sc. usque ad digitos, quod autem subtilius est de illa fumositate, aut calore consumitur aut per poros evaporat, quod vero grossius, retinetur, condensatur et ab exteriori aere desiccatur et in ungium essentiam transmutatur. Unde ungues dispositionem cordis potius declarant. Si ergo viridis color sit in unguibus, mala spiritualium denotatur adustio, si lividus, mortem, quod fit ex defectu caloris in spiritualibus, et ideo his visis mortem adventare non dubitabis.* Archimatheus Salernitanus, *Erklärungen zur hippokratischen Schrift* Prognostikon, *Nach der Handschrift Trier Bischöfliches Priesterseminar 76*, ed. H. Grensemann, 2002, http://www.uke.uni-hamburg.de/institute/geschichte-medizin/index_18229.

[42] *De spiritu. Spiritus igitur tres sunt : primus, naturalis, sumit principium ab epate ; secundus, vitalis, a corde ; tertius, i. animalis, a cerebro. Horum primus in venas, quae non habent pulsum, in totum corpus diffunditur, secundus in arterias, tertius vero in nervos dirigitur* (ed. cit. *supra* note 26, p. 155). Les *spiritus* sont les *pneumata* définis par Galien. *Cf.* Danielle GOUREVITCH, « Les voies de la connaissance : la médecine dans le monde romain », in Mirko D. GRMEK (dir.), *Histoire de la pensée médicale en Occident*, t. 1, *Antiquité et Moyen Âge*, Paris : Seuil, 1995, p. 95-122, part. p. 116.

[43] *Si vero livor : proveniens per frigiditatem operantem indigestionem unde frigiditas operans indigestionem a re indigesta aqueam humiditatem exprimit, ut est videri in torculari, unde terrestris efficitur res indigesta talis res indigesta ungues digitorum inficit secundum livorem* (ed. Morris Harold Saffron, « Maurus of Salerno, Twelfth-Century 'Optimus Physicus', With his Commentary on the *Prognostics* of Hippocrates », *Transactions of the American Philosophical Society*, 62, 1, 1972, p. 34a).

[44] Ed. cit. *supra* note 26, p. 154.

empêchée par le froid[45]. La fonction nutritive d'assimilation des aliments étant assurée par la *virtus naturalis*[46], c'est l'affaiblissement de cette dernière qui provoque un tel déséquilibre. Un autre célèbre maître salernitain, Urso, explique dans son court traité *De coloribus*[47], le lien entre la faiblesse de la vertu nutritive et les symptômes colorés d'une pathologie. Après avoir décrit les couleurs « naturelles » liées à chacune des humeurs, il s'intéresse aux teintes « au-delà de la nature » ou « contre nature », *preter naturam* :

> « La couleur contre nature vient des humeurs à cause d'un défaut des vertus du corps et d'une surabondance d'humeurs. Du fait d'un défaut des vertus, par exemple un affaiblissement de la vertu nutritive comme dans la *leucoflegmantia* dans laquelle la couleur blanche ou livide ou plombée provient de l'abondance d'un phlegme aqueux »[48].

Mais la lecture du traité d'Urso permet également de comprendre le lien entre la matière non digérée qualifiée de « terrestre » et la couleur livide des ongles du malade. En effet, dans le *De coloribus*, Urso lie l'existence des couleurs au mélange des éléments premiers, la terre, l'eau, le feu, l'air. Il explique ainsi : « La couleur noire vient de la terre [...]. De l'eau et de la terre proviennent la couleur glauque, qui est à mi-chemin entre le blanc et le noir [...]. Et de la même manière, leur prédominance, mais inégale, donnera soit la couleur livide, soit la couleur du plomb ou sombre »[49]. Ainsi, la couleur des ongles provient-elle du mélange de la couleur « terrestre », le noir, et de celle d'une « humidité aqueuse », le résultat étant une teinte livide.

Ces exemples montrent le type de raisonnement que la réflexion sur les couleurs du corps, en bonne santé ou malade ont suscité à Salerne au cours du XIIe siècle notamment. La sémiologie a été un terrain fécond pour les auteurs salernitains et ce court survol permet de constater à quel point l'observation des *signa* colorés par les médecins débouche sur des discours de niveau différent. Dans un premier temps, les couleurs des différentes

---

[45] Sur la question de l'assimilation de l'aliment voir Danielle JACQUART, « La nourriture et le corps au Moyen Âge », *Cahiers de Recherches Médiévales*, 13 n° spécial, 2006, p. 259-266.

[46] L'*Isagoge* distingue trois vertus du corps humain : *naturalis, spiritualis, animalis*. Cf. édition Gregor Maurach, p. 153-154.

[47] Cet auteur est surtout réputé pour l'aspect théorique de ses écrits affirmé dans la préface de son œuvre maîtresse *Des mélanges des éléments*, le *De commixtionibus elementorum libellus* (ed. Wolfgang Stürner, Stuttgart, Ernst Klett Verlag, 1976). Il y déplore en effet la faiblesse du nombre d'ouvrages médicaux théoriques en latin, textes qui, de plus, ne vont pas assez loin dans la recherche des lois de la nature : *de theorica paucula inveniuntur in idiomate latino volumina, in quibus rerum nature citra plenum investigantur* (p. 38). C'est également la notion de mélanges des éléments premiers qui sous-tend sa réflexion sur les couleurs.

[48] *Preter naturam vero ex humoribus color innascitur ex defectu virtutum in corpore et ex humorum superhabundantia. Ex defectu virtutum, ut defectu virtutis digestive ut in leucoflegmantia, in qua albus albis fit color ex habundantia aquosi flegmatis vel lividus sive plumbeus* (ed. Lynn Thorndike, « Some Medieval Texts on Colours », *Ambix*, VII, 1959, p. 1-24, part. p. 11-12).

[49] *Ex terra autem fit color color niger* [...]. *Ex aqua enim et terra fit glaucus color, que est medius inter album et nigrum* [...]. *Ex eorum similiter prehabundantia sed non equali fit color lividus sive plumbeus et fuscus. Ibid.* p. 13.

parties du corps d'un patient et de ses sécrétions fournissent de précieuses indications au médecin-praticien. L'attention portée à ces indicateurs chromatiques contribue, comme l'examen des urines et le rythme des pulsations à établir diagnostic et pronostic. Mais ensuite, la recherche des causes de la maladie passe inévitablement par la connaissance des humeurs, de leur action, de leurs qualités parmi lesquelles leur couleur intrinsèque ou modifiée par des mélanges intervient largement. Le médecin passe ainsi de l'examen clinique à une démarche étiologique indispensable au choix du traitement adapté.

Enfin, chez certains auteurs, l'observation des couleurs des *signa* s'accompagne d'une réflexion théorique s'efforçant de trouver des explications d'ordre physiologique aux différentes manifestations colorées observées sur les malades. C'est là une illustration de la volonté, qui se manifeste brillamment à Salerne au cours du XIIe siècle, d'articuler pratique et théorie, de rattacher la médecine à la philosophie naturelle, de passer de l'*ars medica* à la *physica*.

La couleur des urines et la mémoire de l'eau : autour de Michel Savonarole

Laurence MOULINIER-BROGI[1]

Parmi les signes du corps à observer pour évaluer son état de santé ou ses possibilités de guérison, l'aspect du liquide quotidiennement rejeté joue toujours un rôle dans la sémiologie médicale : des urines noires, par exemple, sont un aussi mauvais signe de nos jours qu'au temps d'Hippocrate. Mais l'observation du fluide recueilli est bien moins importante, dans la mesure où analyse chimique et imagerie médicale permettent désormais d'accéder aux dysfonctionnements qui se jouent à l'intérieur de l'organisme. Il n'en était évidemment pas ainsi dans l'Antiquité, ni au Moyen Âge qui nous retient plus particulièrement : faute de pouvoir lire à l'intérieur du corps, on interprétait ce qu'offrait sa surface, d'une part, mais aussi tout ce qu'il évacuait, d'autre part. Forts de l'idée que les fluides circulant sous la peau transmettaient des informations sur l'état de santé pour qui savait les lire, les médecins anciens faisaient véritablement œuvres d'herméneutes : en sortant, les fluides se paraient non seulement d'une existence sensible mais aussi d'une signification possible sous le regard d'un observateur qualifié. Parmi eux, l'urine, souvent appelée « eau du corps » par euphémisme, était le plus trivial, et son inspection était à l'origine un des éléments de l'examen clinique parmi d'autres, un des paradigmes de la sémiologie en vigueur.

Or avec le Byzantin Théophile, un auteur que l'on connaît et situe mal, soit au VIIe soit au IXe siècle, l'uroscopie se mua en méthode de diagnostic centrale[2]. Déterminé à combler les lacunes de ses prédécesseurs en matière de science des urines, Théophile composa un *Peri ouron* qui eut d'emblée une grande influence sur la médecine byzantine et arabe ; puis, après que ce traité eut été traduit en latin au XIe siècle, la médecine occidentale aussi demanda à l'examen du liquide de plus en plus d'informations, non plus seulement sur les fièvres, le foie ou les voies urinaires mais sur l'état de santé du corps tout entier. L'analyse, essentiellement visuelle, des urines, en vint à jouer un rôle clé dans la consultation médicale du Moyen Âge, et la lecture du fluide recueilli se mua en acte interprétatif par excellence de la médecine d'alors.

Un des critères de jugement se mit à prendre de plus en plus d'importance, à savoir la couleur, à laquelle on prêtait une signification relative aux qualités élémentaires et aux humeurs, car on imaginait trois digestions consécutives dans le corps, et donc la production de trois superfluités : aux différentes étapes du processus de coction que l'on pensait

---

[1] Professeur d'Histoire du Moyen Âge, Université Lumière Lyon 2, UMR 5648 (CIHAM).
[2] Voir récemment *Il De urinis di Teofilo Protospatario. Centralità di un segno clinico*, ed. Luciana R. Angeletti, Berenice Cavarra, Valentina Gazzaniga, Rome : Univ. Sapienza, 2009.

à l'œuvre dans le corps, les humeurs étaient différenciées, et le degré de cuisson était rendu manifeste par la couleur de la substance ainsi « cuite » : l'urine étant censée naître de la seconde digestion dans le foie, et si ce dernier n'avait pas assez de chaleur, par exemple, l'urine serait blanche. La couleur, résultante du mélange des humeurs, était ainsi un premier indice sur l'état des pouvoirs digestifs du corps, à laquelle s'ajoutaient d'autres clés.

L'uroscopie qui s'épanouit en Occident entre le XIIe et le XVe siècle ne fut pas aussi figée que peuvent le donner à croire le hiératisme ou les invariants de l'iconographie qui parfois l'accompagne : tout au long de la période, certains médecins questionnèrent les conceptions physiologiques à la base de la science des urines, le nombre et la dénomination des teintes que le fluide pouvait revêtir, voire la valeur de signe fiable de ce dernier critère de jugement. Pour donner un aperçu de ces interrogations ou remises en cause, et dans la mesure où nous nous sommes déjà abondamment exprimée ailleurs à ce sujet[3], c'est le médecin padouan Michel Savonarole († *ca* 1466) qui nous retiendra ici, car son œuvre subsume une longue évolution de la sémiologie médicale : en prenant sa *Practica* pour fil rouge, on envisagera tour à tour la question du nombre et de la dénomination des couleurs, avant d'aborder les potentialités de ce critère de ce jugement mais aussi ses limites. On verra pour finir que les doutes suscités par le rôle dévolu à la couleur dans l'examen de l'urine n'empêchèrent pas les esprits les plus critiques d'appuyer leurs jugements sur cette évidence sensible jusqu'à la fin de la période.

Couleurs et dénomination

Une gamme canonique des teintes de l'urine se fixa entre XIIe et XIIIe siècle en un nombre oscillant entre dix-neuf et vingt, la couleur noire pouvant avoir deux valences, selon qu'elle était précédée de la couleur verte ou de la nuance livide, et l'œuvre de Maurus de Salerne (†1214) reflète bien l'implantation de ce nuancier dans le paysage uroscopique à la toute fin du XIIe siècle :

> « Le blanc est comme l'eau claire, le lacté est comme le sérum du lait, le glauque est comme une corne blanche brillante, le *karopos* est comme la couleur des poils des chameaux, le pâle est comme le jus d'une viande à moitié cuite, le sous-pâle est le même en moins soutenu, le citrine est comme la couleur du citron, le citrine pâle est le même en moins soutenu, le roux est comme la couleur du meilleur or, le roussâtre est le même en moins soutenu, le rouge est comme la couleur du sang, le rougeâtre est le même en moins soutenu, le rubicond est comme la couleur du safran, le vermeil (« rubicond pâle ») est le même en moins soutenu, l'*inopos* est comme un vin trouble, tourné et noir, le *kyanos* est comme la couleur de la poudre qu'on obtient en mélangeant le blanc et le noir, le vert est comme la

---

[3] Tout risque de redites n'étant pas écarté, on me permettra de renvoyer d'emblée et pour plus de détails à L. MOULINIER-BROGI, *L'uroscopie au Moyen Âge. « Lire dans un verre la nature de l'homme »,* Paris : Honoré Champion, 2012.

couleur du chou ou du poireau, le livide est comme le plomb, le noir est comme une corne noire et brillante »[4].

Or cette gamme ne satisfaisait pas tous les médecins et certains cherchèrent à l'améliorer, comme Pierleone da Spoleto (m. 1492), qui estimait pour sa part qu'il y avait 42 variétés d'urines. Pierleone constitue certes un cas extrême par sa complexification du nuancier ; mais, sans aller aussi loin que lui dans sa remise en cause de l'ordre établi en matière d'uroscopie, Michel Savonarole reconnaissait que le nombre des couleurs de l'urine était supérieur à vingt, tout en jugeant leur énumération très fastidieuse, et peu utile à la pratique[5].

Malgré sa réticence, il n'en dresse pas moins à son tour une intéressante liste[6], qui appelle plusieurs remarques. On note d'abord que, sous sa plume, sous l'influence d'Avicenne et de sa distinction entre couleurs simples et couleurs composées, certaines couleurs sont ici subdivisées, comme le *citrinus*, dont il existe deux types, le *viridis*, qui connaît cinq subdivisions, cinq *species*, ou le *niger*, qui peut offrir deux visages.

On y remarque ensuite un traitement tout personnel des mots grecs dont la science des urines avait enrichi la langue latine. Entendons par là que, comme on l'a dit, l'uroscopie est née à Byzance, et qu'avec la traduction du *Peri ouron* en latin, la science des urines a d'une part fourni à la langue latine un nouvel adjectif, *subcitrinus*, « citrine pâle », et d'autre part introduit des mots grecs pour lesquels le latin manquait d'un équivalent exact. La langue latine prit de fait tels quels trois termes à Théophile, soit faute d'équivalent, comme pour *inopos*, « rouge vineux », ou *k/charopos*, « gris cendré », soit parce que le mot avait dans la langue source un autre type d'emploi, comme *kyanos*, « rouge tirant sur le bleu, pourpre ». Et ces trois termes laissés intacts lors du passage du grec au latin résistèrent parfois aussi à l'entreprise des traducteurs de latin en vulgaire. Ainsi, dans le *Liber uricrisiarum* composé en 1379 par le dominicain Henry Daniel, ouvrage consistant en une traduction des écrits d'uroscopie d'Isaac Israeli, la majorité des dénominations ont été gardées en latin ou en grec, deux noms de couleurs seulement ayant été rendus en anglais, « bla », et « whyte »[7].

---

[4] Maurus Salernitanus, *Regulae urinarum*, ed. S. De Renzi, *Collectio salernitana*, 5 vols, Naples, 1854-1859, III, p. 2-51, p. 6 (notre traduction) : *Albus est sicut aqua clara, Lacteus est sicut serum lactis, Glaucus est sicut cornu lucidum album* […], *Karopos est sicut color pilorum camelorum, Pallidus est sicut succus carnis semicocte, Subpallidus idem remissus, Citrinus est sicut color citri, Subcitrinus idem remissus, Ruffus est sicut color op[t]imi auri, Subruffus idem remissus, Rubeus est sicut color sanguinis, Subrubeus idem remissus, Rubicundus est sicut color croci, Subrubicundus idem remissus, Inopos est sicut vinum perturbatum, marcidum et nigrum, Kyanos est sicut color pulveris qui fit ex albo et nigro colore, Viridis est sicut color cauli vel porri, Lividus est sicut plumbum, Niger est sicut cornu lucidum nigrum.*

[5] Michel Savonarole, *De urinis summa*, dans *Practica canonica de febribus Io. Michaelis Savonarole, eiusdem de pulsibus, urinis, egestionibus, vermibus, balneis*, Venise, 1552, p. 661 : *Et sic patet, quod omnes colores urinae notati medii cum extremis sunt XXVI. Et licet ita sit, tamen plures reperiuntur, vel plures reperi possunt colores inter hos mediantes, quorum numeratio esset nimirum fastidiosa, et ad practicam non multum necessaria.*

[6] Voir notre annexe.

[7] Voir l'édition de Tess Tavormina et Ruth Harvey, à paraître à Toronto : University Press.

Savonarole, pour sa part, dans le long extrait cité en annexe, prend soin de signaler que certains appellent *kiano* la couleur *rubeus pulverulentus*, qu'il décrit comme celle du sang putréfié, et que la nuance de gris exprimée par *karopos* a pour équivalent « beretin » dans le vulgaire padouan du XVe siècle. Il omet en revanche la couleur *inopos*.

Enfin, la liste de Savonarole appelle quelques remarques quant aux comparants employés. Pour expliciter les nuances, les auteurs recouraient de fait à des comparaisons, qui étaient elles-mêmes le reflet de conditions géographiques et linguistiques précises, et le comparant renvoyait souvent à des réalités concrètes et particulières — et en cela, nous ne différons guère de nos ancêtres médiévaux comme l'a rappelé récemment Michel Pastoureau :

> « Nous tombons le plus souvent sur une phrase du type : Rouge (adjectif) : qui est de la couleur du sang, qui est de la couleur du feu ». [...] Mais que dire d'autre, à part nommer des objets, des éléments naturels ou des êtres vivants de cette couleur ? »[8].

Quoi qu'il en soit, le caractère subjectif des comparants est patent dans la liste de Maurus de Salerne citée plus haut : « soutenu », *intensus*, ou « moins soutenu », *remissus*, ne sauraient être appréciés de la même façon par tous les individus, et ce constat vaut pour des comparants comme une corne de telle ou telle teinte, un vin trouble et gâté, sans parler des poils de chameaux, qui ne se trouvent pas sous toutes les latitudes. Comment être sûr, de même, dans le nuancier de Savonarole, de la teinte correspondant à des châtaignes pas tout à fait mûres, à un sang parfait ou à une cerise douce et mûre ? Mais outre l'espace, le temps est à prendre en compte : lorsque Savonarole entreprend à son tour de donner des explications sur les couleurs des urines, il reprend certes nombre de comparants traditionnels, tout en introduisant de nouveaux ou en proposant des synonymes : *glaucus* est rapporté à la cornée de l'œil et *lividus* non seulement au bleu consécutif à un coup mais aussi au tracé de la mine de plomb sur le parchemin ; il mentionne les équivalents vulgaires, *beretin* ou *kiano* pour expliquer respectivement *karopos* et *rubeus pulverulentus*, et à propos du *rubeus roseus*, il précise que cette couleur est également dite *cremisino*, « cochenille » ; en outre, pour expliquer *citrinus*, *rufus*, *igneus* ou *rubeus clarus*, il fait appel à des réalités qui ne pouvaient être aussi familières à tous ses contemporains ou prédécesseurs, comme l'orange, la cerise, le safran ou l'écarlate.

Couleurs et classification

Par ailleurs, par contraste avec le haut Moyen Âge, les traités d'uroscopie qui fleurirent en latin à partir du XIIe siècle assignèrent aux couleurs des urines un nouveau rôle, celui de principe classificateur à l'origine d'un nouvel ordre. En effet, plus l'urine eut tendance à être considérée comme métonymique du corps souffrant, plus la distinction des couleurs du fluide revêtit d'importance, jusqu'à commander le plan et

---

[8] Michel PASTOUREAU, *Une couleur ne vient jamais seule. Journal chromatique 2012-2016*, Paris : Seuil, 2017, p. 172.

l'économie interne des traités d'uroscopie : une illustration parmi d'autres en est fournie par la *Summa medicinalis* de Gautier Agilon, un auteur actif probablement dans la première moitié du XIIIe siècle, et à qui l'on doit plusieurs écrits sur les urines. Dans sa *Summa* ou *Practica*, Gautier Agilon, tout en suivant un plan inspiré d'Avicenne, range les maladies selon les couleurs de l'urine et non *de capite ad calcem* : autant dire que l'urine pouvait jouer désormais un rôle de principe ordonnateur en matière de nosologie. La gamme des urines était généralement déclinée d'*urina alba* à *urina nigra*, et Albert de Montpellier, auteur d'un *De urinis* conservé dans plusieurs manuscrits du XVe siècle, est un des rares à envisager d'abord l'urine noire. Il se singularise aussi par son choix de réunir certaines teintes en un même chapitre, réduisant ainsi à dix le nombre des notices qui, chez la plupart de ses homologues, oscillait entre dix-neuf et vingt[9].

Bien que leur perception des couleurs ne fût pas la même que la nôtre — la perception, une notion relevant du culturel, et non la vision, de l'ordre du biologique[10] —, les hommes du Moyen Âge disposaient eux aussi d'une échelle linéaire menant du blanc au noir, mais la valeur intermédiaire entre ces deux pôles était le rouge. Cette échelle fut également questionnée par des esprits épris de recherche comme Savonarole ou Pierleone, mais pas pour autant remise en cause. Savonarole, au chapitre II de son *De urinis*, évoque cette gamme des couleurs en rappelant quelles sont les extrêmes, quelles sont les médianes, quelles sont celles qui ont plusieurs degrés[11] ; conscient aussi qu'il peut y avoir débat, ou *dubia*, notamment à cause des subdivisions supplémentaires introduites par *remissus* et *intensus*, par exemple, il annonce qu'il ne va énumérer que les couleurs les plus fameuses telles qu'il les a toujours comprises[12] ; il invoque l'autorité de son maître Antonio Cermisone († 1441) pour affirmer que le rouge est médian, intermédiaire, par son équidistance avec les deux extrêmes[13], puis déclare une fois de plus vouloir laisser le sujet aux théoriciens[14]. Quant à Pierleone qui tenta, on l'a dit, de raffiner et d'élargir la gamme des couleurs de ses devanciers, il n'en tombe

---

[9] Voir le ms. Firenze, Biblioteca Medicea Laurenziana, Ashb. 217, f. 25 : *Cap. 1 de colore nigro ; Cap. 2 de livido colore ; Cap. 3 de colore albo ; Cap. 4 de urina exiens / existens in colore glauco ; Cap. 5 de urina pallida ; Cap. 6 de urina existente in colore citrino ; Cap. 7 de colore in urina ruffo vel subruffo ; Cap. 8 de urina exiens in colore rubeo ; Cap. 9 de urina existens in colore inopos et kianos ; Cap. 10 de urina existens in colore viridi.*

[10] Sur cette vaste thématique, voir Michel PASTOUREAU, *Couleurs, images, symboles. Études d'histoire et d'anthropologie*, Paris : Le Léopard d'or, 1989.

[11] *De urinis*, dans *Practica canonica Michaelis Savonarole*, p. 661 : *Sunt namque ex ei duo extremi, albus et niger. Suntque medii lacteus, glaucus, karopos, subpallidus, palearis, dictus citrinus primo modo ; citrinus qui est metrum, ut supra ; citrinus intensionis citrinitatis, qui est talis in tertio loco, ut supra ; flavus, rufus, citrangularis, igneus, croceus, rubeus clarus, rubeus roseus, rubeus obscurus, rubeus pulverulentus, viridis, phisticalis, aeruginosus, indicus, porralis, lividus. Et sic albus habet gradus. Ita niger, ut niger, qui tendit ad zallum ; niger qui tendit ad obscurum, et niger qui tendit ad viride. Et sic patet quod omnes colores urine notati medii, scilicet cum extremis, sunt XXVI.*

[12] *Ibidem*, p. 660 : *Sed disputationes omittens inutiles, eos dinumerabo quos magis famosos semper intellexi.*

[13] *Ibid.*, p. 660 : *Et expressit Cermisonus colorem rubeum inter extrema propter aequidistantiam esse medium.*

[14] *Ibidem* : *Sed hac bene in se habent dubia, qua theoricis relinquo.*

pas moins d'accord avec lui en affirmant : « la couleur noire se dirige vers l'autre extrême en passant par des couleurs intermédiaires jusqu'au pur milieu qui est le roux, ou la couleur roussâtre, et de là il continue vers l'autre extrême »[15].

Extension du domaine de l'interprétation

Rappelons à présent que l'importance herméneutique des couleurs de l'urine entre XIIe et XVe siècle en Occident se retrouve dans des domaines mineurs de la sémiologie médicale, l'hématoscopie, et, dans une moindre mesure, la coproscopie.

L'inspection du sang recueilli lors de la saignée, ou hématoscopie[16], se développa en Occident à partir du XIIe siècle, et dès cette époque le critère de la couleur du fluide permettait notamment de poser un pronostic fatal[17]. Le chirurgien Henri de Mondeville († 1320) est un de ceux qui s'y intéressèrent, et il décrit un examen du sang qui comportait théoriquement trois moments. Au moment de la saignée, on évaluait la consistance, l'odeur et le goût du sang frais, mais aussi sa couleur et la façon dont il coulait ; on le laissait ensuite reposer quelque peu pour analyser la manière dont il se comportait dans la cuvette avant de coaguler ; enfin, on examinait le sang coagulé, et Mondeville évoque ce dernier moment en convoquant toute une gamme de couleurs[18], non sans émettre des réserves sur l'objectivité du critère de la couleur :

---

[15] Pierleone da Spoleto, *De urinis*, cité par Maike Rotzoll, *Pierleone da Spoleto : Vita e opere di un medico del Rinascimento*, Florence : Olschki, 2000, p. 78 : *Ad alterum extremorum color niger transitus fiat per colores intermedios usque ad simpliciter medium, quod est ruffus, aut subruffus color, et ab eo procedendo versus alterum extremum.*

[16] Voir à ce sujet la synthèse de Friedrich LENHARDT, *Blutschau. Untersuchungen zur Entwicklung der Hämatoskopie*, Wurzbourg : Wellm, 1986.

[17] Voir Pseudo-Roger, *Phlebotomia : Cum homo sanguinem minuit, et si habuerit sanguinem rubicundum et in medio guttam albam, periculum proximum mortis significat. Si sanguis fuerit niger et habuerit fecem aliquam in medio, periculum significat. Si sanguis vulnerosus fuerit et albus, et guttas habuerit rubeas, vitae longitudinem significat* (ed. Romuald Czarnecki, *Ein Aderlaßtraktat angeblich des Roger von Salerno samt einem lateinischen und einem griechischen Texte zur « Phlebotomia Hippocratis »*, Leipzig, Med. Diss., 1919, p. 12) ; Richardus Anglicus : *Guttam unam de sanguine alicuius infunde in aqua. Si integra remanserit in illo anno non morietur si cito dissolvatur timendum est* (ed. Hermann Seyfert, *Die Flebotomia Richardi Anglici*, Leipzig, Med. Diss., 1924, cité par Fr. LENHARDT, *Blutschau* (*op. cit. supra* note 16), p. 23) ; et, dans une toute autre aire culturelle, un des traités attribués à Hildegarde de Bingen († 1179) : *Homo autem, cuius sanguis de vena emissus turbidum colorem [habet], ut halitus hominis est, et qui inter colorem illum nigras maculas habet et in circuitu suo, id est in ambitu, quasi cerosus est, cito morietur, nisi deus restituat eum ad vitam* (*Beate Hildegardis Cause et cure*, ed. L. Moulinier, Berlin : Akademie Verlag, 2003, p. 164).

[18] Voir Henri de Mondeville, *Cyrurgia*, ed. Julius L. Pagel, Berlin : August Hirschwald, 1892, tract. III, doctr. I, ch. III, p. 375-376 (tr. fr. Edouard Nicaise, *Chirurgie de Maître Henri de Mondeville (1306-1320)*, Paris : Baillière, 1893, p. 547 : « Le sang rosé, roux près des bords du récipient, rouge, pur de couleur, marque la prédominance du sang sur les autres humeurs. Le sang faible de couleur, blanchâtre, pâle, indique la prédominance du flegme et une petite quantité de sang, de la crudité et de l'indigestion. Cette blancheur flegmatique est ou pure ou de couleur d'albumine d'œuf ; elle indique alors une complexion humide flegmatique pure ;

« Les chirurgiens et les médecins les plus habiles et les plus
expérimentés sont généralement en désaccord sur deux points à
propos du jugement du sang : l'un juge qu'il est roux, l'autre dit qu'il
est roussâtre, et ainsi de toutes les teintes. En second lieu, je dis que
même s'ils sont d'accord sur les couleurs, ils diffèrent souvent sur le
jugement à porter sur la bonne ou mauvaise qualité du sang, car le
sang blanc que l'un juge être brûlé, l'autre le juge non digéré,
flegmatique et cru ; aussi comme il arrive souvent pour les urines, dès
qu'un médecin avisé a examiné un sang, il ordonne aussitôt de le jeter,
disant qu'il n'est plus bon à rien, de peur que par hasard il ne
survienne quelque autre médecin qui juge au contraire de ce qu'il a
dit »[19].

Sa *Chirurgie*, comme après lui celle de Guy de Chauliac († 1368), atteste
donc d'une part que le nuancier du sang était riche[20], et d'autre part que
l'interprétation de certaines teintes requérait le concours d'autres signes, tels
la substance ou l'odeur, voire la saveur[21]. Une couleur n'était pas univoque,
comme le dit Guy de Chauliac en fournissant ces précisions à propos du sang
tirant vers le blanc :

« Et il faut considérer avec attention dans toutes les couleurs
tendant vers la blancheur, si une telle couleur provient de la dernière
digestion ou d'adustion, car, si la disposition du corps est exténuée, et
s'il y a eu auparavant des fièvres, des angoisses et des peines, et si la
couleur du corps est quasiment citrine, et si l'urine est ténue et subtile,
alors une telle blancheur provient de l'adustion, et les patients sont
disposés à des maladies mélancoliques »[22].

L'examen du sang eut une diffusion limitée, pour des raisons diverses.
Garder le sang tiré de la saignée pour ensuite le regarder à loisir posait des
problèmes d'ordre sanitaire, la législation urbaine considérant le sang
prélevé lors de la saignée comme une source de pollution, et pouvait
également prêter le flanc à des soupçons d'emploi magiques ou alchimiques.
Grosso modo, on peut dire que c'est en cas de soupçon de lèpre que son
examen fut prôné unanimement par médecins et chirurgiens à partir du XIIe
siècle, qui considéraient comme dirimant non pas tant la couleur du sang

---

ou bien elle est mélangée d'un peu de verdeur jusqu'à avoir à peu près la couleur de l'étain ;
elle indique alors la froideur et l'humidité mêlées d'un peu de mélancolie », etc).

[19] Henri de Mondeville, tr. cit. *supra* note 18, p. 554.

[20] Voir par exemple *Guigonis de Caulhiaco Inventarium seu Chirurgia magna*, ed. Michael R.
Mc Vaugh et Margaret S. Ogden, 2 vol., Leyde : Brill, 1997, VII, 1, 1, p. 399 : *Color niger et
viridis, cinerosus et pavonicus, est malus... Color autem seposus aliquando significat
frigiditatem, aliquando adhustionem, ut dicunt, etc.*

[21] Voir Henri de Mondeville, *Cyrurgia*, tract. III, doct. I, ch. III (tr. Ed. Nicaise p. 550-551 : «
la portion du sang qui se trouve immédiatement sous cette couenne […] se juge de quatre
manières : par sa substance […]. le bon sang se reconnaît encore à la couleur […] On le
reconnaît par la saveur […]. Ce qui a été dit de la saveur s'applique à l'odeur »).

[22] Henri de Mondeville, *Cyrurgia*, ed. cit. *supra* note 18, cap. III, doctr. I, tract. III, p. 376 : *Et
est attente considerandum in omnibus coloribus ad albedinem attendentibus, utrum scilicet
talis color veniat propter ultimam digestionem vel adustionem, quoniam, si dispositio corporis
est extenuata, et febris praecesserit et angustiae et labores, et color corporis sit quasi citrinus
et urina tenuis et subtilis : tunc talis albedo provenit ex adustione et patientes ad morbos
melancholicos sunt parati.*

recueilli que son aspect et sa consistance[23] ; mais cette question ne retient pas Savonarole dans sa *Practica*, alors qu'il détaille longuement les renseignements que l'on pouvait tirer de l'examen des déjections quant à la santé du corps.

Le signe le plus sûr ?

On pouvait de fait tenter d'interpréter le corps en observant non plus l'urine ou le sang, mais les fèces[24], et les témoins de la survie de ce mode d'inspection depuis l'Antiquité sont nombreux : à la fin du Moyen Âge, traités vernaculaires, textes tournant en dérision l'examen des *secreta* mais aussi *questiones* scolastiques issues des commentaires au *Pronostic* et aux *Aphorismes* d'Hippocrate en témoignent tous à leur manière. C'est ainsi qu'au XVe siècle, la question de la signification à donner aux déjections selon leur couleur est traitée en détails tant dans les *Sermones* de Niccolò Falcucci († *ca* 1412) que dans la *Practica* de Michel Savonarole.

Certes, comme le dit ce dernier dans sa *dubitatio* cherchant à savoir quel est, des fèces ou des urines, le signe le plus fiable, non seulement on a davantage de signes dans l'urine, avec l'hypostase, la couleur, la substance, et autres *contenta*, mais en outre, l'examen des fèces est fastidieux pour le regard comme pour l'odorat[25]. Il y consacre toutefois de longues pages, parvenant à établir de subtiles nuances quant aux significations revêtues par les couleurs des *egestiones* : *egestio nigra qualis sanguis, egestiones rubeae, ut carnis lotura, egestio colorem igneum habens, egestiones citrinae, egestiones aeruginosae, egestiones virulentas, egestiones [quae] apparent alba*, etc.

---

[23] Voir par exemple la *Phlebotomia* attribuée à Maurus : *Post modum sanguis est lucidus in panno lineo in aqua currente melius et sepe torqueatur cum diutissime. Inspiciendus etiam est sanguis, si aliquid quasi caro alba appareat in panno, detractetur inter manus, utrum strideat, an non*, ed. Rudolf Buerschaper, *Ein bisher unbekanntes Aderlasstraktat des Salernitaner Arztes Maurus*, Leipzig, Med. Diss., 1919, p. 26 ; Jean de Saint-Amand, *Concordanciae* (*Revocativum memoriae*), fin XIIIe siècle : *Si sit unctuosus, significat aut lepram futuram aut nimiam pinguedinem ; lepram, quia unctuositas fit in sanguine ex calore : forti ipsum in unctuositatem convertendo, quae adurit sanguinem et lepram facit vel faciet*, cité par Fr. LENHARDT, *Blutschau...* (*op. cit. supra* note 16), p. 25) ; Theodoric († 1298), *Chirurgia* : *si tria grana salis ponuntur super sanguinem patientis, statim resol ventur... si accipiatur sanguis et fricetur in vola manus et strideat vel nimis sit unctuosus*, Chirurgia, f. 178r, cité par François-Olivier TOUATI, *Maladie et société au Moyen Âge, La lèpre, les lépreux et les léproseries dans la province ecclésiastique de Sens jusqu'au milieu du XIVe siècle*, Bruxelles : De Boeck Université, 1998, p. 133 ; ou encore Bernard de Gordon, *De phlebotomia* (1307) : *et si inveniantur corpora arenosa, terrea, nigra, aspera, stridentia, malum, quoniam adustio et lepram significatur*, De phlebotomia in *Bernardi Gordoni opus, Lilium Medicinae inscriptum*, Lyon, 1574, p. 667-727, part. p. 711.

[24] Sur cette question, voir par exemple Franz KNOEDLER, "De egestionibus" *Texte und Untersuchungen zur spätmittelalterlichen Koproskopie*, Wurzbourg : Pattensen, 1979.

[25] *Michaelis Savonarole de urinis summa...*, ed. cit. *supra* note 5, p. 727, dubitatio II, et *si queratur, quod est certius signum, an a stercoribus an ab urinis* : [...] *Item ab urina plurima signa habemus sumpta ab hypostasi, colore, substantia, et aliis contentis. Item urina plus consideratur, et melius, quam stercora, quoniam visu et odoratu sunt fastidiosa*, etc.

Il reprend la distinction d'Avicenne entre couleurs simples et couleurs composées[26], et l'on retrouve sous sa plume à propos des excréments le même genre d'intéressantes notations sur la couleur verte et ses ambiguïtés qu'à propos des urines[27]. Jusqu'où, en effet, la couleur était-elle un critère fiable pour apprécier les processus cachés à l'intérieur du corps ? Dans quelle mesure le fluide n'en était-il pas une mémoire déformée ? La question de la fiabilité de la couleur avait été abordée par Avicenne au livre II de son *Canon*, et Michel Savonarole, dans ses *Dubitationes de urinis*, remet à son tour en cause plusieurs principes établis, notamment le fait que la couleur verte soit causée par le froid. « L'expérience nous montre, explique-t-il, qu'au printemps, sous l'effet de la chaleur accrue du soleil, les plantes et les herbes deviennent vertes, et que si, en hiver, les eaux des étangs deviennent vertes, elles n'ont pas la même couleur qu'en été ». Il rappelle donc qu'on ne peut parler d'*une* couleur verte causée soit par une chaleur brûlante soit par un froid intense, mais qu'il faut considérer *deux* verts, l'un, plus intense, dû à la chaleur, et l'autre, moins soutenu et tendant vers la blancheur, causé par le froid[28], et met en garde les médecins sur les possibilités d'erreur. Selon lui, la *significatio* principale à tirer des urines concernait la disposition du foie : le jugement tiré de l'urine n'était donc pas *efficax*, selon ses propres termes, et il importait de considérer d'autres signes, sous peine d'être facilement berné[29].

Étendant ces doutes à l'examen des fèces, Savonarole écrit que de nombreux médecins, croyant que toute couleur verte signifie que la bile est

---

[26] Voir la façon dont il met fin à son exposé sur les couleurs simples dans la *rubrica* VIII de son *De egestionibus* avant de se pencher sur les couleurs composées, à commencer par le *criteus*, dans sa *rubrica* IX, p. 761 : *Et de coloribus egestionum simplicium volo ut in praesentiarum haec vobis sufficiant. [...]. Rub. IX, de signis demonstrativis et prognosticis a coloribus compositis citreo, scilicet et terreo, sumptis.*

[27] *Michaelis Savonarole de egestionibus*, ed. cit. *supra* note 24, p. 755 : *Et hic adverte, quod color viridis quandoque in egestionibus apparens, frigiditatem enuntiat, ut in pueris et algoratis frequenter apparet ; et est viridis porralis, et medicus per alia signa frigiditatis iudicium deponere potest ; nam hae absque foetore est et c. lege Avi. 2. Canon. 3. Cap. Item advertatur in quo medici non raro decipiuntur, credentes omnem colorem sic viridem choleram significare prassinam. Quoniam, ut inquit Avic. allegato cap. de humoribus, cum autem aduritur vitellina, scilicet adustio in ea efficit nigredinem, ex qua cum citrinitate mixta generatur viriditas ; nam horum duorum colorum conmixtio medium viridem constituunt, sicut faciunt pictores ex indico et auripigmento commixtis.*

[28] *Michaelis Savonarole de urinis summa...*, ed. cit. *supra* note 5, p. 728 : *Dubitatio IIII, utrum color viridis causetur a frigido : nam supra de colore viridi dictum est. Quandoque calore adurente, quandoque frigido mortificante causari posse et est expresse textus Avic. Sed differunt in hoc quod viridis a calido causatus, est magis intensus, a frigido vero, magis remissus, ad albedinem tendens, et quod dictum est patet experientia. Videmus enim tempore veris fortificato calore solis, ad bonum intellectum virescunt plante et herbe. Et in tempore hyemali aquae stagni virides fiunt, que non sunt tales tempore aestatis.*

[29] *Michaelis Savonarole de urinis summa...*, ed. cit. *supra* note 5, p. 655 : *Significatio ab urina sumpta est principaliter de dispositione hepatis, et maxime gibbi eius enuntiativa, secundo de dispositionibus venarum, tertio et minus principaliter super porositates membrorum, et ex consequenti super membra [...]. ex quibus infertur quod judicium sumptum ab urina, et specialiter de ceteris membris ad hepate, est non efficax. Et ideo oportet alia signa considerare, nec facile ex urina quis decipiatur.* Il a la même formule dans son *De febribus* : *ipsa ex se non est signum efficax* (*Practica canonica...*, ed. cit. *supra* note 5, p. 147).

elle-même *prassina*, couleur émeraude, sont souvent trompés. Et l'on retrouve ici les distinguos introduits par l'*Isagoge* de Iohannitius, œuvre de Hunain ibn Ishaq traduite par Constantin l'Africain au XIe siècle qui servait de texte introductif à l'*ars medicine*, entre cinq sortes de bile rouge : l'une, claire ou pure par nature et chaude par substance, ayant son origine dans le foie ; une bile « citrine », née du mélange du flegme aqueux et de la bile rouge pure, et moins chaude ; une bile semblable à un jaune d'œuf, *vitellina*, née du mélange de flegme coagulé et de bile rouge et claire, moins chaude elle aussi ; une bile couleur *prassina*, ayant pour origine plutôt l'estomac que le foie ; et une autre couleur vert-de-gris, *eruginosa*, née d'une adustion excessive et brûlant à la manière d'un poison[30].

S'appuyant sur Avicenne, Savonarole explique que quand la *vitellina* est brûlée, l'adustion produit en elle de la noirceur qui, mélangée avec la couleur citrine, *citrinitas*, engendre la verdeur. Et d'ajouter une précision fort intéressante qui renvoie à la manière dont les artistes obtiennent eux-mêmes leurs propres couleurs : « Le mélange de ces deux couleurs, explique-t-il, forme un vert médian, comme les peintres en mélangeant l'indigo et l'orpiment »[31].

Une telle incursion dans le monde de l'art et de la fabrication des couleurs n'est pas isolée : à propos de la couleur composée *criteus*, par exemple, Savonarole explique qu'elle vient d'un mélange de noir, de blanc, et de *croceus*, le blanc étant dominant, suivi ensuite par le noir, puis par le *croceus*, bien qu'il y en entre moins dans la composition. « C'est ce qui est démontré », poursuit-il, « par les murs sur lesquels les peintres ont mélangé du blanc, du noir et du *croceus*, et où le blanc domine dans la masse »[32].

Comme à propos des urines, enfin, est prise en compte l'existence de substances capables de colorer les excréments et de fausser le jugement, telle la *cassia*[33]. Savonarole s'appuie à cette occasion sur le *Conciliator* de Pietro d'Abano († *ca* 1316), autre médecin padouan, plus précisément sur un récit

---

[30] Rappelons que selon ce texte fondamental pour les études de médecine il existait cinq sortes de flegme, cinq sortes de bile rouge et deux de bile noire. Voir l'édition du texte donnée par Gregor Maurach, « Hunain ibn Ishaq, *Ysagoge Johannitii ad Tegni* », *Sudhoffs Archiv für Geschichte der Medizin*, 62, 1978, p. 148-174, et Danielle JACQUART, « À l'aube de la renaissance médicale des XIe-XIIe siècles : L'*Isagoge Johannitii* et son traducteur », *Bibliothèque de l'École des Chartes*, 144, 1986, p. 209-40. Une édition de 1505 environ (Johannitius, *Isagoge*, in *Liber Ysagoge Iohannici, Ad thegni Galieni, cum libro Philareti de pulsibus et libro Theophili de urinis*, ff. a ii-b iiii), a été numérisée et mise en ligne par la BIUM dans la collection Medic@.

[31] *Practica canonica, de digestivis*, ed. cit. *supra* note 5, p. 58 : *nam ex admixtione nigri cum citrino generatur color viridis, ut patet ex colore indici cum auripigmento, ut faciunt pictores.*

[32] *Practica canonica..., de egestionibus*, ed. cit. *supra* note 5, p. 762 : *criteus enim color permixtione nigri, albi et crocei, fit albo dominante, subdominante nigro ; et amplius croceo, cum de eo minor in compositione quantitas fit. Hic enim color sic demonstratur in parietibus a pictoribus ex permixtione albi, nigri, et crocei albo dominante in massa*, etc.

[33] *Ibidem*, p. 758 : *egestio autem nigra quae talis est, aut ratione nutrimenti tingentis, ut cassiae, aut ratione potus evacuantis humorem melancholicum non est verenda, sed in casu laudanda et de hoc colore nigro sic in egestionibus apparente dicit Conciliator differentia 84 lividus et niger mortificationem denotant, calidam adustionem, vel choleram adustam, vel pravam choleram nigram : secundum tamen plus et minus, cuius quidem pessima extat significatio, nisi excretur paulative fortasse et primo theoricae.*

de cas montrant que la couleur noire des *egestiones* a pu dans certains cas être le signe avant coureur d'une mort rapide, mais pas toujours : « J'en ai vu certains », dit Pietro d'Abano rapporté par Savonarole, « dont les excréments noirs sont devenus citrins au bout de deux jours, et qui ont été libérés de leur mal. D'où une mise en garde aux médecins : garde-toi d'un pronostic trop rapide ! »[34].

En guise de conclusion

Les trois méthodes de lecture du corps que l'on a évoquées ne connurent pas le même essor, quoi qu'en eût par exemple un Coluccio Salutati († 1406), qui, dans une de ses charges contre la médecine, mettait sur le même plan trois procédés diagnostics, uroscopie, hématoscopie et coproscopie :

> « À quoi bon parler des immondices, violents pour l'odorat, hideux à voir, révoltants pour l'estomac, à travers lesquels passe cette observation du corps humain qui est la vôtre, soit lors de l'examen des urines, soit lors du jugement du sang corrompu ou de l'inspection des déjections qui vous est si nécessaire ? »[35].

L'humaniste achoppait sur l'objet de la médecine, son *subjectum*, à savoir le corps humain et ses déjections, mais l'idée n'était pas nouvelle : un texte aussi représentatif de la médecine salernitaine à son apogée que le *Flos medicinae scholae Salerni* consacrait un chapitre aux « *semiotica stercoris* », tout en présentant l'examen des selles comme un des désagréments auxquels exposait quotidiennement l'exercice de la médecine, *medici incommoda*[36]. Le thème fut largement repris jusqu'à Agrippa de Nettesheim (1486-1535)[37] ou Rabelais[38] et, pour des raisons olfactives évidentes, la sémiologie stercoraire ne jouit jamais de la même faveur que d'autres méthodes de diagnostic ou de pronostic. C'est donc bien l'examen de l'eau du corps qui fait figure d'horizon le plus vaste quant au lien à établir entre couleurs et significations à propos des processus internes de l'organisme, même chez les médecins les plus conscients de ses limites. Car, on l'a vu, en dépit de nombreux doutes, réserves, ou débats qu'il rapporte, Savonarole, tout en reconnaissant que la *substantia* par exemple, est un signe plus sûr, sacrifie longuement à la question des couleurs du fluide. Force de la tradition ? Écho

---

[34] *Ibid.* : *Vidi quoque quosdam eorum hanc egerentes, et post duos dies citrina facta est egestio paulatim, et a morbo liberati sunt : et ideo, medice, cave tibi a repentina pronosticatione.*

[35] *Quid referam immundicias, olfactu graves, aspectu fedas, et toleratur stomachosas per quas transit hec vestra consideratio corporis humani, vel urinarum procedit examen, vel sanguinis corrupti iudicium, et ipsius egeriei necessaria vobis inspectio ?*, cité par L. THORNDIKE, « Medicine *versus* Law at Florence », in *ID.*, *Science and Thought in the Fifteenth Century*, New York : Columbia Univ. Press, 1929, p. 24-58, p. 27.

[36] *Collectio salernitana*, ed. cit. *supra* note 4, I, p. 102 : *stercus et urina medico sunt fercula prima.*

[37] Voir son *De incertitudine et vanitate scientiarum declamatio invectiva*, traduit par Louis Turquet de Mayerne (*Déclamation sur l'incertitude, vanité et abus des sciences*, Paris, 1582).

[38] Voir *Pantagruel*, III, ch. XXV, où Panurge reçoit le surnom de « Maschemerde » dans l'altercation qui l'oppose au médecin Rondibilis.

d'un débat entre Anciens et Modernes ? Le Padouan qualifie de fait l'intérêt pour la *substantia* de préoccupation de *moderni*[39], et s'il décide de traiter malgré tout de la couleur de l'urine, c'est qu'elle se manifeste aux sens avant cette même substance, qui ne peut être appréhendée qu'à travers elle.

Annexe
Les couleurs de l'urine selon Michel Savonarole[40]

Albus dicitur, qui aquae, nivi aut crystallo assimilatur.

Lacteus vero, qui sero similis existit, a primo parum distans.

Glaucus autem, qui cornu albo lucido, vel corneae tunicae oculorum huic cornu comparata.

Karopos, qui cinericio colori assimilatur, vel quia vellerum ad albedinem tendentium colori comparatur, et in vulgari nostro dicitur beretin multo chiaro, sive color asini habentis pilos ad albedinem tendentes.

Subpallidus, qui iuri carnium semicoctarum similis existit.

Palearis, qui colori paleae frumenti, ex qua extrahitur de novo granum similatur. Vel ut Rasis 10 Almans. qui colori aquae, in qua decoctae sint paleae. Alii vero colori paleae hordei, sed primas expositiones magis laudo.

Citrinus, qui est paleari intensior assimilatur colori citri, aut pomi citrini, ut supra.

Citrinus, intensioris citrinitatis est, qui est intensior citrino, et est metrum, et assimilatur pomo arancii non valde citrini.

Flavus, qui assimilatur colori castanearum non bene maturarum ; et dicitur castaneatus, et intelligitur de colore castanearum mundatarum a corticibus suis.

Rufus, qui est valde citrinus, tendens ad aliquam albedinem, cuiusmodi est color ceresi dulcis et maturi ; qualis color quandoque reperitur in auro, tendente ad rubedinem, quandoque in pilis leonum, equorum, etc.

Citrangularis, qui colori citri tendentis ad rubedinem, vel valde rubei.

Igneus est color aque zafrani sive crocei multum tinctae.

Croceus est ultimus in citrinitatis intensione, qui capillis croci sive zaferani similatur ; et hic tendit valde ad rubeum.

[p. 662] Postea est rubeus clarus, qui assimilatur rosae rubeae clarae valde, ut est scarlata.

Rubeus roseus, qui assimilatur rosae rubeae, quae est vere rubea cum tendentia ad obscurum, et non multum ; cuiusmodi est color dictus crimisinus et dicitur vere rubea propter albedinem cui inest color rubeus ; nam talis est color temperati corporis, scilicet permixtus ex albo et rubeo.

Rubeus obscurus est, qui assimilatur sanguini perfecto.

Rubeus pulverulentus est, qui assimilatur sanguini putrefacto extracto ex vena, quem alii Kiano appellaverunt. Et dictus est pulverulentus, quia magis ad nigredinem pulveris et grossitiem tendit : unde videtur sicut sanguis, cui commixtus est pulvis.

Viridis color, ut Avic., sub se species habet quemadmodum citrinus, et sunt numero V capiendo species pro gradibus scilicet Physicalis, Aeruginosus, Ircinus, Indicus, Porralis. Physicalis qui colori physicorum assimilatur demptis corticibus. Aeruginosus, qui aerugini aeris assimilatur, et est intensioris viriditatis, quam physicalis. Ircinus, qui colori foliorum lilii dicti ireos : et hic est declinans ad blavium, ut patet. Deinde indicus, cuius

---

[39] *Practica canonica...*, p. 659 : *Et licet pluribus modernorum placuerit prius de substantia, quam de coloribus urinae determinare, tamen quia color ipse prius sensui manifestatur, quam substantia, nec substantia comprehenditur nisi per colorem, hinc de colore agendum* [...].
[40] *Practica canonica...*, p. 661-662.

color assimilatur indico : et hic ad intensiorem blaveitatem declinat. Deinde Porralis qui similis est succo foliorum porri.

Lividus est color, qui remanet in membro, postquam fuit percussum, aut vestigio facto ex ductu plumbi super pergameno. Color etiam lixivii non multum clari, nec multum spissi dicitur etiam lividus.

Ultimo est color niger sub se gradus vel species habens ut albus. Et sunt niger tendens ad zallum sive croceum, ut apparet in icteritia et citrina, ut si commisceremus caliginem cum aqua.

Alius est niger intensa nigredine cum fuscitate : sicut esset commixtio attramenti cum aqua. Alius est niger qui est niger participans viriditate, ut si cum pauco liquore viridi commisceremus indicum.

Ex quibus apparet, quod colores principales sunt quinque, scilicet Albus, Croceus, Rubeus, Viridis et Niger. In quorum medio stat rubeus. Et hoc est quod pater noster Cermisonus dixit ipsum medium per aequidistantiam obtinere. Sunt itaque in numero duo extrema, et tria media principalia ; sed cum ad particulares species sive gradus notos accedimus, reperiuntur in numero XXVI.

« La couleur blanche est ainsi appelée parce qu'elle ressemble à l'eau, à la neige ou à du cristal.

La lactée, qui ressemble au petit-lait, est peu différente de la première.

La glauque est celle qui ressemble à une corne blanche brillante, ou à la tunique cornée des yeux que l'on compare à cette corne.

Karopos est celle qui ressemble à la couleur de la cendre, ou à celle d'une toison tendant vers le blanc, et dans notre vulgaire on l'appelle *beretin* très clair, soit la couleur d'un âne ayant des poils tirant sur le blanc.

La sous-pâle est celle qui est semblable à du bouillon de viandes à moitié cuites.

La couleur de paille est celle qui est semblable à la couleur de la paille de froment qui est nouvelle ou, comme dit Rhazès (*Almansor*, 10), qui est semblable à la couleur de l'eau dans laquelle on a fait cuire de la paille ; selon d'autres, elle est semblable à de la paille d'orge, mais les premières explications me semblent de loin plus louables.

La couleur citrine [du premier degré] est celle qui est plus intense que celle de paille, et elle ressemble à la couleur du cédrat, ou à celle du citron, comme plus haut.

La couleur citrine d'une citrinité plus intense est plus intense que la citrine du premier degré, et c'est une mesure, et elle ressemble à la couleur d'une orange, pas tout à fait jaune.

La couleur jaune qui ressemble à la couleur des châtaignes pas bien mûres, on l'appelle aussi castanée, ce qui doit s'entendre de la couleur des châtaignes mondées de leurs écorces.

La rousse qui est très citrine tend vers quelque blancheur, comme est la couleur des cerises douces et mûres ; cette couleur se trouve parfois dans l'or tirant sur le rouge, et quelquefois dans les poils des lions, des chevaux, etc.

La couleur citrangulaire est la couleur du citron tendant vers le rouge, ou très rouge.

La couleur ignée est semblable à l'eau de safran ou de crocus, très chargée.

La safranée est le dernier degré de la couleur citrine, et elle ressemble aux pistils de safran ou de crocus ; et elle tend beaucoup sur le rouge.

Vient ensuite la rouge claire, qui ressemble à la rose rouge très claire comme est l'écarlate.

La rouge rose est semblable à la rose rouge, qui est véritablement rouge, tirant vers le sombre, mais pas beaucoup ; ce type de couleur est appelé cramoisi, et est dite véritablement rouge à cause du blanc qui est inhérent au rouge ; une telle couleur est celle du corps tempéré et sanguin, c'est-à-dire un mélange de blanc et de rouge.

Le rouge obscur ressemble au sang parfait.

Le rouge pulvérulent est la couleur qui ressemble au sang pourri que l'on tire des veines, et d'autres l'ont appelé *kiano* ; et on l'appelle pulvérulent, parce qu'il tend vers l'épaisseur et la noirceur de la poudre ; il ressemble donc à du sang mêlé à de la poudre.

La couleur verte est de plusieurs sortes, comme celle qu'on appelle citrine. La verte est de cinq sortes, selon Avicenne, en prenant les espèces pour les degrés, à savoir physticale, érugineuse, irrinée, indique, porrale.

La physticale ressemble à la couleur des pistaches dont on a ôté les écorces.

L'érugineuse est semblable à la rouille de cuivre et est d'un vert plus intense que la physticale.

L'irrinée ressemble à la couleur des feuilles de lys qu'on appelle iris, et elle tire sur le bleu.

L'indique, ensuite, dont la couleur est semblable à l'indigo, tend plus sur le bleu que l'irrinée.

Enfin la porrale est semblable au suc des feuilles de poireau.

La couleur livide ressemble à la couleur qui reste sur un membre après qu'il a reçu un coup, ou à celle des traces laissées par une mine de plomb sur un parchemin.

La couleur de la lessive qui n'est ni trop claire ni trop épaisse s'appelle aussi livide.

La couleur noire, enfin, a aussi ses degrés ou espèces, comme le blanc. Ce sont le noir qui tire vers la couleur du safran ou du crocus, comme on voit dans la jaunisse ou dans l'ictère, comme si on y mêlait de la suie avec de l'eau.

Une autre couleur est un noir d'une noirceur intense et obscure, comme si on avait mêlé de l'encre avec de l'eau.

Un autre noir est le noir qui participe aussi de la verdeur, comme si on mêlait de l'indigo avec un peu de liqueur verte.

Il ressort, du dénombrement de toutes ces couleurs, qu'il y en a cinq principales, savoir la blanche, la jaune, la rouge, la verte et la noire, au milieu desquelles est la rouge. Et c'est ce que dit notre père Cermisone, qui obtient cette médiane par équidistance. En termes de nombre de couleurs, on a donc deux couleurs extrêmes et trois moyennes ; mais comme elles ont leurs espèces et degrés particuliers, leur nombre monte jusqu'à vingt-six ».

Les couleurs de la peau dans les commentaires sur l'*Isagoge* de Johannitius (XIIe-XIIIe siècle)

Maaike van der LUGT[1]

Si la couleur de la peau est un fait naturel et si sa vision par l'homme relève de la neurobiologie, la perception et la valorisation de ces couleurs dépendent des codes culturels d'une époque et d'une civilisation donnée. Grâce au travail des anthropologues, des linguistes et des historiens cela n'est plus à démontrer. Étudier les discussions sur la couleur de la peau dans la médecine médiévale n'est donc pas aussi simple qu'il peut le paraître, ne serait-ce que parce que le système médiéval des couleurs ne correspond pas au classement spectral auquel nous sommes habitués aujourd'hui. S'il nous paraît par exemple aller de soi de situer le vert quelque part entre le jaune et le bleu, le Moyen Âge le place entre le noir et le rouge ou à proximité du noir. De même, alors que les savants médiévaux conçoivent, à la suite d'Aristote, une échelle linéaire de couleurs entre le blanc et le noir, c'est le plus souvent le rouge, et non le gris, qui occupe la valeur intermédiaire entre ces extrêmes[2].

Le rapport entre la pigmentation de la peau (la couleur « réelle », pour autant que ce mot ait un sens) et la couleur nommée est, d'autre part, souvent bien complexe. Les termes utilisés peuvent être polysémiques ou d'une interprétation difficile. Qu'est-ce qu'une peau « flave » ou un teint « glauque » ? Même des adjectifs en apparence plus simples, comme « noir » ou « blanc », posent des difficultés. Cela tient en partie à la coexistence, voire à la confusion, dans les sources médicales médiévales, d'au moins deux systèmes de couleur de la peau, l'un et l'autre d'origine gréco-arabe. Un premier modèle que l'on peut qualifier de médical, d'humoral ou de physiognomonique est concentré sur l'individu et limité à l'espace que l'Antiquité avait qualifié d'*oikoumènè* ou de « zone tempérée » ; un second modèle, ethnologique et géographique, prend en compte différents peuples selon la latitude de leur origine (le « climat »). Les termes des couleurs n'ont pas le même sens dans ces deux systèmes et la couleur de la peau n'a pas le même statut ni la même causalité[3].

---

[1] Professeur d'Histoire du Moyen Âge, Université de Versailles Saint-Quentin en Yvelines, DyPaC, EA 2449.

[2] *Cf.* Michel PASTOUREAU, « Vers une histoire sociale des couleurs », dans *Couleurs, images symboles. Études d'histoire et d'anthropologie*, Paris : Léopard d'Or, 1989, p. 9-84, ici p. 16-18. Voir aussi Laurence MOULINIER, *L'uroscopie au Moyen Âge. « Lire dans un verre la nature de l'homme »*, Paris : Champion, 2012, p. 157-158. L'idée d'une échelle des gris n'est cependant pas inconnue au Moyen Âge. Pour un exemple, *cf. infra*.

[3] Pour la peau noire, je me permets de renvoyer à une étude antérieure, Maaike van der LUGT, « La peau noire dans la science médiévale », *Micrologus*, 13, 2005, p. 439-475 (repris dans Agostino PARAVICINI BAGLIANI dir., *Black Skin in the Middle Ages*, Florence : Sismel, edizioni del Galluzzo, 2014). Cette étude ne prenait pas encore en compte les discussions salernitaines sur la peau noire, au centre du présent article.

Si l'Occident médiéval hérite ces théories de la médecine et de la science grecques et arabes, il leur donne aussi une coloration propre. L'objectif de cet article est de contribuer à une meilleure compréhension de la conceptualisation de la couleur de la peau dans la médecine au Moyen Âge. Comment les médecins médiévaux expliquent-ils la coloration de la peau ? Pourquoi les êtres humains ont-ils des couleurs de peau différentes ? Quelles couleurs de peau les médecins distinguent-ils, comment ces couleurs sont-elles articulées les unes par rapport aux autres, et quel est le sens qu'ils leur attribuent ? Quelle information le praticien peut-il glaner sur son patient à partir de la couleur de la peau ?

Avant de plonger dans le vif du sujet, précisons que la couleur de la peau n'épuise pas la question de la couleur du corps dans la médecine médiévale, tant s'en faut. La couleur par excellence n'est pas la couleur de la peau, mais celle des urines. C'est au Moyen Âge que l'uroscopie devient l'outil principal pour diagnostiquer une maladie ou pour poser un pronostic. En examinant l'urine, le médecin devait porter une attention particulière à sa couleur. C'est dans les textes uroscopiques que le vocabulaire de la couleur est de la plus grande finesse. Comme l'a signalé Laurence Moulinier, un éventail de couleurs oscillant entre dix-neuf et vingt nuances se met en place, entre le XIIe et le XIIIe siècle, ce nombre pouvant, à la faveur de sous-divisions, atteindre jusqu'à quarante-deux variétés dans certains traités uroscopiques de la fin du Moyen Âge. De plus, les manuscrits uroscopiques sont parfois illustrés de véritables nuanciers[4]. Pour la couleur de la peau, le nombre de couleurs dépasse, comme on verra, rarement cinq ou six nuances et il n'existe pas d'images comparables aux « roues des urines ».

Le médecin médiéval devait donc examiner avec attention les urines du patient. Il ne devait cependant pas négliger, non plus, la couleur de la peau. Celle du visage, par exemple, fait partie des signes de la mort imminente décrits dans le corpus hippocratique[5]. La couleur de la peau figure également parmi les signes de certaines pathologies, comme la jaunisse et de certaines maladies de peau, ainsi que dans les discussions sur l'empoisonnement. Néanmoins, dans la description du faciès hippocratique, et dans les traités sur les venins[6], la couleur a peu de spécificité et n'est qu'un signe parmi beaucoup d'autres. De même, les maladies de peau ne constituent guère une catégorie en tant que telle dans la médecine médiévale[7].

---

[4] Cf. L. MOULINIER, op. cit (supra note 2), p. 148-166 et sa contribution au présent volume.

[5] Cf. Daniel SCHÄFER, « Signa mortis. Antike Vorgaben und spätmittelalterliche Ausprägungen », Würzburger medizinhistorische Mitteilungen, 16, 1997, p. 5-13 et la contribution de Mireille Ausécache au présent volume.

[6] Cf. la contribution de Franck Collard au présent volume.

[7] Danielle JACQUART, « À la recherche de la peau dans le discours médical de la fin du Moyen Âge », Micrologus, 13, 2005, p. 493-510, repris dans Recherches médiévales sur la nature humaine. Essais sur la réflexion médicale (XIIe-XVe s), Florence : Sismel, edizioni del Galluzzo, 2014, p. 161-179. Comme le montre Joëlle Ricordel dans sa contribution au présent volume, Avicenne débat sur la peau, ses couleurs et ses affections de manière systématique dans son Canon de la médecine (IV, fen 7). Cette partie du Canon n'a cependant guère retenu l'attention des commentateurs latins qui se concentrent souvent sur le premier fen consacré

Si donc la couleur de la peau semble jouer un rôle relativement discret, ou du moins peu systématisé, dans les traités de médecine pratique, elle occupe une place plus affirmée dans la médecine théorique parmi les composantes du corps. Le lieu naturel de la discussion médiévale sur la couleur de la peau se trouve dans l'*Isagoge* de « Johannitius » (Hunain ibn Ishaq, actif au IXe siècle à Bagdad), une introduction arabe au *Tegni* de Galien, traduite et adaptée en latin par Constantin l'Africain à la fin du XIe siècle[8]. Dès le début du XIIe siècle, l'*Isagoge* est intégré au corpus de textes introductifs commenté à Salerne et que l'on nommera plus tard l'*Articella*. Tout étudiant débutant devait lire ce texte théorique court et ramassé. L'*Isagoge* conservera longtemps sa place propédeutique. Cependant, c'est majoritairement au XIIe et au XIIIe siècle qu'il est l'objet de commentaires scolastiques. Ce sont ces commentaires, pour la plupart encore inédits, qui retiendront notre attention. Mais avant d'en entreprendre l'analyse, il convient d'étudier la place de la couleur de la peau chez Johannitius.

La couleur de la peau dans l'*Isagoge* de Johannitius

À la suite du galénisme alexandrin de l'Antiquité tardive, Johannitius divise les objets de la science médicale en trois catégories : les choses dites « naturelles » (*naturalia*), c'est-à-dire l'ensemble des entités du corps responsables d'en assurer les fonctions ; les choses dites « non-naturelles », c'est-à-dire un ensemble de facteurs extérieurs au corps nécessaires à la survie et qui influent sur son état de santé (notamment l'air ambiant et le régime alimentaire, mais aussi les émotions, par exemple) ; enfin, les choses « contre nature » (*contra naturam* ou *extra cursum naturalem*), autrement dits les états pathologiques[9].

Johannitius discute la couleur de la peau dans la section de l'*Isagoge* consacrée aux choses naturelles. Il en distingue sept : les quatre éléments constitutifs du monde sublunaire soumis à la génération et la corruption ; les complexions, ou mélanges des quatre qualités élémentaires (chaud, froid, humide et sec) propre à chaque corps, tant animé qu'inanimé ; les humeurs ; les parties solides du corps (*membra*) ; les facultés ou vertus (*virtutes*), les opérations (*operationes*), et les souffles (*spiritus*). Cependant, selon Johannitius « certaines personnes » (*alii*) distinguent quatre facteurs supplémentaires : les âges de la vie, les couleurs de la peau, des cheveux et des yeux (*colores*), la corpulence (*figura*), et la différence entre l'homme et la femme[10]. C'est en suivant l'opinion de ces *alii* non identifiés que

---

aux fièvres. Même Gentile da Foligno, qui se fait un point d'honneur de commenter l'ensemble du *Canon*, développe très peu cette partie. Jacques Despars ne l'a pas commentée.

[8] Johannitius, *Isagoge*, ed. Gregor Maurach, « Hunain ibn Ishaq, *Ysagoge Johannitii ad Tegni Galieni* », *Sudhoffs Archiv* 62, 1978, p. 148-174. *Cf.* Danielle JACQUART, « À l'aube de la renaissance médicale des XIe-XIIe siècle. L'*Isagoge* de Johannitius et son traducteur », *Bibliothèque de l'École des chartes*, 144, 1986, p. 209-240.

[9] Johannitius, *Isagoge*, 1, ed. cit. (*supra* note 8), p. 151.

[10] *Isagoge*, 2, ed. cit. (*supra* note 8), p. 151: *Res vero naturales sunt VII : elementa, commixtiones, compositiones, membra, virtutes, operationes, spiritus. Et alii addiderunt his alias IV : scilicet aetates, colores, figuras, distantiam inter masculum et feminam.*

Johannitius donne à la couleur le statut de catégorie médicale, un statut qu'elle n'avait pas encore chez Galien. Dans le *Tegni* et dans le *De complexionibus*, Galien cite les couleurs de la peau seulement parmi les signes des différentes complexions. Par exemple, les corps froids et humides sont glabres, blancs, mous, gros et gras. Dans le *Tegni*, Galien parle de plus de la couleur du corps dans son ensemble, d'une partie du corps ou de la chair, plutôt que de la couleur de la peau. Chez Johannitius, en revanche, c'est, comme dans le *De complexionibus*, bien la peau (*cutis*) qui reçoit la couleur[11].

Johannitius discute successivement la couleur de la peau, la couleur des cheveux et la couleur des yeux. On se limitera ici à la peau. Johannitius construit sa notice en suivant la distinction entre « intérieur » et « extérieur ». La peau peut recevoir sa couleur de causes intérieures, à savoir le mélange des humeurs (ce que nous nommerons couleur humorale), ou de causes extérieures, comme le chaud ou le froid ambiant et « d'autres causes accidentelles » non spécifiées. Johannitius note que le chaud et le froid ambiant sont respectivement à l'origine de la couleur des Éthiopiens et des Écossais. Enfin, il évoque les couleurs « spirituelles » (*spirituales colores*) qui sont dues à la colère ou à la peur ou à d'autres émotions.

Johannitius consacre cependant l'essentiel de son développement aux couleurs humorales, vraisemblablement parce que seules ces couleurs relèvent à ses yeux de la catégorie des choses naturelles. Il les divise en deux : le mélange des humeurs à l'origine de la couleur de la peau peut être égal — ce qui correspond à une couleur composée de blanc et de rouge (*compositus ex albedine et rubore*) — ou inégal. Pour le second cas de figure, Johannititus mentionne cinq couleurs : le noir (*niger*), le jaune citron (*citrinus*), le rouge (*rubeus*), le *glaucus* — un terme difficile qui renvoie à l'idée de pâleur et à une couleur grisâtre ou verdâtre[12] — et le blanc (*albus*). Il regroupe les couleurs du mélange inégal en deux catégories ; celles qui sont le signe d'un surplus de chaleur dans le corps (le noir, le jaune citron, le rouge) et celles qui sont le signe d'un excès de froid (le *glaucus* et le blanc) ; puis, il lie, de manière plus spécifique, chaque couleur humorale à la domination d'une humeur particulière (respectivement bile noire, bile rouge, sang, mélancolie et flegme)[13].

---

[11] Galien, *Tegni*, XIV, 5 - XVI, 6 ; *De complexionibus*, II, 6 [Kühn I, 625-628] ; *cf. Burgundio of Pisa's Translation of Galen's ΠΕΡΙ ΚΡΑΣΕΩΝ 'De complexionibus'*, ed. Richard J. Durling, Berlin / New York : de Gruyter, 1976, p. 85-86.
[12] Pour le sens de *glaucus*, voir Michel PASTOUREAU, *Bleu. Histoire d'une couleur*, Paris : Seuil, 2000, p. 25-27.
[13] Johannitius, *Isagoge*, 19-20, ed. cit. (*supra* note 8), p. 155-156 : *Color cutis duobus modis fit, aut enim hanc interiora subministrant aut exteriora deducunt. Ab interioribus autem accidit duobus modis : vel ex abundantia seu ab aequalitate humorum ; ab aequalitate ille, qui est compositus ex albedine et rubore, ab inequalitate vero procedant niger, citrinus, rubeus, glaucus et albus color ; color namque rubeus et niger et citrinus significant calorem dominantem corpori, citrinus solus significat coleram rubeam, niger vero solus coleram nigram, rubeus solus abundantiam sanguinis ; albus namque et glaucus abundantem frigiditatem, sed glaucus ex melancolia, albus ex flegmate sui causas habere designat. Ab exterioribus nempe colores adveniunt sicut ex frigore Scotis, ex calore Aethiopibus et ex aliis*

Ce bref passage fera l'objet de gloses dès les tout premiers commentaires latins, encore anonymes, composés durant les premières décennies du XIIe siècle[14], puis à partir du milieu du siècle, dans les commentaires plus sophistiqués des maîtres de l'école de Salerne, ceux de Barthélémy, d'Archimattheus, et de Maurus[15] – qui sont parmi les premiers à intégrer des éléments de la philosophie naturelle aristotélicienne que l'on commence à traduire en latin. S'y ajoute, durant le premier tiers du XIIIe siècle, le commentaire montpelliérain de Henry de Winchester, qui s'inscrit encore pleinement dans la tradition salernitaine[16]. Pour la période ultérieure, placée sous le signe de la réception et l'assimilation du *Canon* d'Avicenne et des *libri naturales* d'Aristote, on examinera les commentaires de maître Cardinalis[17] et de Petrus Hispanus[18], respectivement actifs à Montpellier et à Sienne durant les années 1240, et celui de Taddeo Alderotti, le « père fondateur » de la médecine scolastique bolonaise[19], composé entre 1277 et 1283. Sera enfin pris en compte le *Speculum* d'Arnaud de Villeneuve[20], écrit à Montpellier vers 1308. Le *Speculum* n'est certes pas un commentaire sur l'*Isagoge* à proprement parler, mais dans la section sur les choses naturelles, le médecin catalan inclut les quatre catégories annexées aux choses naturelles de Johannitius.

Les commentateurs précisent et développent les propos elliptiques de Johannitius dans plusieurs directions. Ils s'attachent, comme on le verra à mieux expliquer les différentes causes de la couleurs de la peau, et notamment celles que l'*Isagoge* n'évoque qu'en passant. Ils vont nuancer l'importance de la distinction entre causes internes et externes en proposant d'autres critères. Ils vont enfin modifier le système des couleurs proposé par Johannitius.

Les causes de la couleur de la peau

Johannitius lie comme on l'a vu couleurs et humeurs. Ce n'était pas encore le cas chez Galien. L'auteur de l'*Isagoge* semble s'inspirer plutôt des élaborations post-galéniques de la théorie hippocratique des humeurs. Si les quatre humeurs sont en effet déjà attestées dans le corpus hippocratique, ce n'est que bien plus tard qu'est né le concept des tempéraments humoraux, c'est-à-dire l'idée que la surabondance de telle ou telle humeur dans le corps humain est liée à des ensembles spécifiques de caractéristiques physiques et

---

multis accidentibus. Sunt et alii spirituales colores, aut ex timore aut ex ira aut ex aliis animi motionibus.

[14] Paris, BnF, lat. 544 (dorénavant abrégé « Comm. Paris 544 ») ; Oxford, Bodleian Library, ms. Digby, 108 (dorénavant abrégé « Comm. Digby »).

[15] Pour Barthélémy, j'ai utilisé le manuscrit Winchester, Winchester College, 24 ; pour Archimattheus, la transcription de Herbert Grensemann disponible sur www.uke.de ; mot-clé Salerno-Projekt ; pour Maurus, le manuscrit Paris, BnF, lat. 6956.

[16] Ms. Oxford, New College, 171.

[17] Ms. Bernkastel-Kues, Stiftsbibliothek, 222.

[18] Ms. Madrid, Biblioteca Nacional, 1877.

[19] Taddeo Alderotti, *Comm. Isagoge*, Florence, 1527. *Cf.* JACQUART, *op cit.* (*supra* note 7), p. 168-169.

[20] Arnaud de Villeneuve, *Speculum*, in *Opera*, Lyon, 1520.

physiologiques, mais surtout psychologiques et morales. La couleur de la peau fait souvent, bien que rarement de manière systématique, partie de ces portraits humoraux qui vont, dès le haut Moyen Âge se transmettre dans les sources latines[21]. Les textes sur les tempéraments humoraux sont cependant tout aussi elliptiques sur le lien causal entre couleurs et humeurs que Johannitius.

Les commentateurs de l'*Isagoge* vont creuser ce point. Ils expliquent que les humeurs sont des excrétions corporelles colorées. Ce sont les humeurs qui colorent la peau blanche (*alba*) et translucide. Arnaud de Villeneuve compare la peau à du plâtre transparent (*gipsum transparens*) qui peut recevoir n'importe quelle couleur. La couleur d'origine de la peau — ou plutôt ce qui est pensé comme son absence de couleur — se révèle en cas de syncope[22]. Comme les médecins anciens et arabes, les médiévaux ignorent tout de la mélanine. Ils pensent la coloration de la peau comme un peintre ou un artisan, une peinture *al fresco* ou la teinture d'un tissu ou du verre[23].

La métaphore artisanale permet d'expliquer que toutes les colorations de la peau ne reposent pas sur une véritable teinture de la peau. Quand on rougit sous l'emprise de la colère ou de la honte, la couleur ne se trouve pas dans la peau (*in cute*) mais seulement dans le sang (*in sanguine*), affirme Henry de Winchester. Les émotions ne colorent la peau qu'en apparence, tout comme une vitre translucide semble rouge lorsqu'on y place à l'arrière un tissu rouge, et tout comme un tissu de lin brut sali semble teinté en noir mais perd sa couleur au lavage[24].

---

[21] Pour les humeurs et la naissance des tempéraments : Jacques JOUANNA, « La postérité du traité hippocratique *De la Nature de l'homme* : la théorie des quatre humeurs », *in* Carl W. MÜLLER, Christian BROCKMANN, Carl W. BRUNSCHÖN dir., *Ärzte und ihre Interpreten. Medizinische Fachtexte der Antike als Forschungsgegestand der klassischen Philologie*, Berlin : de Gruyter, 2006, p. 117-141 ; J. JOUANNA, « La théorie des quatre humeurs et des quatre tempéraments dans la tradition latine (Vindicien, Pseudo-Soranos) et une source grecque retrouvée », *Revue des études grecques*, 118, 2005, p. 138-167.

[22] Arnaud de Villeneuve, *Speculum medicine*, cap. 11, ed. cit. (*supra* note 20), f. 4r : *Nam se carent determinato colore ita ut non colorata proprie possint dici, sed eam habent naturaliter qualitatem visibilem per quam disponuntur ad omnes colores suscipiendos, quale est gipsum transparens et tales apparent in absentia humorum vel aliorum tingentium, sicut in sincopim.* Albert le Grand dit également que d'elle même la peau est *alba quasi perspicua* (*De animalibus*, I, tract. 3, cap. 7, ed. Hermann Stadler, *Albertus Magnus de animalibus libri XXVI. Nach der Kölner Handschrift*, Münster, 1916 et 1921, p. 222). Voir déjà Barthélémy de Salerne, *Comm. Isagoge*, ms. cit. (*supra* note 15), f. 34r, à propos des Écossais, chez qui le sang et les humeurs ne peuvent pas atteindre la surface du corps à cause du froid ambiant : *unde cutis in propria manet albedine* ; Urso de Salerne, *De coloribus*, ed. Lynn Thorndike, « Some Medieval Texts on Colours », *Ambix*, 7, 1959, p. 1-24, ici p. 11 : *Albus autem ex flegma fit, quia cum sit album subcutaneum factum, cutem que naturaliter est alba dealbat, ut in flegmaticis* ; Maître Cardinalis, *Comm. Isagoge*, ms. cit. (*supra* note 17), f. 20rb : *naturalis color cutis est albus.*

[23] Barthélémy de Salerne, *Comm. Isagoge*, ms. cit. (*supra* note 15), f. 34r : *hii superficiem attingentes eam inficiunt et colorent*, et la note précédente.

[24] Henry de Winchester, *Comm. Isagoge*, ms. cit. (*supra* note 16), f. 9ra : […] *ab interioribus ut ab humoribus vel spiritibus, ut accidit in ira spiritibus et humoribus propulsis ad cutem eam faciunt apparere rubeum. Sed ille color potius est in sanguine quam in cute, quod patet quia statim refugiente sanguine cutum suum colorem ostendit id est album, nec albedo immutatur nisi quantum ad apparentiam sicut si vitrum album supponatur panno rubeo* […]. *Dicit enim colores cutis esse qui non sunt colores eius in rei veritate sed videritur esse, dicendum ergo*

Tous les commentateurs n'attribuent cependant pas la coloration de la peau aux simples humeurs. Henry de Winchester la relie directement aux quatre éléments : le rouge provient du feu, le blanc de l'eau et de l'air, le noir de la terre[25]. Ce choix correspond à sa tentative d'inscrire la couleur de la peau dans une théorie plus générale et fondamentale de la couleur, susceptible d'englober non seulement l'homme, mais aussi les plantes et les substances inanimées. Dans cette orientation, Henry s'inspire vraisemblablement d'Urso, le dernier grand maître de l'école de Salerne. Urso n'a pas laissé de commentaire sur l'*Isagoge*, mais il développe, dans plusieurs de ses traités indépendants, une théorie très abstraite et ambitieuse des éléments et de leurs mélanges afin d'expliquer un très grand nombre de phénomènes naturels, dont la couleur, le goût et l'odeur de toutes les substances[26]. On lui attribue, en outre, un court *De coloribus* où l'on retrouve la théorie élémentaire des couleurs, à côté de l'explication humorale de la couleur de la peau[27].

Avec la réception et l'assimilation des *libri naturales* aristotéliciens, le projet d'une physique fondée sur la théorie des éléments que les médecins salernitains partageaient avec des philosophes chartrains comme Guillaume de Conches, sera largement abandonné. En médecine, les réflexions d'ordre général sur la couleur continuent cependant, stimulées et nourries par les nouveaux textes aristotéliciens. Dans les commentaires sur l'*Isagoge*, elles se concentrent dans le paragraphe sur les couleurs des yeux et concernent le mécanisme de la perception de la couleur par l'œil, la nature de la couleur et son rapport avec la lumière. Pour la couleur de la peau, les commentateurs vont, en revanche, revenir à une approche plus étroitement médicale et humorale.

---

quod ille rubeus color sanguinis est non cutis, sicut cum pannus lineus sordidatus est et apparet magis illa nigredo non est panni sed potius immundicie subiecte ibi collecte, quod patet cum eluitur illa subiecta per aliquod.

[25] Henry de Winchester, *ibidem* : *Sunt enim et 4^{or} elementa quorum effectum omnia colorantur. Rubor est color ignis, albedo color aque et aeris, nigredo color est terre.* Dans la représentation de Henry de Winchester, ces trois couleurs extrêmes forment une sorte de triangle, avec, entre chaque couple d'extrêmes, une couleur intermédiaire : le jaune entre le blanc et le rouge, le vert entre le rouge et le noir, le bleu foncé entre le blanc et le noir. Henry s'oppose explicitement à l'idée aristotélicienne d'une échelle de couleurs entre le noir et le blanc. *Ibidem*, f. 9ra-9rb : *iuxta Aristotelis tantum duo sunt colores extremi scilicet albedo et nigredo. Verius potest dici quod tres sint extremi et quod rubor sit tertius* [...]. *Item inter tres predictos colores extremos tres colores inveniuntur vere medii. Inter album et rubeum citrinus vel rufus <ut dicitur in libro> Teofili, inter nigrum et rubeum viridis, inter album et nigrum venetus sive indus color.*

[26] Urso de Salerne, *De commixtionibus elementorum libellus*, ed. Wolfgang Stürner, Stuttgart : E. Klett, 1976 ; Idem, *De effectibus qualitatum*, ed. Curt Matthaes, Leipzig, 1918. *Cf.* M. van der LUGT, « Chronobiologie, combinatoire et conjonctions élémentaires dans le *De commixtionibus elementorum* d'Urso de Salerne (fin XIIe siècle), *Micrologus*, 19, 2011, p. 277-322.

[27] Urso de Salerne (?), *De coloribus*, ed. cit. (*supra* note 22), ici p. 7-16. Les trois manuscrits du texte pris en compte par L. Thorndike (dont deux datés du XIIIe siècle) attribuent le texte à Urso. Une référence, au début du texte, à Averroès est troublante. Cependant, comme le signale L. Thorndike, *ibidem*, p. 14-16, il existe des parallèles évidents avec des traités sur les éléments et les qualités, cités à la note précédente, dont l'attribution à Urso est certaine.

L'explication humorale se voit pourtant nuancée. Taddeo Alderotti précise que la cause immédiate de la couleur de la peau n'est pas l'excès d'une humeur, mais la complexion du corps, c'est-à-dire la proportion équilibrée ou déséquilibrée des qualités élémentaires, le chaud, le froid, l'humide et le sec. Les humeurs ne colorent la peau que parce que chaque humeur est dotée d'une complexion spécifique[28] (le sang est chaud et humide, le flegme froid et humide, la bile rouge chaude et sèche, la bile noire froide et sèche[29]). Petrus Hispanus conçoit, lui aussi, la couleur comme le reflet de la complexion[30] et Archimattheus dit déjà que les couleurs sont des signes de la complexion[31].

Ce faisant, les commentateurs de Johannitius s'alignent sur la manière dont Aristote et Galien et des autorités médicales arabes comme Haly Abbas et Avicenne décrivent la couleur de la peau. Dans le *Tegni* et le *De complexionibus*, Galien dresse, on l'a vu, une typologie des complexions et de leurs signes physiques extérieurs, comme la corpulence et la couleur des cheveux et du corps. Sa liste se retrouve sous une forme plus condensée dans les chapitres sur la complexion du *Pantegni*[32]. Johannitius n'avait cependant retenu que l'idée de groupes de couleurs qui signifient le chaud ou le froid.

Comme l'indique Taddeo Alderotti, les deux explications ne sont pas incompatibles. Il s'agit, bien plutôt, de niveaux d'analyse différents d'une même réalité physique. Dans la médecine médiévale, la théorie de la complexion et celle des humeurs se trouvent imbriquées. Les complexions humorales (colérique, sanguine, etc.) sont omniprésentes et peuvent, à l'occasion, être conçues comme la marque d'un mélange dans lequel une humeur se trouve en excès, alors que plus justement, il s'agit d'un mélange dans lequel domine le couple de qualités élémentaires qui marque cette humeur. Une complexion sanguine peut par exemple être conçue comme une dominance de sang, plutôt que comme une dominance du chaud et de l'humide[33].

Cette imbrication entre humeur et complexion caractéristique de la médecine médiévale explique que les commentateurs de l'*Isagoge* rapportent les couleurs de la peau à la complexion humorale. Ils vont également

---

[28] Taddeo Alderotti, Comm. *Isagoge*, ed. cit. (*supra* note 19), f. 369v: *Dico quod color cutis et capillorum et humori et complexioni attribuitur, sed mediate humori et immediate complexioni, nam ideo talis humor talem facit colorem quia talem habet complexionem.*

[29] Johannitius, *Isagoge*, 5, ed. cit. (*supra* note 8), p. 152.

[30] Cf. *infra*, note 42.

[31] Archimattheus, comm. *Isagoge*, transcription Grensemann cit. (*supra* note 15) : *Tractat Johannitius de coloribus per quos signa complexionis habentur.*

[32] Haly Abbas / Constantin l'Africain, *Pantegni, theorica*, I, 17, ed. in Isaac Israeli, *Omnia opera*, Lyon, 1515, f. 3v ; Ms. Den Haag, Koninklijke Bibliotheek, 73, J. 6, f. 4v-5r (disponible sur le site de la Koninklijke Bibliotheek).

[33] À ma connaissance, ces évolutions et leur chronologie exacte au Moyen Âge central n'ont pas encore été analysées dans le détail. Pour la théorie de la complexion, voir Danielle JACQUART, « De *crasis* à *complexio*. Note sur le vocabulaire du tempérament en latin médiéval », in Guy SABBAH dir., *Textes médicaux latins antiques*, Saint-Étienne, 1984, p. 71-76 (repris dans *La science médicale occidentale entre deux renaissances*, Aldershot : Brookfield, 1997) ; Joël CHANDELIER et Aurélien ROBERT, « Nature humaine et complexion du corps chez les médecins italiens de la fin du Moyen Âge », *Revue de Synthèse*, 134, 2013, p. 473-510.

préciser les causes des deux autres sortes de couleurs de la peau (« accidentelles » et « spirituelles ») que Johannitius n'avait qu'effleurées. Il attribue les couleurs des Éthiopiens et des Écossais non pas à la domination d'une humeur ou d'une qualité élémentaire dans le corps, mais à la qualité chaude ou froide de l'air ambiant. Les médecins médiévaux vont préciser que dans les zones torrides de la Terre, la chaleur solaire attire le sang vers la surface du corps, le met en ébullition et le brûle, noircissant l'ensemble du corps[34]. Inversement, dans les zones septentrionales, le froid chasse le sang vers l'intérieur du corps, rendant la peau pâle et blanche ; le sang qui reste peut se condenser de manière localisée, sous forme de tâches de rousseur[35]. Si le noircissement de la peau est décrit comme l'altération d'une humeur *ex combustione*, le blanchiment se pense comme la révélation de la couleur propre de la peau par le retrait des humeurs, à l'image de ce qui se passe dans le cas du syncope ou de certaines émotions[36].

Les couleurs dites « spirituelles » sont également produites par le froid et le chaud et par un mouvement du sang, mais ce mouvement n'est pas provoqué par la qualité de l'air ambiant, mais par le mouvement des souffles dans le corps, qui sont à leur tour produits et mis en circulation par les passions de l'âme. Dans la colère, le cœur se dilate, et produit beaucoup d'esprit, qui pousse le sang vers l'extérieur — on rougit —, alors que le cœur se rétracte sous l'impact de la peur, tirant le sang vers l'intérieur — on devient pâle[37].

---

[34] Comm. Paris 544 cit. (*supra* note 14), f. 62v : *Ab exterioribus vel ex nimia frigiditate ut pallor in Cotis (!) vel ex nimio calore ut nigredo in Etiopibus. Ex nimia enim frigiditate calor naturalis interius refugit secum sanguinem trahens, unde exteriora pallescunt. Ex calore vero sanguis ad exteriora contrahitur, aduritur et nigrescit* ; Comm. Digby cit. (*supra* note 14), f. 14r : *Ab exterioribus. Alius ex frigiditate, ut pallor in Scotis post reversionem caloris ad interiora ; alius a calore ut Ethiopibus. Ethiops (!) enim, cum sint iuxta perustam zonam, calore solis calor naturalis petit exteriora et ducit secum sanguinem cum ex nimio calore adusto nigrescunt* ; Barthélémy de Salerne, *Comm. Isagoge*, ms. cit. (*supra* note 15), f. 34r : *Niger color ex sanguine ad cutis superficiem per calorem abulliendo revocato et denigrato* ; Archimattheus, *Comm. Isagoge*, transcription Grensemann cit. (*supra* note 15) ; Maurus, *Comm. Isagoge*, ms. cit. (*supra* note 15), f. 20ra.

[35] Par exemple Maurus, *Comm. Isagoge*, ms. cit. (*supra* note 15), f. 20ra : *In Scotis autem fit album color sic dicimus ; enim per frigiditate cutis constringitur sanguis existens sub cute ad interiora transitur unde cutis proprium pretendit colorem. Aliquando vero aliquam talem sanguinis per cutem disgregatam superficietenus condensatur, unde quasi macule quedam in cute eorum apparent.*

[36] Barthélémy de Salerne, *Comm. Isagoge*, ms. cit. (*supra* note 15), f. 34r : *Unde cutis in propria manet albedine*, et la note précédente.

[37] Barthélémy de Salerne, *ibidem* : *De mobilibus supponit Ioh. appelans eos spirituales, eo quod ex motu spiritus fiunt vel ex operationibus virtutis spiritualis, ut timore vel ira. Manifestum est autem inter huius artis principia ampliorem solito ex ira fieri dilationem cordis. Ex qua vehemens spiritus fit ex sufflationis motu cuius sanguis ad superficiem cutis rapitur et inde rubeus color. In timore fit econtra, quoniam cum sanguine spiritus vocatur interius ex corde constrictione et ideo pallidi. Nota tamen quosdam in principio ire fieri pallidos sed tamen contingit ex timoris admixtione* ; Archimattheus, *Comm. Isagoge*, transcription Grensemann cit. (*supra* note 15) : *Propter passiones spiritualium ut pallidus a timore, rubeus ex ira. Quia in timore cor constringitur, calor ab exterioribus ad interiora revocatur et inde est quod exteriora pallescunt. In ira econtrario, cum cor dilatatur, calor impetuose ab interioribus ad exteriora mittitur, que a sanguine et calore rubescunt.*

Bien sûr, les commentateurs ne développent pas ces explications *ex nihilo*. Tant Johannitius que Haly Abbas discutent la physiologie des émotions et la circulation des souffles dans les chapitres de leur œuvre consacrés à ces sujets[38] ; les commentateurs pouvaient donc puiser dans ces discussions, ainsi que dans leurs propres développements de ces passages. La théorie du déterminisme climatique des couleurs de la peau fait, quant à elle, partie intégrante du savoir géographique antique intégré aux encyclopédies latines (Pline, Isidore de Séville) et se trouve également expliquée dans les textes médicaux comme le *De complexionibus* de Galien[39].

Une nouvelle typologie de la couleur de la peau

Johannitius analyse, comme nous l'avons vu, les couleurs de la peau suivant la distinction entre causes internes et externes. Les commentateurs vont nuancer l'importance de cette distinction de départ et complexifier leur typologie des couleurs. Ceci les conduit à rapprocher couleurs humorales et couleurs « ethniques », tout en accentuant la différence entre ces deux sortes de couleurs, d'un côté, et les couleurs spirituelles, de l'autre.

Chez Johannitius, le caractère passager des couleurs spirituelles était resté implicite. À partir de Barthélémy de Salerne, les commentateurs font de cette caractéristique un critère de distinction fondamental. Les couleurs humorales et les couleurs « ethniques » sont permanentes, à la différence des couleurs « spirituelles » qui ne peuvent, de ce fait, pas être considérées comme des couleurs véritables[40].

Il est possible que Barthélémy de Salerne se soit inspiré des *Catégories* d'Aristote. Les *Catégories* circulent en latin depuis le haut Moyen Âge et on connaît le goût de Barthélémy pour l'ancien et le nouvel Aristote[41]. En expliquant la différence entre qualités et affections, Aristote avait pris pour exemple la couleur de la peau (VIII, 9 b). Les couleurs dues aux émotions ne sont que des affections ; seule la couleur permanente mérite le titre de qualité, que cette couleur soit le teint naturel du corps causé par le mélange des qualités élémentaires (*krasis*), la couleur induite par l'ardeur du soleil, ou l'effet d'une longue maladie. Dans cette analyse, la cause de la couleur est bien moins importante que sa permanence.

---

[38] Johannitius, *Isagoge*, 41, ed. cit. (*supra* note 8), p. 160 ; Haly Abbas / Constantin l'Africain, *Pantegni, Theorica*, V, 37, ed. et ms. cit. (*supra* note 32), f. 25v. (numérotation des chapitres divergente : V, 109-114) et f. 36r-36v.

[39] Références dans M. van der LUGT, *op. cit.* (*supra* note 3), p. 449-450. L'explication proposée dans les commentaires sur Johannitius est proche de celle du *De complexionibus* de Galien (Kühn, I, 627-628), *cf.* ed. cit. (*supra* note 11), p. 86.

[40] Barthélémy de Salerne, *Comm. Isagoge*, ms. cit. (*supra* note 15), f. « 34r : *Mobiles vero illi qui sunt ex ira, ex timore, nec vere sunt colores* [...]. *Permanentium alii ab interioribus, alii ab exterioribus* [...].

[41] *Cf.* l'article classique de Danielle JACQUART, « Aristotelian thought in Salerno », in *A History of Twelfth-Century Western Philosophy*, ed. Peter DRONKE, Cambridge : University Press, 1988, p. 407-428. Concernant son utilisation probable des *Catégories,* voir aussi M. van der LUGT, « Neither Ill nor Healthy. The Intermediate State Between Health and Disease in Medieval Medicine », *Quaderni storici*, 136, 2011, p. 13-46, ici p. 19.

Les commentateurs combinent l'opposition entre le permanent et le mobile avec une autre distinction qui s'appuie sur le concept de nature. Ils comprennent la couleur naturelle comme la couleur habituelle et propre du corps. Celle-ci est le reflet, dit Petrus Hispanus, de la complexion dite « radicale », c'est-à-dire le tempérament qui caractérise de manière durable l'individu tout au long de la vie, à l'opposée des fluctuations de la complexion — et donc de la couleur de la peau[42].

D'autres opposent la couleur naturelle à la couleur non-naturelle (*innaturalis*) ; cette dernière peut aussi être qualifiée d'accidentelle (*accidentalis*) ou d'artificielle (*artificialis* ; *per artem*). Le maquillage est la couleur non-naturelle par excellence[43], mais les couleurs des émotions ou induites par le froid ou le chaud ambiant peuvent aussi être qualifiées de la sorte. Maurus de Salerne évoque à ce propos la couleur livide ou noire de la peau affectée d'engelures[44]. Appliquant plus soigneusement les catégories du galénisme alexandrin, Arnaud de Villeneuve distingue, quant à lui, entre les couleurs naturelles (les couleurs humorales), non-naturelles (les couleurs des émotions) et contre-nature (l'ictère, par exemple)[45].

Dans ces différents schémas, les couleurs « ethniques » font figure de cas limite. Leur cause est qualifiée d'accidentelle, car extérieure au corps et indépendante de lui, mais l'effet est permanent et s'approche, de ce fait, de la couleur naturelle. L'exposition au soleil ou au froid sur une durée longue en a fait une caractéristique fixe. Certains commentateurs rappellent à ce propos l'adage hippocratique de la « coutume comme une seconde nature »[46].

---

[42] Petrus Hispanus, *Comm. Isagoge*, ms. cit. (*supra* note 18), f. 35vb : *Ad id quod queritur ad quam complexionem reducitur color cutis, dicendum quod duplex est color cutis, scilicet proprius sive naturalis et iste color est radicalis et talis ad complexionem radicalem reducitur et de isto procedebat prima ratio. Est autem alius color qui inest ipsi cuti non a propria sui complexione sed ab aliquo extraneo, intrinseco vel extrinseco, et talis variabilis est, et talis ad fluentem reducitur.* Je prépare un travail sur la notion de radicalité.

[43] Maître Cardinalis (*Comm. Isagoge*, ms. cit. *supra* note 20, f. 20ra) évoque à ce propos les « femmes fardées » (*in mulieribus fardatis*). Arnaud de Villeneuve (ed. cit. *supra*, note 20, f. 4r) parle des femmes *barbaris maxime* qui se teignent les joues, les lèvres et les ongles. À ses yeux, le maquillage coloré est une pratique exotique. Cependant, dans le *Trotula* on trouve déjà des recettes pour blanchir le visage, avant d'appliquer du rouge ou pour donner aux femmes pâles un joli teint (*De curis mulierum*, *The Trotula*, ed. Monica Green, Philadelphie : Univ. of Pennsylvania Press, 2001, p. 138-139 ; *De ornatu mulierum*, *ibidem*, p. 182-183).

[44] Maurus, *Comm. Isagoge*, ms. cit. (*supra* note 15), f. 20r : *Aliquando vero ex frigiditate intensa* [...] *membra mortificantur, unde cutis lividum vel nigrum pretendit colorem.* Maurus s'applique ensuite, non sans peine, à expliquer pourquoi le froid rend, dans ce cas, la peau noire et non pas blanche.

[45] Arnaud de Villeneuve, *Speculum*, cap. 11, ed. cit. (*supra* note 19), f. 4r-4v.

[46] Comm. Digby cit. (*supra* note 14), f. 14r : [...] *ita quod accidentale est vertit in naturale* ; Maurus, comm. *Isagoge*, ms. cit. (*supra* note 15), f. 20ra : *si a calida mundi plaga recedant longinquitate temporis et consuetudine nimia quod accidentale est quasi naturale efficitur, unde color semper est huiusmodi. Cf.* Haly Abbas / Constantin l'Africain, *Pantegni, Theorica* I. 23, ed. et ms. cit. (*supra* note 32), f. 4r et f. 5v : *De mutatione complexionis propter consuetudinem. Consuetudo diuturna mutatur in naturam, dicit enim Ypocras consuetudo secunda est natura. Hec fit aut propter dietam, aut propter artem aliquam* (Haly Abbas ne parle pas ici de l'influence des climats géographiques). Voir aussi Cardinalis, *Comm. Isagoge*, ms. cit. (*supra* note 17), f. 20ra : *alius innaturalis simplex ut color per artem habitus, ut in*

Si les Éthiopiens qui se déplacent vers le Nord gardent leur couleur et engendrent des enfants noirs, la raison en est, selon Maurus de Salerne, la force de l'habitude. Manifestement, la couleur de leurs enfants ne dépend donc plus du climat. Au contraire, ces enfants sont noirs parce qu'ils ont été engendrés par du sperme et du sang menstruels brûlant et qu'ils ont tété un lait brûlé. La couleur qui était jadis accidentelle est devenue naturelle au point de pouvoir se transmettre sans l'intervention du soleil[47]. Pour d'autres commentateurs, comme Archimattheus, la couleur induite par le climat reste accidentelle et nécessite la force du soleil pour continuer à se transmettre. Les premiers habitants de l'Éthiopie furent sans doute blancs. Noircis par le soleil, ils ont transmis ce « vice » à leurs enfants, le soleil aidant. Si les Éthiopiens s'installent dans le Nord, leurs descendants auront la peau moins noire et redeviendront presque blancs en trois ou quatre générations[48]. C'est une combinaison de ces deux positions que l'on retrouvera au milieu du XIIIe siècle sous la plume d'Albert le Grand[49]. Les positions de Maurus et d'Archimattheus ne sont, en effet, pas incompatibles. Elles correspondent, l'une et l'autre, avec la théorie médiévale de la génération et avec ce que l'on nommera plus tard la transmission des caractères acquis[50]. Cependant, si

---

mulieribus fardatis. Alius vero est innaturalis secundum quid, ut est scotis et anglicis et consimilibus. Item color permansivus dicitur ut dictum est.

[47] Maurus, Comm. Isagoge, ms. cit. (supra note 15), f. 20ra : [...] Dicimus autem quod quamvis [Ethiops] in nostra regione oriatur, tamen quia generatur ex adusto spermate et ex adusto sanguine menstruo et ex adusto lacte nutriatur nigrum efficitur. [...] Qui etiam si a calida mundi plaga recedant longinquitate temporis et consuetudine nimia quod accidentale est quasi naturale efficitur, unde color semper est huiusmodi. Et inde est quod si filios in partibus frigiditatis procreaverint et similis coloris oriuntur.

[48] Archimattheus, Comm. Isagoge, ad 19, transcription Grensemann cit. (supra note 15) : Ab exterioribus fiunt colores ut nigri in Ethiopibus per calorem adurentem. Ethiopia enim regio est calidissima, in qua per calorem adurentem sanguis, qui est sub cuti, aduritur, adustus denigratur, a quo membra denigrantur. Qui ergo primo in Ethiopia habitavit, sic denigratus est. Set postea calore aeris cooperante primi parentis vitium propagavit in posteros, ut ex nigro patre et nigra matre nigri generarentur filii. Quod ex aere hoc fiat, manifestum est, quia si ethiops et ethiopissa in regione nostra filios procrearent, filii minus nigrescerent, et sic in tertia vel quarta generatione qui nascerentur, fere albi essent. Scotti econtrario, constringuntur, calor et sanguis ad interiora revocantur, et inde exteriora albescunt. Cette position est très proche de celle avancée par Ali ibn Ridwân, médecin du Caire au XIe siècle et connu en Occident sous le nom de « Haly », dans son commentaire au Quadripartitum de Ptolémée. À ma connaissance, ce commentaire n'est cependant traduit en latin qu'à la fin du XIIIe siècle. Haly, Commentarius in Quadripartitum Ptholemei, II, 2, Venise 1493, f. 30v : Item sperma in principio sui generamenti est complexionis illius generantis ; convenit ut sit niger quod natus est in terra frigida, tamen niger minus generatore suo parum, et quod hic talis generet alium nigrum minus eo et non cessabit attenuari nigredo donec tota remota sit.

[49] Albert le Grand, De natura loci, tract. 2, cap. 4, ed. Paul Hossfeld, Opera omnia, 5, 2, Cologne : Aschendorff, 1980, p. 27 : Licet autem huiusmodi nigri aliquando nascantur etiam in aliis climatibus, sicut in quarto vel in quinto, tamen nigredinem accipiunt a primis generantibus, quae complexionata sunt in climatibus primo et secundo, et paulatim alterantur ad albedinem, quando ad alia climata transferuntur. Cf. M. van der LUGT, op. cit. (supra note 3), p. 455-456.

[50] J'ai exploré cette question, à partir d'autres textes, dans « L'autorité morale et normative de la nature au Moyen Âge. Essai comparatif et introduction », in La nature comme source de la morale au Moyen Âge, M. van der LUGT dir., Florence : Sismel, edizioni del Galluzzo, 2014, p. 3-40, ici p. 34-37 et dans « Les maladies héréditaires dans la pensée scolastique », in L'hérédité entre Moyen Âge et Époque moderne. Perspectives historiques, M. van der LUGT

l'un l'utilise pour rapprocher la couleur ethnique de la couleur naturelle, l'autre continue, comme Johannitius, en insistant sur la réversibilité de l'effet de la coutume, à les séparer.

Le statut ambigu des couleurs « ethniques » dans les théories médicales de la couleur de la peau se confirme si on se tourne vers les couleurs elles-mêmes et leur signification.

Les systèmes des couleurs de la peau

Commençons par la couleur de peau qui reflète, selon Johannitius, un mélange égal des humeurs ; il la dit « composée de blanc et de rouge ». Dans le *Tegni* (XIV, 5), Galien avait déjà identifié le mélange du rouge et du blanc comme l'un des signes d'une complexion optimale et parfaitement équilibrée. Les commentateurs pouvaient trouver cette même idée également dans d'autres sources, dont le chapitre sur le corps tempéré du *Pantegni*[51].

Mais que signifie exactement une peau mélangée de blanc et de rouge ? Le lecteur moderne est tenté d'y voir le rose. Plusieurs commentateurs médiévaux glosent toutefois le mélange de blanc et de rouge comme le flave (*flavus*)[52], c'est-à-dire un jaune pâle et doré. Tirent-ils simplement la conséquence des gammes de couleurs uroscopiques où le jaune se situe entre le blanc et le rouge ? Mais pourquoi alors avoir choisi cette nuance, qui n'apparaît pas parmi les dix-neuf ou vingt couleurs uroscopiques classiques ? Appliqué à des personnes, l'adjectif *flavus* est depuis l'Antiquité utilisé pour la blondeur des cheveux plutôt que pour la couleur de la peau. Il existe cependant quelques passages littéraires que les philologues modernes ont, à tort ou à raison, interprété dans le sens d'un rougissement pudique du visage[53]. Ce dernier sens correspond bien à l'idée du mélange de rouge et de blanc. Mais les commentateurs médiévaux ont sans doute surtout choisi le flave en raison de sa connotation de brillance et de splendeur qui le rendait apte à évoquer l'éclat d'une peau parfaitement saine[54].

Outre cette couleur due au mélange égal des humeurs, Johannitius distingue comme on l'a vu cinq couleurs humorales – le noir, le jaune citron,

---

[51] et Ch. de MIRAMON dir., Florence : Sismel, edizioni del Galluzzo, 2008, p. 273-320, ici p. 294-295.

[51] Haly Abbas / Constantin l'Africain, *Pantegni*, I, 18, ed. et ms. cit. (*supra* note 32), f. 3v et f. 5r.

[52] Comm. Digby cit. (*supra* note 14), f. 13v : [...] *ille color qui est compositus ex albedine et rubore. Et dicitur flavus* ; Maître Cardinalis, Comm. *Isagoge*, ms. cit. (*supra* note 17), f. 19vb : [...] *dicens quod ille color ab equalitate humorum procedit qui est compositus ex rubeo et albo, scilicet flavus color.*

[53] Eric LAUGHTON, « Flavus pudor », *The Classical Review*, 62, 1948, p. 109-111 ; *Idem*, « Flavus again », *The Classical Review*, 64, 1950, p. 88-89. E. Laughton soutient que *flavus* se rapporte dans les sources antiques exclusivement aux cheveux. L'attribution du terme à la peau repose selon lui sur un contre-sens. Les gloses médiévales sur l'*Isagoge* suggèrent toutefois que cette dernière interprétation n'est pas réservée aux philologues contemporains.

[54] Dans son dictionnaire très diffusé (ed. Venise, 1496, p. 122), le grammairien Papias (XIe siècle) propose *splendidus* comme synonyme de *flavus*. En revanche, *flavus* n'apparaît pas dans les *Derivationes* d'Huggucio de Pise (ed. Enzo Cecchini et *al.*, Florence : Sismel, edizioni del Galluzzo, 2004).

le rouge, le *glaucus* et le blanc. Ce nombre surprend, car la médecine hippocratico-galénique est fondée sur un système quaternaire de quatre humeurs, quatre qualités, et quatre éléments. Johannitius lui-même distingue quatre humeurs dans son chapitre sur la question (sang, flegme, bile rouge et bile noire). Le choix de cinq couleurs plutôt que quatre le conduit à des acrobaties et on peut s'interroger sur la raison de ce choix. Les commentateurs restent silencieux, mais réduisent le plus souvent, tacitement, le système à quatre couleurs de base.

L'ordre dans lequel Johannitius présente les couleurs suggère toutefois que son choix n'avait rien d'arbitraire. Cet ordre combine deux logiques. Les couleurs sont regroupées selon leur signification (chaud : noir, jaune citron, rouge ; froid : *glaucus*, blanc) et placées sur une échelle entre le noir et le blanc. Le nombre impair des couleurs permet à Johannitius de disposer d'un moyen terme et d'y placer le rouge comme la valeur intermédiaire entre le noir et le blanc. Le rouge est aussi la couleur qui correspond au sang, l'humeur — et donc la couleur — la plus favorable, si l'on fait abstraction du mélange égal des humeurs. La gamme des couleurs de l'*Isagoge* décrit ainsi une sorte de demi-cercle, avec le rouge au sommet. Elle suit une logique similaire à celle qui préside aux listes et aux diagrammes des couleurs des traités d'uroscopie. Le noir et le blanc s'y touchent comme deux extrêmes d'une ligne repliée sur elle-même, alors que le rouge leur est diamétralement opposé[55]. On note cependant une anomalie pour la place des couleurs intermédiaires. Dans la gamme uroscopique, le citrine se situe du côté du blanc.

Pour résoudre l'écart entre le nombre de couleurs et le nombre d'humeurs, Johannitius (ou plutôt son traducteur Constantin l'Africain) divise la bile noire entre la *colera nigra* (responsable de la peau noire) et la *melancolia* (responsable d'une peau grisâtre / verdâtre), alors que ces deux termes sont le plus souvent utilisés comme des synonymes dans les textes médicaux médiévaux. Dans son propre chapitre sur les humeurs, Johannitius subdivise toutefois toutes les humeurs, sauf le sang, en plusieurs sortes. Pour la bile noire (*colera nigra*) il décrit deux variantes[56]. Il n'utilise pas le terme *melancolia*, mais il est assez facile d'établir des parallèles entre le chapitre sur les humeurs et celui sur les couleurs. La *melancolia* correspond au premier type de bile noire que Johannitius qualifie de « naturel » (*naturalis*) et de « vraiment froid et sec » (*veraciter est frigidus et siccus*), alors que la *colera nigra* correspond à la seconde sorte de bile noire. Celle-ci est « contre nature » (*extra naturalem causam*) et produite par une inflammation du mélange colérique (*adustione colericae commixtione*). Plus chaude, plus légère et d'une qualité pernicieuse, elle est « vraiment dite noire » (*veraciter appellatur niger*)[57].

Barthélémy de Salerne a manifestement connecté ces deux chapitres de l'*Isagoge*, car il précise, dans son commentaire, que la *melancolia* est « naturelle », et pas vraiment noire mais plutôt livide (*lividus*) ou plombée

---

[55] *Cf.* L. MOULINIER, *op. cit.* (*supra* note 2), p. 159.
[56] Johannitius, *Isagoge*, 9, ed. cit. (*supra* note 8), p. 153.
[57] *Ibidem.*

(*plumbus*). Pour l'humeur responsable de la peau noire, il évite le terme *colera nigra*, préférant parler d'un mélange de sang et de bile rouge brûlée. Il maintient cinq couleurs, mais limite leurs causes à quatre humeurs[58].

La plupart des commentateurs réduisent cependant le système de Johannitius à quatre couleurs, ou évitent le problème par un flou artistique sur le nombre de couleurs et leurs correspondances aux humeurs et aux complexions. Dans ces nouveaux systèmes, les combinaisons blanc / flegme et rouge / sang font figure de couples stables.

La réduction de cinq à quatre passe ainsi parfois par la suppression du couple jaune citron / bile rouge[59] ou la confusion entre le jaune et le rouge (*citrinus id est rubeus*)[60]. L'élimination du jaune citron pouvait s'appuyer sur les descriptions des signes des complexions dans le *Tegni* et le *Pantegni*. Dans le *Tegni*, on trouve ainsi le rouge, le blanc, le livide / plombé et le noir ; le *Pantegni* donne une liste similaire (rouge, blanc, blanc tendant vers le livide, *brunus*), en faisant figurer le citrine seulement parmi les signes du corps maladif[61].

La seconde méthode pour passer de cinq à quatre couleurs consiste à éliminer la *colera nigra* et à rapprocher le *niger* et le *glaucus* sous l'étiquette de la *melancolia*. C'est le cas chez Archimattheus qui affirme que « le rouge vient du sang, le blanc du flegme, le citrine ou le safran (*citrinus vel croceus*) de la bile, le livide ou le noir (*lividus vel niger*) de la mélancolie »[62]. En déplaçant la couleur *niger* à la mélancolie, Archimattheus glisse sur le fait que Johannititus l'avait classée avec les couleurs qui signifient la chaleur et non le froid. On voit qu'il a, en même temps, remplacé le *glaucus* par le *lividus*. Il s'aligne ainsi sur les couleurs de peau citées dans le *Tegni* et le *Pantegni*, où le *glaucus* n'apparaît pas. On peut surtout se demander s'il ne préfère pas le livide au glaucue pour éviter d'associer le *niger* directement à une couleur proche du blanc. Le livide a des connotations similaires au glaucue, mais en plus foncé. Les échelles uroscopiques séparent le glaucue

---

[58] Barthélémy de Salerne, *Comm. Isagoge*, ms. cit. (*supra* note 15), f. 34r : *A dominio calidorum scilicet rubeus a sanguine, citrinus a colera rubea, niger ex utroque per adustione in eo .iii. transeunte. Duo autem dominio frigidorum, scilicet glaucus ex melancolia, albus ex flegmate. Sed glaucus ex melancolia, sicilicet naturali que non est nigra sed magis plumbea vel livida.* Le comm. Digby cit. (*supra* note 14, f. 13v) parle de *colera adusta* plutôt que de *colera nigra*.

[59] Comm. Digby cit. (*supra* note 14), f. 13v-14r.

[60] Comm. Paris 544 cit. (*supra* note 14), f. 62va : *Ab inequalitate vero per intensionem caliditatis ut niger, citrinus, id est rubeus, vel frigiditatis ut glaucus et albus.* Le manuscrit donne clairement *id est*, mais on peut se demander s'il ne s'agit pas d'une erreur pour *et*, ce d'autant plus qu'il n'y a pas de *et* entre *niger* et *citrinus*. Le commentateur ne relie pas chaque couleur à une humeur particulière. L'incertitude ne peut donc pas être entièrement levée.

[61] Haly Abbas / Contantin l'Africain, *Pantegni, Theorica* I, 24, ed. et ms. cit. (*supra* note 32), f. 4r et f. 6r : *Quod si diligentissime medicus inspexerit, poterit cognoscere primum a colore, quod si sit citrinus color corporis ex abundantia cholere rubee designatur, si lividus vel plumbeus, mala complexio significatur, aut de epatis frigiditate, aut de abundantia cholere nigre, aut ex splenis defectione. Sanum ergo corpus ex perfectione coloris sue nature competentis cognoscitur* [...].

[62] Archimattheus, *Comm. Isagoge*, transcription Grensemann (cit. *supra* note 15) : *Qui fit ab humoribus, alius simplex, ut rubeus, qui fit a sanguine, albus a flegmae, citrinus vel croceus a colera, lividus vel niger a melancolia.*

et le livide par des variétés de jaune, de rouge et de vert, le premier étant proche du blanc, le second du noir[63]. Cependant, il s'agit de deux couleurs froides qui peuvent aussi, avec le plombé (*plumbus*) et le sombre (*fuscus*) être perçues comme des nuances plus ou moins foncées du gris[64].

Conclusion

Ce rapide examen montre la complexité du système médical des couleurs de la peau. Chaque auteur glose la couleur du texte source en le plaçant sur une palette assez personnelle.

Cette variabilité se confirme dans des textes postérieurs sur les tempéraments et les complexions, ainsi que dans les traités de physiognomonie qui se multiplient à partir du XIIIe siècle et dans lesquels la couleur de la peau joue également un rôle. Par exemple, un anonyme et très diffusé *De complexionibus* rend le tempérament colérique responsable d'un teint pâle et cendré plutôt que jaune[65], et dans son *Speculum phisonomie*, le médecin Michel Savonarole (1385-1468) associe le tempérament sanguin avec une couleur mélangée de blanc et de rouge et non pas simplement rouge, l'assimilant ainsi à la complexion parfaitement équilibrée[66]. Dans toutes ces variantes, les couleurs s'articulent cependant autour de quatre pôles. Le système des cinq couleurs majeures de Johannitius se trouve définitivement abandonné.

---

[63] Maurus de Salerne, *Regulae urinarum*, cité par L. MOULINIER, *op. cit.* (*supra* note 2), p. 150, n. 63 : *Albus est sicut aqua clara, Lacteus est sicut serum lactis, Glaucus est sicut cornu lucidum album* [...] *Citrinus est sicut color citri* [...] *Rubeus est sicut color sanguinis* [...] *Viridis est sicut color cauli vel porri, Lividus est sicut plumbum, Niger est sicut cornu lucidum nigrum.* Les autres commentateurs connaissent également bien l'uroscopie, voir par exemple Comm. Paris 544 cit. (*supra* note 14), f. 62v : *Glaucus enim ut in urinis legitur sub albo ponitur.*

[64] Urso de Salerne, *De coloribus*, ed. cit. (*supra* note 22), p. 12-13 : [...] *cum maxime prehabundat aqua elementum album fit color* [...]. *Ex terra autem fit color niger* [...]. *Ex aqua enim et terra fit glaucus color qui est medius inter album et nigrum* [...] *Ex eorum similiter prehabundantia, sed non equali, fit color lividus, sive plumbeus et fuscus.*

[65] *De complexionibus*, ed. Werner Seyfert, « Ein Komplexionentext einer Leipziger Inkunabel (angeblich eines Johann von Neuhaus) und seine handschriftliche Herleitung aus der Zeit nach 1300 », *Archiv für Geschichte der Medizin*, 20, 1928, p. 272-292, ici p. 291 : *Dicitur cholerica complexio quae est calida et sicca* [...]. *Signa per quae cognoscitur complexio sint haec : Si vides hominem pallidum sicut est color cineris* [...].

[66] Michel Savonarole, *Speculum phisonomie*, ms. Paris, BnF, lat. 7357, f. 11va-12rb, cité par Joseph ZIEGLER, « Skin and Character in Medieval and Early Renaissance Physiognomy », *Micrologus*, 13, 2005, p. 511-536, ici p. 517. Pour les trois autres complexions, les couleurs sont les suivantes : colérique : rubicond tendant vers le jaune avec parfois des taches de rousseur (*sub ruffus et ad citrinitatem cum apparentia lenticularum citrinarum quandoque declinans*) ; flegmatique : blanc ; mélancolique : foncé (*fuscus vel ad fuscedinem declinans*). L'assimilation entre la complexion sanguine et la complexion tempérée se trouve déjà antérieurement, par ex. chez Guillaume de Conches, qui n'évoque cependant pas la couleur de la peau : *Philosophia mundi*, IV, 18, 30, ed. Gregor Maurach, Pretoria : Univ. of South Africa, 1980, p. 103 : [...] *homo naturaliter calidus est et humidus et inter quattuor qualitates temperatus, sed quia corrumpitur natura, contingit illas in aliquo intendi et remitti. Si vero in aliquo intensus sit humor, calor vero remissus, dicitur flegmaticus. Si autem intensa sit siccitas, remissus calor, dicitur melancolicus. Si vero aequaliter insint, dicitur sanguineus.*

Dans les subtilités des commentaires de l'*Isagoge*, on pourrait ne voir que des détails insignifiants. Il faut malgré tout suivre les méandres des classifications des couleurs de la peau chez les médecins médiévaux pour se garder de lectures anachroniques. À une époque où un courant historiographique souhaite coûte que coûte racialiser le Moyen Âge, il faut répéter que, quand un médecin médiéval parle de peau noire, et même lorsqu'il l'oppose à la peau blanche, cela ne désigne généralement pas la peau d'un Africain sub-saharien mais un teint mat ou grisâtre. La peau blanche n'est pas non plus un *optimum*. Elle est l'attribut des individus flegmatiques — une complexion qui est loin d'être idéale — et des Barbares des mondes froids, éloignés des douceurs de la baie de Naples. Tant dans le système médical et humoral que dans le système ethnique de la couleur de la peau, c'est la couleur intermédiaire qui est valorisée.

La couleur de la peau est surtout moins un système de valeurs qui permet d'associer, d'opposer et de hiérarchiser les humains, qu'un système de signes. Le médecin doit être capable de jauger la complexion et la santé du patient par son aspect extérieur. Chaque peau est un signe, une formule que l'expert doit déchiffrer. Cette sémiologie n'est qu'effleurée chez Johannitius. Elle est à la fois indispensable et extrêmement fragile. Les textes et les sources sont contradictoires et les systèmes retenus variables. Ils ne fonctionnent que pour un mâle en bonne santé avec une vie modérée habitant une zone tempérée et il faut aussi faire abstraction des couleurs spirituelles ou accidentelles[67]. Les femmes ne peuvent qu'être comparées entre elles[68] et on ne dit pas d'un Éthiopien né quand Saturne est en Orient — une constellation qui est, selon Ptolémée, responsable d'une peau très pâle — qu'il est blanc, mais seulement qu'il est moins noir qu'un autre Éthiopien[69]. Chez les peuples nordiques, la couleur blanche n'est pas le signe d'une complexion flegmatique, mais d'une complexion chaude, en raison du sang, que le froid ambiant a chassé vers l'intérieur de leurs corps ; inversement, la couleur noire des Éthiopiens cache paradoxalement une complexion froide[70].

Il ne s'agit pas, bien sûr, de suggérer que la couleur de la peau chez les médecins médiévaux soit étrangère aux préjugés de l'époque. Comme pour les tempéraments humoraux, les portraits ethniques intègrent une caractérisation des mœurs des différents peuples. De plus, certains médecins, comme Arnaud de Villeneuve, se montrent, contrairement à leurs sources, bien plus virulents sur les Noirs que sur les peuples nordiques. Arnaud habitait Barcelone, l'un des grands centres à l'époque du commerce

---

[67] Galien, *Tegni*, XIV, 4 et *De complexionibus*, II, 6, Kühn I, 627-629 ; ed. Durling cit. (*supra* note 39), p. 86-87 ; Haly Abbas / Constantin l'Africain, *Pantegni, Theorica*, I, 19-23, ed. et ms. cit. (*supra* note 32), f. 3v-4r et f. 5r-6r.

[68] Par exemple, Haly Abbas / Constantin l'Africain, *Pantegni, theorica*, I, 22, ed. et ms. cit. (*supra* note 32), f. 4r et f. 5v : [...] *Ex quibus omnibus frigidiores comprobantur. Unde naturaliter marium ad mares, mulierum ad mulieres debent fieri comparationes.*

[69] Haly, *Commentarius in Quadripartitum Ptholemei*, III, 11, ed. cit. (*supra* note 48), f. 72r, *cf.* M. van der LUGT, *op. cit.* (*supra* note 3), p. 447.

[70] Par exemple Haly Abbas / Constantin l'Africain, *Pantegni, Theorica*, I, 20, ed. et ms. cit. (*supra* note 32), f. 3v-4r et f. 5r.

d'esclaves[71]. Sans nier la part des stéréotypes, il faut néanmoins affirmer le primat sémiologique. Dans la médecine médiévale, la couleur de la peau rentre dans une pensée qui, à travers les classifications infinies des complexions, a voulu déchiffrer les corps, pour adapter à chaque patient régime et traitement.

---

[71] *Cf.* M. van der LUGT, *op. cit.* (*supra* note 3), p. 473-475.

Les couleurs du poison. La (dé)coloration des corps dans les écrits de vénénologie du Moyen Âge latin

Franck COLLARD[1]

« Lui qui était blanc comme fleur, le voilà maintenant tout noir »[2]. Ainsi un poème rapportant l'histoire d'Henri VII, comte de Luxembourg et empereur, décrit l'effet du venin censé avoir fait périr le souverain germanique en août 1313. Le chroniqueur d'Arras Jacques du Clercq assure au siècle suivant que, avant que le roi de Hongrie Lancelot – ou Ladislas – ne trépassât, en 1457, empoisonné lors d'un repas, il « devint pasle et depuis verd comme herbe »[3]. Ce genre de mention de *mutatio coloris* abonde dans les sources narratives qui relatent des *toxicationes*. Les archives judiciaires en présentent aussi : « trouvee enflee et reluisant et rouge par le ventre »[4], une tante à héritage laisse une dépouille marquée par des signes d'empoisonnement, d'où un procès devant le parlement de Paris en 1404.

La documentation explorée ici sera d'une autre sorte. Le propos s'appuiera sur un certain nombre d'écrits sur les poisons, composés en Occident à partir de la fin du XIIIe siècle. Type d'ouvrages très divers par leur taille et leur traitement du sujet, mais ayant comme points communs le *venenum* en tant que tel, les *venena* dans leur diversité et, pour objectif déclaré, l'exposition des moyens d'y obvier ou d'y remédier, ces textes auxquels on peut donner le nom générique de *Giftschriften*, par référence aux *Pestschriften* édités il y a un siècle par Karl Sudhoff, ressortissent nettement au domaine des écritures médicales. Excepté le premier auteur, Juan Gil de Zamora[5], frère franciscain de Castille, tous les autres sont des docteurs en médecine, italiens dans leur grande majorité, attachés fréquemment à un puissant ou à une université[6].

La réflexion s'organisera autour de l'interrogation suivante : centrale dans les traités des urines[7], la question de la couleur occupe-t-elle aussi une place importante dans les traités des poisons ? Quelle consistance a son traitement, quel lexique, quelles sources, quelles doctrines, quelle utilité et quelles finalités ?

---

[1] Professeur d'histoire médiévale à l'Université Paris Nanterre, EA 1587 – CHiSCO.
[2] SIMON DE MARVILLE, *Vœux de l'Épervier*, ed. Karl Georg Wolfram, François Bonnardot, Metz : Druckerei der Lothringer Zeitung, 1895, v. 504.
[3] JACQUES DU CLERCQ, *Mémoires*, III, 31, ed. Jean-Alexandre Buchon, Paris : Desrey, 1838, p. 107.
[4] AnF, Parlement criminel, X²A 14, 4 décembre 1404, f. 215.
[5] Juan Gil de Zamora, *Liber contra venena et animalia venenosa*, ed. Candida Ferrero Hernandez, Barcelone : Reial Acadèmia de bones Lletres, 2009.
[6] Sur le genre, voir en dernier lieu Franck COLLARD, *Les écrits sur les poisons. Typologie des sources du Moyen Âge occidental*, fascicule 88, Turnhout : Brepols, 2016.
[7] Laurence MOULINIER, *L'uroscopie au Moyen Âge. « Lire dans un verre la nature de l'homme »*, Paris : Champion, 2012, p. 148-166.

La place et l'emplacement donnés aux couleurs par les *Giftschriften*

La *materia veneni* au centre des ouvrages considérés incorpore la question de la couleur à plusieurs titres qui sont à rappeler brièvement. D'abord au titre des corps toxiques, minéraux, végétaux, animaux, souvent dotés de caractéristiques chromatiques qui ne sont pas indifférentes au propos du jour, car elles peuvent passer de la substance empoisonnante au corps empoisonné[8]. Ensuite au titre de détecteurs réagissant chromatiquement à la présence ou au contact du venin. Enfin, et c'est celui qui nous retiendra, au titre des créatures humaines, qu'il serait imprudent de limiter aux seuls empoisonnés.

Dans les écrits consultés, très rare est l'absence de mentions chromatiques, hormis les textes très brefs à vocation exclusivement antidotaire. Mais rares aussi sont les passages amples. Le traité de Juan Gil de Zamora n'ignore pas les couleurs, mais sans y faire abondamment référence[9]. Écrit le plus fameux du genre, le *De venenis* de Pietro d'Abano composé vers 1316 traite de 75 poisons. Six seulement font l'objet de considérations sur la couleur de l'empoisonné[10]. L'ouvrage dû au médecin de Sienne Francesco Casini en 1375 prétend faire le tour des *venena* de la Création en 139 notices. Une trentaine comprend des observations chromatiques[11]. Entre un sixième et un quart des notices se préoccupent donc de la couleur du corps dans ces deux importants ouvrages du XIVe siècle. Au siècle suivant, les choses restent les mêmes. Au sein du volume massif de Sante Ardoini de Pesaro (rédigé vers 1425), les livres II à IV sur les poisons d'ingestion issus des trois règnes (115 chapitres en tout) abordent les effets

---

[8] Voir le traité des poisons de Maïmonide dans la traduction d'Armangaud Blaise (Maimonides, *On Poisons and the Protection against Lethal Drugs, a New Parallel Arabic-English Translation by Gerrit Bos with Criticle Editions of Medieval Hebrew Translations by Gerrit Bos and Medieval Latin Translations by Michael R. Mc Vaugh*, Provo : Brigham Young University Press, 2009, p. 157 : il faut se méfier des mets ayant une couleur insolite comme les champignons de couleur noire ou verte.

[9] Zamora, *Liber contra venena*, ed. cit. supra note 5, par exemple, X, 1 sur le changement de teint provoqué par l'ingestion d'une grenouille (p. 147).

[10] Pietro d'Abano, *De venenis eorumque remediis*, Padoue, 1473, ch. 15, céruse : *Ille cui data fuerit in potu cerussa patietur vomitum album ut cerussa et habebit dentes nigros...*; ch. 17, plomb brûlé : *eius labia et lingua plumbina sunt*; ch. 18, lazurite, minium et cinabre : *in vomitu discernetur per colorem unumquodque ipsorum*; ch. 26, suc ou fruit ou racine de mandragore : *ruborem in facie et oculis... patietur*; ch. 32, suc d'aconit, *denigrationem*, au milieu de bien d'autres effets, ce qui noircit n'est pas précisé ; ch. 58, sur les morsures ou piqûres d'animaux venimeux, la *denigratio* de l'endroit atteint signe la perniciosité de la bête, *quando inceperit locus denigrari aut putrefieri, erit signum quod punctura fuerit animalis pernitiosi*; ch. 66, cantharides, qui en a pris a des mictions sanglantes (*mictum sanguinis*).

[11] Francesco Casini, *Liber de venenis*, BnF, ms. lat. 6979, f. 33r (litharge), 34r (céruse), 38v (*cornua spice*), 46r (*tesitie*), 51v (herbe tue-loup), 55v (opium), 56r (*nux methel*), 59r (*uva vulpis*), 60v (champignons vénéneux), 62r (cantharide), 63r (lièvre marin), 64r (salamandre), 64v (grenouille lacustre), 66r (fiel de léopard), 66v (sang de taureau et sueur de bêtes venimeuses), 75r (piqûre de scorpion), 78v (serpent *yrundo*), 81r (hydre), 81v (vipère), 92r (morsure de chat), 92v (morsure de belette), 93r (morsure de petite belette), 93v (morsure de scorpion champêtre), 94r (morsure d'algerach), 95r (piqûre de sauterelle), 97r (piqûre de bête proche du scorpion), 98r (piqûre d'alcanuta), 99v (morsure de salamandre).

chromatiques des *venena* pour une vingtaine d'entre eux[12]. Vers 1455, Gian Martino Ferrari de Parme les mentionne à une dizaine de reprises au moins[13]. La couleur n'indiffère pas les auteurs sans être omniprésente.

Les mentions de couleurs interviennent à deux grands moments des traités considérés. C'est d'abord dans les parties sur le *venenum* en général que viennent les éléments de couleur. Le traité de Sante Ardoini les aborde dès les chapitres 3 et 5 de son premier livre[14]. C'est ensuite et surtout dans chacune des notices traitant des *venena* particuliers, comme les sommaires comptages indiqués ci-dessus le laissaient penser.

Concernant les *venena* particuliers, les auteurs parlent des couleurs au titre des *signa*, parfois à celui des *accidentia* engendrés par l'empoisonnement, avec une forte proximité des deux notions, même si celle d'*accidentia* regarde plus les lésions corporelles tandis que celle de *signa* concerne davantage les marques, nuisibles ou non, imprimées au corps par le poison. L'expression de cette proximité se retrouve chez Sante Ardoini dont la rubrique *signa* de chacune des notices de l'*Opus de venenis* reprend la même formule : *signa assumptionis eius sunt accidentia prenarrata*. Guillaume de Marra, auteur d'un long traité dédié au pape Urbain V en 1362, traite quant à lui des couleurs du corps toujours à la section *accidentia*[15].

Dans le cas des mentions faites à titre général, les *signa* colorés (il n'est jamais question d'*accidentia*) interviennent à deux titres. Les deux premiers ne sont pas étonnants : il s'agit de décrire la coloration ou la décoloration prises par le corps d'une victime du poison quel qu'il soit[16]. Le deuxième titre est plus surprenant. Situées dans les sections préventives et préservatives de quelques *Giftschriften*, des considérations signalent voire expliquent la *mutatio coloris* de ceux qui s'apprêtent à commettre un empoisonnement. Guillaume de Marra indique au début de son traité qu'il faut scruter les visages des suspects pendant la crédence (ou *proba*, c'est-à-dire le test des mets et boissons servis[17]) pour voir s'ils changent de couleur[18]. Sante Ardoini lui consacre le second point du 8e chapitre de son premier livre, chapitre intitulé *De praecognitione eorum qui intendunt exhibere venenum*. Pietro Tommasi, dans son ouvrage écrit en 1437 à destination du pape Eugène IV, aborde plus furtivement le sujet en reprenant simplement de Marra cette citation tirée d'Ovide : *difficile est crimen non*

---

[12] Sante Ardoini, *Opus de venenis*, Venise, 1492 : f. 19r, 22v, 23r, 27r, 27v, 32r, 33r, 36r, 37v, 38r, 38v, 40r, 40v, 43r, 44r, 44v, 47v, 48r, 50v.

[13] Gian Martino Ferrari de Parme, *De vitandis venenis et eorum remediis libellus*, BnF, ms. lat. 6980 : f. 22v, 30v, 39r, 40r, 44v, 47r, 50r, 52v, 56v, 58r.

[14] Voir *supra* note 11.

[15] Guillaume de Marra, *Sertum papale de venenis*, BM Metz, ms 282.

[16] Zamora, *op. cit. supra* note 5, XII, 3 : *De signis venenosorum cognoscendis*, p. 184-185.

[17] Sur ces précautions et les objets utilisés, voir Franck COLLARD, *Le Crime de poison au Moyen Âge*, Paris : PUF, 2003, ch. 2, p. 82 et sv.

[18] Marra, *op. cit. supra* note 15, f. 3 v : *eorum vultus sepe aut fixe aspiciendi sunt tempore quo fuit credencie si a colore solito permutantur.*

prodere vultu : une *mutatio ad pallorem aut ruborem* s'empare en effet des visages des mal intentionnés au moment fatidique de la *praegustatio*[19].

Quelles sources ?

Comme dans toute la littérature savante de ce temps, la majeure partie des données des écrits sur les poisons afférentes aux couleurs corporelles repose sur les autorités consacrées par la tradition. Deux sources antiques fournissent principalement les éléments concernant les effets chromatiques du poison en général. Le 6ᵉ livre de la *Materia medica*, attribué abusivement à Dioscoride, inclut parmi les nombreux symptômes d'empoisonnement rougissement et palissement[20]. Le 6ᵉ livre du *De locis affectis* de Galien mentionne la *mutatio coloris* affectant tout individu mort empoisonné. Toutefois, il n'est pas cité explicitement par nos auteurs, alors que Gui de Chauliac donne *in extenso* dans sa *Grande chirurgie* le passage du médecin grec[21]. C'est que les docteurs « vénénologues » ne se placent pas comme Galien dans une perspective *post mortem*. Mais ils ont assurément à l'esprit les propos galéniques selon lesquels noircissement, lividité ou variation de couleur signent une *toxicatio* qu'ils évitent simplement de présenter en des termes d'autopsie assez peu optimistes.

Les sources arabes apportent évidemment aussi leur lot de données aux auteurs, non pas tant les textes spécialisés que les sommes générales. Le *Continens* de Rhazès indique les effets du poison puis les signatures d'une série de 56 *venena* et les couleurs tiennent une belle part[22]. Le *Tractatulus de venenis* d'Averroès fournit également quelques indications[23], mais c'est sans surprise le *Canon* d'Avicenne qui est le plus sollicité, explicitement ou non[24]. Casini introduit nombre de notations chromatiques par *secundum Avicennam*, par exemple à propos des *signa* colorés de la céruse ou de la sueur de bête[25].

Viennent enfin les sources latines. Les traités des poisons occidentaux s'abreuvent largement aux ouvrages traduits ou écrits par Constantin l'Africain à la fin du XIᵉ siècle et aux sommes de médecine du XIIIᵉ siècle et du début du XIVᵉ qui abordent plus ou moins largement la question du

---

[19] Pietro Tommasi, *Consilium de universali preservatione contra venena pro Eugenio IV*, ed. Djalma Vitali, Rome : Instituto di storia della medicina dell'università di Roma, 1963, p. 10.

[20] Dioscoride, *Materia medica*, éd. gréco-latine de Cologne, 1529, p. 702.

[21] Galien, *De locis affectis*, VI (Kühn, VIII, 423), cité par Gui de Chauliac, *Inventarium sive chirurgia magna*, ed. Michael Mc Vaugh, Leyde : Brill, 1997, VI, 1, 8, p. 305-306, sous un titre différent mais il s'agit bien du même texte : *Signa autem hominis mortui ex veneno sibi administrato habentur per Galienum in 6° Interiorum dum dicit : « Cum enim euchimo alicui natura et dietato secundum convenientem modum repentina supervenit mors, qualis in aliquo delicteriorum (id est venenosorum) farmacorum venire consuevit, deinde lividum, vel nigrum vel varium, vel deficiens, vel putrescens statim fetet, significatur quod venenum sumpsit ».*

[22] Rhazès, *Continens*, 35, 1, Venise, 1542, f. 492r puis 497r *sqq.*

[23] Averroès, *Tractatulus de venenis*, Milan, 1502, f. 98r. Passage concernant les effets des poisons agissant par forme spécifique. À noter que le traité de Maïmonide est pauvre en mentions de mutations chromatiques, s'attachant davantage aux couleurs des substances empoisonnées et au concept même de couleur comme signe constaté et perçu (II, 1, p. 147).

[24] Avicenne, *Canon*, Bâle, 1556, p. 912.

[25] Casini, *op. cit. supra* note 11, f. 34r et 66v.

poison[26]. Dans le *De morborum cognitione et curatione libri VII*, en fait le *Viatique* d'Ibn al-Jazzar que s'est approprié Constantin à la faveur de la traduction qu'il en a donnée, figurent des indications de changement de couleur chez les empoisonnés[27]. Très lu aussi, très sollicité, le *Compendium medicine* de Gilbert l'Anglais écrit vers 1240 fournit des indications identiques au moment de traiter des signes des poisons froids et des signes des poisons chauds : *de uno colore in alium mutantur* écrit-il à propos des victimes des seconds, *colores mutantur* à propos de celles des premiers[28]. Le *Lilium medicine* de Bernard de Gordon envisage vers 1304 la *permutatio colorum* au titre des *signa* que présente un empoisonné[29].

Les lectures des auteurs de traités des poisons, beaucoup plus que leur expérience à cet égard, fournissent donc les données chromatiques de leurs écrits. En quoi consistent-elles ?

Quel traitement des couleurs du corps dans les traités ? Observer, expliquer

Une bonne partie des auteurs comme Antonio Guaineri, dans son traité dédié au duc de Milan en 1422, se bornent à indiquer deux phénomènes se présentant sur le corps des empoisonnés[30]. C'est d'abord la *mutatio colorum*, à partir d'une « couleur naturelle » qui n'est jamais définie, sinon que c'est celle que donne la vie. Le poison provoque un processus de décoloration exprimé par diverses expressions (*alteratio colorum*[31], *discoloratio corporis*[32], *deperditio coloris*[33], *turpitudo coloris*[34]) parfois précisées en termes de pâlissement (*mutatio coloris in lividum*[35]), de blanchissement (*albificatio*[36]), de ternissement, d'obscurcissement ou d'assombrissement (*offuscatio*[37]), bref de perte d'éclat vital.

Le second phénomène observé est l'acquisition par le corps atteint de couleurs non corporelles. Elles se ramènent essentiellement à cinq : noir, rouge, blanc, vert et jaune, ces deux dernières couleurs étant selon M. Pastoureau associées par la culture médiévale au *venenum*[38]. Plus rare, le

---

[26] Voir Fr. COLLARD, « Poison et empoisonnement dans quelques œuvres médicales latines antérieures à l'essor des *tractatus de venenis* », in *Terapie e guarigioni*, dir. Agostino PARAVICINI BAGLIANI, Florence : Sismel, Ed. del Galluzzo, 2010, p. 363-393.
[27] Constantin l'Africain, *De morborum cognitione et curatione libri VII*, in *Opera omnia*, Bâle, 1536-1539, p. 153.
[28] Gilbert l'Anglais, *Compendium medicine*, Lyon, 1510, f. 350r.
[29] Bernard de Gordon, *Lilium medicine*, Lyon, 1550, I, 13, f. 50r.
[30] Antonio Guaineri, *Opus praeclarum*, Paris, 1525.
[31] Casini, *op. cit. supra* note 11, f. 94. Antonio Guaineri, *Opus praeclarum*, Paris, 1525.
[32] Marra, *op. cit. supra* note 15, f. 44r.
[33] *Ibid.* f. 45v.
[34] Cristoforo degli Onesti, *Problemata de venenis*, BnF, ms. lat. 6910, f. 99r. Le mot *turpitudo* est employé au sens propre de souillure, entachement.
[35] Casini, *op. cit. supra* note 11, f. 78v.
[36] Degli Onesti, *op. cit. supra* note 34, f. 110v.
[37] Ardoini, *op. cit. supra* note 12, f. 33r.
[38] Michel PASTOUREAU, « La pomme antique et médiévale. Jalons pour une histoire symbolique », in *Le monde végétal. Médecine, botanique, symbolique*, dir. A. PARAVICINI BAGLIANI, Florence : Sismel, Ed. del Galluzzo, 2009, p. 285-329, part. p. 319 n. 109. Nous

violet ou plutôt le violacé, couleur prise par l'urine de qui a ingéré du lièvre marin, apparaît dans l'ouvrage de Casini[39]. Par ailleurs, les colorations consécutives à une *venenatio* empruntent aussi aux teintes caractérisant des substances : plombé (*plumbinus)* revient souvent (Pietro d'Abano, Casini)[40], terreux aussi (Ardoini)[41]. Mais le nuancier est nettement moins élaboré que dans les traités des urines. Celui de Gilles de Corbeil distingue vingt teintes, nombre doublé au XVe siècle[42]. Le lexique chromatique reprend les termes répandus dans ce type d'écrits médicaux : *citrinitas, citrinus* se rencontrent fréquemment, davantage que *aureus*[43]. La polychromie est parfois constatée : rouge puis vert devient l'endroit piqué par une sauterelle, constate, dans ses *Problemata de venenis* de 1391, Cristoforo degli Onesti [44]. Casini fait pareillement passer la plaie par diverses couleurs avant un jaunissement général du corps[45].

Précisément, ces constats s'appliquent soit au corps tout entier, *in toto corpore*, sous forme de décoloration globale ou de taches, soit à des endroits du corps (*membra*). Mais ils sont toujours externes et jamais internes, pour la bonne raison que les ouvrages se placent dans une perspective curative et non posthume. Des sources médico-judiciaires, en particulier des rapports d'autopsie qui se multiplient au XIVe siècle, présenteraient des données, mais elles ne trouvent guère d'échos dans les écrits sur les poisons[46].

Les endroits principaux de (dé)coloration d'origine toxique sont, outre les zones par définition variables qui ont été mordues ou piquées en cas de venin animal, essentiellement situés au visage, soit la face en son entier, et cela concerne aussi celle de l'empoisonneur, érubescente ou pâlissante, on l'a dit, soit les yeux (observation la plus fréquente, valable à la fois en général et en particulier[47]), la langue[48], les lèvres[49], les dents[50], ces deux

---

renvoyons à l'abondante production de l'historien qui s'est penché dans différentes études sur des couleurs particulières comme le bleu, le rouge, le vert, le noir.
[39] Casini, *op. cit. supra* note 11, f. 63.
[40] Abano, *op. cit. supra* note 10, ch. 15 (céruse) ; Casini, *op. cit. supra* note 11, f. 33r (litharge) : *color eius fit similis plumbo.*
[41] Ardoini, *op. cit. supra* note 12, f. 44v, parle de la *terreitas corporis* selon la tradition galénique transmise par Rhazès, *op. cit. supra* note 22, f. 497r, tradition affectant une couleur terreuse à qui a mangé grenouille ou crapaud.
[42] L. MOULINIER, *op. cit. supra* note 7, p. 148.
[43] Casini, *op. cit. supra* note 11, f. 63r pour ce dernier mot, f. 60v, 64v, 66r pour les autres.
[44] Degli Onesti, *op. cit. supra* note 34, f. 96r, repris par Ferrari, *op. cit. supra* note 13, f. 22v.
[45] Casini, *op. cit. supra* note 11, f. 95r : […] *rubeus deinde procedit ad alios colores* […]. Le corps entier se teinte à la fin de *citrinus color.*
[46] Par exemple, le rougissement des conduits digestifs dû à un échauffement des tissus ou le noircissement des organes dû à la coagulation du sang. Sur ces aspects, voir les analyses de Joseph SHATZMILLER, « The Jurisprudence of the Dead Body. Medical Practition at the Service of Civic and Legal Authorities », *Il cadavere, Micrologus*, 7, 1999, p. 223-230 ou Fr. COLLARD, « *Secundum artem et peritiam medicine.* Les expertises dans les affaires d'empoisonnement à la fin du Moyen Âge », in *Expertise et conseil au Moyen Âge*, Actes du 42e colloque de la SHMESP (Oxford, 2011), Paris : Publications de la Sorbonne, 2012, p. 161-173, *Id.*, « L'essor de la médecine judiciaire à la fin du Moyen Âge », in *La Médecine judiciaire d'hier à aujourd'hui : regards croisés*, dir. Sylvie HUMBERT, Philippe GALANOPOULOS et Alexandre LUNEL, Bordeaux : LEH Édition, 2017, p. 15-32.
[47] Casini, *op. cit. supra* note 11, f. 56 ; Ardoini, *op. cit. supra* note 12, I, 5.
[48] Ferrari, *op. cit. supra* note 13, f. 58r.

derniers emplacements n'étant affectés d'une coloration caractéristique que par des poisons particuliers. À quoi s'ajoutent les ongles, comme le signale Conrad Vendl, auteur d'un traité composé en 1463 pour l'empereur Frédéric III de Habsbourg[51].

À l'interface entre l'externe et l'interne, les sécrétions ou les excréments des *toxicati* se teintent aussi de couleurs notables. Les vomissures font assez souvent l'objet de remarques générales. Par exemple, dans les années 1330-1340, Berthold Blumentrost estime que certains poisons se reconnaissent à la couleur du vomi[52] et Pietro d'Abano applique cela à trois poisons minéraux particuliers[53]. Assez curieusement, comme réceptacle de teintes dues aux *venena*, l'urine ne tient pas une place aussi importante qu'on aurait pu l'imaginer. Guillaume de Marra s'attarde sur le noircissement des urines de qui a ingéré de la céruse[54], Casini, on l'a vu, sur leur violacement. Mais il n'y a guère d'autres observations et l'uroscopie si propice à l'observation chromatique n'intervient guère dans nos textes. Cela pourrait s'expliquer, pour la période postérieure à l'irruption de la peste, par la proximité avec le poison dans laquelle les médecins tiennent cette maladie[55], censée défier l'art uroscopique[56]. Mais ce n'est qu'une hypothèse.

Si beaucoup d'auteurs se contentent de décrire, une partie des écrits pris en compte fait suivre, en bonne méthode scholastique, les constats d'explications exposées sous forme de résolution de *dubia*. Cristoforo degli Onesti expose même l'ensemble de la *materia veneni* sous la forme aristotélicienne de *problemata* à traiter. Chez cet auteur, 12 des 68 problèmes traités, soit plus d'un sixième, font intervenir une dimension chromatique regardant le corps de l'empoisonné[57]. Chez Guillaume de Marra, celui de l'empoisonneur, plus précisément le *vultus toxicatoris*, fait l'objet d'un *dubium* spécial traité en fin d'œuvre : *quare ministri scienter presentantes venenum suis dominis solent erubescere vel palere*? Le médecin explique à son lecteur Urbain V que la honte et la crainte teintent le corps. La honte le fait rougir car la nature essaie de cacher ce qui est honteux et elle envoie donc vers le visage une grande quantité d'esprit vital si bien que joues et

---

[49] Battista Massa, *Pro servanda salute de venenis*, Ferrare, BM, ms. 352, f. 51v.

[50] Marra, *op. cit. supra* note 15, f. 22r.

[51] Conrad Vendl, *De pestilentia et venenis resistendis*, Vienne, ÖNB, cod. 2304, f. 27r. La contribution de Mireille Ausécache dans le présent ouvrage montre que la coloration des ongles comme signe d'empoisonnement figure dans les traités salernitains.

[52] Berthold Blumentrost, *Tractatus de cautelis venenorum*, ed. Konrad Goehl, « Berthold Blumentrosts Giftbüchlein *Tractatus de cautelis venenorum* neu gelesen », in *Editionen und Studien zur lateinischen und deutschen Fachprosa des Mittelalters, Festgabe für Gundolf Keil* [*zum 65. Geburtstag*], Wurzbourg : Königshausen & Neumann, 2000, p. 71-80, p. 75 : ch. 6, *De signis distinctionis venenorum : similiter per colorem vomitus cognoscuntur.*

[53] Abano, *op. cit. supra* note 10, ch. XVIII (cinabre, minium, lazurite) : *et in vomitu discernetur per colorem unumquodque ipsorum.*

[54] Marra, *op. cit. supra* note 15, f. 21r-22r.

[55] L'expression la plus parlante de cette proximité est la composition de traités doubles des poisons et de la peste (Guaineri, Vendl).

[56] L. MOULINIER, *op. cit. supra* note 7, p. 125 *sqq.*

[57] Degli Onesti, *op. cit. supra* note 34, 91r, 91v, 96r (deux problèmes chromatiques traités), 99r, 101v, 105r, 107r, 107v, 110r, 110v, 111v.

oreilles se teintent de rouge. La peur au contraire provoque un rappel de sang et d'esprit vital vers les parties centrales du corps, d'où le fait que ses extrémités, et principalement la face, en soient privées, perdant du même coup clarté et éclat[58]. Se manifeste ainsi une sorte de physiognomonie émotionnelle, particulière car occasionnelle[59].

Mais la *ratio* ou *causa* des mutations chromatiques est exposée surtout à propos des empoisonnés, parfois de façon systématique comme chez Sante Ardoini. L'explication de base est que la *mortificatio* ou *corruptio* ou encore la *resolutio caloris inati* provoquée par le poison change la couleur du corps vivant[60]. Marra explique que la bonne couleur du corps suppose un bon sang et un bon souffle vital, faute de quoi le corps se décolore. Le noircissement des dents de qui a absorbé de la céruse vient du fait que ce poison froid éteint la chaleur qui les rendait éclatantes[61]. Le rougissement des yeux de qui a pris de l'opium ou de la mandragore provient de la *constrictionem cordis, pectoris et venarum* qui provoque un afflux de sang aux yeux[62]. Vendl rapporte la mutation chromatique des ongles à l'atteinte du cœur par le poison car ces extrémités procèdent de vapeurs cordiales affectées par l'empoisonnement[63]. Sont développées aussi des causalités liées à la complexion des poisons et à leurs effets sur les humeurs de la victime, humeurs à l'origine de la coloration des urines, s'accorde à dire la tradition uroscopique médiévale[64]. Ce sont aussi des agents colorants du corps en général. Le jaunissement des yeux a pour origine l'afflux de bile après absorption de fiel de léopard ou de poisson. Ardoini appelle cela *corruptio coloris sive icteritia*[65]. C'est aussi l'excès de bile jaune qui confère sa *citrinitas* au corps de qui a ingéré des grenouilles lacustres, estime Ferrari[66].

---

[58] Marra, *op. cit. supra* note 15, f. 54v : *Quia dicebatur superius in capitulo de cautela perpendendi de presentia venenorum quod ministri conscii de veneno palescunt sive rubent et ideo queritur quare ministri scienter venenum suis dominis presentantes solent erubescere et pallere, dicendum quod hoc evenit quia solent verecundari vel timere. Si enim verecundant, tunc rubescunt cum sepe in verecundia rubor in facie producatur, natura enim cupiens celare et palleare illud de quo verecundatur, mittit ad faciem quantitatem spiritum copiosam, quare ipsa facies et specialiter gene et aures rubescunt. Si vero timeat cum in timore fiat revocatio sanguinis et spiritus per partes corporis extrinsecas et centrales tunc ipsa extrema et precipue facies sanguine et spiritu deprivantur quorum presencia reddebatur lucida ac clara...*
[59] La contribution de M. van der Lugt dans le présent volume montre que la coloration émotionnelle est un sujet abordé depuis longtemps et dans des textes très connus, comme l'*Ysagoge* de Johannitius traduit à la fin du XIe siècle.
[60] Casini, *op. cit. supra* note 11, f. 27v, 33r, 36r.
[61] Marra, *op. cit. supra* note 15, f. 22r : *incipit corpus dealbare cum bonus color non resultet nisi ex presencia boni sanguinis et spiritus lucidi atque clari in quibus maxime viget nostra caliditas... Dentes etiam nigrescunt propter mortificationem caloris naturalis in eis factam a prava frigiditate ceruse, unde spiritus in dentibus existentes mortificati et magnefacti a frigiditate reddunt dentes fulcos penitus ac nigros.*
[62] *Ibid.*, f. 33v puis 36r ; phénomène de la *regurgitacio sanguinis*.
[63] Vendl, *op. cit. supra* note 51, f. 27r.
[64] L. MOULINIER, *op. cit. supra* note 7, p. 142 : le lien entre humeurs et couleurs est indiqué comme « le principal fil rouge » de l'uroscopie médiévale.
[65] Ardoini, *op. cit. supra* note 12, IV, 15 et 17.
[66] Ferrari, *op. cit. supra* note 13, f. 39r : *humores grossi multiplicantur ex quibus accidit oppilatio in poro feleo et color fit citrinus quare cola expanditur ad exteriora.*

Ces explications physiologiques n'excluent pas le raisonnement analogique établissant un rapport entre la couleur de telle substance toxique et celle que prend tout ou partie du corps qui en est atteint. S'écartant des dires de Sante Ardoini, Battista Massa d'Argenta fait observer au duc de Ferrare en 1472 qu'absorber une grenouille lacustre fait verdir[67]. Prolongeant le constat de Pietro d'Abano selon qui le blanc de la céruse se retrouve dans les vomissures de qui en a absorbé[68], degli Onesti en tire un *dubium* : pourquoi celui qui a pris du minium ou du cinabre rend-il une substance de la couleur de ces poisons[69]? Ferrari de Parme explique le blanchissement de la langue par sa porosité à la céruse[70], d'autres le teint plombé d'un empoisonné au plomb par la couleur de celui-ci[71]. Cependant, ce mode de raisonnement assez simpliste atteint vite ses limites puisque la céruse est aussi censée noircir les dents[72] ainsi que les urines[73].

Utilité et finalité des mentions chromatiques

La couleur abonde dans les traités des urines car elle fait sens et œuvre ainsi au diagnostic, au pronostic et à la thérapeutique. Dans les *Giftschriften*, sa présence joue le même rôle de signe à mettre au service des patients, avant comme après l'empoisonnement.

La préservation est la raison d'être des passages sur l'érubescence ou la pâleur des empoisonneurs lors de la *praegustatio* : exposer le *canon in precognitione ministri qui cupit mortiferum potionem vel cibum exhibere* comme l'indique un traité anonyme conservé à Oxford[74], fortement inspiré par celui de Guillaume de Marra, permet de donner au lecteur ou à ses serviteurs les moyens de prévenir une *toxicatio* et de rassurer ainsi le mangeur ou le buveur : si le poison est une arme occulte, le criminel qui l'emploie n'est pas invisible puisque l'empoisonneur se trahit par son teint. Bel optimisme démenti par tant de *venenationes* !

Les mentions concernant le corps de l'empoisonné visent à faciliter les soins à lui prodiguer, d'abord en identifiant un empoisonnement, ensuite en déterminant la substance qui en est l'origine et la gravité de l'atteinte subie. Le *De arte cognocendi venena* attribué à Arnaud de Villeneuve place bien la couleur des corps parmi les critères de reconnaissance et d'identification

---

[67] Massa, *op. cit. supra* note 49, f. 75r.

[68] Abano, *op. cit. supra* note 10, ch. 15, *ille sui data fuerit in potu cerussa patietur vomitum album ut cerussa…*

[69] Degli Onesti, *op. cit. supra* note 34, f. 112r ; la réponse donnée n'est pas d'une grande clarté, mais comme il s'agit de pigments, on peut comprendre qu'ils pigmentent aussi les vomissures par leur astringence.

[70] Ferrari, *op. cit. supra* note 13, f. 58r.

[71] Massa, *op. cit. supra* note 49, f. 51v ; degli Onesti, *op. cit. supra* note 34, f. 110r, explique la chose autrement, par la coagulation du sang.

[72] Abano, *op. cit. supra* note 10, ch. 15, éléments repris dans le traité de la peste et des poisons de Guaineri (*Opus praeclarum*, f. 241).

[73] Ferrari, *op. cit. supra* note 13, f. 58.

[74] *De curationibus venenorum assumptorum*, Oxford, Bodleian Library, Canon. Misc. 236, f. 7v.

d'une *venenatio*[75], même si celle-ci partage des marqueurs chromatiques avec certaines fièvres, remarque Guillaume de Marra[76]. Concernant les poisons particuliers, la principale utilité des mentions de couleur est de permettre de remonter de la couleur observée à l'origine de la coloration, avec cette limite de la fréquente similitude chromatique de l'effet de poisons de complexion pourtant opposée, telle la rougeur des yeux. L'identification du poison par la couleur du corps qu'il a transformé, comme transmué, va déterminer le traitement à appliquer, si toutefois tout espoir n'est pas perdu. Sante Ardoini estime qu'une forte rougeur des yeux est signe de mort à venir[77]. Un siècle avant lui, Berthold Blumentrost écrit que si les yeux rougissent (*si oculi [...] rubent*), c'est un des pires signes (*pessima signa*) qui soient[78]. Toutefois, si la couleur aide au pronostic comme au diagnostic de l'empoisonnement, elle n'y contribue pas de manière massive, à cause des grandes incertitudes qu'elle présente.

Nul n'en fait un indice médico-légal, malgré la citation de Galien produite par Chauliac. On l'a dit, la perspective des auteurs est de sauver des vies, pas d'examiner des morts. Ce silence fait que les documents judiciaires qui incluent des rapports d'autopsie ne peuvent s'appuyer sur la production vénénologique de la fin du Moyen Âge. Ils regardent plutôt vers les œuvres générales de médecine antique ou arabe. Les archives laissées par le procès de Pierre Gerbais, trésorier de Savoie censé avoir empoisonné en 1375 le sire Hugues de Grammont[79], comme celles de l'affaire Amédée VII en 1391[80] l'illustrent parfaitement. L'utilité des mentions de couleurs dans nos écrits n'est pas médico-légale.

Conclusion

L'effet chromatique de l'empoisonnement semble un lieu commun à la fin du Moyen Âge. *Per totum corpus niger factus ac si venenum bibisset* écrit l'auteur lübeckois d'un traité de peste de 1411 à propos d'un médecin mort d'une overdose de thériaque[81]. La vénénologie médiévale accorde donc une certaine place à la question de la couleur des corps et en fait un problème à résoudre, ainsi qu'une donnée à utiliser pour prévenir comme

---

[75] Ps. Arnaud de Villeneuve, *De arte cognoscendi venena*, Genève, 1498, f. 57v.

[76] Marra, *op. cit. supra* note 15, f. 22r.

[77] Ardoini, *op. cit. supra* note 12, I, 5.

[78] Blumentrost, *op. cit. supra* note 52, p. 75.

[79] Salima MOYARD, *Crime de poison et procès politique à la Cour de Savoie. L'Affaire Pierre Gerbais (1379-1382)*, Lausanne : Cahiers lausannois d'histoire médiévale 44, 2008, p. 430 : l'état du sire de Grammont est très précisément décrit *ante* et *post mortem* dans le 20ᵉ article de l'enquête : parmi les *signa* soumis à la science des médecins, il y a la couleur des ongles, mains, bouche, lèvres, et dents.

[80] Le praticien Homebon, interrogé dans le cadre de l'enquête ouverte à la suite du décès d'Amédée VII, s'appuie sur Galien (*De interioribus*), peut-être d'après Gui de Chauliac (voir *supra* note 21), pour dire que le verdissement ou le noircissement d'un cadavre signent un empoisonnement (Giovanni CARBONELLI, *Gli ultimi giorni del conte rosso e i processi per la sua morte*, Pignerole : Rossetti, Fiocchini e C., 1912, p. 243).

[81] *Pestschriften aus den ersten 150 Jahren nach der Epidemie des schwarzen Todes*, ed. Karl Sudhoff, *Archiv für Geschichte der Medizin*, 2, 1909 à 17, 1925, ici tome 11, 1919, p. 156.

pour guérir la *toxicatio*. Mais les traités étudiés ne se prêtent pas, comme les traités des urines chers à L. Moulinier, à une sémiologie chromatique élaborée : on ne connaît nulle roue des couleurs données ou enlevées par le poison comme il a existé des roues des urines. Par ailleurs, malgré les origines stellaires prêtées aux propriétés des poisons agissant par forme spécifique[82], les théories très répandues d'un Guillaume l'Anglais qui rapprochait couleurs des urines et position des astres influençant les humeurs, elles-mêmes responsables de la coloration des urines[83], ne se retrouvent pas dans nos écrits. Nulle explication astrale n'est donnée à la *mutatio coloris* provoquée par un *venenum*, même dans les sommes des plus savants docteurs.

En vérité, la dimension chromatique de l'effet des poisons sur les corps présente sans doute trop d'incertitudes pour occuper une place centrale dans les *Giftschriften*, dont le second essor, après 1348, intervient en pleine phase de doute sur l'interprétation de la couleur des urines des pestiférés. Le poison teinte, certes, comme le dit un sermon de carême de Bernardin de Sienne[84]. Mais la sémiologie des couleurs qu'il donne reste sommaire, fragile et peu opérationnelle. Des experts de la faculté de médecine de Paris invités en 1394 à déterminer, à partir de l'examen du sang d'un patient, si celui-ci, comme il le croit, a été empoisonné, déclaraient : « […] il n'est pas a plain traictié es livres de medecine comment on peust certainement congnoistre s'aucune personne est empoisonnée par l'inspection de son sang seulement »[85]. De fait, l'hématoscopie chromatique n'apparaît pas dans nos écrits. Pour pallier cette lacune, ni l'inspection du teint ni l'observation de la couleur des urines ne sont convoquées par nos mires démunis. C'est qu'en la matière, ils estiment sans doute que les *Giftschriften* ne leur seront d'aucun secours.

---

[82] Sur la forme spécifique, voir Nicolas WEILL-PAROT, *Points aveugles de la nature. La rationalité médiévale face à l'occulte, l'attraction magnétique et l'horreur du vide (XIII*e*-milieu du XV*e* siècle)*, Paris : Les Belles Lettres, 2013, et Joël CHANDELIER, « Théorie et définition des poisons à la fin du Moyen Âge », in *Le poison et ses usages dans l'Occident médiéval*, dir. Fr. COLLARD, *Cahiers de Recherches Médiévales*, 17, 2009, p. 23-38.

[83] L. MOULINIER, *Guillaume l'Anglais, le frondeur de l'uroscopie médiévale (XIII*e* siècle), édition commentée et traduction du* De urina non visa, Genève : Droz, 2011, voir ch. 8 de l'œuvre de Guillaume, *De colore et substantia urine*, p. 163-166. L. Moulinier a toutefois repéré au moins deux manuscrits où le traité de Guillaume figure en compagnie de textes vénénologiques : Vienne, ÖNB, cod. 5207 (avec l'opuscule de Gregorius Verdenatus) ; Oxford, Canon. Misc. 46 (avec le traité de Pietro d'Abano).

[84] Bernardin de Sienne, *Sermons de Carême*, in *Opera omnia*, Paris, 1635, sermon XV de la 6e férie après le dimanche de Carême, p. 533: *Habet enim venenum duplex significatum: uno modo idem est quod virus ; alio modo idem est quod tinctura.*

[85] AnF, Parlement criminel, X²A 12, 11 juillet 1394, f. 213v.

La couleur de la peau :
auxiliaire dans le diagnostic des maladies selon Avicenne

Joëlle RICORDEL[1]

Les médecins de langue arabe posaient leur diagnostic par le patient interrogatoire du malade et par l'observation attentive des signes des maladies au nombre desquels figuraient l'examen des urines, la prise du pouls, l'auscultation minutieuse et la palpation des corps. L'étude de la couleur du corps participait de cet ensemble diagnostique, associée à différents critères physiques et physiologiques. Dans le cadre de cette étude, l'importance des signes colorés inhabituels a été explorée principalement à travers les cinq livres du *Canon* (القانون في الطبّ) d'Ibn Sīnā (Avicenne) qui envisage tous les états du corps sous une forme encyclopédique, traitant à la fois l'anatomie, la physiologie, l'étiologie, la pathologie... L'ouvrage n'a pas été uniquement choisi pour la synthèse très large qu'il offre des connaissances médicales du XIe siècle dans une tradition élargie de la médecine antique et des descriptions médicales des prédécesseurs de l'auteur mais également parce qu'Avicenne expose des principes fondés sur la rationalité et sur l'expérimentation. Il explique ainsi le rapport étroit existant entre la cause et l'effet par un raisonnement syllogistique. Il écrit :
> « Tout homme ayant un frisson pénétrant a la fièvre tierce ; or ce fiévreux a un frisson pénétrant, donc ce fiévreux a la fièvre tierce, ou au contraire en prenant la cause comme moyen terme : tout homme ayant la fièvre tierce a un frisson pénétrant ; or ce fiévreux a la fièvre tierce, donc ce fiévreux a un frisson pénétrant »[2].

Cette citation montre bien que, raisonnant sur les principes médicaux, Avicenne prend en considération un ensemble des signes qui, recueillis au lit du malade, lui seront une aide précieuse pour fonder son diagnostic. Les couleurs du corps font partie de cet ensemble. Elles sont révélatrices de l'état des secrétions car celles-ci sont repoussées à sa surface sous l'effet de la force extractive. Comme ses prédécesseurs, Avicenne s'attache aux couleurs des humeurs qui sauront lui indiquer celle qui est dominante et déviante chez un individu. Déjà, les manuels précoces de médecine arabe s'en faisaient l'écho comme la *Risāla al-Hārūniyya* de Masīḥ al-Dimašqī qui, prenant ses sources chez « Galien, Falaṭīs al-Hindī et l'éminent Hippocrate », décrit,

---

[1] Chercheur associé, UMR 7219, SPHERE, CNRS-Paris VII Denis Diderot.
[2] Avicenne, *Livre des directives et remarques* (Al-išārāt wa al-tanbihāt), traduction française avec introduction et notes par Amélie Marie Goichon, Beyrouth-Paris, 1951, p. 233-234. Le passage est cité dans Danielle JACQUART et Françoise MICHEAU, *La médecine arabe et l'Occident médiéval*, Paris : Maisoneuve et Larose, 1990, p. 82.

dans la seconde moitié du VIIIe siècle, les différentes catégories d'humeurs[3]. Il indique que, différenciés par leurs couleurs, il y a deux sortes de sang, cinq sortes de phlegme, cinq de bile jaune et cinq d'atrabile. Si l'on prend l'exemple de la bile jaune, dans la première catégorie (jaune et sèche), elle donne un teint foncé et dans la seconde (moins jaune et plus sèche), une peau avec des points noirs. Les couleurs des urines sont également exploitées. Masīḥ en énonce sept sortes :

> « La première est blanche, la seconde d'un jaune citron, la troisième couleur safran, d'un jaune plus soutenu que le précédent, la quatrième est rouge feu, la cinquième couleur du sang, la sixième noirâtre comme un lavis d'encre, la septième rouge foncé comme le foie. Sache que chacune de ces couleurs résulte de l'action de nombreux facteurs »[4].

Avicenne subdivise ces couleurs de base en un grand nombre de nuances intermédiaires[5]. Les maladies internes se révèlent donc aux yeux du médecin par des signes extérieurs, au nombre desquels figurent les modifications du teint. La peau devient ainsi un témoin privilégié. Elle est, par sa couleur, aussi un marqueur social.

De façon générale, chez les Arabes, la carnation a toujours retenu l'attention des poètes et des commentateurs. Déjà pendant la période pré-coranique, au temps de « l'ignorance », *al-jāhiliya*, la couleur de la peau participe des critères de beauté. Si l'homme est vanté pour sa force, sa bravoure et son sens de l'honneur, la femme est louée pour la blancheur de sa peau, ses yeux noirs, et ses dents pareilles à des perles. Au début du XIVe siècle, Al-Nawayrī, énumérant les canons de la beauté, cite « les joues blanches et rosées avec un grain de beauté comme une goutte d'ambre sur un plat d'albâtre »[6]. Cependant comme l'écrit J. Lomba, en définissant les critères de la beauté, dans son étude sur Ibn Ḥazm : « Il n'y a semble-t-il, qu'une chose qui change, la couleur de la peau : à certaines époques on aime la peau brune, à d'autres blanche : c'est une question accidentelle »[7].

Le teint naturel est le facteur essentiel pour distinguer les populations. Comme de nombreux autres penseurs, Avicenne considère que le climat est responsable de leur diversité. Il l'exprime dans son *Poème sur la médecine*, en mètre *rajaz* :

بالزنج حرّ غيّر الأجسادا | حتّى كسا جلودها سوادا

والصقلب اكتسبت ابيضاضا | حتّى غدت جلودها بضاضا

---

[3] Suzanne GIGANDET, *La* Risāla al-Hārūniyya *de Masīḥ b. Ḥakam al-Dimašqî* (édition, traduction), Damas : Institut français d'Études arabes de Damas, 2001, p. 80-92.

[4] *Ibid.*, p. 180.

[5] Ibn Sīnā, *Al-Qānūn fī al-ṭibb*, Beyrouth : Dār al-kutub al-ʿilmiya, 1999 / 1420 (3 vol.), vol. I, p. 28-33 et p. 184-189.

[6] Al-Nawayrī, *Nihayat al-arab fī funûn al-adab*, Le Caire : Maison des Égyptiens, t. II., 1323 (1949), p. 18. Cf. J. LOMBA FUENTES, « La beauté objective chez Ibn Ḥazm », *Cahier de civilisation médiévale*, 25, 1964, p. 1-18.

[7] J. LOMBA-FUENTES, art. cit., p. 9.

« Le corps des Noirs est transformé par la chaleur | Leur peau est recouverte de noirceur. | Le Slave, au contraire, a pris la blancheur | et toute sa peau n'est plus que douceur »[8] et ses vers sont repris par Ibn Ḫaldūn[9] qui s'insurge contre les croyances qui voient dans la peau noire l'effet d'une punition divine[10]. Pourtant, malgré la défense d'un auteur comme al-Jāḥiẓ (776-869) qui, dans *Faḫr al-Sudān ʿalā al-Bayḍān*[11] (*Source d'orgueil des Noirs vis-à-vis des Blancs*), veut montrer les qualités de la peau noire, le nombre des Noirs réduits en esclavage est plus important que celui des Blancs. Les individus subissent leur condition d'homme « de couleur » et sur le plan social, celle-ci se révèle discriminatoire.

A ces traits innés communs à certains groupes, viennent s'adjoindre les signes propres à un individu en particulier. Ils sont révélateurs d'un tempérament. Le médecin s'intéresse à ces couleurs qui dénoncent la prédominance naturelle mais non pathologique du mélange de certaines humeurs. Dans la *Risāla al-Hārūniyya* (*L'épître à Hārūn al-Rašīd*), le médecin Masīḥ al-Dimašqī explique comment percer à jour les individus et développe ses théories physiognomoniques car « l'aspect physique et les couleurs indiquent beaucoup de choses cachées […]. Grâce à la sagacité et à un regard avisé, on détecte non seulement cela, mais aussi les traits de caractère et la nature cachée »[12]. Le caractère sanguin, colérique, mélancolique ou phlegmatique transparaîtra dans la couleur rouge, pâle, blanche ou grise du teint sans qu'il s'agisse pour autant d'un état maladif et le médecin devra se garder d'un diagnostic hâtif fondé sur ces signes.

Un langage de la peau est donc établi et son aspect, signal donné vers l'extérieur, doit être particulièrement soigné. Son état peut être entretenu d'où les nombreux conseils et recettes des médecins qui préconisent des lavages, massages, traitements divers, éventuellement pour l'éclaircir, et ce dans la vie courante ou dans des circonstances exceptionnelles. Avicenne, par exemple, consacre un chapitre du *Canon de la médecine* aux voyageurs[13] à qui il recommande de protéger leur teint pendant le voyage « par l'application de pommade de graines de lin et l'emploi de gomme arabique ou de gomme adragante mélangée à de l'eau ou du blanc d'œuf »[14].

Malheureusement, les accidents de la vie laissent des traces révélatrices sur la peau : cicatrices colorées, marques indélébiles de certaines

---

[8] *Poème de la médecine d'Avicenne (Cantica)*, traduction de Henri Jahier et Abdelkader Nourreddine, Alger, 1954 (vers 66-67).

[9] Ibn Khaldūn, *Discours sur l'Histoire universelle – Al-Muqaddima*, traduit de l'arabe et annoté par Vincent Monteil, Beyrouth : Thesaurus Sindbad, 1967-1968, p. 131.

[10] Ibn Khaldūn, *Ibid.*, p. 132.

[11] Al-Jāḥiẓ, *Rasāʾil, Kitāb Fakhr al-Sudān ʿalā al-Baydān*, édition de A.-M. Haroun, Beyrouth : Dār al-Jil, 1991, vol. I, p. 2-87 ; voir aussi Malek CHEBEL, *L'esclavage en terre d'Islam*, Paris : Fayard, 2007.

[12] S. GIGANDET, *La* Risāla al-Hārūniyya (*op. cit. supra* note 3), p. 428.

[13] Ibn Sīnā, *Al-Qānūn* (*op. cit. supra* note 5), vol. I, p. 259-266.

[14] Ibn Sīnā, *Ibid.*, sur la préservation de la couleur du teint, vol. I, p. 265.

maladies. Les marchands d'esclaves sont les premiers à chercher à dissimuler les défauts physiques de ceux qu'ils proposent à la vente. Le médecin Ibn Buṭlān (XIᵉ siècle) conseille à ce sujet les acheteurs d'esclaves, les mettant en garde contre certaines fourberies des vendeurs ; il indique :

> « Combien de fois parviennent-ils à camoufler les défauts des yeux ou les plaies de la lèpre et rendent-ils bleu clair des yeux bleu foncé. Combien de fois fardent-ils les joues jaunes en rouge [...], blanchissent-ils les visages bruns et dorent-ils les tavelures, les tatouages, les taches de rousseur et les plaques de gale »[15].

Les mêmes mises en garde émaillent les traités sur la surveillance des corporations et la répression des fraudes, manuels de *ḥisba,* comme celui d'al-Saqaṭī al-Andalusī (1080-1120).

Quel enseignement le médecin tire-t-il de l'observation de ses malades ? Quelle place accorde-t-il aux signes colorés que lui révèle son regard attentif ? Peut-il s'appuyer sur l'aspect que présente la peau pour poser un diagnostic ?

La première partie du *Canon* d'Avicenne est consacrée à l'anatomie des organes vitaux. La peau ne fait l'objet d'aucun chapitre ou paragraphe particulier contrairement au système pileux et aux ongles qui lui sont pourtant rattachés et bien que la peau doive être considérée comme un organe qui remplit différentes fonctions vitales. Elle a un rôle de protection du milieu interne contre l'environnement et contre la déshydratation, de perception et de sensibilité grâce à de nombreuses terminaisons nerveuses, de régulation thermique par la sudation. Cependant, les considérations sur son état sont omniprésentes dans le *Canon*. Les modifications du teint font partie des symptômes des maladies organiques et, par leur intensité, permettent de juger de la gravité d'une affection.

Avicenne remarque certains signes rédhibitoires liés au physique et à la couleur, qui sont d'un très mauvais pronostic[16]. Pour lui, le malade peut présenter un aspect général morbide. Si la peau d'un patient fiévreux se relâche, que le teint fonce ou si la peau prend une couleur noire, verte ou grise tirant sur la couleur de la poussière, le médecin doit alors penser que cela signe une mort prochaine dès lors qu'il aura éliminé des causes bénignes. Parmi celles-ci, l'auteur mentionne la veille prolongée ou les problèmes de l'évacuation qui ne sont pas préoccupants et ne signent pas une aggravation irréversible de la maladie.

Avicenne note que toute modification de la carnation n'est pas liée à la maladie. Dans ce cadre, il met principalement en exergue deux couleurs : le noir et le jaune. Il remarque que des facteurs extérieurs peuvent modifier le teint. Celui-ci tire vers le noir en raison du soleil et les observations rejoignent là ce qui a été noté à propos de l'influence du climat. Le froid, le vent, la gravité terrestre ou le manque d'hygiène peuvent produire le même

---

[15] Bernard Lewis, *Race et couleur en pays d'Islam,* Paris : Payot, 1982, p. 140-142.

[16] Ibn Sīnā, *Al-Qānūn* (*op. cit. supra* note 5), vol. III, p. 120.

effet. Cependant, une chaleur extrême de l'air peut aussi occasionner un jaunissement de la peau. L'accentuation de ce jaunissement semble être plus péjoratif. Il peut révéler une altération de l'état de bonne santé relative dans lequel se trouve tout individu. Les causes en sont la privation de nourriture, l'absorption d'eau croupie, l'abus de coït mais aussi des facteurs psychologiques tels que les soucis et les souffrances psychiques. L'alimentation entre également en jeu : si elle est riche en salaisons, la pigmentation sera plus foncée et signera un excès de bile noire. Avicenne évoque brièvement deux plantes photo-sensibilisantes de l'alimentation, l'ammi et le cumin qui, selon son assertion, donneront une teinte jaune à la peau. Toutes deux ont été classées parmi les ombellifères de la famille des apiacées. Leur agent photo-sensibilisant est un psoralène que l'on sait, aujourd'hui, actif sur certaines affections cutanées comme le psoriasis ou l'eczéma. Avicenne mentionne que l'*ammi* entre dans des prescriptions pour le traitement du *vitiligo* et, qu'avec le vinaigre qui peut lui être associé, on peut exercer une action éclaircissante sur les teints foncés et basanés et sur les taches de vieillesse. Parmi les substances consommées, Avicenne mentionne les terres qui « obstruent les orifices des vaisseaux » et occasionnent des « vapeurs de bile jaune ». Sans les nommer précisément, il fait sans doute allusion aux argiles. Celles-ci entrent dans la préparation de médicaments composés. Lavées et affinées, parfois parfumées au musc et au camphre et préparées en pastilles, elles sont employées contre les vomissements et les faiblesses digestives. Cependant, chez les sujets présentant des fragilités du rein et du foie, et qui se signalent par leur maigreur et leur teint basané, les thérapies à base d'argiles sont contre-indiquées car elles accélèrent la perte d'appétit et accentuent la coloration jaune de la peau. Les effets secondaires ainsi décrits rejoignent ceux évoqués par d'autres médecins comme al-Rāzī et Ibn Samajūn[17]. De façon non thérapeutique, certains individus consommaient de façon habituelle des argiles et cette géophagie se notait dans leur teint jaune. Si l'on pense d'abord à la terre sigillée, célébrée par Galien, il ne faut pas oublier que l'une des argiles les plus réputées provenait de la région de Nīšābūr, en Perse et, que dans l'Occident musulman, le *bulūh* était une terre renommée de la région de Tolède[18].

Les descriptions des maladies de peau sont considérées comme l'un des apports du *Canon*. Avicenne en débat notamment dans le Livre IV, 7e partie (*fan*) consacrée à *al-zīna*, l'embellissement. Contrairement à ce que pourrait laisser supposer le titre, ce n'est pas uniquement sous l'angle de la cosmétique mais également en son l'aspect médical que le sujet est abordé. La couleur de la peau prend ici une importance notoire puisque c'est le critère sur lequel est fondée la classification des affections. Quatorze sous-

---

[17] Michel RAUTUREAU, Nicole LIEWIG, Celso GOMES, Mehrnaz KATOUZIAN-SAFADI, *Argiles et Santé. Propriétés et thérapies*, Cachan : Editions médicales intern. Lavoisier, 2010, p. 23.
[18] Ibn Biklāriš, *Kitāb al-Mustaʿīnī*, ms 5009, BN Madrid, f. 73v-74r.

chapitres (*fuṣūl*) constituent, en effet, le chapitre (*maqāla*) intitulé « À propos de la peau, quant à sa couleur »[19] différenciés de ceux du chapitre suivant « Ce qui se produit pour la peau mais ne concerne pas sa couleur ».

Sur le plan de la cosmétique, le discours d'Avicenne traite de la façon dont on peut améliorer le teint, comment le protéger du soleil, du vent et du froid, en effacer les traces de tatouage, et les taches laissées par les ulcères et la variole. Un très bref paragraphe est consacré aux rougeurs et petites lésions causées par le froid, érythèmes et engelures. Enfin, il décrit et indique un traitement thérapeutique pour certaines maladies touchant la peau et modifiant la couleur des téguments. D'une façon générale, il s'avère difficile d'adapter un lexique contemporain à un lexique médical ancien. La description des symptômes et des signes se révèle souvent insuffisante pour qu'une identification sûre soit faite des maladies décrites, d'autant que les médecins eux-mêmes, manquants des connaissances et des moyens que nous avons acquis avec le temps et le développement des techniques, sont eux-mêmes dans une certaine confusion. La traduction des noms arabes des pathologies peut se révéler hasardeuse et l'identification sera fondée ici sur le consensus semblant exister pour associer les lexiques arabes des maladies et les lexiques contemporains.

La couleur de la peau, ses irrégularités, ses taches et ses défauts révèlent au regard attentif du médecin, des maladies soit de l'organe cutané seul soit d'un état général perturbé dont elle est un témoin visible. C'est par ses altérations qu'il identifie un certain nombre d'affections. Témoin d'une agression externe de la peau et ne signant pas un état pathologique, certaines taches colorées localisées sont les marques résultant de blessures ou de coups portés au corps. Avicenne les décrit comme laissant des traces colorées vertes ou violacées (couleur aubergine). Les premières, peut-être résultat d'hématome, devront être traitées par un mélange de chaux et de natron rouge avec du vinaigre piquant, les secondes par de l'encens associé à du natron et de l'aloès[20].

Se référant aux symptômes colorés, Avicenne effectue, d'abord, une première différenciation par la considération des zones atteintes ; sont-elles superficielles et ne touchent-elles que l'épiderme ou s'attaquent-elles en profondeur au derme lui-même ?

Un premier lot de descriptions[21] concerne les taches de rousseur (éphélides), *namaš* (نمش)[22], et le lentigo, *baraš* (برش)[23]. Leur cause commune

---

[19] Ibn Sīnā, *Al-Qānūn* (*op. cit. supra* note 5), vol. III, p. 154.

[20] Ibn Sīnā, *Al-Qānūn* (*op. cit. supra* note 5), vol. III, p. 357.

[21] Ibn Sīnā, *Ibid.*, p. 357-360.

[22] Les éphélides, ou taches de rousseur, sont de petites macules pigmentées, photo distribuées, apparaissant dans l'enfance sous l'effet de l'exposition au soleil. Elles sont planes. Leur taille varie de 1 à 5 mm ; Elles sont de couleur brun clair ou ocre, mais cette pigmentation s'accentue avec le soleil et, au contraire, s'éclaircit après l'exposition.

[23] Le lentigo (ou lentigine) est une macule hyper pigmentée, plane ou légèrement surélevée. Sa couleur varie du jaune chamois au brun très foncé et n'est pas modifiée par l'exposition

est indiquée comme provenant d'un « sang qui se répand par les orifices des vaisseaux lymphatiques ou par une fissure à la suite d'un traumatisme ou tout autre chose. Ce sang s'engorge (coagule) sous la surface de la peau. Il est différent dans sa couleur et sa forme selon sa localisation ». La différenciation se fait par la couleur des macules : « Ce qui vire au rouge sont les taches de rousseur (*namaš*), ce qui vire au noir s'appelle le lentigo (*baraš*). »

Ces deux manifestations colorées de la peau, sans résonance pathologique, sont associées, dans le même paragraphe, au *kalaf* (كلف) d'un terme arabe signifiant marron-rouge, adapté au lexique médical pour désigner un trouble de la couleur de la peau qualifiée de « sale » (*laṭaḫī*), et qui peut être dit moucheté (*nuqaṭī*). On voit dans ce *kalaf* une mélanodermie[24]. On ne note pas chez Avicenne, de différentiation dans la gravité entre les trois types de manifestations associées dans ce premier sous-chapitre. Pourtant, pour le dernier, s'il s'agit bien de mélanodermie, on y reconnaît de nos jours, un symptôme révélateur de différentes affections plus ou moins graves parmi lesquelles on dénombre la maladie d'Addison et le diabète bronzé. L'auteur signale simplement que le médecin reconnaîtra les difficultés qu'il y aura à traiter l'affection par l'accentuation de la coloration.

Plus compliquée encore est la caractérisation des quatre affections regroupées ensuite[25]. Il s'agit du *bahaq aswad* (بهق أسود), du *bahaq abyaḍ* (بهق أبيض), du *baraṣ aswad* (برص أسود) et du *baraṣ abyaḍ* (برص أبيض) différenciées deux par deux par la couleur noire ou blanche qualifiant le nom. On admet qu'il s'agit respectivement du *pityriasis versicolor*, du vitiligo, de l'ichtyose et de la lèpre maculaire.

Les deux premières *bahaq aswad* et *bahaq abyaḍ* (*pityriasis versicolor*[26] et vitiligo[27]) se manifestent par l'apparition de taches blanches à

---

solaire. Les taches peuvent être isolées (*lentigo simplex*) ou multiples, entrant alors dans le cadre d'une lentiginose.
[24] C'est une teinte anormalement foncée de la peau due à un dépôt excessif de pigments colorants dans ses cellules. Cette coloration foncée n'est pas présente à la naissance. Elle apparaît au cours de maladies particulières qui augmentent le taux cellulaire de différents pigments qui donnent à la peau une couleur très caractéristique. Elle est d'intensité variable. Elle est toujours diffuse, généralisée à l'ensemble du corps.
[25] Ibn Sīnā, *Al-Qānūn* (*op. cit. supra* note 5), vol. III, p. 360-367.
[26] Le *pityriasis versicolor* est une mycose cutanée superficielle, fréquente, cosmopolite et bénigne. C'est sur le haut du thorax et du dos que se manifeste le plus souvent cette atteinte cutanée. De petites taches colorées apparaissent plus claires ou plus foncées que la peau normale sur la poitrine, les épaules, le cou ou le dos. La surface de ces marques pèle en cas de frottement. Ces petites taches peuvent converger et former des taches plus grosses en l'absence de traitement. Connue sous le nom de *pityriasis versicolor*, cette infection haute en couleur a tendance à proliférer en été et à régresser en hiver.
[27] Le vitiligo est une maladie liée à la disparition des mélanocytes. Il se manifeste par des plaques blanches qui correspondent à des zones de peau où les cellules (mélanocytes) qui fabriquent la mélanine ont disparu. Les plaques de vitiligo sont généralement

la surface du corps. Le *pityriasis versicolor* est une mycose cutanée, le *vitiligo* est dû à la disparition des cellules qui fabriquent la mélanine. Avicenne a bien senti que seul l'épiderme est touché dans les deux cas. Il écrit que tous deux « touchent la superficie de la peau et s'ils s'infiltrent c'est très légèrement »[28]. Les véritables causes n'étant pas connues, il incrimine la force de transformation et la force expulsive qui régissent le corps humain. La force expulsive étant plus forte expulse la matière vers la surface.

C'est par cette explication sur les forces qu'il fait la différence avec les affections plus invasives qui « pénètrent la peau en profondeur et la chair jusqu'aux os ». Dans ce cas, la force expulsive est trop faible et permet que la matière reste grossière. Il s'installe alors une maladie caractérisée par des desquamations blanchâtres, « une extrême rugosité et la formation d'écailles comme on trouve sur les poissons avec des démangeaisons (prurit) ». La description du *baraṣ aswad* correspondrait à celle de l'ichtyose[29], maladie génétique caractérisée par une peau extrêmement sèche avec une desquamation continuelle de gravité variable. Les manifestations sont de différentes formes et peuvent se présenter avec des îlots de peau saine parmi des régions atteintes. Au temps d'Avicenne, ces trois affections sont également attribuées à un déséquilibre des humeurs, atrabile et phlegme. La quatrième affection dépeinte dans ce même groupe est le *baraṣ abyaḍ*, c'est-à-dire *baraṣ* blanc, dans lequel on pense reconnaître la lèpre maculaire ou tuberculoïde, l'une des cinq formes de lèpre, caractérisée par une lésion unique, macule hypochromique ou infiltrée et érythémateuse, de grande taille, à limite nette et totalement insensible. Les *baraṣ aswad* et *baraṣ abyaḍ* sont d'un pronostic beaucoup plus pessimiste. Tous deux sont assimilés aux signes du début de la lèpre lépromateuse véritable (*al-juḏām*) qui est traitée à part au Livre IV, chapitre 3 chez Avicenne[30]. La cause générale de la lèpre véritable est selon l'auteur, un afflux de bile noire qui se répand dans tout le corps. Parmi les signes qui permettent de diagnostiquer la lèpre, la couleur est un élément mineur. Elle intervient au début de la maladie alors qu'elle peut être encore confondue avec l'ichtyose et la lèpre maculaire et lorsque le corps « rougit d'un rouge tirant sur le noir et que les yeux deviennent ternes et rougeâtres » puis les autres signes deviennent prépondérants (difficultés

---

asymptomatiques, c'est-à-dire qu'elles ne grattent pas, ne brûlent pas et ne font pas mal. Elles ne sont jamais contagieuses.

[28] Ibn Sīnā, *Al-Qānūn* (*op. cit. supra* note 5), vol. III, p. 360, l. 20-21.

[29] L'ichtyose (du grec *ichtys*, « poisson ») est une maladie génétique rare atteignant principalement la peau. C'est un état permanent (maladie chronique), le plus souvent définitif. Elle se caractérise par une peau extrêmement sèche, rugueuse et par la présence d'une quantité excessive de « pellicules de peaux mortes » (squames) qui se détachent continuellement. La sévérité est variable. La peau est plus ou moins inflammatoire (rouge), plus ou moins épaisse, avec parfois des fissures et / ou des bulles douloureuses.

[30] Ibn Sīnā, *Al-Qānūn* (*op. cit. supra* note 5), vol. IV, p. 188-196.

respiratoires, chute du système pileux, fissures, ulcérations, mutilations…) et confirment le diagnostic.

Le rapprochement, qui est fait par Avicenne entre les différentes affections cutanées décrites dans le chapitre « À propos de la peau quant à sa couleur », montre bien toutes les difficultés d'identification auxquelles se trouvait confronté le médecin. Il semble que le seul critère de la couleur, tel qu'il est présenté, s'avère insuffisant pour arrêter un diagnostic précis mais Avicenne s'exprime peu sur d'autres symptômes qui pourraient éclairer son examen clinique. Aussi, malgré leurs insuffisances, les taches, colorées ou décolorées plus ou moins fortement, apparaissent bien comme l'élément essentiel de son diagnostic. Cette difficulté dans l'identification des atteintes dermatologiques a entraîné des incertitudes sur leur gravité et leur contagiosité. Cet état de fait a perduré pendant tout le Moyen Âge et n'a pas touché que le seul monde arabo-musulman. La confusion qui régnait, faisait que les maladies laissant sur la peau des marques colorées ou décolorées et qui forment un ensemble disparate : vitiligo, pityriasis, mélanodermie, ichtyose mais aussi teigne, dermatites, lymphomes, syphilis etc., étaient souvent assimilées à la lèpre[31]. Ceux que l'on désignait par le terme *marḍā* étaient des personnes atteintes de maladies déformantes ou de certaines dermatoses lourdes. Ainsi, les maladies de peau révélées par les pigmentations anormales, pouvaient être une cause d'exclusion sociale. Une suspicion, fondée ou non, de lèpre permettait, par exemple, à un mari de répudier sa femme. Des consultations juridiques rendant des sentences (*fatwā pl. fatāwā*) étaient prononcées à propos des droits ou des obligations de ces malades[32]. Le *muḥtasib*, magistrat chargé du bon ordre dans la cité, statuait également sur leur sort[33]. Ils étaient soumis à une réglementation ferme : l'espace pur de la mosquée, le hammam et le commerce des liquides et des aliments en général leur étaient interdits. Ils étaient considérés comme des malades impurs ce qui entraînait une incapacité sociale. Ils jouissaient parfois de certains droits, restaient insérés dans la ville ou bien étaient contraints de vivre dans des léproseries, l'attitude du pouvoir changeant selon les rites, les époques et les régions. Dans tous les cas, le statut du lépreux, ou d'assimilé, s'avère différent dans le monde islamique de celui qu'il pouvait souvent être dans le monde chrétien où celui qui était soupçonné d'être porteur de la lèpre était retranché de la communauté, privé de tout droit et considéré comme mort. Pour leur subsistance et leur hébergement, les *marḍā* bénéficiaient d'une sorte d'aide sociale tirée des « biens de main morte ». On a l'exemple de la création, à Cordoue, sous le règne (796-822) de l'émir al-Ḥakam I et à l'initiative de l'une des épouses

---

[31] Voir dans ce volume la contribution de Johan Picot.

[32] Vincent LAGARDÈRE, *Histoire et société en Occident musulman au Moyen Âge. Analyse du Mi'yâr d'Al-Wanšarîsî*, Madrid : Collection de la Casa de Velàzquez, 53, 1995.

[33] Évariste LÉVI-PROVENÇAL, *Séville musulmane au début du XIIe siècle. Le traité d'Ibn 'abdūn sur la vie urbaine et les corps de métier*, Paris : Maisonneuve et Larose, 2001, p. 28, art. 17.

du prince, d'une fondation destinée à recevoir les malades atteints de ces affections qui les rendaient « impurs ». Il n'est pas rare que des bien-portants vivent au sein de ces quartiers réservés, fondés çà et là, et profitent ainsi des avantages accordés à une classe spécifique de la population[34].

Si l'on considère le chapitre « À propos de la peau quant à sa couleur » étudié ci-dessus, on note que sont rapprochées des affections d'origines diverses qui ont en commun de présenter des symptômes colorés particuliers. Mise à part l'évocation du désordre des humeurs, aucun organe ou aucune maladie interne n'est mis en cause. Ce n'est pas le cas dans d'autres parties du *Canon* où les pathologies internes sont étudiées quant à leur symptomatologie et à leur traitement. Les signes colorés font alors partie d'un ensemble symptomatologique comme il est possible de se rendre compte par l'étude des ictères dont les descriptions sont considérées comme l'un des apports du *Canon*.

Avicenne différencie deux types d'ictères selon que le corps prend une couleur jaune ou noire. Les causes premières des ictères sont, selon lui, le tempérament général du corps. Sur ce point il indique qu'un consensus s'est fait. Se fondant sur la théorie des humeurs, il considère l'humeur jaune, soit la bile jaune, responsable de l'ictère jaune يرقان أصفر (*yarqān aṣfar*), et l'humeur noire, soit l'atrabile, responsable de l'ictère noir, يرقان أسود (*yarqān aswad*)[35]. Les organes en jeu sont le foie et la rate. Il relève plusieurs causes de l'ictère jaune : un excès de sécrétion de la bile jaune, un empêchement de son évacuation et des causes extérieures (chaleur excessive, blessure, ou une morsure de serpent ou un coup). Il indique que l'organe excréteur est le foie qui peut être la cause directe de l'ictère mais la « matière » secrétée peut aussi être en cause.

Pour ce qui est des signes, c'est la couleur des téguments qui attire d'abord l'attention du médecin : « si la cause est un violent excès de bile dans la vésicule biliaire les signes sont : jaunissement du corps, noircissement du visage seul, blanchiment de la langue, amaigrissement »[36]. Quant à l'ictère dit noir, Avicenne y voir « une chaleur excessive du foie qui fait que le sang brûle, devient noir […] et parfois la cause peut être la froideur du foie qui abîme le sang qui noircit »[37]. Cette seconde forme d'ictères semble correspondre à l'ictère hémaphéïque[38] ou hémolytique.

---

[34] Joëlle RICORDEL, « Pistes pour une étude sociologique des anomalies physiques acquises ou congénitales aux premiers siècles de l'Islam », in Fr. COLLARD, E. SAMAMA (dir.), *Handicaps et sociétés dans l'Histoire,* Paris : L'Harmattan, 2010, p. 113-128.
[35] Ibn Sīnā, *Al-Qānūn* (*op. cit. supra* note 5), vol. II, p. 556.
[36] Ibn Sīnā, *Al-Qānūn* (*op. cit. supra* note 5), vol. II, p. 559.
[37] Ibn Sīnā, *Al-Qānūn* (*op. cit. supra* note 5), vol. II, p. 558.
[38] Ictère décrit par Lucien DREYFUS-BRISAC, *De l'Ictère hémaphéique, principalement au point de vue clinique,* Paris : Delahaye, 1878. L'auteur définit ainsi le pigment pathologique : il imprégnera les téguments cutanés et les organes profonds en leur donnant une coloration jaunâtre comparable à celle qui caractérise l'ictère vulgaire, l'ictère bilieux. Ainsi se produit l'ictère, dit hémaphéique, la manifestation symptomatique la plus complète de l'hémaphéisme.

Celui-ci donne à la peau une coloration plus accentuée et basanée et est dû à une destruction massive des globules rouges qui peut être causée par le paludisme ou thalassémie. Il faut remarquer que la couleur des téguments, si elle intervient dès le début de la symptomatologie, n'est que l'un des signes sur lesquels s'appuie le médecin. Il prête attention à l'accentuation du jaunissement du corps et note si le visage devient plus noir, si la langue est blanche mais il note aussi de nombreux autres symptômes comme les démangeaisons, la soif, la perte d'appétit. Il observe la couleur des urines, les sédiments qui s'y déposent, examine les selles, apprécie la dureté de la rate et les fièvres qui s'installent. De cet ensemble de signes, il déduit à quel type d'ictères il a affaire et quel traitement il conviendra d'ordonner.

Seul indice de diagnostic ou symptôme parmi de nombreux autres, la couleur du corps et particulièrement de la peau, est un élément incontournable de la médecine du Moyen Âge. Comme on peut le lire dans les écrits des médecins de langue arabe, elle est utile pour catégoriser socialement les individus et par des signes physiognomoniques révéler les tempéraments et les inclinaisons naturelles mais elle est surtout une alerte qui précède l'examen clinique et donne, de prime abord, une indication sur la gravité d'un état maladif avant d'orienter vers un diagnostic. Les quelques exemples pris dans la littérature et notamment dans le *Canon* d'Avicenne montre toute l'importance de ce critère et l'on pourrait multiplier les descriptions des cas thérapeutiques dans lesquels l'un des symptômes révélateurs est le changement d'état du corps et la modification de sa couleur. Était-ce un symptôme suffisant ? Sans doute pas, le plus souvent, mais c'était certainement un indice indispensable et primordial qui s'imposait au regard attentif et aiguisé du médecin pendant l'examen clinique de son malade.

Les couleurs de l'allaitement
dans les traités médicaux espagnols des XVIᵉ et XVIIᵉ siècles

Sarah PECH-PELLETIER[1]

Les médecins espagnols des XVIᵉ et XVIIᵉ siècles qui abordent la question de l'allaitement[2] défendent en général, dans un premier temps, l'allaitement maternel contre l'allaitement mercenaire très répandu parmi les élites castillanes, et exposent ensuite une série de conseils qui visent à minimiser les risques de l'emploi d'une nourrice[3]. En effet, la question de la santé de l'enfant ou, à l'inverse, celle de la transmission de maladies via le lait, est centrale dans ces traités. S'appuyant sur les sources antiques[4] qui font encore

---

[1] Maître de conférences en langue et littérature et civilisation espagnoles, Université Paris 13, PLÉIADE.

[2] Les ouvrages médicaux espagnols sur lesquels s'appuie cette étude relèvent soit du courant materno-infantile traditionnel qui, depuis le *Puericultura* de Soranos d'Ephèse, s'intéresse à la fois à la santé de la femme / mère et de l'enfant, soit du courant dit « pédiatrique », composé de monographies sur les maladies infantiles, dont la plus connue pour nos auteurs est sans doute la traduction latine de l'ouvrage de Rhazès sous le titre *De curis puerorum in prima etate*. Voir José María LÓPEZ PIÑERO et Francesc BUJOSA, *Los tratados de enfermedades infantiles en la España del Renacimiento*, Valencia : Cuadernos Valencianos de Historia de la Medicina y de la Ciencia XXIV, 1982.

[3] La défense de l'allaitement maternel est un passage presque obligé de ces ouvrages ; le plus virulent étant sans doute Juan Gutiérrez de Godoy qui intitule son ouvrage *Tres discursos para probar que están obligadas a criar a sus hijos a los pechos todas las madres cuando tienen buena salud, fuerzas, buen temperamento y buena leche y suficiente para alimentarlos [Trois discours pour prouver que les mères ont l'obligation d'allaiter leurs enfants elles-mêmes quand elles sont en bonne santé, qu'elles ont assez de forces, un bon tempérament et un lait de qualité et en quantité suffisante pour les allaiter]*, Jaén : Pedro de la Cuesta, 1629.

[4] L'humanisme dans la sphère médicale suit, en Espagne, le même retour aux sources classiques, essentiellement grecques, que celui que l'on peut observer en Italie ou en France. Philologues autant que médecins, les auteurs cherchent à expurger les textes antiques des erreurs de traduction et de copie de la période médiévale. Néanmoins, pour ce qui est des traités gynécologiques et pédiatriques qui intéressent ici, ils ne font pas pour autant table rase des apports du galénisme arabisé et puisent à la fois leur inspiration dans les écrits d'Hippocrate, Aristote, Soranos d'Ephèse ou Galien, et dans ceux de Rhazès, Avicenne, Avenzoar ou Averroès pour n'en citer que quelques-uns. Ils s'appuient également sur les traités plus récents, publiés en Italie, en Allemagne ou dans les Flandres, entre autres les incontournables *Libellus de aegritudinibus infantium* de Paolo Ballegardo (1472) et le *Jardín de rosas para embarazadas y comadronas* de Eucharius Roesslin (1513). Voir María Teresa SANTAMARÍA HERNÁNDEZ, *El humanismo médico en la universidad de Valencia (siglo XVI)*, Valencia : Consell Valencià de Cultura, 2003 ; Ana Isabel MARTÍN FERREIRA, *El humanismo médico en la Universidad de Alcalá (siglo XVI)*, Alcalá : Universidad de Alcalá, 1995 ; María Jesús PÉREZ IBÁÑEZ, *El humanismo médico del siglo XVI en la Universidad de Salamanca*, Valladolid : Secretariado de Publicaciones e Intercambio Científico, Universidad de Valladolid, 1998.

autorité malgré les progrès de l'anatomie[5], les médecins espagnols décrivent alors le corps de la nourrice idéale, c'est-à-dire la moins néfaste à la santé de l'enfant, et vont pour ce faire utiliser toute une gamme de couleurs appliquées aux chairs, aux cheveux, aux yeux, aux dents, aux seins et *in fine* au lait. Leur pensée qui « découpe » en quelque sorte le corps de la nourrice en parties à examiner, a ainsi tendance à aller du plus visible et extérieur — l'enveloppe corporelle et quelques éléments significatifs — jusqu'au plus secret, à savoir cette sécrétion bien particulière qu'est le lait, que l'on conçoit encore comme issu du sang.

Couleurs et états du corps : signes de santé et de maladies

Partons du constat amer de Juan Gutiérrez de Godoy[6] qui s'inquiète de ce qu'« il est impossible pour les médecins d'examiner suffisamment la santé, la condition, le mode de vie et les coutumes de ces femmes modestes dont, dans leurs villages mêmes, on ne sait souvent rien »[7], et qui sont pourtant employées comme nourrices dans les familles de qualité. Selon lui, toutes sont menteuses et savent parfaitement ce qu'elles doivent dire pour se faire engager, car « elles ont bien étudié leur rôle pour répondre aux médecins »[8]. Les paroles, les lettres de recommandation, les garants qui parfois les accompagnent, voire les beaux nourrissons qu'elles présentent comme preuves de la qualité de leur lait, tout peut être faux[9]. Il ne reste donc que l'examen physique minutieux et la recherche de marques corporelles, telles les couleurs qui, elles, ne sauraient mentir.

La couleur de la peau est logiquement le premier et le plus simple point à observer. Tous les médecins soulignent la nécessité qu'une candidate à un poste de nourrice ait une belle couleur[10], gage de l'équilibre des

---

[5] Nous pensons notamment à Andreas Vesalius, qui résida en Espagne de 1559 à 1564 et à son œuvre *De humani corporis fabrica libri septem*, Bâle : Joannes Oporinus, 1543 ; ainsi qu'à l'ouvrage de Juan Valverde de Hamusco, *Historia de la composición del cuerpo humano*, Roma : Antonio Salamanca y Antonio Lafrery, 1556, qui ont connu un vif succès en Espagne, surtout dans le cercle de l'Université de Valence. Notons que l'intérêt pour l'anatomie avec la pratique de dissections humaines se traduit très tôt par la création de Chaires d'Anatomie, à Valence en 1501, à Salamanque et à Alcalá en 1551. Voir José María LÓPEZ PIÑERO, *Ciencia y técnica en la sociedad española de los siglos XVI y XVII*, Barcelona : Labor, 1979.

[6] Juan Gutiérrez de Godoy (1579-1656) est Docteur en médecine et philosophie de l'Université d'Alcalá. Il fut médecin du Concejo de la ville de Alcalá la Real, puis médecin du Chapître de Jaén, et enfin médecin de *cámara* de Philippe IV.

[7] Juan Gutiérrez de Godoy, *op. cit.* note 3, p. 67 : « Es imposible hacer suficiente examen los Médicos de los señores, de la salud, de la condición, vida, y costumbres de mujeres humildes, que en sus mismas posadas no las conocen ».

[8] Juan Gutiérrez de Godoy, *op. cit.* note 3, p. 68 : « En resolución todas traen muy bien estudiado su papel para responder a los Médicos ».

[9] Juan Gutiérrez de Godoy, *op. cit.* note 3, p. 67-68.

[10] Francisco Nuñez de Coria, *Del parto humano. En el qual se contienen remedios muy útiles y usuales para el parto dificultoso de las mujeres, con otros muchos secretos a ello pertenecientes, y a las enfermedades de los niños*, Zaragoza : Pedro Verges, 1638, p. 63 : « Primeramente, que tenga buen color », « Tout d'abord, qu'elle ait une belle couleur de

humeurs et de bonne santé ou du moins d'absence de maladie détectable. Par conséquent, un teint trop pâle signe de pertes de sang trop importantes durant l'accouchement - on parlerait aujourd'hui d'anémie -, un teint rougeâtre qui marque à l'inverse un excès de sang non évacué, un teint jaunâtre qui révèle un excès de bile, un teint grisâtre ou même verdâtre, tout ceci est à proscrire, ce qui relève, dans une certaine mesure, du bon sens. Les médecins ne s'entendent cependant pas sur ce qu'est cette belle couleur de peau idéale. Damián Carbón[11], par exemple, la définit comme « blanche et rose, brillante et claire »[12]. On comprend qu'elle doit, en fait, être identique à la carnation de la mère du nourrisson. Pour Juan Huarte de San Juan[13], en revanche, il faut choisir comme nourrice une femme à la peau mate car cette coloration reflète la robustesse d'un corps paysan, habitué à être dehors par tous les temps[14]. Les tenants de la peau blanche et rose reprennent ainsi les écrits de Soranos d'Ephèse et d'Aulu-Gelle[15]. Ils associent ces couleurs à la pleine santé de la jeunesse et mettent en avant l'importance de considérer l'état de santé de la nourrice au moment de son embauche. À l'inverse, les médecins qui s'inspirent davantage de l'*Historia animalium* d'Aristote insistent sur la nécessité de choisir une nourrice à la santé non délicate, ce qu'une peau plus basanée garantit selon eux. Privilégier l'état de santé actuel ou anticiper celui à venir, à chacun finalement sa priorité. Là où il y a cependant convergence des points de vue, c'est dans la nécessité que la couleur de la peau soit uniforme, c'est-à-dire sans marques, telles des cicatrices, des boutons ou pire

peau ». Francisco Nuñez de Oria ou de Coria (vers 1535-?), médecin formé à l'Université d'Alcalá, participe à la vulgarisation des savoirs médicaux de son temps. Il adresse ses ouvrages à un lectorat instruit et intéressé par la médecine, ainsi qu'aux sages femmes, et non à ses confrères médecins. *Del parto humano…*, cité dans cet article, est le dernier ouvrage qu'il publie. Il s'agit d'une traduction du traité de Eucharius Roesslin, avec quelques modifications et ajouts qu'il tire de son expérience personnelle.

[11] Docteur ès arts et médecine, Damián Carbó ou Carbón (? -1554) fut médecin de la *Custodia de la Sanidad* de Majorque. L'unique ouvrage dont nous ayons trace se compose de deux livres *Del arte de las comadres o madrinas, y del regimiento de las preñadas y paridas y de los niños* et *De la dificultad de la empreñación*, rédigés sans doute à quelques années de différence, mais publiés ensemble (Mallorca : Hernando de Cansoles, 1541).

[12] Damián Carbón, *op. cit.* note 11, f. LVI, « blanco y colorado, lúcido y claro ».

[13] Médecin basque (1529 ?-1588), licencié ès arts de l'Université de Baeza puis formé à la médecine à l'Université d'Alcalá, Juan Huarte de San Juan fut médecin de la ville de Baeza et enseigna en 1576 à l'Université de Sigüenza. Il semble n'avoir rédigé qu'un seul ouvrage, qui connut de nombreuses traductions en Europe au cours des XVIe et XVIIe siècles. Voir la préface de Ricardo Saez « Juan Huarte de San Juan ou la naissance de la conscience critique » dans la traduction de Jean-Baptiste Etcharren, *Examen des esprits pour les sciences*, Biarritz : Atlantica, 2000, p. v-xv.

[14] Juan Huarte de San Juan, *Examen de ingenios, para las ciencias. Donde se muestra la diferencia de habilidades que hay en los hombres, y el género de letras que a cada uno responde en particular*, Baeza : Juan Bautista de Montoya, 1575, quatrième partie.

[15] Voir Valery FIELDES, *Breasts, Bottles and Babies. A History of Infant Feeding*, Edinburgh : University Press, 1986, p. 62 et p. 173.

des bubons, preuves d'accidents, de maladies récentes ou de maladies encore présentes dans le corps[16].

On constate de même que la couleur des yeux, des dents et des cheveux ne fait guère débat. La couleur des yeux semble laisser nos auteurs à peu près indifférents, car ils ne l'évoquent pas directement, se contentant de dire que le regard doit être clair, franc, à la couleur uniforme sans nuages de colère ou de tristesse. Davantage que la couleur, ce qui importe, c'est que les yeux ne soient affectés d'aucune particularité ou maladie, ce qui revient à éliminer toute candidate ayant des yeux dits globuleux, ou étant atteinte de légers strabisme ou loucherie. Les médecins sont en effet convaincus que ces traits physiques, tout comme les mœurs et le caractère, peuvent être transmis par contact (le peau à peau de la tétée entre la nourrice et l'enfant) ou par consommation du lait[17].

En ce qui concerne les dents, elles doivent bien entendu être saines, c'est-à-dire droites, solides et blanches. Les dents jaunes, tachées voire presque noires, sont signes de mauvaise santé de l'estomac et de déséquilibre des humeurs, ce qu'atteste aussi la mauvaise haleine qui accompagne fréquemment ces couleurs peu attrayantes. Il faut donc vérifier la couleur des dents de la nourrice comme on le ferait pour l'achat d'un animal.

Enfin, les cheveux doivent être d'une couleur brillante et, si possible, châtains car cela reflète un tempérament sanguin qui est de loin préférable à un tempérament flegmatique, colérique ou mélancolique. On remarque que, à la différence des traités français ou anglais, où les nourrices rousses sont à éviter absolument[18], les médecins espagnols n'évoquent pas cette couleur de cheveux, alors qu'ils puisent eux aussi dans les écrits hippocratiques où se trouve exprimé ce rejet des femmes rousses. Certes, ce type de cheveux est moins courant en Castille, mais il se pourrait aussi que l'on évite sciemment, avec la dynastie des Habsbourg au pouvoir, de stigmatiser le roux.

Une fois passés en revue ces éléments généraux sur le physique de la nourrice, les médecins s'attachent à ce qui est la raison d'être de son emploi, à savoir l'allaitement, ce qui suppose l'examen des couleurs des seins et du lait.

---

[16] Juan Gutiérrez de Godoy (*op. cit.* note 3, p. 69) regrette que nombre de nourrices soient engagées sur leur bonne apparence (*buen exterior*) et leur discours adéquat (*con la buena razón quedan a lo que los Médicos les preguntan*) et que l'on ne découvre qu'après leur embauche « las señales de llagas viejas de bubas que han tenido, y si padecen alguna enfermedad oculta », « les marques et cicatrices dues à des bubons qu'elles ont eu, et quelque maladie cachée dont elles souffrent ».

[17] Francisco Nuñez de Coria, *op. cit.* note 10, p. 64 : « Juntamente con la leche que mama, toma las costumbres y condiciones del ama », « avec le lait qu'il tète, il acquiert les mœurs, le tempérament et la complexion de sa nourrice ».

[18] Sur l'importance de ce rejet dans les traités français et anglais, voir V. FIELDES, *Breasts, Bottles and Babies...* (*op. cit. supra* note 15), p. 172.

Des couleurs des seins aux couleurs du lait

Les couleurs des seins et du lait sont indissociables de la théorie sur l'origine du lait que tous les médecins espagnols partagent à l'époque. En effet, il est communément admis, dans la lignée des conceptions hippocratico-galéniques, que le lait provient d'une transformation du sang des menstrues, qui a servi à nourrir l'enfant dans l'utérus durant la grossesse et qui, peu avant la naissance, monte dans les seins où il subit une sorte de « cuisson » qui le change en lait[19]. Le lait est donc de même nature que le sang[20], mais sa consistance et sa couleur diffèrent. C'est « du sang blanchi »[21]. Or, le sang qui donne le lait est un sang impur, puisqu'il s'agit du sang des règles et l'on sait le tabou attaché à ce sang depuis les écrits de Pline[22]. Il faut donc s'assurer de la qualité du lait que l'on donne au nourrisson, car ce dernier présente un tempérament très humide et a donc une santé extrêmement fragile[23]. Ainsi Cristóbal Pérez de Herrera rappelle-t-il que les enfants allaités sont des « sujets si fragiles de par leur tendre et faible complexion qu'une quelconque et involontaire erreur de diagnostic dans leur traitement ne peut être corrigée et leur coûte la vie »[24].

---

[19] Juan Valverde de Hamusco, *op. cit.* note 5, ch. XXXI « De las Tetas » : « Ordeno muy bien nuestro Criador en las mujeres un miembro, al qual la sangre que primero iba a la madre, se divertiese convirtiéndose en un mantenimiento al niño muy conveniente », « Notre Créateur a bien créé chez la femme un membre, vers lequel le sang qui allait d'abord à la matrice se dirige en se changeant en un aliment qui convient très bien à l'enfant ».

[20] Juan Gutiérrez de Godoy, *op. cit.* note 3, p. 23 : « Hecho de la misma sangre con que se alimentaba en el vientre », « Il est fait du même sang que celui qui alimentait [l'enfant] dans la matrice », et Damián Carbón, *op. cit.* note 11, p. LIV. « La leche de la propia madre es nutrimento de la misma calidad del que tomaba en el vientre porque la leche es de la misma sangre nutrimental de la madre », « Le lait de sa propre mère est un aliment de la même qualité que celui qu'il avait dans la matrice parce que le lait provient du même sang maternel nutritif ».

[21] Juan de Pineda, *Diálogos familiares de la Agricultura Cristiana* [Salamanca : Pedro de Adurza, y Diego López, 1589], Madrid, BAE, 1963, p. 321 : « sangre blanqueada ».

[22] Pline, *Histoire Naturelle*, VII, 15 (ed. Robert Schilling, CUF, 1977). Voir les analyses de Johanna LE HORS, *Accoucher dans l'Antiquité gréco-romaine : point de vue médical et social*, Mémoire de Master, MMSH, Université d'Aix-Marseille, 2015, p. 84 et de Jacqueline VONS, *L'image de la femme dans l'œuvre de Pline l'Ancien*, Bruxelles : Latomus, 2000. En outre, notons que selon la doctrine galénique, un lait insuffisamment transformé, et donc pas assez propre (*limpia*) ou purifié (*purgada*) est une cause d'altération du sommeil chez les nourrissons. Voir Francisco Nuñez de Coria, *op. cit.* note 10, ch. « Para el niño que no puede dormir ».

[23] Voir, par exemple, la longue introduction au second livre du traité de puériculture de Luis Mercado qui définit les principales causes des maladies infantiles, la première étant l'humidité caractéristique de la période de l'enfance. Luis Mercado, *Opera omnia*, t. IV, *De puerorum educatione, custodia et providentia, atque de morborum, qui ipsis accidunt, curatinone*, Valladolid : Juan de Rueda, 1611.

[24] Cristóbal Pérez de Herrera, *Defensa de las criaturas de tierna edad, y algunas dudas y advertencias cerca de la curación y conservación de su salud*, Valladolid : Luis Sánchez, 1604, *introducción al examen de las Dudas* : « sugetos tan flacos que por su terneza y débil complexión no tiene enmienda cualquier yerro de consideración que se cometiere en su curación, sin que les cueste la vida ».

Les médecins prônent donc, d'une part, l'observation attentive des seins et, d'autre part, celle du lait. Effectivement, il s'agit de vérifier que les seins ne présentent aucune altération, aucun signe de maladie. Des seins aux veines trop apparentes et donc bleutés inquiètent, alors même que c'est un changement d'aspect tout à fait normal lors de la grossesse et de l'allaitement. De même, des seins rouges sont à éviter absolument. Les médecins y voient peut-être la preuve que le sang domine encore dans le lait, qu'il n'est pas transformé de façon satisfaisante. Comme ces rougeurs partielles, s'accompagnent souvent d'une sensation locale de chaleur, voire de fièvre, le lait, trop chaud, ne pourra être qu'indigeste et l'enfant ne pourra qu'attraper la même fièvre que sa nourrice. On constate ici une totale méconnaissance du phénomène de lactation et des maux bénins, quoique douloureux, de l'allaitement. La plaque rouge, synonyme selon les cas d'engorgement, de mastite, voire de lymphangite si une fièvre y est associée, entraîne la préconisation d'un arrêt des tétées en attendant que la nourrice soit remise[25], ce qui est l'exact contraire de ce qu'il faut faire pour soulager ces maux. Face à un sein enflammé, chaud, douloureux, avec un réflexe d'éjection plus difficile, les médecins craignent probablement un renversement des équilibres lait-sang, blanc-rouge, au profit du sang ce qui pourrait être le signe d'un retour de couches, d'une reprise des relations sexuelles ou d'une grossesse cachée, tous ces cas étant hautement nocifs pour l'enfant, qui peut être empoisonné par ce lait qui redevient du sang, ce que la couleur des seins révèle. Le sang, qui est toujours présent dans le lait, puisqu'il est à la base de sa composition, doit par conséquent l'être en proportion non décelable, en un mot invisible.

La couleur des seins peut ainsi être un indice de dysfonctionnement de la transformation sang-lait ou de changements physiologiques qui contre-indiquent la poursuite de l'allaitement. Il ne faut donc pas la négliger. Néanmoins, rien ne vaut l'observation de la couleur du lait[26], qui doit être « très proche du blanc »[27]. Pour ce faire, une curieuse méthode, empruntée aux écrits antiques, est recommandée dans tous les traités : celle de la goutte de lait déposée sur un ongle ou une surface plane, en général un miroir[28]. Cette méthode permet, selon nos auteurs, d'évaluer à la fois la consistance et la couleur du lait. En fait, ces deux critères ne visent pas tant à définir si le lait est bon pour la croissance et la santé de l'enfant, qu'à s'assurer qu'*a priori* il n'est pas mauvais. Cela concorde avec toute la première partie de ces traités médicaux où les auteurs défendent l'allaitement maternel en

---

[25] Voir, par exemple, Pedro de Peramato, *Opera medicinalia, Tractatu primo de regimine pueri*, Sanlúcar de Barrameda : Fernando Díaz, 1576, ch. VI.

[26] Francisco Nuñez de Coria, *op. cit.* note 10, p. 64 : « Al fin se debe mirar la leche de la mujer, pues esto es lo que más hace al caso », « Enfin, il faut observer le lait de la femme, car c'est ce qui importe le plus ».

[27] Damián Carbón, *op. cit.* note 11, f. LVII : « [...] que se decline a blanco ».

[28] Voir, par exemple, Francisco Nuñez de Coria, *op. cit.* note 10, p. 64 ; ou Damián Carbón, *op. cit.* note 11, f. LVII.

soulignant que c'est la seule alimentation naturellement bonne pour le nourrisson[29].

Du point de vue de la consistance, le lait ne doit être ni trop liquide ni trop épais, d'une consistance par conséquent moyenne (on recherche toujours l'équilibre, le juste milieu) et il ne doit évidemment pas avoir un aspect caillé[30]. Cela se voit à sa couleur. Un lait translucide et qui glisse trop vite sur l'ongle est trop aqueux[31]. Gorgé d'eau, il n'est pas assez nourrissant, la nourrice souffrant sans doute de malnutrition, ou étant d'un tempérament trop flegmatique. Il est possible aussi que pour pallier une production de lait insuffisante, elle boive trop d'eau[32]. On sait aujourd'hui que c'est justement ainsi, en augmentant les apports en eau, qu'on favorise la montée de lait. On recommande plutôt à l'époque la consommation de lait de chèvre, mélangé à du miel, ou de vin blanc qui, par sympathie sans doute, doivent tous deux favoriser la production d'un lait bien blanc, pas trop épais et doux au goût[33].
A l'inverse, un lait épais, qui tient trop bien sur l'ongle, est nocif car il ne peut être digéré par l'enfant et peut entraîner des vomissements. En général, ce lait présente une couleur crème, légèrement jaune. Il est le signe d'un tempérament trop colérique où domine la bile jaune et il est considéré comme trop acide[34]. Sa couleur peut aussi être due à un abcès purulent sur ou autour du mamelon. Dans tous les cas, il ne doit pas être bu par l'enfant.

On notera à ce propos que le lait le plus jaune-orangé, le *colostrum* — premier lait qui suit l'accouchement et précède le lait définitif produit lors de la montée laiteuse — est rejeté, pour sa consistance épaisse et surtout pour sa couleur. Il est perçu comme impur, encore teinté du sang des couches[35]. On

---

[29] Francisco Nuñez de Coria, *op. cit.* note 10, p. 62 : « La leche de la misma madre, no tan solamente conviene a la complexión y naturaleza del infante, empero le es cosa propia, y natural », « Le lait de sa mère convient non seulement au nourrisson parce qu'il correspond à sa complexion et à sa nature, mais aussi parce qu'il lui appartient naturellement ».

[30] Damián Carbón, *op. cit.* note 11, f. LVII : « [La leche] que no sea espesa, gorda, ni menos aquosa, mas sea media entre uno y otro », « que le lait ne soit pas épais, ni trop lourd, ni à l'inverse aqueux, mais qu'il soit d'une consistance moyenne, entre l'un et l'autre extrême » ; « si [la leche es] espesa, y muy apta para quajarse : y es mala », « si le lait est épais et prêt à cailler : il est mauvais ».

[31] Damián Carbón, *ibid.* : « Si no se tiene es sutil, aquosa y no vale mucho »,

[32] On reproche fréquemment aux nourrices de boire trop d'eau ou d'en donner à boire aux nourrissons pour qu'ils urinent beaucoup (« les dan a beber mucho, porque orinen mucho »), quand elles ne mouillent pas de leur propre urine les langes de l'enfant (« suelen mojar los paños y envolturas con su misma orina ») pour faire croire qu'il a bu beaucoup de lait, puisqu'il a beaucoup uriné (« hacen alarde dellos, significando que ha mamado mucho el niño, pues ha orinado tanto »), Juan Gutiérrez de Godoy, *op. cit.* note 3, p. 69.

[33] Voir, par exemple, Damián Carbón, *op. cit.* note 11, f. LVIII.

[34] *Idem*, f. LVII.

[35] Luis Lobera de Ávila, *Libro del regimiento de la salud, y de la esterilidad de los hombres y mujeres, y de las enfermedades de los niños y otras cosas utilísimas*, Valladolid : Sebastián Martínez, 1551, p. 76 : « Se debe mirar que los primeros tres o cuatro días que la mujer pariere no ha de dar leche a la criatura hasta que se le quiten los calostros », « On doit respecter le fait que durant les trois ou quatre premiers jours après l'accouchement, la femme n'allaite pas le nouveau-né jusqu'à ce qu'elle ait évacué le *colostrum* ».

ne sait pas encore qu'il contient une grande quantité de vitamines, de minéraux et d'anticorps qui protègent le nourrisson contre les infections, et on y voit, au contraire, la cause de maladies néo-natales, ce qui explique que les médecins insistent pour que la nourrice employée ait accouché depuis au moins un mois et ne soit plus sujette à l'écoulement des lochies[36]. En définitive, ce rejet du *colostrum* fait donc que le lait que nos auteurs préconisent de donner aux nourrissons est inadapté à leur âge et à leur système digestif, mais il a acquis une couleur rassurante, blanche, symboliquement pure.

Le lait peut ainsi adopter diverses couleurs ou teintes rosées, bleutées, plus ou moins jaunes, qui toutes, bien que normales et reflétant les variations de la composition du lait en fonction des moments de la journée, ou de la croissance du nourrisson, sont sources d'inquiétude. On y voit un signe de mauvaise santé de la nourrice et donc un risque pour l'enfant. L'évocation de certaines couleurs est même manifestement destinée à susciter la peur. On pense par exemple à Francisco Nuñez de Coria qui supplie ses lecteurs de ne pas choisir une nourrice dont la couleur du lait « tire vers le noir, le vert foncé, le bleu ou le rouge »[37]. Si le rouge, à la rigueur, est physiologiquement possible, si l'on imagine qu'il provient de quelques gouttes de sang mêlées au lait, dans le cas de crevasses par exemple ; les autres couleurs ne peuvent relever de l'observation directe. Ce sont des références à la théorie des humeurs et aux déséquilibres qui rendent l'allaitement nocif aux yeux de nos auteurs, si bien que plusieurs concluent que le lait ne doit pas « avoir une couleur repoussante […] car cela révèle une accumulation d'humeurs »[38]. On peut ainsi supposer qu'un lait bleu, gris ou noir est preuve d'un excès de bile noire dans le corps et d'un tempérament mélancolique et qu'un lait vert serait le fruit du croisement de deux excès, celui de bile jaune et de bile noire. Or, tout tempérament déséquilibré de la nourrice se transmet à l'enfant et l'affecte de façon irréversible[39].

Le test de la goutte de lait sur l'ongle est donc à pratiquer avant l'engagement d'une nourrice, mais aussi à différents moments au cours de l'allaitement, car ce dernier dure environ deux ans et la qualité du lait n'est pas définitivement acquise. Faut-il y voir une certaine intuition des changements du lait en fonction du cycle jour / nuit et des étapes de la croissance de l'enfant ou est-ce uniquement une marque supplémentaire de défiance envers les nourrices ? Il est en tout cas certain que l'on craint tout

---

[36] Damián Carbón, *op. cit.* note 11, f. LIV : « [La mujer] sea alongada del parto a los menos por un mes porque fuese limpia de su purgación », « Que l'accouchement remonte au moins à un mois afin que [la femme] soit purifiée et ait passé la période de purgation ».

[37] Francisco Nuñez de Coria, *op. cit.* note 10, p. 64 : « que ni tire a negro, ni a verde oscuro, ni a zarco, ni a colorado ».

[38] Damián Carbón, *op. cit.* note 11, f. LVII: « no tenga color sosco […] porque significa aducción de humores ».

[39] Juan Gutiérrez de Godoy, *op. cit.* note 3, p. 106 : « necesariamente ha de resultar contagio en el niño a quien dan su leche », « cela contamine nécessairement l'enfant qu'elles allaitent ».

changement de la couleur ou de l'aspect du lait – les deux étant généralement liés – car on considère que la première cause des maladies infantiles est la mauvaise qualité du lait. Les fièvres et l'épilepsie que peut causer un lait trop chaud ou les indigestions et diarrhées entraînées par l'absorption d'un lait trop épais ou trop acide peuvent être fatales. Vérifier la consistance et la couleur du lait est donc essentiel.

Dans les faits, le bon médecin doit faire appel à tous ses sens lorsqu'il examine le lait, exceptée l'ouïe puisque les paroles de la nourrice peuvent être mensongères. Ainsi, pour nos auteurs, il faut observer de façon conjointe la couleur, l'odeur et le goût du lait[40]. Un lait présentant une couleur suspecte, en général foncée, a une odeur et un goût désagréables. On trouve alors les recommandations suivantes : au sujet de l'odeur « qu'elle soit bonne, douce, pas mauvaise ni fétide, car cela indiquerait une putréfaction »[41] et en ce qui concerne le goût « qu'il ne soit pas acide ni amer. Le lait doit avoir un goût plus proche du sucré que du salé »[42]. On le constate, tout n'est pas à mettre sur le même plan. Une modification de l'odeur révèle une pathologie grave. Vu les termes employés (« mauvaise », « fétide », « putréfaction »), on peut supposer que le lait est issu d'un sang mortifère, peut-être celui d'un mauvais accouchement, bien avant terme, avec la naissance d'un enfant mort-né, présentant une malformation ou décédé peu après. Chez nos auteurs, l'odeur est souvent liée à l'idée de sexualité, donc il peut s'agir également du lait d'une nourrice non abstinente. Quoi qu'il en soit, l'odeur n'est pas le premier signe, elle confirme une altération normalement déjà perceptible au niveau de la couleur du lait. En revanche, une modification du goût précède souvent un changement de couleur. C'est un symptôme beaucoup moins alarmant, celui d'une maladie débutante que l'on peut traiter en rééquilibrant les humeurs donc en adaptant l'alimentation de la nourrice[43]. Finalement, il y a déjà chez nos auteurs l'intuition que le goût du lait est lié à celui de l'alimentation de la femme allaitante. On connaît bien depuis l'Antiquité les vertus galactagogues de certaines plantes comme le fenouil ou l'anis, auxquelles on ajoute les carottes crues, les lentilles ou encore la laitue[44]. On pense aussi qu'il faut éviter certains aliments qui font tourner le lait, ce que les changements de couleur attestent. En réalité, c'est certainement plutôt l'observation des

---

[40] Voir, par exemple, Pedro de Peramato, *op. cit.* note 25, ch. III *Lactis probatio*.

[41] Damián Carbón, *op. cit.* note 11, f. LVII : « sea su olor bueno, suave, no malo ni fétido porque significaría putrefacción ».

[42] *Ibid.* : « El sabor que no sea acetoso ni amargo [...] Pues debe la leche tener el sabor declinando a dulce y no salado ».

[43] Ainsi Luis Lobera de Ávila, *op. cit.* note 35, ch. « De las úlceras de las gingivas y de la lengua de los niños », par exemple, considère-t-il que le lait trop aigre ou acide est susceptible de créer des aphtes, de petites plaies ou des ulcères sur les gencives ou la langue du nourrisson. Le traitement préconisé est alors diététique. Il s'agit de donner des aliments froids et humides à la nourrice. Il n'évoque pas l'option d'un changement de nourrice, ce qui semble prouver que cette altération du lait n'est pas grave à ses yeux.

[44] Voir, par exemple, Damián Carbón, *op. cit.* note 11, f. LVIII.

comportements des nourrissons (grimaces de douleur ou pleurs), davantage que la couleur en elle-même qui a permis de telles conclusions. Enfin, dans ce passage en revue des couleurs du lait, on ne peut manquer d'évoquer le « lait rouge » lié non pas à présent à une affection des seins, mais aussi possiblement à une consommation trop importante de vin de la part de la nourrice. Effectivement, les médecins reprennent quasiment tous l'exemple très connu de l'empereur Tibère devenu alcoolique parce que sa nourrice l'était, ceci pour mieux fustiger les nourrices qui, sous couvert de soigner leurs maux d'estomac, ne s'en tiennent pas à un verre de vin — remède hippocratique traditionnellement préconisé —, mais boivent toute la bouteille, ce qui peut causer des crises d'épilepsie chez les nourrissons et provoquer à terme leurs décès[45]. Le lait rosé puis d'un rouge plus marqué est le seul indice que l'on a pour arrêter à temps le processus, pour peu que l'on pense à vérifier régulièrement et à l'improviste la couleur des seins, du lait et aussi du corps de l'enfant. Effectivement, en fin de compte, c'est bien l'état de santé du nourrisson qui est la seule preuve de la qualité du lait qu'il absorbe. Sans surprise, la prise de poids est le premier signe à observer[46], suivi de près par la qualité de sa respiration, la couleur, fréquence et quantité de ses selles, la quantité de ses urines et la couleur de sa peau. À ce sujet, tous les médecins insistent sur le fait qu'il doit avoir une belle couleur rose sur l'ensemble du corps et qu'il ne faut pas s'en tenir au seul examen de la couleur du visage, car les nourrices ont tendance à frotter les joues des enfants pour leur donner une jolie couleur qui cache leur réel état de santé[47].

---

[45] Juan Gutiérrez de Godoy, *op. cit.* note 3, p. 69 : « y tras una onza de vino que les dan para remedio de su fingido mal se beben una azumbre, y pasan con este engaño hasta que les da alferezia a los niños que crian ; con lo qual se descubre la bellaquería de estas ruines mujeres, cuando no tienen remedio los inocentes infantes », « et après une once de vin qu'on leur prescrit comme remède pour leur mal imaginaire, elles en boivent deux litres, et elles poursuivent cette tromperie jusqu'à ce que les enfants qu'elles allaitent soient pris de tremblements, ce qui fait que l'on découvre alors leur vilenie quand on ne peut plus secourir les pauvres innocents ». De façon paradoxale, si l'on demande à la nourrice de s'abstenir de boire du vin, on recommande également l'usage modéré du vin de Malvoisie pour rectifier la consistance du lait. Voir, par exemple, sur l'interdit du vin, Pedro de Peramato, *op. cit.* note 25, ch. II *De eligenda nutrice* ; et pour son utilisation curative, Damián Carbón, *op. cit.* note 11, f. LVII.

[46] La perte de poids et la faiblesse générale de l'enfant constituent fréquemment un chapitre des traités pédiatriques. Cet amaigrissement subi ou progressif est imputé à une mauvaise cuisson par le corps de la nourriture absorbée. Avant l'administration de remèdes, comme le rappelle, par exemple, Gerónimo Soriano, *Libro de Experimentos Médicos, fáciles, y verdaderos: recopilados de gravísimos autores*, Madrid : Juan Pérez de Valdivielso, 1598, ch. « El consumir y enflaquecerse en máximo grado », il faut veiller à ce que « procure la nodriza darle buena leche », « la nourrice fasse son possible pour lui donner du bon lait ».

[47] Juan Gutiérrez de Godoy, *op. cit.* note 3, p. 70 : « usan de otra traza más diabólica refregándoles las mejillas con unos polvos [...], y con esta fricción llamándoles sangre, y calor a las mejillas se las ponen muy coloradas », « elles utilisent un autre stratagème encore plus diabolique qui consiste à frotter leurs joues avec des poudres [...], et avec ce frottement elles font venir le sang et la chaleur aux joues qui deviennent toutes rouges ».

Ainsi, nous avons pu constater que la nourrice est avant tout perçue comme un danger potentiel pour la santé de l'enfant qui lui est confié, aussi s'agit-il de bien examiner son corps à la recherche de tous les signes d'une maladie naissante ou d'un état de santé fragile qui seraient, par ricochet, préjudiciables au nourrisson. Le problème, on le conçoit, n'est pas que médical. Il est avant tout social. Aux enfants des élites, il faudrait un lait adapté à leur rang et à l'avenir qui leur est promis[48]. Or, les nourrices proviennent le plus souvent des couches populaires et la pratique de l'allaitement mercenaire est trop entrée dans les mentalités pour que la défense, même virulente, de l'allaitement maternel puisse y changer quoi que ce soit. En outre, il est évident que les médecins ont à cœur de prouver leur culture, liée à une parfaite connaissance des ouvrages gynécologiques et pédiatriques classiques, et leurs recommandations ne sont guère applicables au quotidien, même si tous ont bien une expérience personnelle de l'exercice de la médecine. Il est toutefois intéressant de noter que de la couleur du corps ou du lait de la nourrice à celle du corps de l'enfant, les médecins soulignent, par petites touches, l'importance de cet indice pour déterminer l'état de santé de l'une et de l'autre. Ainsi les couleurs de l'allaitement ne sont-elles, certes, qu'un indice parmi d'autres symptômes, de bonne ou mauvaise santé, mais un indice qu'il ne faut néanmoins pas négliger.

---

[48] Juan Gutiérrez de Godoy, *op. cit.* note 3, p. 107 : « Y aunque muchas veces sucede hallarse amas con todas las cualidades de buena salud, y disposición corporal, virtuosas, y de loables costumbres, no carecen de grandes inconvenientes para la crianza de los Príncipes y Señores, porque siendo mujeres humildes (como lo son de ordinario) criadas en miseria, y pobreza, no puede nacerles de lo interior de su humilde sangre, generosidad de ánimo, grandeza de pecho, valentía de corazón, hidalguía en sus acciones, liberalidad en sus manos », « Et même si souvent on trouve des nourrices qui ont toutes les qualités requises : bonne santé, bonne complexion physique, vertueuses et aux mœurs louables, cela ne va pas sans grands inconvénients pour l'allaitement des Princes et des Nobles, parce que comme ce sont habituellement d'humbles femmes, élevées dans la misère et la pauvreté, leur humble sang ne peut donner naissance à la générosité et à la grandeur d'âme, au courage et les amener à de nobles actions ni à être libérales ».

Pertinence des manifestations colorées du corps comme indices d'empoisonnement pré- ou *post-mortem*

Ivan RICORDEL[1]

Les moyens techniques dont dispose le toxicologue analyste, en 2018, pour établir un diagnostic d'empoisonnement pré ou *post-mortem* relèguent irrémédiablement les signes colorés du corps au rang d'anecdotes. Toutefois, avant d'en arriver là, il n'est pas inutile de réfléchir à la pertinence qu'ils ont eue et que certains d'entre eux possèdent encore.

On peut lire dans l'ouvrage du célèbre chirurgien du XVIIe - XVIIIe siècle, Jean Devaux (1649-1729) :

> « J'ay ce jour d'huy 29 juin 1685 vu et visité près du village des Carrières sur le bord de la rivière le corps d'un homme de 30 ans ou environ qui avoit été tiré quelques heures auparavant auquel j'ay trouvé **la face violette** et boursouflée, **la langue noire**, gonflée, et sortant hors de la bouche de deux bons travers de doigts, sans gonflement au bas-ventre, et sans aucune écorchure à l'extrémité des doigts ; ce qui m'a porté à faire l'ouverture du bas-ventre, où j'ay trouvé **son estomac teint d'une couleur rouge brune** à l'extérieur, et cautérisé dans le fond en deux endroits, outre que j'ay trouvé **un peu de liqueur noire** épanchée dans le bas-ventre, **laquelle a noirci les intestins** aux endroits où elle fait impression. **Tous lesquels signes sont plus que suffisants pour juger que cet homme a été empoisonné**, et que son corps a été jeté dans l'eau après sa mort. »[2].

Les certitudes des experts sur la signification diagnostique des couleurs se sont quelque peu altérées par la suite, comme en témoigne, un siècle et demi plus tard, le *Traité de Médecine légale et d'hygiène publique ou de police de santé : adapté aux codes de l'empire français et aux connaissances actuelles* :

> « Les symptômes les plus généraux qui se montrent dans les empoisonnemens sont le trouble, les nausées, la douleur vive d'estomac, les palpitations, les syncopes ou défaillance, les rapports désagréables et fétides, le vomissement de sang, de matières bilieuses; le hoquet, le cours de ventre, les angoisses, l'abattement subit des forces, l'inégalité, la petitesse du pouls ; les sueurs froides, gluantes, le refroidissement des membres, **la lividité des ongles, la pâleur**, la bouffissure, ou l'œdème général ; le météorisme du bas-

---

[1] Directeur honoraire du laboratoire de toxicologie de la Préfecture de Police, INPS Paris.
[2] Jean Devaux, *L'art de faire des raports en chirurgie où l'on enseigne la Pratique, les Formules & le Style le plus en usage parmi les chirurgiens commis aux raports ; avec un extrait des arrests, statuts & reglemens faits en conséquence* », Paris : Laurent d'Houry, 1703, p. 514-515.

ventre, la cessation subite et le prompt renouvellement des douleurs, **la noirceur** et l'enflure **des lèvres**, la soif ardente, la voix éteinte, **la lividité de la face**, le vertige, les convulsions, le roulement et la saillie des yeux, la perte de la vue, la léthargie la suppression d'urines, l'odeur fétide du corps, **les éruptions pourprées, livides,** gangreneuses ; l'aliénation d'esprit »[3].

En réalité, les progrès diagnostiques en matière d'empoisonnement sont relativement récents. Aujourd'hui, à partir d'une quantité infime de sang (disons un microlitre pour simplifier), il est devenu possible de déterminer la cause toxique d'une mort suspecte en identifiant une molécule par sa masse moléculaire exacte avec une précision de 5 décimales grâce à la spectrométrie de masse[4]. Mais, cette prouesse scientifique est le résultat d'un bouleversement technologique considérable réalisé en très peu d'années. Dans les années 60 à 70 du siècle dernier, il fallait encore extraire de plusieurs kilogrammes de matière biologique humaine un résidu purifié au prix de cheminements analytiques laborieux et incertains et au mieux, on pouvait y soupçonner la présence d'un poison voire de sa famille grâce au changement de couleurs que produisait l'adjonction de réactifs chimiques. Ainsi, une démarche dichotomique sophistiquée et une gamme de riches couleurs permettaient de différencier certains poisons. De nombreux toxicologues ont attaché leur nom à ces géniales trouvailles chromatiques. Par exemple la réaction de Wasicky colorait en rouge le cannabinol et en violet les alcaloïdes de l'ergot de seigle mais aussi la psylocine et la psylocibine. De même, le réactif de Dragendorff colore d'orange à brun-rouge tous les alcaloïdes et le réactif de Marquis donne une teinte verte ou rouge orangé à violette avec les alcaloïdes de l'opium[5]... Les exemples sont nombreux mais ces colorations ne sont pas directement visibles sur le corps ou les viscères des empoisonnés. De plus, si les moyens de purification des extraits organiques se sont améliorés depuis le XIXe siècle, les conseils éclairés de toxicologues comme François Chaussier[6] ou de son élève Étienne de Montmahou méritaient d'être médités :

> « Il existe trois moyens de reconnaître la présence et la nature d'un métal (poison) : 1° Les propriétés générales de la substance ; 2° la voie des réactifs ; 3° sa réduction par la pile galvanique ou par le feu. Le premier et le troisième de ces moyens sont les seuls qui soient propres à faire ressortir la vérité, à la rendre palpable. Le second est

[3] François Emmanuel FODÉRÉ, *Traité de Médecine légale et d'hygiène publique ou de police de santé : adapté aux codes de l'empire français et aux connaissances actuelles*, Paris : Imprimerie de Mame, tome 3, 1813, p. 458.
[4] Ivan RICORDEL, *L'expertise en police scientifique*, Paris : BIU Santé, 2015, p. 142-144. www.biusante.parisdescartes.fr/ressources/pdf/histmed-asclepiades-pdf-expertise_police_scientifique.pdf.
[5] Ayoub Ben SAKHRIA, « Color tests methods » § 1-62, *Analytical toxicology*, 2017 https://www.analyticaltoxicology.com/liste-tests-colorimetriques/.
[6] François CHAUSSIER, *Recueil de mémoires, consultations et rapports sur divers objets de médecine légale*, Paris : Th. Barrois, 1824, p. 141-180.

souvent insuffisant, presque toujours illusoire ; car par leur mélange avec les substances alimentaires, avec les sucs de l'estomac, les poisons perdent la faculté de former avec les réactifs, des précipités semblables à ceux qu'ils offrent quand ils sont purs. On peut d'ailleurs obtenir avec des liquides très différents par leur nature des changemens de couleur des précipités qui paraissent identiques »[7].

Par ailleurs, leur caractère imprécis et très parcellaire impliquait leur association à bien d'autres signes de l'intoxication manifestés sur le corps ou les humeurs des victimes, entre autres certaines manifestations colorées qu'il n'est pas inutile de se rappeler, même aujourd'hui, sans méconnaître comme le mentionne fort justement Ambroise Tardieu dans l'ouvrage majeur sur l'étude médico-légale et clinique de l'empoisonnement qu'il écrivit, en 1867, avec François Zacharie Roussin que :

> « L'étude et l'appréciation des symptômes qui ont précédé la mort constituent un élément capital dans la recherche médico-légale de l'empoisonnement […]. Il ne faut pas oublier, en effet, […] qu'un grand nombre de poisons manifestent leur action par des signes si particulier et si tranchés, que ceux-ci peuvent quelquefois à eux seuls mettre sur la voie et fournir un premier et sûr indice de l'empoisonnement. »[8].

Nous nous affranchirons aujourd'hui de cette sage précaution pour nous intéresser aux seuls signes chromatiques contemporains de l'empoisonnement ou de son évolution ainsi qu'à ceux observables au plan anatomique sur le cadavre ou les viscères des victimes. Ces manifestations relèvent de l'action directe et locale du toxique sur les parties de l'organisme avec lesquelles il entre en contact (cela ne concerne qu'un petit nombre de toxiques) ou du fait de sa diffusion dans la circulation sanguine dans tous les organes (cela les concerne presque tous, quel que soit le mode de pénétration, ce qui était fort discuté à l'époque)[9].

Il convient aussi de signaler que les poisons entraînent souvent des réactions inflammatoires induisant des modifications de couleur et d'aspect des tissus des organes qu'il peut être difficile de différencier des conséquences d'hémorragies ou d'ecchymoses voire d'infiltration sanguine. Il en est de même de l'aspect cireux que certains poisons (phosphore, alcool) peuvent donner aux tissus, peu aisé à distinguer de celui lié à la

---

[7] Etienne S. de MONTMAHOU, *Manuel médico-légal des poisons, précédé de considérations sur l'empoisonnement, des moyens de le constater, du résultat d'expériences faites sur l'acétate de morphine et les autres alcalis végétaux ; suivi d'une méthode de traiter les morsures des animaux enragés et de le vipère. Rédigé sous les yeux de Chaussier*, Paris : Compère Jeune Librairie, 1824, p. 15.

[8] Ambroise TARDIEU et François Zacharie ROUSSIN, *Étude médicolégale et clinique sur l'empoisonnement*, Paris : J.-B. Baillère et fils, 1875, 2ᵉ éd. revue et considérablement augmentée, p. 7-8.

[9] Matthieu Joseph Bonaventure ORFILA, *Leçons de médecine légale*, Paris : Bechet Jeune, 1826, 2ᵉ éd. revue, corrigée et augmentée, t. II, p. 7-14.

dégénérescence graisseuse (stéatose) observée lors de pathologies organiques ou métaboliques.

Les quelques exemples choisis pour illustrer ces phénomènes colorés symptômes d'empoisonnements sont répartis ci-après en sept groupes que rapprochent davantage les sites ou fluides du corps concernés par les teintes observées que les mécanismes d'action toxicologiques. Seront donc envisagés successivement : I. des poisons irritants et caustiques, II. des hydrocarbures et certains phénols, III. des métaux et métalloïdes ou leurs dérivés, IV. des poisons dyschromatopsiques voire synesthésiques, V. des poisons entraînant un flush ou une trace durable VI. des poisons modifiant la couleur de l'hémoglobine et VII. deux poisons particuliers.

I. Poisons irritants et caustiques

Les bases et acides, fort prisés des empoisonneurs du XIXe siècle constituent, entre 1830 et 1840, le premier poison utilisé après l'arsenic et le phosphore[10]. A. Tardieu décrit la fulgurance des effets irritants et corrosifs de ces substances qui s'étendent dans tout l'appareil digestif et provoquent des brûlures et douleurs atroces s'accompagnant de vomissements souvent sanguinolents mais toujours de couleur brune ou jaunâtre voire rougeâtre. Au niveau des muqueuses, les lésions inflammatoires perforantes laissent exsuder « un sang dont la couleur est vermeille »[11]. Il ajoute que « la face de la victime est pâle et décomposée, la bouche et les lèvres sont brûlées et couvertes de taches et d'eschares grises ou brunes, quelquefois bleuâtres virant au noir sur le cadavre »[12]. Avec l'acide nitrique, les couleurs des lésions notamment sur les lèvres et la bouche sont des taches jaunes d'ocre caractéristiques qui à l'autopsie sont gris-violacé recouvertes d'une croûte orangée. « L'estomac renferme un liquide jaune à verdâtre visqueux sanguinolent épais et graisseux »[13].

E. de Montmahou indique que l'acide nitrique entraîne « sur la membrane muqueuse de l'estomac de petites altérations bordées d'auréoles jaunâtres et quelques taches de mêmes couleurs surtout près du pylore […] La membrane interne de l'estomac est convertie en une sorte de pulpe jaunâtre, réduite en lambeaux […] (au niveau du péritoine) toutes les parties qui ont été en contact avec le liquide sont d'un jaune serin »[14]. Il en est de même avec l'iode. Avec l'acide sulfurique, A. Tardieu mentionne que les lésions, jaunâtres voire rouges, virent rapidement au noir et que cette pulpe muqueuse est elle-même plutôt de couleur noirâtre semblable à de la suie et que l'on peut racler aisément ou faire disparaître par simple lavage à l'eau. Ces lésions sont assez caractéristiques et ne peuvent être confondues avec

---

[10] A. TARDIEU et F. Z. ROUSSIN (*op. cit. supra* note 8), p. 173-323.
[11] A. TARDIEU et F. Z. ROUSSIN (*op. cit. supra* note 8), p. 171-173.
[12] A. TARDIEU et F. Z. ROUSSIN (*op. cit. supra* note 8), p. 175-176.
[13] A. TARDIEU et F. Z. ROUSSIN (*op. cit. supra* note 8), p. 221.
[14] É. de MONTMAHOU (*op. cit. supra* note 7), p. 92 et 100.

celles de l'ulcère perforant qui ne survient pas logiquement dans des circonstances de santé analogues. L'acide chlorhydrique cause des lésions proches de celles de l'acide nitrique mais de couleur grise. Avec l'acide phénique ou phénol, ces couleurs sont uniformément blanches sur les lèvres, la bouche, la gorge, l'arrière gorge et l'œsophage, des taches blanches sont parsemées sur les muqueuses rugueuses, tannées et durcies de l'estomac et du duodénum qui desquament. On peut observer des nodules sanguins noirs dans les poumons et du sang noir fluide dans le système veineux. Lors de l'application prolongée de solutions diluées de phénol sur les mains, les lésions graves et indolores ne se perçoivent que quand les téguments sont devenus noirs et que les doigts chutent[15]. L'acide oxalique conduit également à des escarres blanches à grisâtres peu profondes et on trouve par endroit des amas blanchâtres d'oxalate de calcium cristallisé. Sur le rein se dessinent des lignes blanches constituées d'oxalate de calcium. La victime peut présenter un ictère (jaunissement de la peau) voire une cyanose (bleuissement)[16].

Les alcalis provoquent comme les acides des brûlures intenses plus profondes et infiltrantes mais les couleurs ne présentent pas de spécificité hormis le caractère translucide des muqueuses. L'ammoniaque diffère un peu car elle donne une rougeur très vive aux lèvres, à la langue et la face interne des joues et aux muqueuses des voies digestives supérieures qui présentent des points blancs (taches de cautérisation ammoniacales) tandis que le foie graisseux et ramolli est jaune marbré de teintes rouges.

Le diagnostic *post-mortem* peut être plus compliqué quand l'usage de ces caustiques a pour objet de dissimuler un acte criminel. C'est plutôt l'acide sulfurique auquel on a alors recours mais, sur le cadavre, la peau est moins sensible à l'action. Il ne se produit aucune destruction mais seulement une coloration, d'abord gris-vert puis brun clair. Les cheveux et les poils restent intacts, la peau se parchemine. Si l'immersion dans l'acide sulfurique est suffisamment longue, le cadavre se dissout en une bouillie noirâtre. La chaux vive donne le même résultat mais après un délai plus long[17].

Pour compléter cette classe de toxiques agressifs, on peut ajouter les effets cutanés des radiotoxiques c'est-à-dire, les conséquences d'irradiation accidentelle ou criminelle d'isotopes radioactifs dont les radiodermites qu'ils infligent sont dans leur aspect proches des brûlures cutanées des acides.

Enfin, pour clore cette série de toxiques notons que les acides et les alcalis ne sont pas les seuls produits corrosifs qui peuvent léser directement les tissus biologiques. C'est aussi le cas de quelques substances végétales comme le croton *tiglium*, l'épurge ou euphorbe, la bryone[18], le vératre et le ricin avec lesquels on peut observer à l'autopsie, sur de graves lésions

---

[15] René FABRE, René TRUHAUT, *Précis de toxicologie*, Paris : Sedes, 1965, t. 2, p. 291.

[16] R. FABRE, R. TRUHAUT, *op. cit.* note précédente, p. 329.

[17] Pierre Fernand CECCALDI et Michel DURIGON, *Médecine légale à usage judiciaire*, Paris : Cujas, 1979, p. 350.

[18] A. TARDIEU et F. Z. ROUSSIN (*op. cit. supra* note 8), p. 323-344.

intestinales, des taches noires et des plaques gangréneuses, des hémorragies, le décollement de la muqueuse en même temps que la congestion du foie et du poumon[19].

II. Hydrocarbures et phénols...

Les hydrocarbures saturés ou paraffines sont susceptibles d'entraîner des troubles chromatiques. C'est le cas chez les ouvriers manipulant des huiles de graissage extraites de pétroles mal raffinés dans l'industrie textile et métallurgique qui présentent une mélanodermite toxique dite d'Hoffmann-Habermann ou « bouton d'huile »[20]. Il s'agit d'une pigmentation brune ou ardoisée des mains et des avant-bras puis du visage, associée à des points noirs, sortes de pseudo-comédons, des follicules et parfois des bulles. L'utilisation chronique d'hydroquinone employée en photographie et dans des produits destinés à décolorer les peaux noires donne des signes voisins appelés ochronose exogène, pigmentation bleu-noir de la peau dans les régions malaires, qui est proche d'une maladie héréditaire, l'alcaptonurie ou ochronose endogène. L'examen anatomopathologique permet de retenir le diagnostic exogène en objectivant des dépôts jaune-brun en forme de bananes situés dans le derme papillaire.

III. Métaux et métalloïdes ou leurs dérivés

Ces poisons à action générale qui provoquent notamment une asthénie et des troubles digestifs plus ou moins intenses peuvent associer à ces symptômes des manifestations chromatiques diverses ; en premier lieu l'arsenic. Son usage en tant qu'outil criminel s'est raréfié mais il a constitué le principal poison jusqu'au XXe siècle. Selon les voies d'administration et la forme chimique du poison, les observations colorées peuvent varier. Ainsi l'inhalation d'arsine (forme gazeuse de l'arsenic) fait prendre au patient une teinte particulière où se mêlent érythrocyanose, pâleur et ictère (autrement dit, rouge, bleu et jaune)[21]. Lors de l'intoxication aiguë, l'hémolyse intravasculaire massive qu'elle provoque est responsable de la cyanose et des marbrures de la peau, observées dans les 4 à 6 heures après l'exposition, et de l'ictère qui apparaît 24 à 48 h après[22].

Le mode chronique ou aigu de l'intoxication arsenicale offre des distinctions colorées : dans le premier cas, les dérivés inorganiques de l'arsenic comme l'anhydride arsénieux (mort aux rats), causent des lésions cutanées et muqueuses qui dominent le tableau : papules et vésicules rouges,

---

[19] Paul FOURNIER, *Encyclopédie biologique, XXXII, Le livre des plantes médicinales et vénéneuses de France* Paris : Paul le Chevalier, 1948, t. 3, p. 328 et 522.

[20] R. FABRE, R. TRUHAUT (*op. cit. supra* note 15), p. 150.

[21] V. MORA, J.-C. PAIRON, R. GARNIER et *al.*, « Acute Arsine Poisoning in a Ferrous Metal Foundry. A report of two cases », *Archives des maladies professionnelles, de médecine du travail et de sécurité sociale*, 53, 3, 1992, p. 167–173.

[22] J. PLANTAMURA, F. DORANDEU, P. BURNAT, C. RENARD, « L'arsine : un toxique industriel peu connu », *Annales pharmaceutiques françaises*, 69, 2011, p. 196-200.

prédominant sur les parties découvertes (mains) et aux zones de frottement, finissant par s'ulcérer… Mais les signes plus caractéristiques touchent la peau et les phanères. D'abord une mélanodermie réalise une hyperchromie grisâtre avec des taches bronzées ou dépigmentées irrégulières s'étalant en placards gris-ardoisé, café au lait ou à reflets métalliques au niveau de la face, du cou, des épaules, aux plis de flexion, à la ceinture, associées à une hyperkératose palmo-plantaire parsemée de verrues blanchâtres appelées pigeonneaux, lésions précancéreuses.

Selon A. Tardieu, combinée à cet aspect des téguments « l'émaciation croissante donne l'apparence d'une vieillesse anticipée »[23]. Plus typiques sont les bandes de Mees qui sont des stries unguéales, transversales semi-lunaires et symétriques naissant à la racine des ongles, gris mat, blanc rose à la base, plus foncées vers l'extrémité (figure 1) mais qui peuvent se voir aussi lors d'intoxication par le thallium ou le mercure. Ces signes ne sont pas présents lors d'empoisonnements aigus. Les seules manifestations colorées observables à l'autopsie, sont un piqueté hémorragique rouge du cerveau et plus diffus de l'appareil digestif[24]. A. Tardieu mentionne d'une part « la possible présence de petits grains blanchâtres qui peuvent tapisser la surface interne de l'intestin » quel que soit le mode d'absorption du poison, et la cyanose, c'est-à-dire, la coloration bleuâtre ou mauve de la peau et des muqueuses[25]. Mais on sait que la spécificité de ce signe est réduite puisqu'il s'agit d'une diminution de la teneur du sang en oxygène intervenant certes au cours d'empoisonnements mais aussi lors de troubles pulmonaires, de malformations cardiaques congénitales, d'une mauvaise circulation du sang ou d'une anémie.

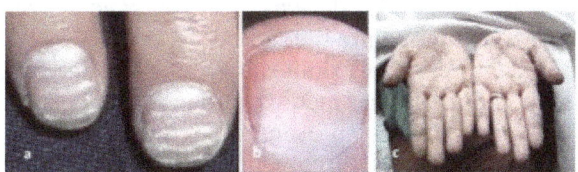

Figure 1. Intoxication arsenicale chronique :
a et b : bande de Mees, c : pigeonneaux

Proche de l'arsenic, l'intoxication par l'antimoine (émétique : tartrate d'antimoine), hormis les manifestations cutanées décrites ci-dessus, présente une particularité nommée « *echtyma* stibié » observable sur le cou, les membres et les parties génitales, sortes de pustules ressemblant à celles de la variole. À l'autopsie ces pustules se rencontrent çà et là sur toute la longueur du tube digestif depuis la bouche, la gorge, jusqu'aux dernières portions intestinales.

---

[23] A. Tardieu et F. Z. Roussin (*op. cit. supra* note 8), p. 363.
[24] Raymond Castagnou, *Cours de toxicologie : Arsenic*, t. II, Bordeaux, UER des sciences pharmaceutiques, 1979 (réédition 1983), p. 93-178.
[25] A. Tardieu et F. Z. Roussin (*op. cit. supra* note 8), p. 346.

Dans les ateliers de mécanique et de fonderie, l'atmosphère est souvent polluée par des poussières métalliques et en particulier de cuivre. Les cheveux de beaucoup d'ouvriers prennent une coloration verdâtre et les dents une couleur bronze par dépôt de cuivre au niveau du collet. N. Leclerc décrit ce phénomène en 1803 dans son essai médico-légal[26]. Il en est de même lors de l'absorption accidentelle d'une eau de consommation trop riche en cuivre du fait de la dissolution de ce métal à partir de circuits d'adduction défectueux comme ce fut le cas en 2012 à Anderslöv en Suède[27]. L'intoxication par absorption entraîne très rapidement des vomissements violents bleus ou verdâtres en moins d'un quart d'heure. Les selles également abondantes et diarrhéiques sont de couleurs bleu-vert ou noir (sulfure de cuivre). A. Tardieu indique qu'il observe des cas où à l'autopsie, l'intestin est parfois bleu-verdâtre, couleur caractéristique qui persiste au lavage à l'eau et qui s'accentue par l'eau ammoniacale[28].

En cas d'intoxication par le plomb ou ses dérivés (saturnisme), les gencives présentent parfois un fin « liseré gingival » gris à bleu-ardoisé voire violacé à noir. Ce liseré dit « liseré de Burton » du nom de Henry Burton, médecin anglais qui aurait le premier décrit ce symptôme en 1840, se situe au niveau du collet des dents, essentiellement des canines. Il est constitué de sulfure de plomb très probablement formé par action des composés soufrés de la salive sur le plomb éliminé dans cette excrétion. Lors du saturnisme chronique, parfois à l'intérieur des lèvres se dessine un pointillé fin violacé[29]. Mais le plomb n'est pas le seul métal toxique causant ce type de liseré. Ainsi le bismuth donne un liseré comparable situé plus sur les incisives inférieures. On peut observer parfois une coloration intense rouge des gencives dite gingivite de Fredericq-Thomson avec des taches noires à la face interne des joues et une teinte bleuâtre de la langue[30].

Le cadmium, autre métal, donne lieu à des intoxications fréquentes dans l'industrie du cadmiage des métaux et dans celle des accumulateurs au cadmium / nickel. Les ouvriers présentent fréquemment sur les dents une coloration jaune particulière, d'intensité variable, disposée en bandes, appelée bague jaune dentaire de Barthélémy et Moline. Celle-ci s'étend du collet à la moitié de la dent en respectant toujours le bord libre. Cette coloration est due à la formation de sulfure de cadmium au contact des thiocyanates contenus dans la salive par laquelle le toxique s'élimine car il bloque la fonction rénale[31].

---

[26] N. LECLERC, *Essai médico-légal sur l'empoisonnement et sur les moyens que l'on doit employer pour le constater*, Paris : Levrault Frères, an 11 (1803), p. 122-123.
[27] Les taux de cuivre dépassaient dix fois les teneurs maximales admises. http://www.atlantico.fr/atlantico-light/suede-cheveux-verts-cuivre-nouvelles-maison-249535 .html#krPguMvwomiwIjPJ.99.
[28] A. TARDIEU et F. Z. ROUSSIN (*op. cit. supra* note 8), p. 624.
[29] R. FABRE, R. TRUHAUT (*op. cit. supra* note 15), p. 626.
[30] Raymond NOGUÉ et Alexandre GAILLARD, *Traité de stomatologie, Maladies de la bouche*, Paris : J-B. Baillère et Fils, 1924, p. 134-138.
[31] R. FABRE, R. TRUHAUT (*op. cit. supra* note 15), p. 621.

Les lésions, essentiellement de contact, provoquées par les oxydes de chrome (chromates, bichromates) intéressent surtout la peau des doigts, des mains, des membres, de la figure et même des pieds sous forme d'ulcérations rondes, parfois ovales à bords rouges et épaissis de 3 à 10 mm de diamètre, appelés pigeonneaux (comme pour l'arsenic). Elles provoquent la chute des ongles. Au niveau de l'œil, les couches superficielles de la cornée sont colorées en brun rouge par l'oxyde de chrome sur la partie non protégée par la paupière[32].

Les données colorées de l'empoisonnement par les sels de mercure, en particulier le sublimé corrosif, sont modestes. Toutefois M. J. B. Orfila, précurseur éclairé de la toxicologie moderne, indiquait qu'« il arrive cependant quelquefois que dans cet empoisonnement, les tissus sur lesquels le sublimé corrosif a été appliqué sont d'une couleur gris blanchâtre, même du vivant de l'individu, caractère qu'aucune autre substance vénéneuse ne semble offrir »[33]. Cette propriété éclaircissante de la peau liée au fait que les sels de mercure bloquent la formation de mélanine, en dépit de son extrême toxicité, est très employée dans des crèmes et savons destinés à la dépigmentation de la peau noire au même titre que l'hydroquinone citée ci-dessus[34]. René Fabre signale, par ailleurs, que ce toxique gonfle les lèvres et leur donne une couleur violacée à noire et altère les muqueuses de la bouche, de l'œsophage, de l'estomac qui se teintent en rouge puis en noir et s'ulcèrent, de l'intestin grêle et surtout du gros intestin qui présentent des ulcérations jaune verdâtre[35]. Notons des anomalies spécifiques décrites récemment comme le mercurialentis qui se traduit par des reflets brunâtres et des opacités ponctiformes disséminées sur la capsule antérieure du cristallin entraînant des dyschromatopsies dans l'axe bleu-jaune chez les victimes[36] (figure 2). On décrit également une pathologie rare mais typique : la « pink disease » chez des nouveau-nés ou de jeunes enfants exposés à des sels mercureux ou à des vapeurs de mercure au cours de laquelle, s'observe notamment une coloration rouge violacé et cyanotique des mains, des pieds[37] et du visage[38]. Enfin, même anecdotique, le liseré mercuriel est propre à ce

---

[32] R. FABRE, R. TRUHAUT (*op. cit. supra* note 15), p. 673.

[33] M. J. B. ORFILA (*op. cit. supra* note 9), p. 96.

[34] Y. M. OLUMIDE, A. O. AKINKUGBE, D. ALTRAIDE *et al.*, « Complications of Chronic Use of Skin Lightening Cosmetics », *International Journal of Dermatology*, 47, 4, Apr. 2008, p. 344-353.

[35] R. FABRE, R. TRUHAUT (*op. cit. supra* note 15), p. 611.

[36] P. URBAN, F. GOBBA, J. NERUDOVÁ, *et al.*, « Color discrimination impairment in workers exposed to mercury vapor », *Neurotoxicology*, 24, 2003, p. 711-716 et A. CAVALLERI, F. GOBBA, « Reversible Color Vision Loss in Occupational Exposure to Metallic Mercury », *Environmental Research*, 77, 1998, p. 173-177.

[37] M. WEINSTEIN, S. BERNSTEIN, « Pink Ladies : Mercury Poisoning in Twin Girls », *Canadian Medical Association Journal*, 21, 168, 2, Jan 2003, p. 201.

[38] L. J. FUORTES, D. N. WEISMANN, M. L. GRAEFF *et al.*, « Immune Thrombocytopenia and Elemental Mercury Poisoning », *Journal of Toxicology and Clinical Toxicology*, 33, 1995, p. 449-455.

type de métal lourd. Ce liseré, dont G. Milian s'attribue la découverte[39] en 1907, est déjà fort bien décrit par A. Tardieu[40] en 1867. Il s'installe sur une gingivite spongieuse au niveau du collet, aux limites polycycliques de la muqueuse. Il est gris violacé à pourpre, Il ressemble au liseré de Burton donné par le plomb mais s'étend davantage sur les dents latérales et « s'insinue entre les dents elles-mêmes »[41].

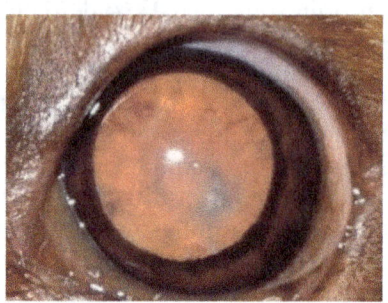

Figure 2. *Mercurialentis* (Dr Nida Gait).
Impacto de consumo de drogas de abuso sobre la salud
(image du Dr Rodriguez Gómez, 34ᵉ Journées argentines de toxicologie interdisciplinaires, 2016, Cordoba)

Enfin, mentionnons une plante toxique invasive, *Phytolacca decandra* ou raisin d'Amérique, dit mercure végétal par le célèbre médecin homéopathe J. Kent, pour ses effets similaires à ceux du mercure. Ce dernier est absent de sa composition qui comprend des saponosides et une lectine proche de la ricine. Le toxique est responsable de brûlures buccales avec langue rouge et œdémateuse, crampes intestinales violentes, diarrhées sanglantes, vomissements, troubles neurologiques, délire, convulsions[42].

Non métallique, le fluor est cependant rattaché à ce groupe en raison des conséquences chromatiques qu'il induit sur les dents comme le plomb, le mercure, le cadmium... Le fluor à doses faibles et précises prévient la carie dentaire mais la consommation chronique d'eau ou d'alimentation trop riche en fluorures entraîne la fluorose. Les symptômes principaux sont l'atteinte des tissus dentaires et osseux qui fixent électivement le fluor. Ceci s'accompagne de cachexie fluorique et d'altérations de divers parenchymes nobles. Les premières altérations apparaissent sur les dents en voie de formation ; elles se traduisent par des taches colorées en jaune brun puis noir sur l'émail qui devient moins résistant et s'use plus rapidement. Les altérations osseuses varient selon le dérivé fluoré et les conditions d'intoxication : hypercalcification ou décalcification. Dans le premier cas on

---

[39] G. MILIAN, « Le progrès médical : le liseré mercuriel », *Bulletin de la société de dermatologie*, 1907, p. 1052.
[40] A. TARDIEU et F. Z. ROUSSIN (*op. cit. supra* note 8), p. 706.
[41] R. FABRE, R. TRUHAUT (*op. cit. supra* note 15), p. 611.
[42] Victoria HAMMICHE, Rachida MERAD, Mohamed AZZOUZ, *Plantes toxiques à usage médical du pourtour méditerranéen*, Paris : Springer, 2013, p. 175-180.

assiste à une densification de l'os ou marmorisation générale du squelette dit « en ivoire » (aspect du marbre ou éburnation)[43].

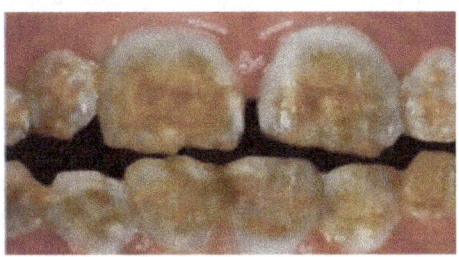

Figure 3. Fluorose sévère, niveau 4
(Suzanne TURMEL, Danièle PARÉ, *L'hygiéniste dentaire en santé publique*, 2011)

IV. Poisons dyschromatopsiques voire synesthésiques

Certains toxiques créent des perturbations colorées indirectes. La digitale ou ses principes actifs, les hétérosides cardiotoniques, présentent dans certains de leurs effets, des troubles dyschromatopsiques. L'observateur ne voit pas ces changements de couleurs mais leur description par la victime sont caractéristiques : le sujet voit des couleurs transformées ; les objets sont jaunes ou rouges ou surtout verts ou bleus. Un voile perturbe parfois la perception visuelle et ces troubles sont souvent accompagnés de délire hallucinatoire. Ces hallucinations auditives et visuelles se rencontrent également avec l'empoisonnement par l'amanite tue-mouche (*Amanita muscaria*) qui provoque des visions kaléidoscopiques déclenchées par des sons, avec distorsion des objets et des couleurs. Celles-ci sont variées et intenses, surtout bleues et rouges, alternant entre lumineuses et obscures. Jean-Jacques Annaud, dans le film *L'Ours* a très fidèlement rendu toutes ces anomalies. Leur cause est un ensemble d'alcaloïdes, muscimol, acide iboténique, muscazone[44]... tous voisins de la pcillocine ou de la bufoténine présentes dans le venin de certains crapauds qui produit des effets comparables. De nombreuses espèces de plantes et de champignons hallucinogènes les contiennent. C'est aussi le cas avec la mescaline du peyolt (cactus) dont le nom amérindien signifie « plante qui fait les yeux émerveillés ». L'audition se colore, c'est-à-dire qu'un morceau de musique se traduit par des perceptions colorées ainsi que des hallucinations visuelles élémentaires et complexes. Il en est de même pour le LSD avec lequel la confusion des sens est multiple. Non seulement on perçoit les sons en couleur mais l'on entend les odeurs. Il s'agit vraisemblablement de l'exacerbation d'un effet physiopathologique appelé « synesthésie » qui est

---

[43] R. FABRE, R. TRUHAUT (*op. cit. supra* note 15), p. 510.
[44] C. H. EUGSTER, G. F. MÜLLER, R. GOOD, « The Active Ingredients from *Amanita muscaria*: Ibotenic Acid and Muscazone » [article en allemand], *Tetrahedron Letters,* 23, 1965, p. 1813-1815.

provoqué par la sensibilité neuronale du cerveau dépendant lors de sa formation de l'expression de certains gènes spécifiques. 1 à 4% de la population en serait tributaire. Le célèbre peintre abstrait Kandinsky était « synesthète », ce qui pourrait expliquer les couleurs erratiques de ses tableaux[45].

V. Poisons entraînant un flush ou une trace durable

D'autres plantes hallucinogènes ne présentent pas ces dyschromatopsies mais occasionnent une dilatation des vaisseaux cutanés en particulier ceux du cou et du visage devenant rouges voire écarlates. Il s'agit du « flush atropinique ». L'atropine est l'alcaloïde de la belladone, du datura, de la jusquiame ou de la mandragore. On se rappelle ce fait divers qui s'est produit dans les années 1970 : l'intoxication collective involontaire de soldats d'infanterie qui, assoiffés lors d'une longue marche, avaient consommé des plantes chargées de fruits ressemblant à des guignes. Outre les signes digestifs, neuropsychiques et hallucinogènes de l'intoxication, ils présentèrent tous cette couleur écarlate caractéristique de la face et du cou[46].

Qu'en est-il des drogues plus classiques comme l'héroïne ou la cocaïne ? Peu d'indices colorés les concernent mais on note parfois chez les drogués par auto injection, au début de la pratique, une « veinite rouge » suivie d'une sclérose extensive dite « veinite brune ». Ces pigmentations disparaissent ensuite et les cordons veineux deviennent difficilement perceptibles tandis qu'apparaît une décoloration nacrée brillante assez caractéristique mieux visible sous certaines incidences et qui persiste même des années après cessation de la pratique[47]. Avec la cocaïne, la victime d'intoxication chronique décrit la vision de ses téguments couverts de points gris mobiles que l'observateur ne voit pas mais qui justifient les lésions de grattage qui stigmatisent sa peau[48].

VI. Poisons modifiant la couleur de l'hémoglobine

Une manifestation succédant à la mort est l'apparition des lividités cadavériques liées à la diffusion du sang à travers les vaisseaux sanguins et à son accumulation par gravité sous la peau non comprimée. Le sang devient visible par translucidité de la peau dont la teinte se modifie. Des lividités rouge-carmin sont typiques d'une intoxication au monoxyde de carbone (CO), alors que des lividités cyanosées orientent généralement vers une

---

[45] Amanda K. TILOT, Katerina S. KUCERA, Arianna VINO et al., « Rare Variants in Axonogenesis Genes Connect Three Families with Sound–Color Synesthesia », *Proceedings of the National Academy of Sciences (U.S.A.)*, 115, 12, March 2018, p. 3168-3173 [doi 10.1073/pnas.1715492115].
[46] Jean-Pierre GOULLÉ, Gilbert PÉPIN, Vincent DUMESTRE-TOULET, Christian LACROIX, « Botanique, chimie et toxicologie des solanacées hallucinogènes : belladone, datura, jusquiame, mandragore », *Annales de Toxicologie Analytique*, XVI, 1, 2004, p. 22-35.
[47] P.-F. CECCALDI, M. DURIGON (*op. cit. supra* note 14), p. 351.
[48] R. FABRE, R. TRUHAUT (*op. cit. supra* note 15), p. 458.

cause asphyxique voire cardiaque ou pulmonaire du décès[49]. Par ailleurs, l'emplacement paradoxal de ces lividités peut apparaître à l'intérieur des cuisses, sur l'abdomen ou la poitrine. Cette coloration écarlate que l'oxyde de carbone donne au sang est due au fait qu'il remplace le fer dans la molécule d'hémoglobine. C'est un indice important de l'intoxication par ce gaz car cette combinaison carboxyhémoglobine rouge groseille est stable et retarde la putréfaction. Elle marque les lividités mais, avant la mort, elle marque en rose carminé la peau, les muqueuses, les poumons présentant un aspect tigré et les muscles. Cette teinte frappe par sa généralisation[50]. Les lèvres restent rouge carmin même après la mort. Cette variation de coloration est si spécifique que la détermination de la quantité de carboxyhémoglobine chez un intoxiqué exploite cette particularité de couleur des deux composés de l'hémoglobine, l'un lié au fer et l'autre au CO dont les deux rouges absorbent la lumière dans des zones spectrales très distinctes.

Plusieurs autres poisons exercent directement ou indirectement leur action sur l'hémoglobine entraînant des variations de la couleur du corps. C'est le cas des toxiques méthémoglobinisants et des poisons de la respiration cellulaire comme les cyanures. Les cyanures bloquent les enzymes ferrugineuses et en particulier la cytochrome oxydase entraînant un défaut d'utilisation de l'oxygène au niveau des tissus et par suite des phénomènes asphyxiques. À l'autopsie on note, outre une odeur d'amande amère du contenu du tube digestif, la coloration rutilante du sang veineux liée à la formation de cyanhémoglobine qui colore tout le cadavre en rose. Ces signes disparaissent assez rapidement avec la putréfaction contrairement à l'intoxication au monoxyde de carbone[51]. La cyanhémoglobine se transforme en cyanméthémoglobine brunissant puis noircissant progressivement.

Les poisons méthémoglobinisants, quant à eux, causent une oxydation du fer de l'hémoglobine interdisant à celle-ci le transport de l'oxygène aux tissus. Le sang devient bleu foncé, puis chocolat puis noir ; il s'ensuit rapidement une cyanose ardoisée (ou batiochromie de Nobécourt et Pichon) prédominant pendant plusieurs jours aux extrémités (ongles, nez, oreilles, mains et pieds) puis s'étendant à la face, aux lèvres, à la muqueuse buccale, à la langue et au pharynx. Elle contraste avec la pâleur du reste du corps (en particulier avec l'aniline). Lorsqu'elle devient très élevée, elle se complique d'une anémie hémolytique avec ictère[52]. Ces poisons sont nombreux et variés : chlorates, bromates, iodates, nitrites, oxyde nitrique et peroxyde d'azote, sulfure de carbone, hydrogène sulfuré, phosphoré et arsénié, des sulfamides, certains anesthésiques dérivés de la cocaïne, nitrobenzène, aniline, dérivés nitrés des phénols … L'un d'entre eux, l'acide picrique

---

[49] P.-F. CECCALDI, M. DURIGON (*op. cit. supra* note 14), p. 28.
[50] P.-F. CECCALDI, M. DURIGON (*op. cit. supra* note 14), p. 134.
[51] R. FABRE, R. TRUHAUT, *op. cit.* note 15, t. 1, p. 269.
[52] R. FABRE, R. TRUHAUT, *op. cit.* note 15, t. 1, p. 296.

ajoute du jaune citrin à la teinte de la peau en y imprégnant sa propre couleur. Entrent dans ce groupe des toxiques végétaux comme la ciguë vireuse, la noix vomique ou la fève de saint-Ignace dont les principes responsables sont respectivement la cicutine, la strychnine et la brucine[53].

Il convient d'ajouter que beaucoup des poisons méthémoglobinisants, mais aussi le plomb, le cuivre, l'hydroquinone, des médicaments (méthyldopa, L-dopamine…), des végétaux comme la scrofulaire noueuse, des champignons, le venin de serpent, de guêpes, de frelons ou d'araignées sont capables de détruire la membrane cellulaire protectrice des globules rouges. Leur contenu, libéré dans les vaisseaux sanguins, se retrouve tel quel dans l'urine qui se colore de rouge à noir.

VII. **Poisons particuliers**

L'empoisonnement par le phosphore, devenu anecdotique de nos jours, était un véritable fléau à la fin du XIXe siècle, venant juste après l'arsenic (287 cas contre 267 entre 1871 et 1872). Moins d'une heure après l'ingestion de phosphore, l'empoisonné nauséeux dont l'haleine présente une odeur alliacée, émet des éructations et des vomissements phosphorescents ainsi que des selles abondantes sanguinolentes et également phosphorescentes visibles dans l'obscurité[54]. Le corps de la victime est ictérique. La dégénérescence graisseuse du foie, des reins, du cœur, des glandules de l'estomac et de tous les muscles est une constante. La couleur jaune par endroits marbrée de rouge domine sur tous ces organes d'où suinte, à la pression, un liquide huileux jaune[55].

Parmi ces manifestations étonnantes de l'action des poisons, l'un d'eux fut très longtemps un mystère immortalisé par les œuvres de nombreux artistes et qui sembla frapper par épidémies successives au Moyen Âge. Il s'agit du « mal des ardents » ou « feu de St-Antoine » mais aussi gangrène des solognots, peste de feu, feu infernal, feu persique, feu de raphanie, feu de la Vierge, feu de Dieu… ! On sait, depuis le XVIIe siècle, le rapport possible entre ce mal et la consommation de farines contaminées par l'ergot de seigle (*Claviceps purpurea*). Ceci n'a pas pour autant évité la psychose collective lors de l'affaire de Pont-Saint-Esprit[56] en 1951, dont le réalisateur Bertrand Arthuys a retracé les péripéties dans un téléfilm, *Le Pain du diable*, diffusé sur France 3 en 2010 et 2011. Pourtant, depuis la plus haute antiquité, on avait décrit sous le nom d'*ignis sacer* ou *ignis gehennae* un mal identifiable à l'ergotisme ; Hippocrate, Pline, Galien en font état.

Hormis par ses phénomènes nerveux, l'ergotisme gangréneux se manifeste par l'apparition subreptice d'une tache noire, de fourmillements et de picotements dans les membres. Des douleurs intolérables des orteils et

---

[53] R. FABRE, R. TRUHAUT, *op. cit.* note 15, t. 2, p. 404-473.
[54] R. FABRE, R. TRUHAUT, *ibid.*, p. 532.
[55] A. TARDIEU et F. Z. ROUSSIN (*op. cit. supra* note 8), p. 476-491.
[56] Steven KAPLAN, *Le pain maudit : retour sur la France des années oubliées, 1945-1958*, Paris : Fayard, 2008, p. 299-368.

une sensation de brûlure très vive et insupportable s'ensuivent. Puis un froid glacial des extrémités s'installe avec des contractures, des tuméfactions et disparition de la sensibilité tandis que sur la peau d'abord livide, des taches ou pustules rouges à violacées puis noires se multiplient d'abord aux mains puis aux pieds et sur le reste du corps. La gangrène, le plus souvent sèche, s'installe pourrissant les chairs et les muscles. Les doigts et les membres paraissent comme calcinés et se détachent du corps alors que les parties du corps non touchées restent étonnamment saines[57].

Conclusion

L'observation attentive des variations chromatiques du corps et de ses fluides parmi l'ensemble des symptômes possibles d'un empoisonnement, fut une pratique utile pour son diagnostic. La disponibilité récente de moyens analytiques fiables d'identification des toxiques responsables a rendu de plus en plus obsolète la prise en compte de ces signes. Toutefois, l'identification formelle d'un toxique, notamment dans un cadavre, n'est pas la preuve absolue d'empoisonnement. Les signes cliniques et l'examen des couleurs conservent alors toute leur pertinence pour étayer le diagnostic.

---

[57] Emile KOHN-ABREST, *Précis de toxicologie*, Paris : G. Doin & Cie, 1962, 3e édition, p. 428.

DEUXIÈME PARTIE

COULEURS, MALADIES, TEMPÉRAMENTS, AFFECTS

La λεύκη chez Galien et les médecins byzantins

Alessia GUARDASOLE[1]

Le terme λεύκη[2], « maladie blanche », indique en général une dermatose provoquant l'apparition de taches blanches sur l'épiderme.

Le dossier de cette maladie est assez compliqué, du fait de ses attestations et de la fluctuation des interprétations possibles. L'enquête à ce jour la plus complète et convaincante est, sans conteste, le chapitre consacré par Mirko Grmek à la lèpre, dans son livre *Les maladies à l'aube de la civilisation occidentale* [3]. Dans la reconstruction de l'histoire des témoignages et de leurs interprétations du terme λέπρα dans la littérature grecque, le médecin philologue se voit obligé de réunir sous un seul et même chapitre « la *lépra*, la *leukê* et l'*alphos* » et de constater la grande difficulté, voire l'impossibilité, d'une interprétation univoque et correcte de ces dermatoses.

Une première difficulté est certainement dictée par la nature de la pathologie : les dermatoses, dans leurs manifestations les plus variées, étaient toujours parmi les pathologies les plus impressionnantes, notamment dans un contexte de limites très floues entre médecine et religion, où elles étaient souvent interprétées comme la manifestation concrète de la punition divine ou d'un μίασμα, une tache (ou souillure) d'origine religieuse. C'est d'ailleurs dans des contextes semblables que nous rencontrons les plus anciennes et célèbres attestations de notre terme λεύκη en littérature non-médicale.

Une autre difficulté est liée au fait que très souvent la λεύκη est mentionnée avec d'autres dermatoses, notamment la λέπρα et l'ἀλφός, sans qu'on puisse établir une distinction nette entre les trois. Si nous regardons l'étymologie, en particulier, la distinction entre λεύκη et ἀλφός est encore plus ardue, étant donné que le terme ἀλφός désigne originellement lui aussi le « blanc » (il répond au latin *albus*), peut-être un blanc mat, même s'il ne subsiste en grec que dans des gloses et dans cet emploi technique[4].

---

[1] Directrice de recherches, CNRS – Sorbonne Université.
[2] Il s'agit d'un dérivé de l'adjectif λευκός, -ή, -όν, « blanc », avec une rétraction de l'accent ; voir Pierre CHANTRAINE, *Dictionnaire étymologique de la langue grecque* [désormais abrégé *DELG*], Paris : Klincksieck, 2e ed. 2009, *s.v.* λευκός. Vu la difficulté d'identification et la superposition des manifestations pathologiques évoquées dans cette étude, je préfère éviter – sauf indication explicite – la traduction des termes λεύκη, ἀλφός, λέπρα et semblables.
[3] Mirko D. GRMEK, *Les maladies à l'aube de la civilisation occidentale*, Paris : Payot, 1983, p. 234-248.
[4] Voir P. CHANTRAINE, *DELG*, *s.v.* ἀλφός.

Comme premiers témoignages, je reprends rapidement les passages célèbres d'Hérodote et de Pausanias, savamment étudiés et analysés par Mirko Grmek, dont je résume et partage tout à fait les interprétations.

Dans le premier texte, tiré des chapitres d'Hérodote (I, 138) consacrés aux Perses, la λεύκη est associée à la λέπρα, ce dernier terme désignant, en général dans la littérature grecque classique, une dermatose bénigne, qui provoque une desquamation épidermique :

« Si l'un de leurs concitoyens a la maladie squameuse (λέπρα) ou la maladie blanche (λεύκη), il ne vient pas en ville et n'a pas de commerce avec les autres Perses ; c'est, disent-ils, pour avoir commis une faute contre le Soleil qu'il souffre de ces maux ; tout étranger atteint de cela est renvoyé par eux hors du pays »[5].

Ce texte d'Hérodote renvoie donc à une phénoménologie pathologique qui n'a rien à voir avec les dermatoses bénignes et banales que nous rencontrons dans la littérature grecque classique sous la désignation de λεύκη ou plus souvent de λεῦκαι, au pluriel. Ici la maladie est si grave qu'elle entraîne une répression légale. L'historien emprunterait dans ce cas la terminologie grecque pour traduire des entités nosologiques perses, encore inconnues dans son pays au milieu du Ve siècle avant notre ère : les termes λέπρα et λεύκη seraient ici le correspondant des termes babyloniens *nugdu* et *pūsu*, faisant allusion respectivement aux aspérités de la peau (infiltrations nodulaires) et aux taches blanches (macules hypochromes) typiques des deux formes principales de la lèpre au sens moderne. C'est exactement ce que l'historien Justin fera, au IIe - IIIe siècle de notre ère, en rendant les deux appellations de la lèpre par les mots latins *vitiligo* et *scabies*[6].

À des situations en partie comparables se réfère le témoignage de Pausanias (IIe siècle de notre ère), qui, dans sa *Description de la Grèce*, raconte, pour la région de l'Élide, dans le Péloponnèse, que la ville appelée Lépréon aurait dû son nom au fait que ses fondateurs souffraient de la lèpre[7].

---

[5] Hérodote I, 138 (tr. M. D. Grmek) : ὃς ἂν δὲ τῶν ἀστῶν λέπρην ἢ λεύκην ἔχῃ, ἐς πόλιν οὗτος οὐ κατέρχεται οὐδὲ συμμίσγεται τοῖσι ἄλλοισι Πέρσῃσι. φασὶ δέ μιν ἐς τὸν ἥλιον ἁμαρτόντα τι ταῦτα ἔχειν. Rosalind THOMAS, *Herodotus in Context. Ethnography, Science and the Art of Persuasion*, Cambridge : University Press, 2000, p. 30, se limite à constater qu'Hérodote remarque le confinement que les Perses imposent aux individus atteints de ces pathologies, sans entrer dans le détail.

[6] M. D. GRMEK, *op. cit. supra* note 3, p. 243-244.

[7] Pausanias, *Description de la Grèce (Périégèse)*, V 5 (ed. Michel Casevitz, Anne Jacquemin et Jean Pouilloux, CUF, 1999) : τεθῆναι δὲ τῇ πόλει τὸ ὄνομά φασιν ἀπὸ τοῦ οἰκιστοῦ Λεπρέου τοῦ Πυργέως. [...] οἱ δὲ τοῖς πρῶτον οἰκήσασιν ἐν τῇ γῇ νόσον φασὶν ἐπιγενέσθαι λέπραν καὶ οὕτω τὸ ὄνομα λαβεῖν τὴν πόλιν ἐπὶ τῶν οἰκητόρων τῇ συμφορᾷ. [...] ὁ δὲ Ἄνιγρος οὗτος ἐξ Ἀρκαδικοῦ μὲν κάτεισιν ὄρους Λαπίθου, παρέχεται δὲ εὐθὺς ἀπὸ τῶν πηγῶν ὕδωρ οὐκ εὐῶδες, ἀλλὰ καὶ δύσοσμον δεινῶς. [...] ἔστι δὲ ἐν τῷ Σαμικῷ σπήλαιον οὐκ ἄπωθεν τοῦ ποταμοῦ, καλούμενον Ἀνιγρίδων νυμφῶν. ὃς δ' ἂν ἔχων ἀλφὸν ἢ λεύκην ἐς αὐτὸ ἐσέλθῃ, πρῶτα μὲν ταῖς νύμφαις εὔξασθαι καθέστηκεν αὐτῷ καὶ ὑποσχέσθαι θυσίαν ὁποίαν δή τινα, μετὰ δὲ ἀποσμήχει τὰ νοσοῦντα τοῦ σώματος · διανηξάμενος δὲ τὸν ποταμὸν ὄνειδος μὲν ἐκεῖνο κατέλιπεν ἐν τῷ ὕδατι αὐτοῦ, ὁ δὲ ὑγιής τε ἄνεισι καὶ ὁμόχρως, « on dit que la ville tire son nom de son fondateur Lépréos, fils de Pyrgeus. [...] D'autres prétendent que les premiers habitants de ce pays furent victimes d'un mal, la lèpre, et que la cité prit son nom du

Le Périégète relate aussi qu'aux alentours de cette ville, coule le fleuve Anigros dont l'eau « n'a pas une bonne odeur, à vrai dire elle est terriblement malodorante » ; et que, non loin du fleuve, s'ouvre « une caverne dite des Nymphes de l'Anigros. Quiconque y entre, souffrant d'ἀλφός ou de λεύκη, après une prière aux Nymphes et la promesse d'un sacrifice, quel qu'il soit, ôte les parties malades en les nettoyant ; la traversée du fleuve à la nage, permet d'abandonner cette honte (ὄνειδος) dans son eau et l'on en sort guéri, la peau d'une couleur uniforme (ὁμόχρως) ». Les fouilles archéologiques ont confirmé dans cette zone l'existence d'une source d'eau sulfureuse, particulièrement adaptée à la thérapie de certaines dermatoses bénignes. Le nom même du fleuve serait lié, d'après les lexicographes anciens, à l'odeur de l'hydrogène sulfuré qui donne aux eaux leurs propriétés médicinales[8].

La référence au culte religieux et aux manifestations pathologiques comme à une honte dont il fallait se débarrasser renvoient à un cadre, sinon de répression légale – comme chez Hérodote –, du moins de mise à l'écart de la société. Il est aussi intéressant de remarquer que, dans ce passage, les trois manifestations pathologiques λέπρα, ἀλφός et λεύκη sont mises en relation et sur le même plan, celui de manifestations pathologiques qui frappent l'esprit, car particulièrement impressionnantes, mais qui sont considérées comme guérissables, quoique par intervention divine.

Les caractéristiques attribuées à la λεύκη dans ces deux passages sont — pour ainsi dire — réunies dans le premier exemple tiré de la littérature médicale consacré à cette pathologie : il s'agit du *Corpus hippocratique*, ensemble d'une soixantaine de traités attribués à Hippocrate, et plus précisément de l'ouvrage intitulé *Prorrhétique II* ou *Prorrhétique le grand*, comme Galien préférait le nommer, qui traite du pronostic des maladies chroniques[9].

---

malheur de ses habitants. [...]. Le fleuve Anigros descend du Lapithos, montagne d'Arcadie. Immédiatement au sortir de ses sources, il présente une eau qui n'a pas une bonne odeur, qui est au contraire terriblement malodorante. [...] À Samicon, non loin du fleuve, il y a une caverne dite des Nymphes de l'Anigros. etc. » (tr. modifiée pour la partie dans le texte).

[8] Hésychius, *Lexicon s.v.* ἀνιγρόν (ed. Kurt Latte I, 2018 α 5175, p. 240) ἀκάθαρτον, φαῦλον, κακόν, δυσῶδες, ἀσεβές, « pénible », terme alexandrin, glosé comme « impur, malveillant, mauvais, à l'odeur fétide, impie » ; voir aussi M. D. GRMEK, *op. cit. supra* note 3, p. 247.

[9] Hippocrate, *Prorrhétique II,* 43 (ed. Brigitte Mondrain, thèse inéd. EPHE, 1985, p. 58, 6-7 = Émile Littré, *Œuvres complètes d'Hippocrate*, Paris : Baillière, 1839-1861 [dorénavant abrégé Littré], IX, 74, 8 *sqq.*) Λειχῆνες δὲ καὶ λέπραι καὶ λεῦκαι, οἷσι μὲν νέοισιν ἢ παισὶν ἐοῦσιν ἐγένετό τι τούτων, ἢ κατὰ μικρὸν φανὲν αὔξεται ἐν πολλῷ χρόνῳ, τούτοισι μὲν οὐ χρὴ ἀπόστασιν νομίζειν τὸ ἐξάνθημα, ἀλλὰ νόσημα · οἷσι δὲ ἐγένετο τούτων τι πολύ τε καὶ ἐξαπίνης, τοῦτο ἂν εἴη ἀπόστασις. Γίνονται δὲ λεῦκαι μὲν ἐκ τῶν θανατωδεστάτων νοσημάτων, οἷον καὶ ἡ νοῦσος ἡ φοινικίη καλεομένη. Αἱ δὲ λέπραι καὶ οἱ λειχῆνες ἐκ τῶν μελαγχολικῶν. Ἰῆσθαι δὲ τουτέων εὐπετέστερά ἐστιν, ὅσα νεωτάτοισί τε γίνεται καὶ νεώτατά ἐστι, καὶ τοῦ σώματος ἐν τοῖσι μαλθακωτάτοισι καὶ σαρκωδεστάτοισι φύεται. « Les λειχῆνες, les λέπραι et les λεῦκαι, chez ceux à qui quelqu'une de ces affections est venue dans la jeunesse ou dans l'enfance ou sur qui, dès son apparition, elle s'accroît peu à peu en beaucoup de temps, il faut regarder cet exanthème non comme un abcès mais comme une maladie ; en revanche, ce serait un abcès dans le cas où quelqu'une de ces éruptions se produirait

Sont nommées, côte à côte, trois affections de la peau, λειχῆνες, λέπραι et λεῦκαι, dont la première est nouvelle pour cette étude, mais qui avait magnifiquement nourri l'imaginaire littéraire, notamment tragique (l'*Orestie* d'Eschyle), avec ses manifestations impressionnantes[10]. Il s'agit du lichen, littéralement « maladie qui lèche », en faisant référence aux lésions qui se développent sur la peau et qui « lèchent » le corps[11]. Tout comme la λεύκη, le lichen des Anciens correspond en médecine moderne à un grand nombre de dermatoses papuleuses, sans qu'on ait pu trouver une correspondance exacte à partir des descriptions anciennes.

Pour ce qui est de la λεύκη, elle est présentée de la même façon que les λειχῆνες et les λέπραι, c'est à dire au pluriel, ce qui semble souligner l'absence d'une véritable unité nosologique et la référence plutôt à des aspects particuliers de la peau et des muqueuses qui peuvent correspondre à des réalités pathologiques diverses[12] ; comme les deux autres, elle est un véritable νόσημα, une maladie. Cependant elle se démarque des deux autres par un détail fondamental : « Les λεῦκαι, poursuit l'auteur hippocratique, sont parmi les maladies mortelles, comme aussi la maladie appelée phénicienne (φοινικίη νόσος) »[13]. Voilà que s'ouvre un nouvel horizon, malheureusement aussi flou que le reste. Cette « maladie phénicienne » est inconnue par ailleurs, la seule autre source ancienne à ce sujet, à côté de ce passage hippocratique, étant Galien, dans son *Glossaire Hippocratique*. En commentant le lemme tiré précisément de ce passage, Galien glose : « celle qui est répandue en Phénicie et dans les autres régions orientales ; il semble qu'il est question ici de l'éléphantiasis »[14]. Comme le souligne Mirko

---

massivement et soudainement. Les λεῦκαι sont parmi les maladies mortelles, comme aussi la maladie appelée phénicienne. En revanche les lèpres et les lichens sont des affections mélancoliques. On les guérit autant plus facilement qu'elles viennent à des sujets plus jeunes, qu'elles sont situées sur des parties du corps plus molles, et plus charnues ». Un autre passage hippocratique revient sur la forme de λεύκη qui fait son apparition dans la jeunesse ou dans l'enfance : Hippocrate, *Prénotions coaques,* 502 (ed. Elsa Ferracci, thèse inéd. Paris IV, 2009, p. 335 = Littré V 700, 1-3) τὰ δὲ πρὸ ἥβης οὐ γίνεται νοσήματα, περιπλευμονικά, πλευριτικά, ποδαγρίη, νεφρῖτις, κρίσσος περὶ κνήμην, ῥοῦς αἱματηρός, καρκίνος μὴ σύμφυτος, λεύκη μὴ συγγενής, « Les maladies qui ne surviennent pas avant la puberté sont les suivantes : péripneumonie, *pleuritis*, podagre, néphrite, varices aux jambes, flux de sang, "cancer" non héréditaire, *leukè* non congénitale... » (tr. E. Ferracci), ce qui amène à distinguer deux formes de λεῦκαι, congénitale et non congénitale.
[10] Voir Alessia GUARDASOLE, *Tragedia e medicina nell'Atene del V secolo a.C.*, Naples : D'Auria, 2000, p. 244-249.
[11] Françoise SKODA, *Médecine ancienne et métaphore. Le vocabulaire de l'anatomie et de la pathologie en grec ancien*, Paris : Peeters / Selaf, 1988, p. 194-197.
[12] Voir M. D. GRMEK, *op. cit. supra* note 3, p. 246.
[13] Voir *supra* note 9.
[14] Galien, *Glossaire hippocratique s. v.* φοινικίη νόσος (ed. Lorenzo Perilli, CMG V, 13, 1, Berlin : de Gruyter, 2017, φ 32, p. 282 = Kühn XIX 153, 3-5. Les références au texte de Galien sont indiquées dans l'édition de Carl Gottlob Kühn (*cf. supra* la bibliographie d'I. Boehm), par le volume, puis la page) : ἡ κατὰ Φοινίκην καὶ κατὰ τὰ ἄλλα ἀνατολικὰ μέρη πλεονάζουσα, δηλοῦσθαι δὲ κἀνταῦθα δοκεῖ ἡ ἐλεφαντίασις.

Grmek[15], il s'agit fort probablement ici de la lèpre, comme dans le texte d'Hérodote cité au début de cet article. Ce qui est remarquable, c'est que deux textes, datant approximativement de la même époque, c'est-à-dire du Vᵉ siècle *a.C.*, emploient le terme λεύκη pour désigner une maladie mortelle, se référant, fort vraisemblablement, à une réalité nosologique encore inconnue de la Grèce, mais dont les échos commençaient à arriver d'Orient.

Un autre point fort intéressant, dans ce chapitre du *Prorrhétique II*, concerne les deux autres affections, λειχήν et λέπρα : juste après avoir parlé de la λεύκη, en la désignant comme mortelle, l'auteur les lie à un flux de bile noire : « [...] les λέπραι et les λειχῆνες sont des affections mélancoliques. On les guérit d'autant plus facilement qu'elles viennent à des sujets plus jeunes, qu'elles sont situées sur des parties du corps plus molles, et plus charnues »[16].

Or l'étiologie mélancolique de ces deux dermatoses, en particulier de la λέπρα, se retrouve systématiquement dans les écrits zoologiques et médicaux des époques suivantes, dans lesquels est mentionnée aussi la λεύκη, souvent associée à d'autres manifestations cutanées caractérisées par des dépigmentations locales (telles que l'ἀλφός). Tout en la présentant dans un même contexte, souvent dans un même chapitre, les sources en soulignent presque unanimement l'étiologie différente, en liant la λεύκη non pas à un flux de bile noire, mais de phlegme (le φλέγμα, la plus froide des quatre humeurs sur lesquelles se fonde la physiologie ancienne).

Un passage du *Timée* de Platon constitue la source explicite la plus ancienne du lien entre l'humeur phlegmatique et la λεύκη :

> « Quant au phlegme blanc, il est dangereux quand l'air des bulles est retenu à l'intérieur ; en revanche, quand il trouve un exutoire au dehors, il est moins redoutable, mais il marbre alors le corps de λεῦκαι et d'ἀλφοί (on pourrait traduire « de taches et dartres blanches ») et produit d'autres pathologies du même genre »[17].

La suite de cet article montrera que le rapprochement entre λεύκη et ἀλφός revient dans tous les textes médicaux, avec des distinctions qui vont s'instaurer au fur et à mesure que s'affine la science du diagnostic.

Deux témoignages aristotéliciens recentrent tout à fait le débat autour de la λεύκη et tracent le sillon dans lequel évoluera, avec très peu de changements, la science médicale au sujet de cette pathologie. Il s'agit de deux passages des œuvres zoologiques d'Aristote. Le premier, tiré de l'*Histoire des animaux*, expose que « dans cet exanthème qu'on appelle λεύκη, tous les poils deviennent gris. Déjà dans d'autres maladies les poils

---

[15] M. D. GRMEK, *Les Maladies... (op. cit. supra* note 3), p. 248.

[16] Voir *supra* note 9.

[17] Platon, *Timée*, 85 a (ed. Albert Rivaud, Paris : Les Belles Lettres, CUF, 1970) : τὸ δὲ λευκὸν φλέγμα διὰ τὸ τῶν πομφολύγων πνεῦμα χαλεπὸν ἀποληφθέν, ἔξω δὲ τοῦ σώματος ἀναπνοὰς ἴσχον ἠπιώτερον μέν, καταποικίλλει δὲ τὸ σῶμα λεύκας ἀλφούς τε καὶ τὰ τούτων συγγενῆ νοσήματα ἀποτίκτον.

deviennent gris, mais, après être tombés, ils repoussent noirs après la guérison »[18]. Le second passage, tiré de *Génération des animaux*, relate que :

> « Chez les êtres vivants autres que les hommes, la cause des variations de couleur, celle qui fait que le pelage est d'une seule couleur ou de plusieurs, tient à la nature de la peau. Ce n'est pas le cas chez l'homme, sauf quand les poils blanchissent non par la vieillesse, mais par l'effet d'une maladie : de fait, dans celle qu'on appelle λεύκη, les poils deviennent blancs ; mais si les poils sont blancs à cause de la vieillesse, la blancheur ne dépend pas de la peau. La raison c'est que les poils poussent de la peau. Donc quand la peau est malade et blanche, le poil est malade lui aussi : or la maladie du poil est le blanchiment »[19].

Il est visible qu'une différence considérable sépare ces dermatoses bénignes et les λεῦκαι d'Hippocrate, comptées parmi les maladies mortelles. Et c'est bien la doctrine aristotélicienne qui s'imposera dans la suite de l'histoire de la « maladie blanche ».

La physiologie de la λεύκη est présentée d'une façon très claire dans un passage du traité de Galien *Sur les causes des symptômes*, dans lequel il reprend les principes fondamentaux de son système physiologique, en l'appliquant aux dermatoses. Voici le texte fondamental :

> « Quand donc – comme nous le disions – la chair est nourrie pour longtemps par un sang à la fois riche en phlegme et visqueux (φλεγματικοῦ τε ἅμα καὶ γλίσχρου), la chair reste, mais sa variété se transforme, prend un aspect différent et devient quelque chose à mi-chemin entre les chairs chargées de sang (ἐναίμων σαρκῶν) et celles qui n'en contiennent pas (ἀναίμων). Quand elle est devenue de cette qualité, il lui arrive ensuite de ne même plus tenter de transformer en un aspect rouge de chair la nourriture qui lui est apportée, pas non plus que les poulpes et les scarabées (πολύποσί τε καὶ καράβοις). En cette situation donc la chair devient très vite complètement blanche et phlegmatique, quand elle ne peut plus transformer la nourriture en rouge et en plus cette humeur phlegmatique coule vers elle[20]. Par

---

[18] Aristote, *Histoire des animaux*, 518 a 12-15 (ed. Pierre Louis, CUF, 1969-1974) : Ἐν δὲ τῷ ἐξανθήματι ὃ καλεῖται λεύκη, πᾶσαι πολιαὶ γίνονται · ἤδη δέ τισι κάμνουσι μὲν πολιαὶ ἐγένοντο, ὑγιασθεῖσι δὲ ἀπορρυεισῶν μέλαιναι ἀνεφύησαν,

[19] Aristote, *Génération des animaux*, 784 a 23-30 (ed. Pierre Louis, CUF, 2002) : Τῶν δὲ χρωμάτων αἴτιον τοῖς μὲν ἄλλοις ζῴοις καὶ τοῦ μονόχροα εἶναι καὶ τοῦ ποικίλα ἡ τοῦ δέρματος φύσις · τοῖς δ' ἀνθρώποις οὐδὲν πλὴν τῶν πολιῶν, οὐ τῶν διὰ γῆρας ἀλλὰ τῶν διὰ νόσον· ἐν γὰρ τῇ καλουμένῃ λεύκῃ λευκαὶ γίνονται αἱ τρίχες – ἂν δ' αἱ τρίχες ὦσι λευκαὶ <διὰ γῆρας> οὐκ ἀκολουθεῖ τῷ δέρματι ἡ λευκότης. αἴτιον δ' ὅτι ἐκ τοῦ δέρματος φύονται· ἐκ νενοσηκότος οὖν καὶ λευκοῦ τοῦ δέρματος καὶ ἡ θρὶξ συννοσεῖ, νόσος δὲ τριχὸς πολιότης ἐστίν.

[20] Galien revient sur le principe de la formation de la λεύκη dans ses *Facultés naturelles,* I, 11 (ed. Georg Helmreich, *Scripta Minora*, Leipzig : Teubner, III, 1883, p. 118, 9 - 119, 5 = Kühn II 24, 10 *sq.*) ἐπειδὰν γὰρ ἐκπέσῃ τῶν ἀγγείων ὁ μέλλων θρέψειν ὁτιοῦν τῶν τοῦ ζῴου μορίων χυμός, εἰς ἅπαν αὐτὸ διασπείρεται πρῶτον, ἔπειτα προστίθεται κἄπειτα προσφύεται καὶ τελέως ὁμοιοῦται. δηλοῦσι δ' αἱ καλούμεναι λεῦκαι τὴν διαφορὰν ὁμοιώσεώς τε καὶ προσφύσεως, [...] ἐν δὲ ταῖς λεύκαις πρόσφυσις μέν τις γίγνεται τῆς τροφῆς, οὐ μὴν ἐξομοίωσίς γε, « en effet, quand l'humeur qui doit nourrir une quelconque des parties de l'être

conséquent, la chair que dès le principe (ἐξ ἀρχῆς) possèdent le scarabée et presque tous les coquillages, une chair pareille possèdent par transformation ceux qui sont atteints des λεῦκαι, car on appelle ainsi l'affection de la chair, en prenant le nom de la couleur ; l'affection de la chair à la fois noire et saillante (éléphantiasis), ils l'ont nommée à partir de l'animal, l'éléphant. Celle-ci se produit de la même manière que la λεύκη, quand de la nourriture mélancolique afflue à la chair pendant très longtemps. La naissance des ἀλφοί est tout à fait conforme aux autres affections mentionnées, sauf que, en général, ce n'est pas la chair entière qui est affectée, mais la surface de la peau : les ἀλφοί se figent à la surface comme des écailles, blanches quand elles se génèrent à cause de l'humeur phlegmatique, noires quand c'est à cause de l'humeur mélancolique »[21].

La λεύκη est donc tout à fait liée à une humeur phlegmatique : Galien insiste sur la persistance du déséquilibre pour qu'il ait des conséquences pathologiques (« pour longtemps » ; « pendant très longtemps ») et cette indication sera reprise systématiquement par les médecins plus tardifs. Il ne manque pas d'ajouter un commentaire étymologique, en se référant à la formation de la terminologie médicale (la couleur pour la λεύκη, l'analogie avec la peau de l'éléphant pour l'éléphantiasis). Il généralise également la physiologie qui explique ces dermatoses, en notant que les mécanismes de genèse sont toujours les mêmes, mais ce qui change est soit l'humeur en déséquilibre (le phlegme pour la λεύκη, la bile noire pour l'éléphantiasis) soit la profondeur de sa pénétration dans les tissus.

Au moment précis où Galien introduit la distinction entre λεύκη et ἀλφοί, l'affinement des connaissances par rapport au passage du *Timée* de Platon cité auparavant devient évident : Galien connaît deux types d'ἀλφός,

---

vivant sort des vaisseaux, premièrement elle se répand dans toute cette partie, ensuite elle s'y applique, puis elle y adhère et enfin elle s'assimile. Les affections nommées λεῦκαι montrent la différence entre l'assimilation et l'adhérence [...] Dans les λεῦκαι il y a une sorte d'adhérence de la nourriture, mais non pas d'assimilation ».

[21] Galien, *Sur les causes des symptômes,* III 4 (Kühn VII 226-227) : ὅταν οὖν, ὡς ἐλέγομεν, ὑπὸ φλεγματικοῦ τε ἅμα καὶ γλίσχρου τοῦ αἵματος ἡ σὰρξ τρέφηται χρόνῳ πολλῷ, σὰρξ μὲν ἔτι μένει, μεταλλάττεται δ' αὐτῆς ἡ διαφορὰ καὶ πρὸς ἑτέραν ἰδέαν ἐκτρέπεται, καὶ γίνεται μεταξὺ τῶν ἐναίμων σαρκῶν καὶ ἀναίμων. ἐπειδὰν δὲ τοιαύτη καταστῇ, συμβαίνει λοιπὸν αὐτῇ μηδ' ἐπιχειρεῖν ἔτι τὴν ἐπιφερομένην ἑαυτῇ τροφὴν εἰς ἐρυθρὰν σαρκὸς ἰδέαν μεταβάλλειν, οὐ μᾶλλον ἢ πολύποσί τε καὶ καράβοις · ἐν τούτῳ δὴ καὶ τάχιστα λευκή τε γίγνεται πᾶσα καὶ φλεγματώδης, ὅταν αὐτῇ μηκέτι δύνηται τὴν τροφὴν εἰς ἐρυθρότητα μεταβάλλειν, ἐπιρρέει τε τὸ φλεγματῶδες ἐκεῖνο. οἵαν οὖν ἐξ ἀρχῆς ὁ κάραβος ἔχει τὴν σάρκα καὶ σχεδὸν ἅπαντα τὰ ὄστρεα, τοιαύτην ἐκ μεταπτώσεως ἴσχουσιν οἱ ταῖς λεύκαις ἁλισκόμενοι · καὶ γὰρ ὀνομάζουσιν οὕτω τὸ πάθημα τῆς σαρκὸς ἀπὸ τῆς χροιᾶς τὴν ὀνομασίαν θέμενοι · τῆς δέ γε μελαίνης σαρκὸς ἅμα καὶ ὀχθώδους ἀπὸ τοῦ ζώου τοῦ ἐλέφαντος ἐποίησαν τοὔνομα. γίγνεται δὲ κἀκείνη κατὰ τὸν αὐτὸν τρόπον τῇ λεύκῃ, χρόνῳ παμπόλλῳ μελαγχολικῆς ἐπιρρεούσης τροφῆς τῇ σαρκί. τῶν δὲ ἀλφῶν ἡ γένεσις ὁμοειδὴς μέν ἐστι τοῖς εἰρημένοις πάθεσιν, οὐ μὴν αὐτῆς γε δι' ὅλου πεπονθυίας τῆς σαρκὸς, ἀλλ' ἐπιπολῆς τοῦ δέρματος οἷον λεπίδες τινὲς ἐπιπεπήγασιν οἱ ἀλφοί, λευκοὶ μὲν ἐκ φλεγματικοῦ, μέλανες δὲ ἐκ μελαγχολικοῦ γινόμενοι χυμοῦ.

127

un blanc et un noir[22], le premier causé par un afflux de phlegme, le second de bile noire ; il en présente bien la manifestation épidermique (comme des écailles à la surface de la peau, ce qui suggère une traduction par « dartres ») et enfin il détermine bien la différence entre la λεύκη et l'ἀλφός, la première s'étendant à la chair, le second se limitant à la surface de la peau.

Tous ces éléments sont repris, presque à la lettre, par les médecins byzantins. Le premier ici est Oribase (IVe s. de notre ère) :
> « De la λεύκη, de l'ἀλφός, de la λέπρα et de la ψώρα.
> La λεύκη est le produit d'une humeur phlegmatique et visqueuse qui a changé de couleur par l'effet d'un temps plus ou moins prolongé et qui est devenue plus blanche qu'elle ne l'était ; l'ἀλφός a une origine analogue ; les blancs proviennent d'une humeur phlegmatique, et les noirs d'une humeur mélancolique ; seulement, dans ce cas, la chair n'est pas malade ; c'est uniquement la peau qui la recouvre »[23].

Comme nous pouvons le constater, la partie portant sur la λεύκη est très réduite et reprend essentiellement le passage de Galien que nous avons étudié : le chapitre est consacré aux quatre dermatoses λεύκη, ἀλφός, λέπρα et ψώρα, mais seule la première partie se prononce sur la λεύκη, en utilisant presque les mêmes mots que Galien. La suite de ce passage développe la thérapie, uniquement pour les autres dermatoses, il n'y est plus question de la λεύκη.

Trois siècles plus tard, Paul d'Égine, médecin auteur, au VIIe siècle, d'un *Manuel* (Πραγματεία) très important dans l'histoire de la médecine byzantine, livre un chapitre bien plus intéressant et qui réserve une agréable surprise :
> « La λεύκη est un changement de la peau vers une couleur plus blanche, produite par un phlegme visqueux et gluant. Puisque tous les types de λεύκη ne sont pas curables, il faut en connaître les diagnostics tels que ceux-ci : percez la λεύκη superficiellement, pas plus profondément que la peau, avec une aiguille, et si du sang coule, la maladie est guérissable ; mais si c'est un liquide laiteux qui coule, elle est incurable. Ou bien, frottez-la avec un chiffon de laine rêche, et si la peau devient plus rouge, la maladie est guérissable ; mais si elle

---

[22] L'existence d'un ἀλφός noir montre que le nom de la pathologie s'est complètement affranchi de tout lien avec son étymologie, qui le liait à une manifestation dermatologique de couleur blanche (voir *supra*).

[23] Il s'agit d'un chapitre sur les plaies qui résume une partie perdue des *Collections médicales* : Oribase, *Synopsis à Eustathe* VII, 48 (ed. Johann Raeder, *CMG* VI, 3, Berlin, 1926, p. 239, 15 *sqq.* ; *cf. Livres à Eunape* III, 58) : Περὶ λεύκης, ἀλφοῦ, λέπρας, ψώρας. Φλεγματικὸν αἷμα καὶ γλίσχρον ποιεῖ τὴν λεύκην, ὅταν τρέψῃ χρόνῳ πλείονι τὴν χρόαν καὶ ἐπὶ τὸ λευκότερον ἀλλοιώσῃ. τῶν δ' ἀλφῶν ἡ γένεσις ὁμοειδὴς μέν ἐστιν, οὐ μὴν δι' ὅλου τῆς σαρκὸς πεπονθυίας, ἀλλ' ἐπιπολῆς τοῦ δέρματος καὶ ἐκ τοῦ φλεγματικοῦ χυμοῦ [*Livres à Eunape* ἐκ τοῦ φλεγματικοῦ μὲν χυμοῦ λευκοὶ γινόμενοι, μέλανες δ' ἐκ τοῦ μελαγχολικοῦ], tr. Ch. Daremberg, Paris : Imprimerie nationale, 1851, modifiée.

reste de la même couleur, elle ne sera pas guérie. Et il faut considérer que les espèces de λεύκη qui ont atteint plusieurs parties du corps sont plus difficiles à guérir que celles qui ont atteint peu d'endroits, de même que les plus anciennes sont plus difficiles à guérir que les plus récentes. Quelques-uns ont donc approuvé, en cas de λεύκη, la cautérisation avec le fer, réalisée uniquement par l'application de la chaleur ; d'autres, redoutant la douleur de la brûlure et la cicatrice qui en découle — qui est non moins difforme que la λεύκη elle-même —, ont eu recours à des médicaments escarotiques, de tel genre — disent-ils — qu'ils puissent produire la cicatrice de la couleur de la peau. D'autres, refusant la difformité aussi de ces remèdes, ont utilisé des teintures (en accordant plus d'attention à la ruse qu'à l'utilité qu'ils produisent), dont il faut se passer plus que de toute autre chose puisque l'affection refait rapidement surface » [24].

Paul suit, dans un premier temps, les traces de la physiologie de Galien, mais il développe une partie nouvelle, concernant le diagnostic et la curabilité de la maladie.

Les détails de sa présentation sont extraordinaires et – comme bien souvent pour cet auteur – ils ouvrent les portes du cabinet du médecin-chirurgien, avec ses techniques de diagnostic et ses choix thérapeutiques. L'historien des pratiques médicales trouvera encore plus intéressant le fait que la partie sur le diagnostic par les aiguilles est connue par ailleurs, grâce à un témoignage beaucoup plus ancien, le traité *Sur la médecine* de Celse, polygraphe latin du Ier s. de notre ère, qui, dans le chapitre consacré aux dermatoses blanches (*vitiligo*), s'exprime ainsi : « on doit inciser la peau ou la piquer avec une aiguille : si du sang s'écoule – ce qui arrive généralement

---

[24] Paul d'Égine, *Manuel* IV 5 (ed. Johann Ludvig Heiberg, *CMG* IX 1, Berlin, 1921, p. 326 *sq.*) : Ἡ λεύκη μεταβολή τίς ἐστι τοῦ χρωτὸς ἐπὶ τὸ λευκότερον ὑπὸ γλίσχρου τε καὶ κολλώδους γινομένη φλέγματος. ἐπειδὴ δὲ οὐ πᾶσα λεύκη θεραπευτή ἐστιν, διαγνώσεις αὐτῆς ἰστέον τοιάσδε · βελόνῃ κατακέντησον ἐξ ἐπιπολῆς τὴν λεύκην μὴ περαιτέρω τοῦ δέρματος, καί, εἰ μὲν αἷμα ῥυῇ, θεραπευτή ἐστιν, εἰ δὲ γαλακτώδης ὑγρότης, ἀθεράπευτος ἢ ῥάκει ἐρινῷ τραχεῖ ἀνάτριψον αὐτήν, καὶ εἰ μὲν ἐρυθρότερος ὁ χροῦς γένηται, θεραπευτή ἐστιν, εἰ δὲ μείνῃ ἐπὶ τοῦ αὐτοῦ χρώματος, οὐ θεραπευθήσεται. καὶ τὰς πλείονα δὲ τοῦ σώματος κατειληφυίας χωρία τῶν ὀλίγα καὶ τὰς παλαιοτέρας τῶν νεωτέρων μᾶλλον ἀθεραπεύτους εἶναι νομιστέον. τινὲς μὲν οὖν τὴν διὰ σιδήρου καῦσιν ἐπὶ τῆς λεύκης ἐδοκίμασαν κατ' ἐπίφλεξιν καὶ μόνον γινομένην, ἕτεροι δὲ τό τε τῆς καύσεως ὀδυνηρὸν καὶ τὴν ἐκ ταύτης οὐλὴν δεδιότες οὐχ ἧττον ἀπρεπῆ τῆς λεύκης ὑπάρχουσαν τοῖς ἐσχαρωτικοῖς ἐχρήσαντο φαρμάκοις οἷα, φασίν, καὶ τὴν οὐλὴν ὁμόχρουν ἐργαζομένοις · ἄλλοι δὲ καὶ τούτων παραιτούμενοι τὴν δυσπρέπειαν τοῖς βάμμασιν ἐχρήσαντο τῆς παρ' αὐτὰ μᾶλλον ἀπάτης ἀλλ' οὐκ ὠφελείας φροντίσαντες · οὓς πλέον ἁπάντων παραιτητέον διὰ τὴν ταχεῖαν τοῦ πάθους παλιγγενεσίαν. Le texte de Paul est à la base du chapitre consacré à la λεύκη du médecin de la cour de Constantin Porphyrogénète (Xe s.) Théophane Chrysobalantès, *Épitomè* 238 (ed. Stefan Bernard, Amsterdam, 1795, II p. 234-236), qui en résume drastiquement, mais littéralement les trois parties d'étiologie, diagnostic et thérapie : λεύκη ἐστὶ μεταβολή τοῦ χρώματος ἐπὶ τὸ λευκότερον, ὑπὸ γλίσχρου καὶ γλοιώδους γινομένη φλέγματος. Διάγνωσις δὲ αὐτῆς. βελόνῃ κατακέντησον ἐξ ἐπιπολῆς τὴν λεύκην · καὶ εἰ μὲν αἷμα ῥυῇ, θεραπευτή ἐστιν · εἰ δὲ γαλακτώδης ὑγρότης, ἀθεράπευτος. χρηστέον τοίνυν ταῖς ὑποτεταγμένοις βοηθήμασι · κάχρυος, θείου ἀπύρου, ἐλλεβόρου, κηκίδος, ἴσα ἕκαστον κόψας. Ἄλλο. συκῆς μελαίνης τὰ ἀκραίμωνα βρέξας ἐν ὄξει καὶ λειοτριβήσας, μίξας ἀφονίτρου, θείου, μυρίκης καρποῦ ἴσα, καὶ προεκνιτρώσας, κατάχριε.

pour les deux premières – la thérapie est possible ; si c'est une humeur blanchâtre (*umor albidus*) qui s'écoule, elle est impossible. Aussi faut-il s'abstenir de tout traitement »[25]. Sans s'étendre sur les problématiques liées aux sources de Celse, il suffira de rappeler que le matériel élaboré dans son encyclopédie remonte à des textes jusqu'à la période hellénistique, donc antérieurs de plusieurs siècles à l'auteur. Encore une fois, Paul d'Égine a conservé la trace de pratiques thérapeutiques bien plus anciennes que le VIIe siècle, enrichies de nouvelles expériences.

Nous avons jusqu'ici étudié les chapitres traitant de la physiologie et – pour Paul – du diagnostic de la λεύκη. Qu'en est-il de la thérapie ?

Dans le corpus de Galien, le traité apocryphe de la *Thériaque à Pison* enregistre l'emploi des sels thériaques contre les λεῦκαι : « ils dispersent parfaitement – dit l'auteur – toutes les matières superflues et âcres qui se trouvent sous la peau »[26]. En revanche, dans les traités de pharmacologie

---

[25] Le chapitre de Celse s'ouvre sur une présentation générale des dermatoses, tout à fait comparable aux informations déjà étudiées, pour s'étendre sur le diagnostic : Celse, *Sur la Médecine*, V 19 (ed. Friedrich Marx *CML* I, Berlin, 1915, p. 252, 6 *sq.*) : *Vitiligo quoque quamuis per se nullum periculum adfert, tamen et foeda est et ex malo corporis habitu fit. Eius tres species sunt. Alphos uocatur, ubi color albus est fere subasper, et non continuus, ut quaedam quasi guttae dispersae esse uideantur. Interdum etiam latius et cum quibusdam intermissionibus serpit. Melas colore ab hoc differt, quia niger est et umbrae similis : cetera eadem sunt. Leuce habet quiddam simile alpho, sed magis albida est, et altius descendit, in eaque albi pili sunt et lanugini similes. [...] Vtrum autem aliquod horum sanabile sit, an non sit, experimento facile colligitur. Incidi enim cutis debet aut acu pungi : si sanguis exit, quod fere fit in duobus prioribus, remedio locus est ; si umor albidus, sanari non potest ; itaque ab hoc quidem abstinendum est*, « Le vitiligo, même s'il n'apporte en lui-même aucun danger, cependant a un aspect repoussant et se produit à cause d'une mauvaise disposition du corps. Il y en a trois genres : on l'appelle *alphos*, quand il est blanc et généralement peu rugueux, non continu, comme s'il avait la forme d'espèces de gouttes éparses çà et là. Parfois même il s'étend sur une plus grande surface, mais avec des intervalles sains. Le *melas* diffère de celui-ci par sa couleur, car il est noir et semblable à une ombre ; les autres caractéristiques sont les mêmes. La *leukè* a de l'analogie avec l'*alphos* ; mais elle est plus blanche, s'étend plus en profondeur et se caractérise par des poils blancs, semblables à du duvet [...]. Laquelle de ces affections est curable ou non, il est facile de le savoir par une expérience. On doit inciser la peau ou la piquer avec une aiguille : si du sang s'écoule – ce qui arrive généralement pour les deux premières – la cure est possible ; si c'est une humeur blanchâtre qui s'écoule, elle n'est pas curable. Aussi faut-il s'abstenir de tout traitement ».
[26] Galien, *Thériaque à Pison* 18, 10 (ed. Véronique Boudon-Millot, CUF, 2016, p. 89, 20-23 = Kühn XIV 290) ἰδίως δὲ καὶ οἱ ἅλες θεραπεύουσι μάλιστα τὰ περὶ τὴν ἐπιφάνειαν γιγνόμενα πάθη, λεύκας λέγω καὶ λέπρας καὶ λειχῆνας τοὺς ἀγρίους· τά τε γὰρ ὑπὸ τῷ δέρματι περιττὰ καὶ δριμέα κάλλιστα διαφοροῦσιν, « et en particulier, les sels traitent surtout les maladies qui affectent la surface de la peau, je veux dire les taches blanches, les dermatoses et les lichens rustiques. En effet, ils dispersent parfaitement toutes les matières superflues et âcres qui se trouvent sous la peau ». Comme V. Boudon-Millot le remarque dans son commentaire (*ad loc.* p. 298), pour Galien, *Facultés des médicaments simples* XI, 1 (Kühn XII 319), l'efficacité des sels thériaques sur les maladies de peau est explicable par la faculté des chairs de vipère à assécher et dissiper les humeurs du corps en excès qui en sont à l'origine. Cependant il n'y est

authentiques, Galien ne mentionne nulle part explicitement des remèdes contre la λεύκη[27]. Les raisons de ce silence sont sans doute liées au fait que la λεύκη était considérée, de la même façon que les autres dermatoses bénignes, comme appartenant au domaine de la cosmétique et non de la médecine[28]. Galien condamne la tentation, pourtant très fréquente chez les médecins à l'époque impériale, qui consiste à s'occuper aussi de remèdes cosmétiques, et par conséquent il en bannit les recettes de ses ouvrages.

Cependant il transmet la table des matières du traité de cosmétique le plus célèbre de son époque, les *Cosmétiques* (Κοσμητικά) de Criton, médecin du Ier siècle de notre ère. Dans le livre IV, un chapitre est intitulé Πρὸς λεύκας, « Contre les λεῦκαι »[29]. Or le fait exceptionnel que Galien enregistre en entier dans son traité la table des matières d'un ouvrage qu'il n'approuvait pas en tant que médecin, a attiré l'attention (et la curiosité) autant de ses contemporains que de ses successeurs dans la tradition pharmacologique. Tout en étant critique sur le fonds, Galien avait en effet, indirectement, cautionné la qualité de l'ouvrage de Criton. Ainsi, comme pour la plupart des chapitres qui constituaient l'ouvrage, mais qui avaient été exclus par Galien, les remèdes contre la λεύκη, tirés très probablement du traité de Criton qui, grâce à la caution de Galien, était encore disponible dans les bibliothèques des médecins de l'époque, sont présentés par les médecins byzantins.

Ce sont ces remèdes dont Paul a conservé la trace, dans la partie suivant immédiatement celle déjà mentionnée[30], quand il fait état, pour

---

[27] fait aucune mention de la λεύκη et ce sont uniquement les dermatites telles que ψῶραι, λέπραι et ἐλέφαντες qui sont mentionnées par Galien dans ce passage.

[27] Ces traités authentiques occupent environ 3000 pages de l'édition Kühn. Nous en trouvons en tout deux mentions rapides et accessoires, à propos de remèdes transmis pour soigner d'autres pathologies, mais qui s'avèrent efficaces aussi contre la λεύκη : cf. Galien, *Facultés des simples* VIII, 19, 5 (Kühn XII, 141, 2), à propos du téléphion (τηλέφιον, *Andrachne thelephioïdes*), qui, avec du vinaigre, soigne aussi les λεῦκαι et les ἀλφοί (καὶ λεύκας καὶ ἀλφοὺς ἰᾶται σὺν ὄξει) ; *Id.*, *Remèdes composés selon les lieux* V 3 (Kühn XII, 846, 15 sqq.) où une recette d'Archigène contre les pustules sur la barbe et les excroissances en forme de figue (τὰ ἐν τοῖς γενείοις ἐξανθήματα et τὰ συκώδη) est indiquée comme extrêmement efficace aussi contre les λέπραι, les λεῦκαι, les alopécies et les gales (847, 14-15 ποιεῖ καὶ λέπραις καὶ λεύκαις καὶ ἀλωπεκίαις καὶ ψῶραις ἄκρως).

[28] Sur la distinction que Galien fait entre cosmétique et commôtique (art de l'embellissement) dans le domaine médical, *cf.* V. BOUDON-MILLOT, « Fards et teintures capillaires : la médecine galénique entre cosmétique et commôtique », in Muriel PARDON-LABONNELIE (dir.), *La coupe d'Hygie. Médecine et chimie dans l'Antiquité*, Dijon : Éditions universitaires, p. 17-31 ; A. GUARDASOLE, « Galien de Pergame et la transmission des traités anciens de cosmétique », in V. BOUDON-MILLOT et M. LABONNELIE-PARDON (dir.), *Le teint de Phrynè. Thérapeutique et cosmétique dans l'Antiquité*, Paris : De Boccard, 2018, p. 31-50.

[29] *Cf.*, pour l'édition de cette table des matières (transmise dans Galien, *Médicaments composés selon les lieux* I 3, Kühn XII, 446, 14-449, 7) et son importance dans l'histoire de la transmission des remèdes de cosmétique ancienne, mon article sous presse « Galien de Pergame et la transmission des traités anciens de cosmétique » (cité à la note 28).

[30] Une partie de cette thérapeutique est reprise par Paul d'Égine à l'œuvre d'Aétius d'Amida (VIe siècle de notre ère), *Tetrabiblon* XIII 133. S'agissant d'un chapitre inédit en grec du livre XIII d'Aétius, consultable uniquement dans les manuscrits grecs et dans l'édition latine de

soigner la λεύκη, de l'emploi de conferve[31], graines de romarin, soufre, noix de galle, suc frais de figues, fleur de natron (carbonate de sodium), chaux vive, hellébore blanc. Il préconise aussi l'exposition au soleil, après l'application des remèdes, pendant un temps suffisant pour éviter l'ulcération. Paul enregistre aussi l'emploi, par Archigène (Ier-IIe siècle de notre ère), de terre de Sinope et de Mélos. Celle de Sinope (le quartz hématoïde, largement utilisé dans la peinture), semble avoir été utilisée pour ses propriétés colorantes, à cause de sa couleur rouge-brune et étant donnée l'information que Paul livre, dans la partie précédente, au sujet des tentatives de pallier le blanchiment de la peau et des poils par la teinture ; pour la terre de Mélos, il s'agit d'une marne blanche, grasse, utilisée elle aussi en peinture.

À ce témoignage de Paul, il faut ajouter le nombre assez élevé de recettes de remèdes contre la λεύκη tirées du livre XIII du *Tetrabiblon* d'Aétius d'Amida[32], encore inédites en grec, ainsi que la recette transmise

---

Janus Cornarius (*Aetii medici Graeci Contractae ex veteribus medicinae tetrabiblos,... id est sermones XVI. per Ianum Cornarium Medicum Physicum Latine conscripti*, Basileae : Froben, 1542, p. 746 pour le chapitre qui nous intéresse), j'ai préféré me limiter au chapitre de Paul d'Égine (voir l'apparat de Heiberg pour les passages parallèles chez Aétius), *Manuel* IV 5 (ed. J. L. Heiberg, *CMG* IX 1, p. 326, 22 *sqq.*) χρηστέον τοίνυν ταῖς ὑποτεταγμέναις δυνάμεσιν · ἀδάρκης, κάχρυος, θείου ἀπύρου ἴσα, ἕκαστον κόψας καὶ σήσας ἰδίᾳ, εἶθ' ὁμοῦ μετ' ὄξους λειοτριβήσας ἐφ' ἱκανὰς ἡμέρας ἐν ἡλίῳ κατάχριε, μὴ ἀθρόως, ἵνα μὴ ἑλκωθῇ ὁ χρώς · προελθόντος δὲ χρόνου προσβάλλεται βραχύ τι ἑλλεβόρου καὶ κηκῖδος ὁμοίως. Ἄλλο. συκῆς μελαίνης τοὺς ἀκρεμόνας βρέξον ὄξει καὶ λειοτριβήσας μῖζον ἀφονίτρου, θείου ἀπύρου, μυρίκης καρποῦ ἴσα, προεκνιτρώσας δὲ κατάχριε καὶ ἡλίαζε φυλασσόμενος, μὴ ἑλκωθῇ. ὁ δὲ Ἀρχιγένης τοῖς φύλλοις τῆς συκῆς ἀσβέστου τὸ αὔταρκες μίξας ὁμοίως ἐκέχρητο · ἢ παρατρίψας, φησί, τὰς λεύκας ἑλλεβόρῳ λευκῷ, ἕως συνιδρώσασαι ὁμόχρους γένωνται τῷ ἄλλῳ σώματι, κατάχριε Σινωπίδι ἢ Μηλιάδι ἢ βελόναις συνεσπειραμέναις κατακεντήσας, ἕως αἱμάξωσι, κατάχριε Σινωπίδι μετ' ὄξους ἢ προαποσμήξας, ὡς εἴρηται, κατάχριε τῆς συκῆς ὀπῷ προσφάτῳ καὶ τῷ φύλλῳ αὐτῆς ἐπὶ ποσὸν παράτριβε, « il faut donc utiliser les remèdes mentionnés ci-dessous : de la conferve, de la graine de romarin, du soufre naturel, de chacun même quantité ; après avoir broyé et tamisé chaque ingrédient séparément, puis finement trituré ensemble pendant un nombre suffisant de jours, enduire au soleil, mais pas en grande quantité, pour éviter que le remède n'ulcère la peau ; et, après un certain temps, on ajoute de la même manière un petit peu d'hellébore et de noix de galle. Un autre : macérer dans du vinaigre les partie supérieures de la figue noire et, après avoir finement trituré, mélanger, en égale quantité, de la fleur de nitre, du soufre naturel et du fruit de tamaris, et ayant préalablement frotté avec du natron, enduire et exposer au soleil, en prenant soin de ne pas faire ulcérer. En revanche Archigène a utilisé de la même manière les feuilles de figuier en mélangeant une quantité adaptée de chaux vive : ou, dit-il, ayant frotté les λεῦκαι avec de l'hellébore blanc jusqu'à ce que, ayant suinté, elles deviennent de la même couleur que le reste du corps, enduis avec de la terre de Sinope ou de la terre de Mélos ; ou, après les avoir percées avec un tas d'aiguilles jusqu'à ce qu'elles saignent, enduis avec de la terre de Sinope mélangée à du vinaigre ; ou, après les avoir préalablement frottées, comme on le disait auparavant, enduis avec du suc frais de figue et frotte avec sa feuille pour un certain temps ».

[31] Il s'agit d'une algue verte filamenteuse qui flotte en masses plus ou moins grandes sur les eaux douces et plus rarement sur les eaux salées.

[32] Voir *supra*, note 30, pour la référence.

par le Pseudo-Oribase[33] des *Eclogae medicamentorum*, prévoyant l'emploi d'un mélange de fleur de sumac, de fleur de nitre, d'*alcyonion*[34] et de soufre naturel.

Pour conclure cette enquête, il faut bien avouer que de nombreuses questions restent sans réponse, essentiellement au sujet de l'identification de cette « maladie blanche ». J'ai cru trouver, dans la description détaillée des expériences de diagnostic chez Paul (et Celse) un appui pour une identification, ou du moins pour pouvoir resserrer le cercle autour d'une forme de *vitiligo* ou d'eczéma, mais mes recherches au sujet d'un liquide laiteux s'écoulant d'une dermatose avec dépigmentation, dans les manuels de dermatologie, ainsi que les discussions avec les médecins dermatologistes qui ont participé au colloque n'ont pas fourni les résultats souhaités. Ce que je considère toutefois comme un progrès dans la connaissance de cette affection (ou plutôt des affections regroupées sous le nom de λεῦκαι), ce sont les informations supplémentaires et précieuses au sujet des pratiques médicales que transmet une production dite tardive et considérée trop souvent comme une simple reprise inerte de la tradition galénique.

---

[33] Annoncée au chapitre 77 (Περὶ κνησμῶν, ἀλφῶν, λειχήνων, λέπρας, λεύκης), la λεύκη est traitée uniquement au chapitre suivant, *Eclogae* 78, 5 (ed. Johann Raeder, *CMG* VI 2, 2, Berlin, 1933, p. 251, 3-6, Περὶ λεύκης) ἡ λεύκη σπῖλός ἐστι περὶ πᾶν μέρος τοῦ σώματος γινόμενος, ἐπὶ δὲ τῶν τετριχωμένων, πολιοῖ μέν, οὐ ψιλοῖ δέ. τοῦτο θεραπεύει ῥοὸς ἄνθη < η′, νίτρου ἀφροῦ < ε′, ἀλκυονίου < γ′, θείου ἀπύρου < β′, « la λεύκη est une tache qui se produit sur une partie entière du corps sur les parties poilues ; elle blanchit les poils, mais ne les fait pas tomber. Elle se soigne avec 8 drachmes de fleur de sumac, 5 drachmes de fleur de nitre, 3 drachmes d'*alcyonion*, 2 drachmes de soufre naturel ».

[34] L'*alcyonion* (ἀλκυόνιον) est une éponge appelée ainsi du fait de sa ressemblance avec un nid d'alcyon ; elle était très utilisée dans les pathologies du cuir chevelu, notamment les alopécies : voir Dioscoride, *Matière médicale* V 118 (ed. Max Wellmann, Berlin : Weidmann, 1906, III p. 87, 7-88, 13).

La palette chromatique de la lèpre
dans les sources du tribunal de la Purge (XVe-XVIe siècles)

Johan PICOT[1]

En août 1488, le corps médical auvergnat est appelé à se prononcer sur l'état de santé de messire Pierre Malsobroux, prêtre originaire de Villosanges dans les Combrailles, que l'on tient pour « entaché de ladite maladie de lepre ». Les murmures sont tels dans la paroisse que les représentants de la communauté villageoise (les « luminiers ») s'en remettent aux autorités compétentes afin de déterminer le danger que peut représenter la fréquentation de l'homme d'église. Le malade est alors transporté jusqu'à Montferrand, en basse Auvergne, où siège une juridiction originale vouée au dépistage des lépreux : le tribunal royal de « la Purge »[2].

Après avoir ausculté le malade présumé « par hault et bas », les experts près la cour concluent de la sorte :

> « Premierement, quant aux signes univoques trouvons que ses sursilz ou la plus grand partie sont depilés, gros et enflés et pubereux, les yeulx rous et n'est pas le blanc d'iceulx la vraye blancheur maiz tire a une couleur fusque, les aureilhes assés rondes et tubereuses, le nés retrainct, par dedans eulseré et par dehors assés ouvert, gros et enflé, les bolievres grosses et tubereuses, mortes et fusques, le palaiz ulseré et alteré, la voix rauque, la veüe assés orrible et espoventable, les cheveulx de sa teste ou la plus grand partie failhans de morrissement et de facile arrachement. Plusieurs autres signes y trouvons que appellons equivoques et premier trouvons qu'il est de dure cher insensible comme apart quant on le picque, les espaules grasses et oincteuses, son cuyr assés retirant, a cuyr d'oye, son poux debille et doulx, son sang gros et noir, pesant et aduste, l'aleyne puante que sont signes demonstrans ladite maladie de lepre »[3].

Pareille description ne laisse pas de doutes quant à la nature du mal qui frappe le prêtre. D'ailleurs, les experts fournissent la liste exhaustive des signes équivoques et univoques justifiant le diagnostic de lèpre et s'autorisent même, fait rare, un jugement personnel en soulignant combien la vue du prêtre est abominable... Outre les atteintes physiques, c'est la couleur

---

[1] Docteur en histoire médiévale (Université Jean Moulin-Lyon 3) ; chercheur associé à l'Institut Ausonius-UMR 5607 (Université Bordeaux-Montaigne).
[2] Johan PICOT, *Malades ou criminels ? Les lépreux devant le tribunal de la Purge de Montferrand à la fin du Moyen Âge*, thèse de l'Université Jean Moulin-Lyon 3, 26 juin 2012 et ID., « La Purge : une expertise juridico-médicale de la lèpre en Auvergne au Moyen Âge », *Revue historique*, 314/2, n° 662, 2012, p. 291-321.
[3] Archives départementales du Puy-de-Dôme [désormais abrégé AD 63], 3 E 113 dép. fonds 2, BB 18, parchemin servant de couverture à un registre de délibérations (27 août 1488).

de certaines parties du corps qui retient l'attention du jury médico-chirurgical en cette fin de XVe siècle. Les yeux, les lèvres ou encore le sang du malade ne sont pas d'une bonne couleur mais virent au brun et au noir ce qui révèle la corruption des fluides et la nécrose du derme. Le cas de Pierre Malsobroux n'est, malheureusement, pas isolé : nombreuses sont, encore, les personnes déclarées lépreuses à la fin du Moyen Âge et au début de l'Époque moderne. Et il est bien rare de ne pas découvrir la mention de telle ou telle couleur dans les dossiers conservés.

Si les couleurs sont assez signifiantes aux yeux des experts pour qu'ils les citent dans leurs rapports, il convient de se demander la part qu'on leur fait dans l'élaboration du diagnostic de la lèpre et quelle est l'ampleur de la palette chromatique utilisée par les médecins : quelles sont les couleurs associées à la pathologie ? À quelles parties du corps correspondent-elles ? Quels dérèglements trahissent-elles ? Ces couleurs sont-elles normatives de la lèpre ou existe-t-il des variantes, des nuances de tons multiples ? Enfin, quelles sont les couleurs corporelles qui déterminent les proches ou les familiers d'un lépreux à le dénoncer comme tel ? Où trouver les réponses sinon dans le corpus d'archives du tribunal de la Purge, l'institution qui préside à l'examen des malades ? La fréquence des références aux couleurs des corps dans ce fonds documentaire éclaire l'usage qui est fait de telles observations pour identifier la pathologie. Au-delà de la simple description clinique des couleurs, on découvrira le regard de la société sur les lépreux et l'état des connaissances qu'affichent les milieux médicaux sur la maladie à la fin du Moyen Âge.

La juridiction de la Purge
Une procédure médico-légale

Le tribunal de « la Purge » de Montferrand est une institution singulière. Son rôle – comme son nom l'indique – est de purifier[4] la population « d'icelle piteuse maladie de lepre »[5]. La Purge est sans doute, à l'origine, une tradition locale détenue par le gouvernement urbain de Montferrand dès les XIIe et XIIIe siècles, période d'apparition de la maladie selon les archives. La pratique qui consiste à écarter les malades de la société ne s'appuie sur aucun ressort juridictionnel ni sur une reconnaissance officielle. D'ailleurs, les premières chartes de franchises accordées à la commune (ca 1196-1198, 1249, 1273 et 1291) n'abordent pas le sujet. Ce n'est qu'en 1496, lorsque les privilèges de la ville sont traduits « de latin en francoys » qu'apparaît un article concernant cette juridiction[6]. Les consuls de

---

[4] Mfr. nfr. purger « nettoyer, débarrasser (un corps) des impuretés qui y adhèrent ou qu'il contient », Walther von WARTBURG, Französisches Etymologisches Wörterbuch. Eine Darstellung des galloromanischen Sprachschatzes, 25 vol., Leipzig : Klopp, 1922-2002 [abrégé désormais FEW] 9, 611b, PURGARE.
[5] AD 63, 3 E 113 dép. fonds 2, FF 75, pièce 11 (1455).
[6] AD 63, 3 E 113, dép. fonds 2, AA 5, art. 157.

Montferrand ont donc reçu, à une date inconnue, le privilège royal d'exercer leur fonction de police sanitaire. Il semble d'ailleurs que les Montferrandais soient les seuls habitants du royaume à posséder ce pouvoir. Ils jouissent d'un avantage considérable et le font savoir (constitution d'un ressort juridictionnel, archivage des procès, adoption de sceaux particuliers[7], construction d'un palais ou « auditoire de la Purge »). Pourtant, les origines de cette pratique sont difficiles à situer dans le temps. L'historien n'en saisit l'existence et le fonctionnement qu'au tout début du XIVe siècle, quand elle est créée ou officialisée par Philippe IV le Bel sous la forme d'un tribunal royal, utilisé ensuite jusqu'au XVIIe siècle.

Présidée par les consuls de Montferrand, la cour a pour but de chercher, de convoquer, d'examiner, de juger puis d'éloigner de la population les lépreux de l'Auvergne, mais aussi des pays voisins[8]. Pour ce faire, cet organe médico-légal bénéficie du concours de la population puisque c'est sur dénonciation qu'agissent le procureur et les magistrats. Le tribunal peut ainsi compter sur un relais indispensable qui regarde avec méfiance les lépreux gyrovagues et justifie ses craintes sous couvert de la recherche de l'ordre et de la santé publics[9]. Quant à l'administration de la cour de Montferrand, elle repose sur un organigramme composé de sergents, d'un greffier, d'un procureur – et de son substitut –, de juges, mais encore et surtout des « medecins, sirurgiens et autres gens sur ce expertz et cognoissans »[10]. En effet, la procédure de mise à l'écart des lépreux dépend d'un élément indispensable : « l'épreuve » (*inspectio corporis*). Celle-ci est retranscrite dans le certificat des experts (médecins, chirurgiens, barbiers et apothicaires) qui sont seuls capables de se prononcer sur l'état des souffrants. L'avis des spécialistes détermine donc le sort réservé au malade puisque les juges ne peuvent passer outre une décision médicale qui engage la santé publique.

Le corpus disponible

Avec la Purge, l'historien dispose d'un matériau original pour aborder l'histoire de la lèpre, agent pathogène archétypal de l'époque médiévale[11].

---

[7] J. PICOT, « Les sceaux de la juridiction royale de la Purge de Montferrand (XIVe-XVIIe siècle) », *Revue française d'héraldique et de sigillographie*, 83-85, 2013-2015, p. 35-51.

[8] Sur les ressorts théorique et réel du tribunal se reporter à J. PICOT, « *Bona diagnosis, bona curatio*. Lèpre, justice et société en Auvergne à la fin du Moyen Âge », in Marie-Claude DINET, Scarlett BEAUVALET (dir.), *Lieux et pratiques de santé du Moyen Âge à la Ière Guerre Mondiale*, Amiens : Encrage Édition, 2013, p. 26-31.

[9] Il est ainsi question de « fere separer ladite Cherpine de la compaignie et consorte des gens sains si elle est trouvée enteschée de ladite maladie qui seroit ou grant scandalle, interestz et dommaige de ladite chose publicque et desdits gens sains et s'en pourroient casier inconveniens immemorables », AD 63, 3 E 113 dép. fonds 2, BB 2, f. 13v-14 (26 août 1493).

[10] Pour une présentation des experts voir J. PICOT, « Les experts du tribunal de la Purge de Montferrand. Répertoire prosopographique (1371-1558). *Addenda* et *corrigenda* au « Dictionnaire » d'Ernest Wickersheimer », *Bulletin Historique et Scientifique de l'Auvergne*, 115/2, n° 802-803, juillet-décembre 2014, p. 99-154.

Les pièces composant les dossiers conservés sont diverses et révèlent tout l'éventail légal de la fin du Moyen Âge : dénonciations, enquêtes, réquisitoires, décrets, exploits d'ajournement, rapports d'expertise médicale, sentences (minutes et grosses) ou encore taxations de frais sont autant d'outils à la disposition de la connaissance de la lèpre. Au total, ce sont quelque 138 procès relatifs à 178 malades distincts qui sont connus[12] pour une période allant du début du XIVe siècle à 1550. Cependant, toutes les sources ne livrent pas des descriptions précises du corps des malades. Les pièces qui intéressent l'aspect des lépreux et qui, seules, mettent en lumière la multitude de couleurs observées sont les rapports d'expertises (une quarantaine) et les témoignages enregistrés dans les informations judiciaires[13] (plus de 330) qui sont conservés de 1417 à 1550.

Les rapports médicaux constituent le principal canal d'informations quant aux atteintes corporelles des lépreux. Les praticiens y consignent les signes observés sur les patients et décrivent largement la gamme de couleurs associées aux anomalies tenues comme caractéristiques de la lèpre. D'autres sources sont pourtant riches d'enseignements. En effet, la juridiction de la Purge, dont le fondement est inquisitoire, repose sur l'enquête de commune renommée, c'est-à-dire l'« information », ou audition de témoins, qui met l'accent sur la *fama* de l'accusé. Les preuves testimoniales collectées par le procureur au fil de son enquête livrent le portrait de ce que la population retient comme typique des lépreux (altération du visage, atteintes des extrémités, trouble de l'élocution, etc.). Les témoins ne sont pas avares de

---

[11] Depuis les années 1980, la connaissance de la lèpre et de sa réception par la population du royaume de France au Moyen Âge a bénéficié de nombreux travaux parmi lesquels ceux de Françoise Bériac, François-Olivier Touati ou encore Damien Jeanne, pour n'en citer que quelques-uns. Cependant, l'historiographie de la lèpre ou « léprologie » ne s'est pas spécialement intéressée au rapport existant entre couleur et maladie. Seul Fr.-O. Touati semble avoir abordé le sujet dans son article : « *Facies leprosorum* : réflexion sur le diagnostic facial de la lèpre au Moyen Âge », *Histoire des sciences médicales*, 20, 1, 1986, p. 57-66.

[12] J. Picot, *Malades ou criminels...* (cité *supra*, note 2), p. 313 et ID., *op. cit.* (*supra*, note 8), p. 32. Les chiffres ont été revus à l'aune des dernières découvertes au sein des archives.

[13] La documentation produite par la cour de la Purge est intéressante puisqu'elle couvre une période qui, pour l'histoire de la lèpre, a été très peu étudiée jusqu'ici. Les travaux disponibles s'attachent surtout aux origines du mal et à son apparition dans l'Occident médiéval, par ex. Elma Brenner, *Charity in Rouen in the Twelfth and Thirteenth Centuries (with Special Reference to Mont-aux-Malades)*, thèse de l'Université de Cambridge, Emmanuel College, 2008 ; Daniel Le Blévec, *La part du pauvre. L'assistance dans les pays du Bas-Rhône du XIIe siècle au milieu du XVe siècle*, Rome : Publications de l'École Française de Rome, 2000 et François-Olivier Touati, *Maladie et société au Moyen Âge. La lèpre, les lépreux et les léproseries dans la province ecclésiastique de Sens jusqu'au milieu du XIVe siècle*, Bruxelles : De Boeck Université, 1998. Seul Damien Jeanne, *Garder ou perdre la face ? La maladie et le sacré. Étude d'anthropologie historique sur la lèpre (Normandie centrale, occidentale et méridionale) du XIe au XVIe siècle*, thèse de l'Université Paris Ouest Nanterre La Défense, 2010, semble s'être intéressé, récemment, à la documentation du XVIe siècle. Toutefois, les documents exploités ne conservent pas de rapports d'expertise médicale comparables à ceux produits à Montferrand.

renseignements et de détails quand il s'agit de mettre au ban celui qu'ils estiment être « vehementement souspectionné et entaché de ladite maladie de lepre »[14]. L'historien dispose alors d'éléments discursifs distincts qui, loin d'être antinomiques, présentent l'avantage de la complémentarité : *vox populi* et voie de la *praxis* s'unissent pour décrire ce que la société tardo-médiévale tient comme le nuancier de la lèpre.

L'enjeu chromatique dans le dépistage de la lèpre
Corpus sanus, corpus infirmus : *« la bonne couleur »*

Parmi les types d'archives abordant l'identification des cas de lèpre il existe une source révélatrice de l'opinion publique au tournant des XVe et XVIe siècles : c'est l'enquête de commune renommée dont les preuves testimoniales retranscrivent la conception de la maladie que se font les contemporains.

La plus ancienne enquête conservée, rédigée en 1447, concerne le Limousin. D'après la rumeur, plusieurs familles de Curemonte et de Branceilles sont soupçonnées d'être atteintes de la lèpre. D'aucuns affirment ainsi que Pierre La Cepreyra est « en mauvais état » et « part en pièces », qu'il s'est installé à l'écart de la société et vit sous un chêne[15]. D'autres rapportent que Galhard dal Noal et son fils, Pierre, sont lépreux puisqu'ils en portent les stigmates aux visages, aux mains, aux pieds. D'une manière générale, il est *vox et fama publica* que les suspects sont issus de « lignées lépreuses » (*processerunt de progenie leprosorum*). Afin de donner corps à leurs dires, les témoins arguent qu'il s'agit de lépreux véritables puisqu'ils ne sont pas de « la bonne couleur ». Johan de Narsa conclut, au sujet de l'épouse d'Hélie Barrau, *quod murmurabatur contra ipsam esse de progenie leprosorum dicit scire quod ipsa non est boni coloris*. Pour étayer le soupçon qui pèse sur un membre de la lignée dal Noal, un autre témoin ajoute qu'il y a déjà eu un lépreux dans cette famille et qu'il *non erat boni coloris* comme l'est, bien sûr, l'individu dont on se méfie maintenant (la notion d'hérédité de la maladie se mêle à l'argument de la « mauvaise couleur »). Quant à Géraud de la Branda, autre déposant, il affirme que Johannes dal Noal *habet faciem suam inflatam et supersilia et mutavit colorem suum* et que les enfants Barrau, eux, *non sunt boni colorem*[16]. Dans les exemples retenus, c'est bien la couleur du derme qui est mise en avant par les témoins : les uns ont un teint qui ne paraît pas « normal » (dépigmentation ou coloration singulière ?), tandis qu'un autre a le visage et les sourcils inflammés et qui changent de couleur. Ces anomalies corporelles flagrantes concernent des

---

[14] AD 63, 3 E 113 dép. fonds 2, BB 5, parchemin servant de couverture à un registre de comptes (6 septembre 1509).
[15] AD 63, 3 E 113 dép. fonds 2, FF 63, pièce 3 : « *dixit eidem testi talia verba seu in effectu similia* : el es lay, sotz un chassanh, e es en a vol stat car el s'en vay tot a pessas e put que home no pot demorar amb el […] » (6 août 1447).
[16] AD 63, 3 E 113 dép. fonds 2, FF 63, pièce 3 (4-6 août 1447).

parties du corps visibles de tous (visage, extrémités) et traditionnellement associées à la lèpre[17]. Ces éléments frappent les esprits, justifient la méfiance que l'on nourrit à l'égard des malades et suffisent à expliquer que la population les tienne pour lépreux.

À la fin du Moyen Âge et au début de l'époque moderne, les hommes de l'*ars medica* — suivant les écrits médicaux et chirurgicaux bien connus[18] — ne négligent pas non plus l'étude des couleurs dans les cas de lèpre. Toutefois, ils ne se prononcent pas sur ce seul indice. Ainsi, en 1417, maître Antoine Laurent, médecin, lave Marguerite Goury du soupçon de lèpre qui pèse sur sa personne, *non obstante rubedine occulorum et ciliorum*[19]. Le rouge détecté sur les yeux et les cils de la patiente n'est pas suffisant pour la condamner à gagner une léproserie. Les rougeurs observées pourraient être le symptôme d'une simple pathologie à caractère ophtalmique.

Dès le début du XVe siècle au plus tard, la population, comme le milieu médical, porte donc une attention particulière à la couleur du corps des prétendus lépreux. La société oppose aux malades l'aspect douteux de leur teint, tandis que les praticiens scrutent chaque partie du corps et consignent toute la palette de nuances perceptibles sur le derme incriminé. Les dires des témoins comme les analyses des physiciens permettent alors de définir ce que l'on tient comme la signature colorimétrique de la lèpre.

Perception, description et transmission des couleurs

En lisant les pièces conservées dans le fonds du tribunal de la Purge, on prend connaissance de l'étendue de la palette de couleurs utilisées pour décrire les lépreux. En outre, on mesure la disparité qui peut exister entre la perception et la description de ces couleurs.

Ce sont les descriptions médicales qui retiennent l'attention en premier lieu car elles présentent l'avantage de la précision. En 1491, les

---

[17] Il faut dire qu'en cette fin de Moyen Âge, la définition de la *facies leprosa* paraît totalement intégrée par la société. À titre d'exemples, voir les dépositions suivantes : *Petrus Leymaria de Brancielhas [...] deposuit suo juramento quod ipse novit Thomam de Grezas, fratrem domini Johannis de Grezas et Petri de Gresas, qui Thomas habebat signa in ejus facie illorum qui sunt leprosi : non habebat nasum quasi vastatum et vocem raucam et alia signa [...]* ; « Guilhemin Bordughe [...] dit et respond par sondit serement qu'elle est repputée suspecte par ladite parroisse d'estre lepreuse ainsi qu'il a oÿ dire a plusieurs parroissiens de ladite parroisse et aussi est suspect pour ce que a le visaige tout plonbeux, maché et rouge et le fet mauvaix ». AD 63, 3 E 113 dép. fonds 2, FF 63, pièce 3 (1447) et pièce 60 (1496).

[18] Citons, à titre d'exemples, les chapitres consacrés à la lèpre dans l'œuvre de Guy de Chauliac, d'Arnaud de Villeneuve ou encore d'Henri de Mondeville qui, tous, s'intéressent aux modifications pigmentaires de la peau et observent ses variations colorées. Françoise BÉRIAC, *Histoire des lépreux au Moyen Âge. Une société d'exclus*, Paris : Imago, 1988, p. 32, 34-37. Fr.-O. TOUATI, « Les traités sur la lèpre des médecins montpelliérains : Bernard de Gordon, Henri de Mondeville, Arnaud de Villeneuve, Jourdain de Turre et Guy de Chauliac », in Daniel LE BLÉVEC (dir.), *L'université de Médecine de Montpellier et son rayonnement (XIIIe-XVe siècles)*, actes du colloque international de Montpellier (Université Paul Valéry – Montpellier III), 17-19 mai 2001, Turnhout : Brepols, 2004, p. 205-231.

[19] AD 63, 3 E 113 dép. fonds 2, FF 63, pièce 1 (11 juin 1417).

médecins et chirurgiens qui examinent Anne Mounneau le déclarent atteint de ladrerie parce qu'ils ont « trové en luy les yeulx rous et livides et le visage corrompu »[20]. En 1492, les experts se prononcent sur le cas de Benoit Rigault, qui est, lui aussi, reconnu lépreux car il a le visage « de coleur plonbeuse qu'est signe equivoque »[21]. L'année suivante, c'est Robert Bertrand qui est séparé de la société pour avoir « les yeulx de coleur livide » et « le sant gros et afutz et corrompu a coleur de plom »[22]. La même année, on écarte du peuple un certain Durand Janyn, prêtre, qui est « actinct de la maladie de lepre nommée *elephansia* [...] qu'est de *colera nygra malencolica* »[23]. Le même sort est réservé à Léonard Masuer, également prêtre, à qui l'on trouve « les yeulx rous, livydes et avec larmes, les narsilles ulcerées, les artelles rouges et senguylhonentes, le visaige plombeux et la plus partie de son corps serpigeneulx »[24]. Force est de constater la minutie avec laquelle les experts auscultent les malades afin de rédiger un rapport le plus précis possible[25]. Le corps est examiné *a capite ad calcem* et plus encore puisque l'on recourt, aussi, à un examen méticuleux des fluides corporels[26]. L'uroscopie et l'hématoscopie tiennent, effectivement, la part belle dans la « visitacion et purgacion »[27] des lépreux présumés comme le rappelle, par exemple, maître Estiene Martin, docteur en médecine, qui « a palpé, veü et visité Pierre Marrot [...] tant par la vision de ses sang et aurine que atouchement de sa cher que autrement »[28].

Quant aux témoins, choisis dans l'entourage du malade et auditionnés par le procureur du roi, ils ne sont pas en reste et complètent, parfois, avec force détails les analyses des praticiens. Glaudre Gigot relate, en 1496, qu'un paroissien « est ataint et entaché de ladite maladie de lepre [...] pour ce que ledit Feraud est rouge parmy le visage et que yceluy Feraud a la vouex

---

[20] AD 63, 3 E 113 dép. fonds 2, FF 63, pièce 16 (7 décembre 1491).
[21] AD 63, 3 E 113 dép. fonds 2, FF 63, pièce 20 (28 septembre 1492).
[22] AD 63, 3 E 113 dép. fonds 2, FF 63, pièce 31 (10 juin 1493).
[23] AD 63, 3 E 113 dép. fonds 2, FF 63, pièce 27 (23 avril 1494).
[24] AD 63, 3 E 113 dép. fonds 2, FF 63, pièce 28 (2 mai 1494).
[25] Sur le déroulement de la visite médicale de la Purge de Montferrand, voir J. PICOT, « La Purge... » (cité *supra* note 2), p. 300-304.
[26] Les spécialistes auvergnats n'hésitent pas à approcher le malade et à le manipuler de la tête aux pieds ce qui, à l'époque, est encore loin d'être courant. Dans de nombreuses régions d'Occident, le personnel médical fonde encore son diagnostic sur une simple étude des signes visibles aux mains et au visage afin de limiter les contacts avec la personne susceptible d'être lépreuse. Piera BORRADORI, *Mourir au monde. Les lépreux dans le pays de Vaux (XIIIe-XVIIe siècles)*, Lausanne : Université de Lausanne, 1998, p. 33 et Walter DE KEYSER, « Le dépistage de la lèpre en Hainaut. De l'expertise pratiquée par les lépreux à l'examen médical (XIVe-XVIe siècles) », in Michel PAULY, Martin UHRMACHER et Herold PETTIAU (dir.), *Institutions de l'assistance sociale en Lotharingie médiévale*, Luxembourg : Publications de la Section historique de l'Institut grand-ducal, 121, 2008, p. 102.
[27] AD 63, 3 E 113 dép. fonds 2, FF 63, pièce 54 (10 mai 1514).
[28] AD 63, 3 E 113 dép. fonds 2, CC 378, pièces 2 et 3 (12-13 août 1501). Le parchemin en question a été coupé en deux, rogné et sert de couverture à deux registres comptables. Sur l'uroscopie médiévale, se reporter aux articles de Laurence Moulinier-Brogi et de Mireille Ausécache dans ce volume.

141

quassé et rauche comme s'il estoit pris de l'estomant et marfondu ». Jehan Fauchier, autre témoin, confirme et ajoute « que il fet mal veoer parmy le visaige rouge tandant a couleur noire »[29]. L'accumulation des témoins (neuf dans ce dossier) présente l'avantage de la précision puisqu'ils soulignent combien le visage est changeant, passant, tour à tour et selon l'œil de celui qui le regarde, du rouge au noir. La difficulté d'appréciation et de transmission de la couleur est notable et doit être fréquente bien qu'il demeure difficile de l'estimer vraiment. Il convient, alors, d'être prudent et de ne pas chercher à classer trop rapidement les couleurs (et leurs variantes) citées ni par les témoins ni par les médecins.

Des hommes de l'art (empiriques) figurent parfois au rang des témoins retenus par le procureur. Ils sont, généralement, originaires de la même paroisse que les accusés et les ont, souvent, déjà auscultés. Leur déposition est intéressante puisqu'elle arrive, dans l'ordre procédural, avant l'expertise médicale officielle et sert donc le réquisitoire du procureur. En 1525, Astorg Pasmolle, apothicaire de Langeac, est ainsi entendu sur le cas de Thaurin Levrauld. Le témoin déclare connaître cet homme « pour ce qu'ilz sont demeurans en mesme ville et le veoit souvant » et ajoute qu'il « est ladre formé et est entaiché de ladite maladie de lepre ». Afin d'appuyer son propos, l'apothicaire – qui intervient ici en tant que simple témoin – précise que c'est le malade lui-même qui, craignant d'être frappé de lèpre, aurait demandé qu'on le saigne et qu'on lui dise de quelle pathologie il souffrait. Le déposant explique alors « qu'il peult avoir cinq ou six moys, ou X environ, que ung nommé Me Glaude [...] saigna ledit Levrauld et après qu'il eüst eü de son sang, il le passa a ung drapt et se trouva audit drapt les signes de la maladie de lepre ». Les résultats de l'hématoscopie pratiquée par cet empirique ne sont malheureusement pas décrits de telle sorte qu'il n'est pas possible de connaître quelle couleur a donné lieu au diagnostic de lèpre[30]. À la même époque, un autre homme de l'art est cité dans une information judiciaire. Il est notaire royal et chirurgien (ce qui peut surprendre) et réside à Aigueperse où l'on murmure que vit un lépreux. Le témoin, qui a identifié le malade, assure au procureur « que ledit Usson a le visaige offusqué en colleur de plomb et aussi a esté fort fevrecitant, que icelluy depposant dit estre signe d'estre entaché de ladite maladie ». Et de conclure : « par l'inspection de la personne dudit Usson semble [...] qu'il a ung commencement de ladite maladie de lepre »[31]. Quant à Michel Bermet, barbier de Brioude, qui témoigne en 1523, il note que Jehan Tailhachausse a « eü copperoze de son visaige et a tous les cartilhaiges mangés [...] tellement que par les signes exterieurs ledit Tailhachausse est suspect de la maladie de lepre »[32]. Le témoignage d'un homme de l'art présente donc un double intérêt. Son expérience, d'abord, souligne combien les signes

---

[29] AD 63, 3 E 113 dép. fonds 2, FF 63, pièce 30 (4 mai 1496).
[30] AD 63, 3 E 113 dép. fonds 2, FF 66, pièce 29 (12 novembre 1525).
[31] AD 63, 3 E 113 dép. fonds 2, FF 66, pièce 1 (1er octobre 1525).
[32] AD 63, 3 E 113 dép. fonds 2, FF 64, pièce 64 (25 juillet 1523).

extérieurs du malade sont déterminants dans les cas de lèpre ; elle garantit, ensuite, le réquisitoire du procureur qui va pouvoir exiger des magistrats la saisie corporelle du malade, son placement en détention provisoire et son jugement.

La familiarité de certains déposants avec les malades leur permet de remarquer et de signaler des éléments subtils pouvant échapper à l'œil vigilant des experts tels que les variations chromatiques de la peau ou l'évolution de certaines lésions. Mathieu Sirvent est ainsi entendu par le procureur de la Purge en 1496 au sujet d'une voisine que l'on « suspecte de la maladie de lepre ». Le témoin déclare qu'il refuse de boire, manger ou converser avec elle « pour ce qu'elle a le visaige tel plombeux, maché et aucuneffois rouge comme feu comme ce appart a veüe d'eilh »[33]. Les indices mis en avant par le déclarant portent sur le visage de la malade dont la peau oscille du gris sombre au rouge feu. Pareil constat est dressé, en 1525, par maître Jehan Poughon, notaire, qui doit se prononcer sur Catherine Salnade. L'homme de loi admet, après avoir prêté serment, qu'il connaît cette femme et qu'on la « suspectione estre dangereuse de lepre […] parce qu'elle a le visaige eschangé et tout rouge comme escarlate parfoiz et plains de boutons »[34]. Quant à Gabriel Rogier, habitant d'Herment, c'est l'état de ses membres inférieurs qui choque ses proches puisqu'il a « les piés tous farineulx »[35]. L'expression transcrit, certainement, aussi bien la couleur blanche que l'état avancé de décomposition de ses extrémités. La couleur de la peau n'est pas le seul objet d'attention de la population, ses variations dans le temps inquiètent tout autant que les symptômes qu'elle révèle.

Une palette de couleurs et de nuances (du clair au foncé) importante est utilisée pour décrire les infirmes que l'on tient pour lépreux à la fin du Moyen Âge. Il importe de savoir à présent quelles sont précisément les teintes retenues comme caractéristiques de la maladie.

Les couleurs de la lèpre
Quelle focale sur le corps ?

Les descriptions déjà citées suggèrent l'existence d'une palette chromatique spécifique (avec, peut-être, l'existence d'une hiérarchisation des couleurs et des nuances). En effet, certaines couleurs ne paraissent associées qu'à une partie précise du corps et, mieux, semblent signifier un degré d'atteinte particulier. Pourtant, toutes les parties du corps ne sont pas étudiées par le biais des couleurs :

---

[33] AD 63, 3 E 113 dép. fonds 2, FF 63, pièce 60 (28 janvier 1496 n. st.).
[34] AD 63, 3 E 113 dép. fonds 2, FF 65, pièce 51 (6 août 1525).
[35] AD 63, 3 E 113 dép. fonds 2, FF 65, pièce 29 (10 septembre 1524).

Tableau 1. Les éléments corporels colorés

	Parties examinées par les experts	Parties décrites avec des couleurs
Tête	Visage (en général), cheveux et cuir chevelu, yeux, sourcils, cils, oreilles, nez, narines, cartilage nasal, bouche, lèvres, langue, palais, gorge, voix, haleine, voix, poils et barbe.	Visage, yeux, sourcils, cils, lèvres.
Corps	Corps (en général), peau, muscles, bras, épaules, mains, doigts et ongles, jambes, pieds, orteils et ongles.	Corps, pieds, orteils.
Autres	Phlegme, bile, menstrues, nerfs, pouls, sang, urine, veines.	Bile, sang, veines.

Force est de constater que plusieurs parties du corps examinées par les experts ne sont pas décrites au moyen de la couleur. Cette manière de procéder n'est pas étonnante puisque les traités médicaux insistent sur le fait que la qualification de la lèpre dépend de plusieurs signes distincts. Bernard de Gordon, qui consacre un chapitre entier à la lèpre dans son *Lilium medicinæ* (*ca* 1303-1305), précise, notamment, que « les signes infaillibles sont l'alopécie et la proéminence des sourcils, la rondeur des yeux, la dilatation des narines et leur resserrement interne avec gêne respiratoire faisant parler du nez, la pâleur du visage virant à la noirceur cadavérique, l'aspect terrible du visage avec un regard fixe, l'amincissement et la contraction de la chair des oreilles... »[36]. Quant à Guy de Chauliac, auteur de la *Chirurgia Magna* (1363), il recommande au médecin de « remuer les signes et voir lesquels sont univoques et lesquels sont équivoques. Et qu'il ne juge pas par un signe mais par la concurrence de plusieurs, spécialement des univoques [et si les malades] ont plusieurs signes équivoques et plusieurs signes univoques, ils doivent estre séquestrés du peuple et conduis a la maladerie »[37]. L'appréciation de ces signes et, *de facto*, l'élaboration du diagnostic de lèpre ne résultent pas du simple examen des couleurs. L'*inspectio corporis* mobilise d'autres sens que sont l'ouïe, le toucher ou encore l'odorat puisque l'on prête aux ladres une voix cassée, des insensibilités aux jambes, des épaules grasses, une haleine puante... Néanmoins, les couleurs, si elles ne suffisent pas à déterminer la maladie observée, peuvent – quand elles sont associées à d'autres signes – faire pencher la balance en faveur de la lèpre.

Une large palette chromatique

La liste des couleurs repérées dans le fonds de la Purge est importante et montre combien certaines teintes ou nuances paraissent réservées à des parties spécifiques du corps. D'aucunes servent même à qualifier des lésions

---

[36] Fr. BÉRIAC, *op. cit.* (*supra* note 18), p. 29.
[37] Édouard JEANSELME, *Comment l'Europe au Moyen Âge se protégea contre la lèpre*, Paris : Société d'histoire de la médecine, 1931.

tenues comme caractéristiques de la lèpre, autorisant le corps médical à se prononcer en faveur de cette pathologie :

Tableau 2. Les couleurs de la lèpre[38]

Couleurs	Nuances	Parties du corps concernées
Rouge	Rouge feu Rouge fort Rouge écarlate Rouge enflammé Sanguinolent	Le visage, les yeux, les cils, les pieds et orteils, les veines.
« Jaune orangé »	Roux	Les yeux
Noir	Fusque Offusqué	Le corps et le visage, les yeux, les lèvres, le sang, la bile.
Gris	Plomb Livide	Le sang, les yeux, le visage.
Blanc	Farineux	Les yeux et les pieds.

La gamme chromatique du rouge paraît réservée au visage, aux yeux, au système veineux (artères) et aux extrémités du corps. Elle trahit la présence de dermites, d'irritations, d'inflammations ou d'excédents sanguins. Les qualificatifs associés à la couleur rouge sont autant de nuances servant à distinguer le degré d'avancement de la maladie[39]. Le jaune orangé, lui, ne concerne que les yeux et souligne, exclusivement, la coloration de la sclère (blanc de l'œil)[40]. Le noir (et ses variantes tirant au brun) présent sur la peau du visage et du corps, de manière en général, ou, plus

---

[38] Afin de mesurer ce que représentent ces couleurs à la fin du Moyen Âge, il faut se référer à des définitions précises tirées d'un dictionnaire linguistique historique sûr tel que le *FEW* (cité *supra,* note 4) ; on trouve ainsi : ancien français [*afr.*] farineux : « blanchâtre », « tirant sur le gris, blanc de poussière » (*FEW* 3, 420b, *FARINA*) ; moyen français [*mfr.*], français actuel [*nfr.*] sanguinolent : « qui est d'une teinte rouge de sang » (*FEW* 11, 168b, *SANGUINOLENTUS*) ; *afr.* ros : « qui est d'une couleur entre le rouge et le jaune (surtout cheveux, poils, visage) » (*FEW* 10, 588a, *RUSSUS*) ; *mfr.* fusque : « brune, sombre » (*FEW* 3, 913b, *FUSCUS*) ; *mfr.* offusque : « obscure » (*FEW* 7, 338a, *OFFUSCARE*) ; *afr.* plombin : « plombé, couleur de plomb » (Frédéric Godefroy, *Dictionnaire de l'ancienne langue française et de tous ses dialectes du IXe au XVe siècles*, Paris : Honoré Champion, 10 vol. 1880-1902, vol. 6, 224) ; *mfr. nfr.* livide : « qui est d'un gris plombé (du visage) » (*FEW* 5, 381a, *LIVIDUS*).

[39] AD 63, 3 E 113 dép. fonds 2, FF 63, pièce 60 : « le visaige (…) tout maché et aucuneffois rouge » et « le visaige (…) rouge comme feu » (1496) ; FF 63, pièce 28 : « les artelles rouges et senguylhonentes » (1496) ; FF 64, pièce 64 : « Giry est rouge et enfamblé de son visage » (1523) ; FF 65, pièce 51 : « le visaige eschangé et tout rouge comme escarlate » (1525) ; FF 65, pièce 52 : « tres mauvays visage tout rouge aflambé, morffé et bothoné » (1525) ; FF 66, pièce 1 : « Lourrain est fors rouge du visaige » (1525).

[40] AD 63, 3 E 113 dép. fonds 2, BB 18 : « les yeulx rous et n'est pas le blanc d'iceulx la vraye blancheur » (1488) ; FF 63, pièce 16 : « les yeulx rous » (1491) ; FF 63, pièce 28 : « les yeulx rous » (1496).

spécifiquement, sur les lèvres est révélateur d'une nécrose[41]. Le noir est également un indice de corruption ou d'échauffement des humeurs (sang, phlegme, etc.) et souligne leur texture anormale[42]. Le gris, pour sa part, est réservé au sang, à la sclère de l'œil et au visage ; il sert à qualifier la dépigmentation de la peau et, comme le noir, à évaluer la texture des fluides[43]. Le blanc, enfin, aide à contraster et à marquer l'absence de coloration[44] ou, on l'a vu, la texture du corps (pieds « farineux »).

Les couleurs mises en exergue dans les cas de lèpre sont peu nombreuses (cinq principales) puisque la palette se développe surtout au moyen des nuances qui offrent l'avantage de décrire le degré de progression de la maladie. Quant à la répartition spécifique des teintes sur le corps, elle présume de l'existence d'une typologie chromatique de la maladie.

Vers une typologie chromatique du mal ?

La société médiévale pense qu'il existe quatre types de lèpre distincts résultant, chacun, d'un dérèglement humoral. La *Grande Chirurgie* de Guy de Chauliac, qui connaît une large diffusion en Occident et devient même la référence majeure des chirurgiens à la fin du Moyen Âge, explique au sujet de la lèpre que « nostre commune eschole en assigne quatre especes selon que les quatre humeurs peuvent estre bruslez et convertis en melancholie : Elephantie de melancholie, Leonine de cholere, Tyrie ou Serpentine de phlegme & Alopecie ou Renardiere de sang »[45]. Cette présentation donne, en creux, la définition du malade : celui qui n'a pas su ou n'a pas pu maintenir la syncrasie humorale de son corps[46]. De cette acception résulte un système de pensée complexe qui pousse les médecins à rechercher l'humeur à l'origine du mal de leurs patients et ce, par le prisme des signes équivoques et univoques. Les couleurs comptent, on l'a vu, parmi ces indices. Évoquées

---

[41] AD 63, 3 E 113 dép. fonds 2, BB 18 : « les bolievres grosses et tubereuses, mortes et fusques » (1488) ; FF 63, pièce 30 : « mosvetz visage tandant a couleur noere » (1496) ; FF 66, pièce 1 : « le visaige offusqué » (1525).

[42] AD 63, 3 E 113 dép. fonds 2, BB 18 : « son sang gros et noir, pesant et aduste » (1488).

[43] AD 63, 3 E 113 dép. fonds 2, FF 63, pièce 16 : « les yeux (…) livides » (1491) ; FF 63, pièce 20 : « au visage avons trouvé coleur plonbeuse » (1492) ; FF 63, pièce 31 : « le sant gros et afutz et corrumpu a coleur de plom » (1493) ; FF 66, pièce 1 : « le visaige plombé » (1525).

[44] AD 63, 3 E 113 dép. fonds 2, BB 18 : « les yeulx rous et n'est pas le blanc d'iceulx la vraye blancheur » (1488).

[45] Laurens Joubert, *La Grande Chirurgie de M. Guy de Chauliac*, Lyon, 1659, p. 428-429.

[46] On soupçonne ainsi Pierre Chadaleuf d'être lépreux en 1501 à cause du « meschant gouvernement qu'il a eü en son temps et par trop boyre et menger extraordinairement et a heures indeües ». En 1525, on accuse Nicolas Usson qui « en sa jeunesse a mal vescu et a esté et est encore un grand gourmant et grand beveur ». Les mêmes observations ont conduit, en 1510, les experts à déclarer « ledit Bonvallet estre en chemin et voye de cheoir et tumber en ladite maladie de lepre si par medecine, scirurgie et bon regime n'est secouru ». AD 63, 3 E 113 dép. fonds 2, CC 378, pièces 2-3 (1501) ; FF 63, pièce 51 (1510) et FF 66, pièce 1 (1525).

par les témoins ou consignées dans les certificats médicaux, elles reflètent un désordre humoral et peuvent, *in fine*, permettre de nommer un type de lèpre précis. Les praticiens, empreints de médecine galénique, confirment ainsi que couleurs et humeurs sont intimement liées et suggèrent l'existence d'une typologie chromatique de la lèpre.

Ainsi, en 1491, la visite médicale pratiquée sur Hurban Tixier aboutit à un certificat de léprosité soulignant « une superfluité de san deüt de apostemes fredes et congelacion de nerfz ». Les spécialistes prononcent pareil verdict en 1493 à l'encontre de Robert Bertrand qui « est actain et infet de la maladie de lepre et l'espesse de quoy il est actaint est *alopicia* qui est de sangt corumpu et hafust »[47]. L'excès de l'humeur sanguine (rouge), cause de diverses lésions et déformations, est retenu comme un indice majeur du diagnostic et permet d'identifier la lèpre qui en est conséquence, l'alopecia. La couleur noire permet, elle aussi, de nommer la pathologie qui frappe, en 1494, le prêtre Durand Janyn. Les six experts réunis à la demande du tribunal de la Purge concluent que l'homme d'église est « actainct de la maladie de lepre nommée *elephansia* car en luy en sont tous les signes unyvoques et aucuns equivoques de ladite espesse *elephansia* qu'est de *colera nygra malencolica* ». L'humeur mélancolique (bile noire ou atrabile) est à l'origine du mal éléphantique dont souffre le prêtre. Pour étayer leur démonstration et attester du rôle spécifique de la couleur noire dans ce cas de lèpre, les médecins en appellent aux autorités de leur discipline tel qu'Avicenne :

> « ladite espesse *elephansia* qu'est de *colera nygra malencolica unde Advicena dicit, tercia seu quarta tractatui tertio cappitulo primo, quod lepra est mala infirmitas expersa in toto corpore procedens ex persione nygro in toto corpore quare corrumpitur complectio membrorum, forma et figura eorum* »[48].

L'extrait correspond, effectivement, à un passage du *Canon de la médecine*[49]. La référence au médecin arabe apparaît encore dans le certificat de léprosité de Pierre Botin sur qui les experts ont reconnu une forme « de lepre nommée *tiryasis* qu'est de fleumathe *corrupto ex ahustia* », c'est-à-dire un excès de phlegme ou lymphe (couleur blanche)[50].

D'une manière générale, les descriptions différentielles de la lèpre conservées dans le corpus produit par la Purge ne sont que le relais des divers théoriciens de la lèpre connus à la fin du Moyen Âge et au début de l'Époque moderne. On distingue l'influence d'Avicenne et de Guy de Chauliac ou encore d'Arnaud de Villeneuve qui a, lui aussi, mis en exergue

---

[47] AD 63, 3 E 113 dép. fonds 2, FF 63, pièces 16 (1491) et 31 (1493).

[48] AD 63, 3 E 113 dép. fonds 2, FF 63, pièce 27 (1494).

[49] Luke DEMAITRE, *Leprosy in Premodern Medicine. A Malady of the Whole Body*, Baltimore : The Johns Hopkins University Press, 2007, p. 112.

[50] AD 63, 3 E 113 dép. fonds 2, FF 63, pièce 26 : « en ledit messire Pierre Botin sont tous les signes unyvoques et aucuns equivoques de ladite espesse desus dite *unde Advicena dicit, tertia seu quarta tractatui tertio, cappitulo primo* [...] » (1494). Sur l'importance accordée à la couleur de la peau dans les écrits d'Avicenne, voir *supra* la contribution de Joëlle Ricordel.

le rapport intime liant les humeurs, les couleurs et les différentes lèpres. Les portraits qu'il dresse de chacune des lèpres dans son *Compendium medicine* insistent sur la prédominance et l'influence de telle ou telle couleur[51]. Les écrits théoriques et les sources de la pratique se font donc écho et définissent une même typologie chromatique de la lèpre :

Tableau 3. Les lèpres médiévales

Humeur(s)	Couleur(s)	Type(s) de lèpre
Sang	Rouge	*Alopecia* (vulpine)
Atrabile (ou bile noire)	Noir et gris	*Elephantia* (éléphantine)
Bile (ou bile jaune)	Jaune	*Leonina* (léonine)
Phlegme	Blanc	*Tirias* (serpentine)

Conclusion

Le tribunal royal de la Purge a produit une documentation sérielle, riche et variée dès le début du XVe siècle. C'est une juridiction particulièrement originale et, semble-t-il, unique au sein du royaume de France, mais sa compétence est limitée au dépistage des indésirables lépreux. Le corpus de sources produit par la cour offre donc de nombreux intérêts pour l'historien. Il permet d'entrevoir l'histoire d'une endémie célèbre à une période qui semble charnière car elle est marquée par une nette récession de la maladie. La documentation de la Purge comble un hiatus documentaire et montre les connaissances que l'on a alors de la lèpre. On constate d'abord que l'endémie est désormais bien connue des praticiens qui peuvent compter sur les écrits de grands noms tels qu'Avicenne, Bernard de Gordon, Guy de Chauliac et tant d'autres. À la fin du Moyen Âge, ces références sont assimilées et largement diffusées puisqu'on en retrouve la trace jusque dans les milieux populaires comme le démontre l'étendue du savoir des empiriques. La *vox populi*, exprimée dans les enquêtes de la Purge, confirme aussi l'existence d'un socle commun de connaissances en matière de lèpre. La société, dans son ensemble, maîtrise les principaux symptômes de la *facies leprosa :* lésions cutanées, déformations du visage, coloration anormale de la peau.

Justement, les couleurs figurent parmi les signes avancés lors du diagnostic de lèpre. La palette chromatique utilisée, on l'a vu, repose sur cinq coloris principaux que l'on décline, aux besoins, par le biais des nuances (clair / foncé). Les couleurs révèlent alors diverses atteintes (extérieures comme intérieures), elles attestent parfois de la progression de la maladie et peuvent même conduire, quand elles sont associées aux humeurs, à la nomination d'un type de lèpre précis. Bien qu'elles soient fréquemment invoquées, leur place dans la symptomatologie de la lèpre à la

---

[51] Fr. BÉRIAC, *op. cit.* (*supra* note 18), p. 36-37.

fin du Moyen Âge n'est pas exclusive ni prépondérante parmi la liste des signes recensés. Arnaud de Villeneuve invite d'ailleurs les médecins à la plus grande circonspection quand il conseille, dans le *De signis leprosorum libellus*, de « prendre une tablette pour noter les bons et les mauvais signes, sans en oublier un seul, avant de tirer des conclusions »[52] qui engagent l'avenir des malades et concernent « le proffit et utillité de la choze publicque »[53].

---

[52] Fr. BÉRIAC, *Histoire des lépreux…* (cité *supra* n. 18), p. 46-47.
[53] AD 63, 3 E 113 dép. fonds 2, FF 65, pièce 1 (1524).

Les causes d'une couleur : la Peste noire

Bertha M. GUTIÉRREZ RODILLA[1]

L'apparition périodique de pestes ou pestilences est une constante, depuis la préhistoire jusqu'à nos jours. Si en Égypte on vénérait, il y a 3000 ans, la divinité *Sekmeth* dédiée, semble-t-il, à la peste et si, dans certaines momies on a des preuves de la très ancienne existence de la lèpre, il faut signaler aussi que dans tous les livres sacrés des différentes religions, en particulier le Talmud, la Bible et le Coran, on parle non seulement de l'apparition, du développement et des conséquences de différentes épidémies mais aussi de ce qu'on pourrait considérer les premiers recommandations pour éviter la contagion et transmission des maladies infectieuses.

De toutes ces maladies, on s'occupera ici de l'épidémie de peste connue comme la « Peste noire » qui frappa l'Europe au XIVe siècle. Grâce à l'ADN récupéré sur des restes trouvés au cimentière *East Smithfield* à Londres en 2011, on identifia le génome complet de son agent pathogène, la bactérie *Yersinia pestis*. Celle-ci a produit, au moins, trois grandes pandémies dans l'histoire : la première, apparue autour de l'an 541 (VIe-VIIe siècles), aussi appelée « Peste de Justinien » qui sévit dans l'empire byzantin et fit plus de 300 000 morts ; la deuxième, datée traditionnellement de la moitié du XIVe siècle, aussi appelée « Peste noire » ou « Mort noire » dont on parlera plus loin, et la troisième, entre 1894 et 1930, connue comme la « Peste de Hong Kong ». C'est précisément lors de cette troisième épidémie que le microbiologiste suisse Alexandre Yersin isola pour la première fois, en 1894, l'agent causal, une bactérie très sensible à la chaleur, à la lumière et aux antiseptiques les plus habituels.

L'infection par la *Yersinia pestis* est transmise par des rongeurs, bien que dans des circonstances très spéciales elle puisse être transmise aux humains et à d'autres mammifères tels que les chiens, les chats, les singes, etc. Le réservoir permanent de la *Yersinia pestis* est constitué par les rongeurs sauvages qui sont relativement résistants à l'infection, tels que les marmottes au sud de la Chine, les musaraignes en Inde, les « cuys » ou cobayes sauvages en Amérique du Sud ou les écureuils aux États-Unis. Or, tandis que ces animaux sont assez résistants à la maladie — puisqu'ils ont été son principal réservoir durant des siècles — il n'en est pas de même pour des rongeurs tels que les rats, surtout les domestiques. Ils sont un facteur fondamental dans le déclenchement des épidémies en même temps qu'ils permettent la rapide détection de la présence de la peste et la prise de

[1] Professeur d'Histoire des Sciences, Université de Salamanque, IEMyRhd, Universidad de Salamanca (España).

mesures préventives : le fait de trouver de nombreux rats morts, en particulier en dehors de leur habitat naturel, constituait un clair indice de l'existence de la peste.

Le processus de contagion le plus fréquent est simple : une puce de rat, appartenant au genre *Xenopsilla*, pique le rongeur, absorbe son sang — où se trouvent les bacilles de la *Yersinia pestis* — puis, lorsqu'elle pique un rat, d'autres animaux ou un humain, elle les infecte par le biais de l'inoculation de ce sang. La maladie pourrait aussi se transmettre par contact direct avec les liquides corporels infestés ou des objets contaminés ou, même, par l'inhalation de gouttelettes ou particules provenant d'individus atteints de peste pulmonaire. La maladie ainsi transmise peut se présenter de différentes manières. La plus fréquente est la forme ganglionnaire dans laquelle les symptômes apparaissent d'une manière brusque après une période d'incubation d'une durée qui varie entre 2 et 12 jours : fièvre, frissons, faiblesse et hallucinations et, peu de temps après, l'hypertrophie des ganglions ou « bubons » qui deviennent très douloureux et dont le très gros volume donne le nom de « bubonique » à la maladie. Les ganglions touchés, après l'hyperplasie initiale, évoluent vers la nécrose et la suppuration. La mortalité par cette forme clinique de la maladie varie entre 40 % et 90 % de la population infectée. La bactérie est parfois disséminée dans tout l'organisme par le biais du sang donnant lieu alors à une hémolyse intense et à l'apparition de taches noires cutanées. Cette évolution, aussi dénommée peste septicémique est mortelle chez 100% des infestés. Parfois le bacille est introduit par inhalation ; il arrive aux poumons et produit une pneumonie associée fréquemment à une insuffisance circulatoire. C'est la forme pneumonique ou pulmonaire qui produit — même actuellement en pleine ère antibiotique — une mortalité de 90 % à 100 % des cas[2].

La peste au XIVᵉ siècle

Après ce bref rappel médical et épidémiologique, nous aborderons l'épidémie de peste du XIVᵉ siècle. L'origine de la dénomination « Peste noire » — telle qu'elle est connue — n'est pas évidente et les divers auteurs ne se mettent pas d'accord non plus à propos du lieu exact où l'épidémie commença[3]. Ainsi, par exemple, certains signalent le sud-est de la Chine en 1253, dans une zone qui demeure endémique de la peste. Pour d'autres, elle serait originaire de la région du Lac Baïkal, en Russie, où les archéologues

---

[2] José María EIROS BOUZA, María Rosario BACHILLER LUQUE, Raúl ORTÍZ DE LEJARAZU, « Bases para el manejo médico de enfermedades bacterianas potencialmente implicadas en bioterrorismo: ántrax, peste, tularemia y brucelosis », *Anales de Medicina Interna*, 20, 10, 2003, p. 540-547, 2003, part. p. 543-544.
[3] Par exemple, Ole J. BENEDICTOW, *The Black Death. 1346-1453. The Complete History.* Woodbridge : Boydell Press, 2006, p. 35-54 ; Jean-Noël BIRABEN, *Les hommes et la peste en France et dans les pays européens et méditerranéens*, t. I, *La peste dans l'histoire*, Paris : Mouton, 1975, p. 49-55 ou Carlos E. SÁNCHEZ DAVID, « La muerte negra. "El avance de la peste" », *Revista Med.*, 16, 1, 2008, p. 133-135, part. p. 134.

ont trouvé des catacombes chrétiennes avec de clairs indices d'une mortalité très élevée vers 1340 et qui suggéreraient la présence de la peste. Cependant, il semble émerger un consensus pour admettre que la coutume, parmi les Mongols, de tuer les marmottes — réservoir naturel de la *Yersinia pestis* comme il a été signalé plus haut — pour l'utilisation et commerce de leur peau, aurait été décisive dans la transmission de la maladie vers l'Europe suivant des routes commerciales comme celle de la soie. En tout cas, le début de ce que l'on considère comme la grande « offensive » est souvent datée en 1347 à Caffa (ancienne Théodosie, actuelle Feodossia, en Crimée), un important port génois sur les rives de la Mer Noire, à partir duquel elle se serait propagée dans toute l'Europe. Après le siège de la ville par les Mongols, des commerçants génois et vénitiens ayant pu se sauver sont partis, emportant le germe de la peste avec leurs effets personnels qu'ils transmirent, d'abord à Constantinople, capitale de l'empire byzantin, ensuite en Sicile et, finalement, à Gênes et à d'autres ports italiens à partir desquels la maladie se serait disséminée dans tout le continent.

Il n'est pas, non plus, facile d'estimer le nombre de décès, bien qu'on parle d'une mortalité de 30 à 60 % de la population[4]. C'est ainsi que si la population européenne oscillait entre 75-85 millions de personnes avant l'arrivée de la peste, en 1347, elle se réduisit à 51 millions et, à la fin du siècle, à 45 millions. Il n'est pas insensé de penser que cette mortalité aurait été moindre si la peste n'avait pas trouvé une situation préalable favorable à son développement. En effet, l'interruption des pratiques habituelles liées à l'agriculture et au commerce, à cause des guerres, ainsi que des conditions climatiques difficiles provoquèrent des disettes de sorte que les personnes affaiblies par la faim et par les mauvaises conditions de vie auraient été plus réceptives à la maladie et incapables de lutter de manière effective contre elle, une fois infestées ; un autre facteur à considérer serait le déficit immunitaire de la population contre un agent causal qui lui était inconnu. Autrement dit, bien que la peste eût fait de toutes manières son apparition, les populations n'auraient pas succombé si facilement et la gravité du mal n'aurait pas été si extrême dans d'autres conditions[5].

Les causes d'une dénomination

Nous arrivons maintenant à la dénomination de « Peste noire » ou « Mort noire » dont l'origine n'est pas facile à identifier et pour laquelle

[4] O. J. BENEDICTOW, *op. cit.* (*supra* note 3), p. 380-384.
[5] Cependant, tout le monde n'est pas d'accord avec cette idée. *Cf.* Marcelino V. AMASUNO SÁRRAGA, *La peste en la corona de Castilla durante la segunda mitad del siglo XIV.* Salamanca : Junta de Castilla y León, 1996, p. 12 ; O. J. BENEDICTOW, *op. cit.* (*supra* note 3), p. 380-384 ; J.-N. BIRABEN, *op. cit.* (*supra* note 3), p. 147-154 ; Elisabeth CARPENTIER, « Autour de la Peste Noire : Famines et épidémies dans l'histoire du XIVe siècle », *Annales ESC,* 17, 1962, p. 1062-1092, ou Ángel VACA LORENZO, « La peste Negra en Castilla. Aportaciones al estudio de algunas de sus consecuencias económicas y sociales », *Studia Historia. Historia medieval,* Salamanca : Ed. Universidad, 1984, p. 89-107.

l'histoire mélange des opinions et des arguments variés, et plus ou moins vraisemblables.

Le propre mot « peste », d'étymologie encore à expliquer, possède une longue histoire. Dans le *Corpus Hippocraticum* (V^e- IVe siècles av. J.-C.), le terme employé pour signaler les épidémies répandant différentes maladies, pas seulement la peste, est *loimós* qui signifie « ruine », « fléau », « destruction » car les maladies concernées partageaient trois caractéristiques : malignes, ce qui se traduisait par une mortalité élevée ; pernicieuses, leur tableau clinique était en effet très grave, même quand le patient ne décédait pas ; et frappant une grande partie de la population. Dans le monde romain, le terme grec est traduit par *pestis* et c'est ainsi que le mot entre de plain-pied dans la médecine et la culturelle occidentales. Ainsi, quand on parle de *peste* dans les textes anciens et médiévaux, ce n'est pas forcément de la maladie produite par la *Yersinia pestis* que l'on parle, mais de divers types de maladies épidémiques malignes, pernicieuses et massives[6].

A l'égal de *loimós*, le terme latin *pestis* est employé en différents contextes (« fléau », « calamité », « destruction », « épidémie », « plaie » ou « ruine ») ce qui a favorisé la confusion de son utilisation depuis le Moyen Âge jusqu'à nos jours[7]. Plusieurs dérivés du latin sont ainsi nés : *pestifer, pestilens, pestilentus, pestilentia, pestilitas, pestilis, pestibilis, pestilentiarius, pestilentiosus, pestimus*. Nombreux de ces termes sont passés aux langues modernes tel que l'allemand (*Pest*), l'anglais (*pest, pester, pestilence* ...)[8], l'espagnol (*peste, apestar, apestado, pestilente, pestilencia, pestoso* ...), le français (*peste, pester, pestilence, empester, pesteux* ...), l'italien (*peste, pestilenza, pestoso* ...) ou le portugais (*peste, pestilência, pestoso* ...) parmi d'autres.

En ce qui concerne l'origine de l'adjectif « noire » employé pour qualifier la peste du XIVe siècle, parfois aussi dénommée « mort », les propositions sont très variables. L'une des plus fréquentes soutient que cette dénomination est liée aux lésions noires produites sur la peau par

---

[6] Les confusions au sujet de ce mot perdurent ; pendant des siècles on a mal différencié son sens de celui de « pestilence » (Antonio CARRERAS PANCHÓN, *La peste y los médicos en la España del Renacimiento*. Salamanca : Instituto de Historia de la Medicina Española, 1976, p. 59-65) ou de « épidémie » (Luis PINO CAMPOS y Justo Pedro HERNÁNDEZ GONZÁLEZ, « En torno al significado original del vocablo griego *epidēmía* y su identificación con el latino *pestis* », *Dynamis*, 28, 2008, p. 199-215).

[7] Alfred ERNOUT, Antoine MEILLET, *Dictionnaire étymologique de la langue latine. Histoire des mots*, Paris : Klincksieck, 1979, *s.u.*, p. 502 [désormais abrégé *DELL*] ; Santiago SEGURA MURGUÍA, *Nuevo Diccionario etimológico Latino-Español y de las voces derivadas*. Bilbao : Universidad de Deusto, 2001, p. 561.

[8] Actuellement, en anglais, la peste est dénommée « plague », ce qui fait que, dans les traductions trop hâtives, il est fréquent de trouver le mot « plaie » au lieu de « peste ». Le mot « plaga » est associé au concept biblique de plaie, c'est-à-dire « châtiment divin », dérivé également du latin *plāga* (« coup », « blessure », « plaie » « fléau ») lié au verbe *plango* (« frapper » « blesser »). La racine de ce mot est similaire aux termes grecs *plēgē* et *plēgma* (« coup », « blessure », « disgrâce »), cf. *DELL, s.u.*, p. 511, n. 13.

l'ischémie[9]. D'autres pensent qu'elle serait en rapport avec la forme pneumonique de la peste, et que l'on parlerait de « peste noire » à cause de l'intense cyanose ou coloration bleuâtre produite sur les malades à la veille de leur mort[10]. Or ces explications ne sont pas tout à fait convaincantes. La première, parce que les tâches noires ou pustules hémorragiques sont, surtout, caractéristiques de l'évolution septicémique laquelle n'apparaît pas toujours et n'est pas très fréquente. La seconde, parce qu'elle est associée à la peste pulmonaire ou pneumonique qui ne semblerait pas être non plus la peste ayant prévalu au XIVe siècle. Par ailleurs, cette dénomination n'aurait pas été diffusée tout de suite entre les membres des différents groupes atteints. Elle ne se serait généralisée que quelques siècles plus tard, une fois le monde moderne bien installé[11]. Il s'agirait donc d'une expression anachronique, jamais employée dans les sources du XIVe siècle, et apparue bien plus tard.

Il est clair, en revanche, que l'origine de cette expression « est encore un petit mystère dans l'histoire de la peste »[12] et que les explications avancées — une comète noire visible à l'époque, une origine à Caffa, au bord de la mer Noire, un homme monté sur un cheval noir, voire un géant noir traversant la campagne — sont complètement infondées et appartiennent au domaine de la légende. Stephen D'Irsay soutient[13] que la dénomination pourrait dériver de la locution latine *atra mors* déjà employée par des auteurs comme Lucrèce ou Virgile — bien que ce soit Sénèque le premier à l'employer — pour qualifier les maladies épidémiques ou pestilentielles, à cause de leurs graves conséquences en tant que maladies « collectives », « générales » et « massives », par opposition aux maladies « individuelles » ou « particulières ». Bien plus tard, elle est utilisée par Gilles de Corbeil, médecin qui vécut aux XIIe et XIIIe siècles, dans son poème *De signis et sinthomatibus egritudinum* pour désigner une fièvre pestilentielle, sûrement à cause de son fâcheux pronostic, comme il arrivait avec toute maladie épidémique aiguë[14]. Cependant, il faut attendre le XVIIe siècle pour que le Danois Hans Isaksen [*Johannes Isacius Pontanus*] l'emploie dans un texte écrit à propos de la peste de la dernière moitié du

[9] Justus Friedrich Carl HECKER, *The Epidemics of the Middle Ages,* I : *The Black Death in the Fourteenth Century*, Philadelphia : Haswell, Barrington and Haswell, 1837, p. 10 ; Michel MOLLAT, Philippe WOLFF, *Uñas azules, Jacques y Ciompi. Las revoluciones populares en Europa en los siglos XIV y XV*, Madrid : Siglo XXI, 1976, p. 94 (ed. pr. Paris : Calmann-Lévy, 1975).
[10] Francisco CORTÉS GABAUDAN (dir.), *Diccionario médico-biológico, histórico y etimológico* [http://dicciomed.eusal.es].
[11] Francis Aidan GASQUET, *The Black Death of 1348 and 1349,* London : George Bell and sons (1908), 2e ed. 1893, p. 7 ; Stephen D'IRSAY, « Notes to the origin of the expression: 'Atra Mors' », *Isis*, 8, 2, 1926, p. 328-332, part. p. 328.
[12] Jon ARRIZABALAGA, « La Peste Negra de 1348: los orígenes de la construcción como enfermedad de una calamidad social », *Dynamis*, 11, 1991, p. 73-117, part. p. 79.
[13] St. D'IRSAY, *op. cit.* (*supra* note 11), p. 321-332.
[14] *Ibid.*, p. 328-329.

Moyen Âge[15]. Il le fait — semble-t-il — à partir des chroniqueurs antérieurs dont les textes ne se sont pas conservés, qui qualifiaient ainsi la peste du fait de ses terribles conséquences, c'est-à-dire sans aucun rapport avec les taches noires ou la coloration bleuâtre de la peau des quelques infestés. Nous y reviendrons.

En tout cas, il semble que cette même locution latine *atra mors* avait, à une date antérieure, été traduite littéralement[16] en plusieurs langues du nord de l'Europe[17], notamment en suédois (*swarta döden*), en 1555 déjà, ou en danois (*den sorte død*), en 1601. Cette traduction serait erronée, rappelle O. Benedictow[18], puisque *atra* a deux sens : « noir » et « terrible » et le premier aurait été adopté à la place du second. Ce fait serait confirmé par de nombreuses données comme le fait que l'italien emploie surtout l'expression *grande moria* (grande mortalité) ou que, dans la chronique de Alphonse XI de Castille, il soit question de cette pestilence, comme « grande mortalité » sans référence à la couleur, mais plutôt à ses effets meurtriers[19].

En ce sens, une autre donnée à signaler est que dans les documents conservés dans les Archives de la Couronne d'Aragon sur la peste de 1348, les termes utilisés sont parfois *épidémie,* mais beaucoup plus fréquemment *mors* ou *mortalitas* (-*tates*), seuls ou accompagnés par les adjectifs *gran, generalis, generales, infesta, infinite, ingens, inmense, pestilencialis pestilenciale, pestilens, terribilis, terribiles* ou *universalis*[20]. Le vocabulaire montre que la maladie était perçue comme une catastrophe, à cause de sa mortalité, qui s'ajoute à celle causée aussi par les guerres, les famines, les tempêtes ou les tremblements de terre, c'est-à-dire, par les « calamités sociales » dont le XIVᵉ siècle, en général, fut si affligé, en commençant par des conditions climatiques pénibles et leurs conséquences dans tous les domaines, vers la moitié du siècle[21]. En comparaison avec les autres causes de mortalité tout au long de ce siècle, la peste deviendrait *mortalitas prima* et *maxime mortalitates,* bref, le premier et plus grand événement d'une époque

---

[15] Fr. A. GASQUET, *op. cit.* (*supra* note 11), p. 7 ; St. D'IRSAY, *Ibid.,* p. 328.

[16] Philip ZIEGLER, *The Black Death,* Londres : Collins, 1969, p. 17-18.

[17] J. Fr. C. HECKER, *op. cit.* (*supra* note 9), p. 10 ; Ingjald REICHBORN-KJENNERUD, « Notes and Queries: Black Death », *Journal of the History of Medicine and Allied Sciences,* 3, 1948, p. 359-360.

[18] Ole J. BENEDICTOW, *op. cit.* (*supra* note 3), p. 3.

[19] L. PINO CAMPOS y J. P. HERNÁNDEZ GONZÁLEZ, *op. cit.* (*supra* note 6), p. 208. Peut-être le même phénomène a-t-il eu lieu en anglais pour l'expression « Black Death » qui aurait pu être traduite, soit directement du latin, soit à partir des langues d'Europe du Nord et qui n'aurait été employée que vers la fin du XVIIᵉ siècle pour désigner la peste de 1348-1350 en opposition à celle de 1665, appelée « Great Plague ».

[20] Amada LÓPEZ DE MENESES, « Documentos acerca de la peste negra en los dominios de la Corona de Aragón », *Estudios de Edad Media de la Corona de Aragón (Sección de Zaragoza),* 6, 1956, p. 291-447 ; J. ARRIZABALAGA, *op. cit.* (*supra* note 12), p. 80-81.

[21] Susan L. EINBINDER, *After the Black Death. Plague and Commemoration Among Iberian Jews,* Philadelphie : University of Pennsylvania Press, 2018, Introduction.

nouvelle, caractérisée par les grandes mortalités[22]. Encore faudrait-il savoir si l'utilisation que Pontanus faisait du terme se limitait à la mortalité causée par la peste ou, en général, à toute la mortalité durant le XIVe siècle.

Quoi qu'il en soit, et sans aucun doute, la mort prenait au dépourvu, subitement et sans préparation ceux qui décédaient, de n'importe laquelle des infortunes signalées. Voilà pourquoi la mort apparaissait comme particulièrement dangereuse, parce que la destruction dramatique du corps était accompagnée d'une condamnation éternelle de l'âme, faute de préparation et de secours spirituel[23]. Il n'est pas surprenant alors que cette mort qu'on pourrait qualifier de « noire » — c'est-à-dire terrible par ses mauvaises conséquences sur l'âme — devienne obsédante dans la littérature, les sermons, l'art et toutes les autres manifestations culturelles durant les siècles postérieurs[24], au point que les habitants établirent avec clarté deux formes de mort : l'une, terrible ou noire et l'autre, qui pouvait même être bonne, la naturelle[25], un fait indiqué, par exemple, sur de nombreuses épitaphes de la Renaissance[26].

Conclusion et perspectives

Nous pensons donc qu'à l'origine de l'expression utilisée pour désigner précisément la peste du XIVe siècle se trouvaient la disgrâce, la dévastation et, bien sûr, la mort accompagnant habituellement la progression de la maladie, plutôt qu'une raison simplement physique, comme les lésions noires ou la couleur bleuâtre apparaissant parfois chez les malades, et bien au-delà des légendes et des explication fantaisistes d'une maladie où tout semblerait noir — même les rats transmetteurs de la maladie étaient noirs. Cette épithète *atra* « noire » qui, chez Sénèque, était adjointe aux infections aiguës d'évolution fatale et qui, chez Gilles de Corbeil, en plein Moyen Âge, était associé à une fièvre pestilente au pronostic funeste, aurait désigné, à partir du XVIIe siècle, une hécatombe passée : la terrible mortalité du XIVe siècle, avec toutes ses épouvantables catastrophes, parmi lesquelles se trouvait la peste[27].

À notre sens, c'est bien plus tard que la « mort noire » — qui désignait jusqu'à alors le décès produit non seulement par la peste mais aussi

---

[22] A. LÓPEZ DE MENESES, *op. cit.* (*supra* note 20) ; J. ARRIZABALAGA, *op. cit.* (*supra* note 12), p. 80-81.

[23] J. ARRIZABALAGA, *op. cit.* (*supra* note 12), p. 113.

[24] Adeline RUCQUOI, « De la Resignación al Miedo: la muerte en Castilla en el siglo XV », p. 51-66 in Manuel NÚÑEZ RODRÍGUEZ, Ermelindo PORTELA SILVA, *La idea y el sentimiento de la muerte en la historia y en el arte de la Edad Media,* Santiago de Compostela : Universidade de Santiago de Compostela, 1988, p. 51.

[25] Fernando MARTÍNEZ GIL, *La muerte vivida,* Toledo : Diputación Provincial, 1996, p. 131.

[26] Jaroslaw NOWASZCZUK, « 'Mors Atra' and 'Mors Bona': Two Ways of Presenting Death in Renaissance Latin Epitaphs », *Pamietnik Literacki (Literary Diary),* 99, 1, 2008, p. 5-16.

[27] Jean DELUMEAU, *El Miedo en Occidente,* Madrid : Taurus, 1989 (ed. pr. Paris : Fayard, 1978).

par tout désastre conduisant à une mort non naturelle — finira par se spécialiser et désigner exclusivement et spécifiquement la peste du XIVe siècle. L'expression « peste noire » serait devenue synonyme de « mort noire » postérieurement. À notre avis, ce n'est qu'au XIXe siècle — lorsque les premières études sérieuses rétrospectives sur cette épidémie voient le jour[28] — que ces expressions sont apparues dans d'autres langues. Tout au moins pour l'espagnol, cette supposition est corroborée par les difficultés à trouver des textes antérieurs à cette époque où les expressions « mort noire » ou « peste noire » soient utilisées pour désigner l'épidémie des années 1340. Même au XIXe siècle, les textes avec ces expressions sont rares, encore plus s'ils proviennent de la première moitié du siècle. Tout cela fait penser que la prolifération postérieure de ces deux expressions en espagnol — et probablement aussi dans d'autres langues romanes, en particulier au XXe et XXIe siècles — n'est que le résultat de l'inévitable essor de l'anglais dans les productions scientifiques durant cette période : lorsque les historiens contemporains de langue anglaise commencèrent à mener des recherches sur le passé de la maladie, l'existence d'une *Great Plague* à Londres, au XVIIe siècle, aurait empêché l'utilisation de *great*, « grand » pour qualifier la peste du XIVe siècle. Donc, ils choisirent l'expression *Black Death* pour parler de manière restrictive de l'épidémie du XIVe siècle. Le passage à d'autres langues européennes se serait produit par le biais de l'équivalent qui existait bien avant (*schwarzer Tod, swarta Döden, sorte Død, etc),* dans le cas des langues nordiques ou germaniques et d'une traduction littérale (*muerte negra, mort noire, morte nera, mort negre, etc*) pour le reste des langues, en général romanes. Sachant que ces historiens parlaient, en réalité, de la peste et puisqu'en anglais l'expression *black plague* existait aussi, il a semblé commode, dans ces dernières langues, d'adjoindre une « peste noire » à cette « mort noire » pour les utiliser indifféremment durant le XXe siècle et délaisser d'autres dénominations préalables[29]. Nous irons plus loin encore : nous sommes convaincue qu'il y aurait existé une tradition — que l'on pourrait appeler méditerranéenne ou romane — où le qualificatif le

---

[28] O. J. BENEDICTOW, *op. cit.* (*supra* note 3), p. 5 ; Jose Luis BELTRÁN MOYA, « La peste como problema historiográfico », *Manuscrits,* 12, 1994, p. 283-319.

[29] Pour ne donner que deux exemples, à partir d'une recherche rapide sur internet : pour l'italien, *morte nera* compte 188 000 entrées et *peste noire* 94 200. En espagnol, à l'inverse, *peste negra* obtient 497 000 résultats et *mort noire,* 147 000. En tout cas, c'est très loin des 2 360 000 occurrences du *schwarzer Tod* allemand. Ces recherches sont à affiner et comportent probablement des résultats non pertinents. Lorsqu'on parle de cette épidémie en particulier, ces données pourraient indiquer que *mort noire* et *peste noire* rivalisent avec d'autres dénominations, aussi bien en italien qu'en espagnol, car il ne semble pas logique de penser qu'en allemand il y ait quatre fois plus de pages qu'en espagnol à propos de cette pestilence, quel que soit son nom. Il semble, en outre, que le poids de l'anglais est encore plus fort en italien qu'en espagnol (66% de *morte nera* face à 33% de *peste nera.* En espagnol, plus de 75% correspond à *peste negra* et moins de 25% à *muerte negra*). De même, dans plusieurs exemples espagnols, *muerte negra* apparaît entre guillemets, comme si le terme était moins répandu, au moins dans certains domaines, et devait avoir le traitement que l'on donne à des mots ou expressions qui n'ont pas encore un statut bien défini.

plus fréquemment employé pour cette peste était « grande » et qu'il aurait existé une tradition nordique, germanique, où l'adjectif « noir » serait imputable à une erreur de traduction de l'*atra* latin dont j'ai déjà parlé. Aussi, avec le triomphe de la littérature scientifique en langue anglaise à partir de la fin du XIXe siècle et plus spécialement au XXe et XXIe siècles, qui s'est répandu à d'autres domaines comme l'historiographie, la tradition nordique de « mort noire » aurait fini par s'imposer, par le biais de l'anglais, aux autres langues méditerranéennes.

Pour établir de manière concluante et définitive cette hypothèse, il faudrait approfondir la recherche, chercher l'apparition de l'expression dans plusieurs langues européennes et enquêter sur son évolution postérieure. Une recherche sans doute très intéressante, mais qui excède les limites de ce travail.

Toxicité, maladies professionnelles et couleur de peau à l'époque moderne (XVIe-XVIIIe siècles)

Élisabeth BELMAS[1]

En 1773, dans la préface de son premier numéro, la *Gazette de Santé* annonçait qu'elle s'attacherait à relater les souffrances des malheureux ouvriers « dont la santé est si souvent altérée ... par les émanations des matériaux qu'ils mettent en eux »[2]. Si les maladies professionnelles sont connues, pour certaines, depuis l'Antiquité, elles sont de mieux en mieux identifiées et décrites à partir du XVe siècle. À l'époque moderne, elles ont été étudiées par de nombreux auteurs, médecins et scientifiques, lesquels ont soigneusement répertorié leurs symptômes, ont essayé d'en comprendre les conséquences physiologiques et ont proposé des solutions pour les prévenir et / ou les combattre. Parmi les signes qui composaient le tableau clinique desdites maladies, la couleur de la peau est souvent évoquée de façon stéréotypée, alors qu'on souhaiterait en apprendre davantage sur les teintes prises par l'épiderme des sujets victimes d'une affection professionnelle.

Deux catégories de sources aident à en retrouver les nuances : des ouvrages médicaux en premier lieu, dont le livre majeur de Bernardino Ramazzini, médecin italien du XVIIe siècle (1633-1714), professeur à Modène puis à Padoue et enfin à Venise. En 1700, il publia une somme, *De Morbis Artificum Diatriba* (*Traité des maladies des artisans*), dont l'idée lui était venue à Modène, alors qu'il observait des vidangeurs occupés à nettoyer les latrines de sa demeure[3]. Réimprimé en 1713 avec un supplément de douze chapitres, l'ouvrage fit autorité dans toute l'Europe jusqu'au XIXe siècle. Diffusé très rapidement en Allemagne, publié à Londres et à Genève, il fit l'objet de plusieurs traductions, notamment en langue française. Antoine-François de Fourcroy (1755-1809), médecin et brillant chimiste, était encore étudiant lorsqu'il traduisit, en 1777, l'ouvrage de B. Ramazzini puisqu'il fut reçu docteur en 1780, trois ans après la parution du *Traité des maladies des artisans* ; non content de traduire le livre de B. Ramazzini, il l'avait complété et annoté. C'était un travail considérable qui favorisa sa carrière car il fut nommé professeur au Jardin du Roi en 1784 et reçu à l'Académie des Sciences en 1785[4]. Une seconde traduction,

---

[1] Professeur d'Histoire moderne, université de Paris XIII ; MSH Paris-Nord, UMR 8156 CNRS-Inserm-EHESS-UP13.
[2] *Gazette de santé*, préface au premier numéro (1773), cité par Thomas LE ROUX, « Santé et souffrance au travail : une nouvelle préoccupation à la fin du XVIIIe siècle ? », *Revue d'histoire de la protection sociale*, 2, 2009, p. 13-29, ici p. 17.
[3] Bernardino Ramazzini, *De morbis artificum diatriba*, Modena : Antonii Capponi, 1700.
[4] Antoine-François de Fourcroy, *Essai sur les maladies des artisans*, tr. du latin avec des notes et des additions, Paris : Moutard, 1777, « Introduction », p. XVII. L'édition consultée date de 1855, à Paris : Adolphe Delahays ; elle est reprise de celle de 1777.

intitulée *Traité des maladies des artisans et de celles qui résultent des diverses professions,* est due en 1822 au médecin Philibert Patissier (1791-1863), membre de l'Académie de médecine[5].

Deux autres recueils médicaux ont alimenté la présente étude : *La Médecine, la chirurgie et la pharmacie des pauvres*, en trois volumes, publiée en 1740, à titre posthume, œuvre de Philippe Hecquet (1661-1737), professeur de médecine à la Faculté de Paris et janséniste notoire[6] ainsi que la *Médecine domestique ou traité complet des moyens de se conserver en santé*, parue en 1769, du médecin écossais William Buchan (1729-1805), un *best-seller* du genre, qui connut dix-neuf rééditions du vivant de son auteur[7] et fut traduit en français en 1775-1778. Pour finir, un manuscrit inédit, conservé dans la *collection Amoreux* aux archives de la Faculté de médecine de Montpellier[8], a parachevé ce bref inventaire des maladies profession-nelles. Intitulé *Indication de quelques moyens de garantir les broyeurs de couleurs des maladies qui les attaquent fréquemment, et qui sont la suite de leur travail, Pour servir de réponse a la question proposée sur le sujet par l'Académie Royale des Sciences, dans cadre du Prix Montyon des Arts insalubres,* il date de 1789 et énumère en détail les maux subis par les broyeurs de couleurs minérales qui travaillaient pour les peintres.

Des différentes maladies professionnelles décrites par ces auteurs éminents, on ne retiendra ici que les maladies « causées par des molécules qui, mêlées sous forme de vapeurs ou de poussière à l'air que les ouvriers respirent, pénètrent dans leurs organes et en troublent les fonctions », c'est-à-dire les affections consécutives au maniement de substances toxiques (minérales ou végétales), dont le recensement ne cesse de s'allonger au XVIIIe siècle[9] ; on écartera « les maladies causées par l'excès ou le défaut d'exercice de certaines parties du corps », à savoir les troubles et / ou les déformations musculo-squelettiques[10]. Dès lors, trois questions se posent

---

[5] Philibert Patissier, *Traité des maladies des artisans et de celles qui résultent des diverses professions,* Paris : J.-B. Baillière, 1822.

[6] Philippe Hecquet, *La Médecine, la chirurgie et la pharmacie des pauvres*, Paris : Veuve Alix, 1740, 3 vol., *cf.* Laurence BROCKLISS, « The medico-religious universe of an early eighteenth-century Parisian doctor: the case of Philippe Hecquet », in *The Medical Revolution of the Seventeenth Century*, Roger FRENCH & Andrew WEAR (dir.), Cambridge : University Press, 1989, p. 191-221.

[7] William Buchan, *Domestic Medicine or the Family Physician,* Edinburgh : Balfour, Auld, Smellie, 1769 ; W. Buchan, *Médecine domestique ou traité complet des moyens de se conserver en santé,* trad. de l'anglais par J. D. Duplanil, Edimbourg & Paris : G. Desprez, 1775-1778, 5 vol. in-8°. Le chapitre II du premier tome traite succinctement des maladies professionnelles.

[8] Bibliothèque interuniversitaire de Médecine de Montpellier, Fonds Amoreux, manuscrits autographes, t. II, n°4, donnés par M. Fages (Noël) professeur agrégé, chirurgien et recteur de la Faculté de médecine au XIXe siècle. Ce manuscrit anonyme fait partie de la collection Amoreux, une famille qui, au XVIIIe siècle, a donné deux médecins notoires à la faculté de Montpellier, le père, Guillaume et surtout le fils, Pierre-Joseph.

[9] B. Ramazzini, *op. cit. (supra* note 3), Introduction, p. 14.

[10] *Ibidem.*

devant la floraison de cette littérature médicale, au XVIIIe siècle. Le nombre de métiers insalubres a-t-il augmenté à l'époque ou faut-il y voir l'expression d'un intérêt scientifique croissant pour les dangers que ces métiers entraînaient ? Quelles étaient alors les connaissances sur la toxicité des substances qu'ils employaient ? Quelles étaient les couleurs de la peau associées aux maladies qu'ils engendraient ?

Le nombre de métiers insalubres a-t-il augmenté au XVIIIe siècle ou faut-il y voir l'expression d'un intérêt scientifique croissant ?

Une connaissance médicale ancienne des métiers insalubres

Un certain nombre des *métiers insalubres*, pour reprendre la terminologie en usage aux XVIIe-XVIIIe siècles, était identifié depuis fort longtemps. La quasi totalité appartenait aux « arts mécaniques », c'est-à-dire aux métiers artisanaux. La liste des métiers cités par B. Ramazzini et A.-F. de Fourcroy, ainsi que le souligne l'historien des sciences, Julien Vincent, frappe par son caractère hétérogène[11]. Les deux médecins ont rassemblé des observations éparses faites par leurs prédécesseurs. Ils ont consulté des ouvrages médicaux, historiques et techniques et puisé maints exemples dans l'Antiquité, telles les observations d'Hippocrate sur les foulons (la véracité de cet exemple étant aujourd'hui mise en doute) ou celles de Galien sur les ouvriers qui travaillaient dans les mines de cuivre de Chypre[12]. Ils citent, parmi d'autres, les investigations de Guillaume de Baillou menées sur les vidangeurs de boue parisiens[13], les recherches de François Citois sur la maladie des peintres, de Jean Fernel sur « l'affection symptôme », de Jacques-Joseph Gardane, fondateur de la *Gazette de santé* en 1773, de Jean-Baptiste Van Helmont sur les « exhalaisons ». B. Ramazzini et A.-F. de Fourcroy ont complété leur enquête en s'entretenant et / ou en correspondant

---

[11] Julien VINCENT, « Ramazzini n'est pas le fondateur de la médecine du travail », *Genesis*, 2012, en ligne, p. 88-111.

[12] « Les aines des foulons se tuméfient, étant dures et indolores ; de plus, dans la région pubienne et au cou, gonflements similaires, gros ; fièvre ; au préalable, ils toussaient à la suite de ruptures. Au troisième mois ou au quatrième, le ventre se fondit ; des chaleurs survinrent ; langue sèche ; soif ; évacuations par le bas fâcheuses chez chacun. Ils moururent. » [Hippocrate], *Epidémies* VII 81, édition, traduction et notes de J. Jouanna, Paris : Les Belles Lettres (CUF), 2003. Les foulons qui blanchissaient les tissus et nettoyaient les vêtements, exerçaient un métier désagréable et nocif, à cause de l'usage du soufre et de l'urine humaine. À la suite de B. Ramazzini, les historiens de la santé citent généralement ces cas comme des exemples de la reconnaissance des maladies professionnelles dans l'Antiquité. Selon J. Jouanna, l'auteur hippocratique aurait parlé d'une « maladie qui attaquait plutôt les foulons que les autres artisans » (B. Ramazzini, *op. cit.* (*supra* note 3), ch. 14). En outre, J. Jouanna souligne que le sens de *hoi boubônes* est incertain et peut se traduire par « glandes » ou « bubons ». Se fondant sur les connaissances médicales actuelles, il doute que l'affection décrite ici puisse être due à la pratique du métier de foulon et frapper plusieurs personnes en même temps et de façon identique.

[13] Guillaume de Baillou, *Epidemiorum & ephemeridum libro duo*, édition Thévart, Paris : Quesnel, 1640, Automne 1577, p. 206.

avec leurs confrères de diverses cités européennes[14]. Il est certain que l'intérêt des médecins et des scientifiques pour les arts mécaniques insalubres n'a cessé de se développer depuis le XVe siècle, après que l'exploitation des minerais métalliques a repris en Allemagne puis dans le reste de l'Europe ; l'extraction du charbon de terre venant s'y s'ajouter au XVIIIe siècle. À partir de 1730, le sujet était abordé régulièrement par les médecins tels le Français Ph. Hecquet ou l'Écossais W. Buchan. Il était traité dans l'*Encyclopédie* de Denis Diderot et de Jean Le Rond d'Alembert — la première à évoquer la maladie des doreurs dans l'édition de 1772 —, puis dans l'*Encyclopédie méthodique*[15] lancée en 1782. Cette attention soutenue pour les maladies professionnelles s'explique non seulement par le goût bien connu du XVIIIe siècle pour les disciplines scientifiques mais aussi par l'essor de la production de biens de consommation. La demande en bimbeloterie (montres, petits bijoux, tabatières, glaces, éventails) a augmenté tant dans les villes que dans les campagnes environnantes, pendant que la décoration intérieure s'enrichissait et que le confort domestique s'améliorait[16]. La production en quantités croissantes de ces objets a entraîné la dégradation des conditions de travail des ouvriers qui travaillaient à leur fabrication. Un artisanat de luxe polluant s'est développé dans les principales capitales européennes: doreurs, miroitiers, horlogers, peintres, chapeliers employaient de véritables poisons pour façonner les objets à la mode. C'est dans ce contexte que l'utilisation de substances toxiques par de nombreux métiers est devenue une question de santé publique.

Une question de santé publique au XVIIIe siècle

Au cours des dernières décennies du XVIIIe siècle, la conjonction des mouvements pré-hygiéniste et philanthropique ainsi qu'une probable dégradation des conditions de travail dans les ateliers ont avivé la curiosité des milieux éclairés — scientifiques, médecins et philosophes —, pour les activités artisanales et les maladies susceptibles d'en découler.

On considère généralement que la prise de conscience en aurait commencé dès le milieu du XVIIIe siècle en Angleterre, quand plusieurs sociétés savantes mirent au concours la prévention des maladies professionnelles et des accidents du travail. En 1775, le médecin londonien Percival Pott (1714-1788) décrivait, le premier, un cancer d'origine professionnelle, celui des ramoneurs de cheminées, dans lequel il mettait en

---

[14] Voir l'introduction du *Traité des maladies des artisans* de B. Ramazzini rédigée par A.-F. de Fourcroy (*op. cit. supra* note 4), où il énumère les sources consultées, p. 1-15.

[15] Denis Diderot, Jean Le Rond d'Alembert, *Encyclopédie ou Dictionnaire raisonné des sciences, des arts et des métiers*, t. 12, Neufchastel : Samuel Faulche, s. d., art. Plomb, p. 776. A.-F. de Fourcroy signe, en 1792, l'article sur la maladie des doreurs du *Dictionnaire des sciences médicales*, Paris : Panckoucke, 1818, vol. 30, p. 232-235.

[16] Ainsi que l'ont montré Annik PARDAILHÉ-GALABRUN, *La naissance de l'intime : 3000 foyers parisiens, XVIIe-XVIIIe siècles*, Paris : PUF, 1988, et Daniel ROCHE, *Histoire des choses banales. Naissance de la consommation, XVIIe-XVIIIe siècles*, Paris : Fayard, 1997, p. 57-58.

évidence le rôle de la suie[17]. La prise de conscience aurait été plus tardive sur le continent, à la suite de la mobilisation de l'Académie des Sciences et de la jeune Société royale de médecine, une appréciation à nuancer comme en témoigne la précocité des travaux (1757) de Jacques-René Tenon sur le procédé nocif du « secrétage » au mercure, importé de Londres vers 1725-1735 par les chapeliers parisiens[18]. L'attention des savants s'est alors tournée vers les ateliers, leur situation dans des rez-de-chaussée semi-enterrés, humides et sombres, leur disposition intérieure ainsi que vers les substances employées, autant d'éléments qui affectaient gravement la constitution des artisans. Même dans les grandes manufactures aux vastes ateliers, aérés et bien ordonnancés, les conditions de travail s'avéraient insupportables : dans la manufacture des glaces de la rue de Reuilly où s'affairaient plusieurs centaines d'ouvriers, l'atmosphère était tiède, lourde, suffocante, car le moindre courant d'air aurait compromis le poli des miroirs.

Les médecins, parmi les premiers, dénoncèrent les nuisances en milieu manufacturier. La *Gazette de santé* respecta le programme qu'elle avait défini à ses origines, en publiant des articles sur les carriers (janvier 1774), les tailleurs de grès (juin 1775), les peintres qui broyaient eux-mêmes leurs couleurs (septembre 1775), les doreurs sur métaux (février 1776), les chapeliers (mars 1776) et les fossoyeurs (septembre 1776). Plusieurs ouvrages médicaux sur les nocuités professionnelles sortirent entre 1757 et 1775, dont ceux de J.-J. Gardane, docteur-régent de la Faculté de médecine de Paris, sur la colique métallique en 1768 puis, en 1776, les « mauvais effets de la fumée de la litharge »[19]. S'y ajoutèrent[20] les articles du *Journal de médecine, chirurgie et pharmacie* entre 1780 et 1789 ainsi que des enquêtes médicales non publiées, comme celle de Jean-Jacques Leroux des Tillets sur la manufacture royale de porcelaine de Sèvres[21].

La création de la Société royale de médecine à la fin de 1776 servit de catalyseur, car dès sa création, elle se donna comme objectif l'étude des maladies des artisans, parallèlement à la surveillance des épidémies. En adressant un questionnaire ciblé à son réseau de correspondants (situation et étendue des ateliers ; nature des eaux utilisées ; instruments et matériaux employés ; procédés de traitement mis en œuvre ; nourriture et vêtements

---

[17] Percival Pott, *Chirurgical observations relative to the cataract, the polypus of the nose, the cancer of the scrotum, the different kinds of ruptures and the mortifications of the toes and feet*, London : Carnegy, 1775.

[18] Les travaux de Jacques-René Tenon sur le « secrétage » ont commencé dès 1757, donc bien avant leur publication en 1806. Michel VALENTIN, « Jacques Tenon (1724-1816), précurseur de la médecine sociale », *Histoire des Sciences médicales*, t. IX, n°1, 1975-1976, p. 68-70.

[19] Jacques-Joseph Gardane, *Conjectures sur l'électricité médicale avec des recherches sur la colique métallique*, Paris : Vve d'Houry, 1768. J.-J. Gardane est également le traducteur du traité en latin de 1656, rédigé par un médecin allemand de la ville minière de Goslar : Samuel Stockhausen, *Traité des mauvais effets de la fumée de la litharge*, trad. du latin par J.-J. Gardane, Paris : Ruault, 1776.

[20] Th. LE ROUX, *op. cit.* (*supra* note 2), p. 17.

[21] *Ibid.*

des ouvriers ; organes les plus fatigués chez eux ; influence du travail sur les épidémies), elle procéda au recensement systématique des activités nocives, tout en encourageant les moyens de les prévenir. C'est alors qu'elle commanda au jeune étudiant en médecine A.-F. de Fourcroy, un protégé de Félix Vicq d'Azyr, la traduction de l'ouvrage de B. Ramazzini. De 1778 à 1790, elle accorda une place dans ses publications aux mémoires qu'elle recevait sur les maladies des ouvriers. L'Académie des sciences de Paris participa à cette campagne entre 1720 et 1792, en décernant des prix destinés à récompenser les travaux d'utilité publique[22], à l'instar du *prix Montyon des Arts insalubres*. Créé en 1782 par Jean-Baptiste Robert Auget, baron de Montyon, ancien intendant, conseiller d'État et philanthrope, le prix devait récompenser l'auteur qui aurait découvert les moyens de préserver les ouvriers des dangers auxquels les exposaient « différents procédés des arts »[23]. Montyon était persuadé que la puissance d'une nation dépendait de sa capacité à favoriser la croissance d'une population en bonne santé ; il se préoccupait des problèmes d'hygiène publique, spécialement ceux liés aux dangers de l'air vicié, des eaux croupissantes et des nourritures avariées.

Le prix (d'un montant de 2000 livres environ) devait être annuel ; il a été décerné trois fois : en 1783, le concours portait sur la nature et les causes des maladies auxquelles étaient exposés les doreurs au feu ou sur métaux et la meilleure manière de les protéger. Ce fut Henri-Albert Gosse, un pharmacien et naturaliste genevois, qui le remporta[24]. L'Académie des sciences annonça deux autres prix, l'un en 1784, sur les maladies des

---

[22] Il s'agit de d'Alembert, Condorcet, Cassini, Lemonnier et de l'abbé Bossut. Ernest MAINDRON, *Les Fondations de Prix à l'Académie des Sciences. Les lauréats de l'Académie, 1714-1880*, Paris : Gauthier-Villars, 1881, p. 24-36. Ces prix étaient financés par de généreux donateurs qui léguaient à l'Académie une somme d'argent suffisante pour récompenser les meilleurs mémoires présentés en réponse aux questions posées. L'Académie des sciences avait dressé la liste d'une trentaine de métiers à risques, inspirée des ouvrages de B. Ramazzini et de A.-F. de Fourcroy. On relève en effet les professions suivantes : « carrier, plâtrier, chaufournier, briquetier, tuilier, tailleur de pierres, verrier, miroitier ou du moins ouvrier qui met au tain, doreurs sur métaux, peintre, broyeurs de couleurs, foulon, cardeur, tisserand, tanneur, corroyeur, chapelier, buandier, cribleur, blutier, saunier, brasseur, amidonnier, chandelier, potier de terre, ouvriers qui creusent les puits, vident les fosses d'aisance, enterrent les morts. Tous les ouvriers employés à tirer les métaux des mines et la plupart de ceux qui les travaillent... », Arch. de l'Académie des Sciences, *id.*, fascicule imprimé « Nouveau prix extraordinaire proposé par l'Académie Royale des Sciences pour l'année 1783 », p. 2.

[23] Paul MORAND, *Un lésineur bienfaisant (M. de Montyon)*, Paris : Gallimard, 1972, p. 12-13. J.-B. de Montyon a collaboré avec son secrétaire Jean-Baptiste Moheau, sur l'un des premiers ouvrages français de démographie : voir J.-B. Moheau, *Recherches et considérations sur la population de la France*, Paris : Moutard, 1778, éd. consultée, Paris : P. Geuthner, 1912, p. 218-221.

[24] Archives de l'Académie des Sciences, *Prix*, carton 2, dossier « Arts insalubres », fascicule imprimé « Nouveau prix extraordinaire proposé par l'Académie Royale des Sciences pour l'année 1783 », p. 1-3.

chapeliers, l'autre en 1785, sur celles des étameurs de glaces[25]. Toutefois, leur remise fut soit annulée soit reportée en raison de l'absence de mémoires de qualité. Le prix sur les maladies des chapeliers, finalement décerné en 1787, revint aussi à H.-A. Gosse[26]. La même année, l'Académie des sciences proposa un prix sur les maux des broyeurs de couleurs qui fut attribué en 1789 seulement et partagé entre deux lauréats, Pierre Pasquier (1731-1806), peintre de miniatures et d'émaux et Léonard Defrance (1735-1805), un peintre liégeois qui faisait carrière entre Liège et Paris[27]. L'Académie des sciences lança un nouveau concours pour 1791, sur la santé des vidangeurs de puits, mais les événements révolutionnaires en empêchèrent le déroulement[28]...

A la fin du XVIIIe siècle, les maladies professionnelles étaient bien devenues une préoccupation de santé publique, dont le *Dictionnaire universel de police* de Nicolas Des Essarts, publié entre 1786 et 1790, se fait l'écho en rapportant les effets dangereux du travail artisanal (fonte des métaux ; chapellerie)[29]. Si les milieux scientifiques penchaient en faveur d'« une police médicale » rationnelle, selon l'expression du médecin allemand Johann Peter Franck (1745-1821)[30], et bien qu'en France, une

---

[25] *Ibidem, Registre des délibérations de l'Académie des Sciences*, 1783, mercredi 14 may 1783, p. 117. Selon Faron, président honoraire de l'Académie, « une compagnie proposait 120 livres tournois pour ajouter au prix pour les maladies des ouvriers qui mettent au tain ».

[26] Arch. de l'Académie des Sciences, *Prix*, carton 2, dossier « Arts insalubres », 1783-1785.

[27] Philippe TOMSIN, *Léonard Defrance. Les broyeurs de couleurs, leur métier et leurs maladies*, Liège : éd. du Céfal, 2005, p. 13 et 16-18.

[28] Archives de l'Académie des Sciences, *Prix*, carton 2, dossier « Arts insalubres », Chemise « Arts insalubres 1789-Broyeurs de couleurs », p. 2.

[29] Nicolas Toussaint des Essarts, *Dictionnaire universel de police ...*, Paris : Moutard, 1787.

[30] « Les médecins ne peuvent que rarement écarter de telles causes des maladies, qui ont des effets sur des peuples entiers ou ne dépendent pas de la volonté des hommes, si méticuleux qu'ils soient », explique ce dernier, en 1766, à l'issue de ses études médicales. « Beaucoup de ces maladies pourraient pourtant être supprimées par les soins préventifs de l'autorité publique ... ». Christine HICK, « *Arracher les armes des mains des enfants*. La doctrine de la police médicale chez Johann Peter Franck et sa fortune littéraire en France », in Patrice BOURDELAIS (dir.), *Les hygiénistes. Enjeux, Modèles et Pratiques (XVIIIe-XXe siècles)*, Paris : Belin, 2001, p. 44-47. Le concept de « Medicinische Polizey » que défend J. P. Franck apparaît pour la première fois dans un ouvrage du physicien Wolgang Thomas Rau (1721-1772), publié en 1760 sous le titre *Pensées sur l'utilité et la nécessité d'un ordre médical de police dans un État*. Le système de « police médicale » construit par J. P. Franck fut reçu tardivement en France, ce dont il se plaignait en 1817. Charles Hallé ne le mentionne pas dans les parties consacrées à l'hygiène publique et privée de son article sur l'histoire de l'hygiène dans l'*Encyclopédie méthodique* de Panckoucke, *Dictionnaire des Sciences médicales par une société de médecins et de chirurgiens*, Paris : Panckoucke, 1818, vol. 22, p. 394-437. Ainsi, les médecins allemands du XVIIIe siècle ambitionnaient-ils d'étendre leur rôle politique dans la cité, en élargissant leur domaine d'intervention à la personne même, au-delà de la « police sanitaire » traditionnelle. Les mesures qu'ils envisageaient instituaient une authentique « police médicale ». Rickmann (1771) projetait l'établissement de médecins publics rémunérés par l'État et la création de « caisses de vie ou de santé », assurant à leurs membres les soins médicaux dont ils auraient besoin ; Keiser (1776) développait l'idée d'une assistance sociale couvrant les frais des médecins et des chirurgiens pour les travailleurs ruraux. Cependant au XVIe siècle, Chrysander Struppius, médecin de la ville de Francfort (1573) et

multitude de règlements et d'ordonnances de police, d'arrêts des parlements aient essayé, du XVIe au XVIIIe siècle, de garantir la salubrité de l'air, des eaux, des aliments, d'imposer des mesures de prévention en temps d'épidémie, voire de protéger les enfants placés en nourrice — le tout avec plus ou moins de succès, en ces temps de « laisser-faire, laisser-passer », l'État royal n'a pas mené de politique sanitaire, à une exception près : l'intervention en 1778, du lieutenant général de police de Paris, Jean-Charles-Pierre Lenoir, lorsque la maladie du charbon contamina les cardeurs de crins de la capitale. La monarchie semble avoir négligé toutes les innovations susceptibles d'améliorer le sort des ouvriers. Les hôpitaux n'ont pas davantage dénoncé la situation des travailleurs et la voix des artisans n'a pas été entendue...[31]

Quelles étaient les connaissances sur la toxicité des substances employées dans de nombreux métiers ?

Les effets des substances toxiques

Les médecins des XVIIe-XVIIIe siècles connaissaient les effets nocifs des substances toxiques employées dans de nombreuses professions artisanales, comme l'illustre l'exemple de la dorure sur métal, un art parisien, très répandue dans l'artisanat de luxe (horlogerie, orfèvrerie etc...). La dorure sur métal consistait à « amalgamer » du mercure et de l'or, un mélange nécessaire pour que l'or adhère au support métallique et qui se réalisait dans un creuset. Avant de dorer le métal, il fallait le décaper à l'acide nitrique puis l'« aviver », c'est-à-dire le passer au nitrate de mercure, une dissolution d'acide nitrique et de mercure. On pouvait ensuite le « charger » avec l'amalgame. Il était enfin chauffé pour que le mercure s'évapore. Dans les opérations ultérieures, indispensables pour rehausser la couleur de la dorure, on utilisait du soufre et du sel ammoniac. Les doreurs qui respiraient ces vapeurs à longueur de journée étaient victimes de « tremblements des doigts, des mains, des jambes », d'étourdissements et de vertige ; ils perdaient leurs dents et finissaient par souffrir de paralysie. Les femmes accouchaient d'enfants mort-nés ou « mal constitués » — typiques de l'intoxication au mercure — mais aussi scrofuleux, atteints d'« infirmités » tels des rhumatismes, d'épilepsie, des troubles de la vision ou encore d'« imbécillité », c'est-à-dire de faiblesse de corps et / ou d'esprit. L'espérance de vie des ouvrier(e)s de la corporation était courte[32]. Comme

---

Jean Du Breil, docteur régent de la faculté de Paris (1580), réclamaient déjà une « police sanitaire » au Prince, qui devait légiférer sur les espaces publics afin de maintenir ses sujets en bonne santé, Chr. HICK, *op. cit. supra*, p. 44-47 et p. 470-471, note 17.

[31] Arlette FARGE, « Les artisans malades de leur travail », *Annales ESC*, 32-5, 1977, p. 993-1006.

[32] Pour tout ce qui concerne les intoxications des doreurs, voir les travaux de Liliane MOTTU-WEBER, « L'intoxication au mercure dans la Fabrique genevoise : entre discours « scientifique, inventions techniques et détresse humaine (fin XVIIIe-début XIXe siècle) », *Bulletin de la Société d'Histoire et d'Archéologie de Genève*, 2000-2001, p. 49-67 ; *Eadem*,

les doreurs, les chapeliers utilisaient du mercure. Au XVIIIᵉ siècle, ils étaient nombreux à Paris, capitale de la chapellerie fine, faite de laine et de poils feutrés (peaux de castors, de lapins et de lièvres) à user de la technique du « secrétage » au mercure dont la nocivité avait été mise en évidence[33]. Ils commençaient par ôter les poils des peaux en les frottant avec une dissolution de nitrate de mercure qu'ils élaboraient eux-mêmes, avant que les chimistes ne s'en chargent à partir de 1770[34]. La suite des opérations s'avérait très pénible car elles s'accomplissaient dans une étuve, ce qui favorisait la volatilisation du mercure subsistant ; les peaux étaient ensuite rasées par des coupeuses, également chargées d'en trier le poil. À l'instar des doreurs, les chapeliers enduraient des maux de tête, ils étaient atteints d'œdèmes ; leurs dents noircissaient et tombaient[35]. On se servait également de mercure dans l'étamage des glaces, un secteur particulièrement florissant à Paris, où la communauté des miroitiers rivalisait avec la manufacture royale des glaces installée au faubourg Saint-Antoine, rue de Reuilly[36]. Pour effectuer la mise au tain sur l'un des côtés de la glace, on détrempait une mince feuille d'étain, étalée sur une pierre, avec du mercure voire de l'arsenic mélangé au cuivre ou de l'étain. Une fois la glace apposée par-dessus, on compressait l'assemblage, pendant que le métal liquide en excédent s'écoulait tout autour. La manœuvre se révélait très périlleuse, ainsi que s'en émeut Louis Sébastien Mercier dans son *Tableau de Paris* :

> « Il faut que pendant la durée de chaque opération ils retiennent leur haleine, parce que le mercure, qui se volatilise d'une manière si imperceptible, s'insinue abondamment à travers tous les conduits naturels. Ils sont obligés, pour en arrêter les effets, de se laver chaque fois les mains, la bouche, les yeux avec de l'eau fraîche, et d'en respirer par les narines. Malgré ces précautions, tous leurs membres sont dans un continuel tremblement »[37].

Les ouvriers étaient en outre soumis à un bruit insupportable tout en s'affairant dans une atmosphère tiède, lourde, suffocante, car on ne pouvait

---

« Inventeurs genevois aux prises avec la maladie des doreurs et des doreuses en horlogerie (fin XVIIIᵉ-début XIXᵉ siècle) », in Liliane HILAIRE-PEREZ et *al.* (dir.), *Artisans, industrie et révolutions du Moyen Âge à nos jours, Cahiers d'histoire et de philosophie des sciences*, 52, nov. 2004, p. 283-296 ; *EADEM*, « Détourner les vapeurs de mercure, respirer l'air de la campagne. Péripéties de la lutte contre la maladie des doreurs à Genève (1750-1820) », *Dossier victimes du travail, Cahiers d'histoire du mouvement ouvrier*, 20, 2004, p. 7-25.

[33] Cette technique n'était pas appliquée dans tous ateliers, *cf.* Abbé Nollet, *L'Art de faire des chapeaux, Descriptions des Arts et Métiers faites ou approuvées par Messieurs de l'Académie royale des Sciences*, Paris : Saillant et Nyon, 1765, p. 14.

[34] Les plus beaux chapeaux de feutre étaient fabriqués à Paris, Lyon, Marseille et Rouen ; Paris étant le centre le plus réputé. *Ibidem*, p. 3.

[35] Guichardière, « Exposition de 1823. Notice sur les perfectionnements les plus importants que l'art du chapelier a obtenus depuis un siècle environ », *Annales de l'industrie nationale et étrangère*, 14, 1824, p. 18, cité par Th. LE ROUX, *op. cit.* (*supra* note 2), p. 23. Guichardière était le principal chapelier parisien au début du XIXᵉ siècle.

[36] Le prix sur l'étamage des glaces, envisagé dès 1783, fut lancé en 1785 mais jamais attribué, Th. LE ROUX, *op. cit.* (*supra* note 2), p. 24.

[37] Louis Sébastien Mercier, *Tableau de Paris*, nouvelle éd. Lyon : s. é., 1791, t. 9, p. 315.

« renouveler l'air dans les atteliers parce qu'il donneroit à la potée un mordant qui laisserait sur les glaces des raies qu'il seroit difficile de faire disparoître »[38].

L'empoisonnement au plomb représentait un autre fléau. Le broyage des couleurs s'était développé dans les capitales européennes qui comptaient d'importantes corporations ou guildes de peintres: ces derniers comme les broyeurs de couleurs se trouvaient fréquemment en contact avec le plomb et d'autres substances toxiques qui entraient dans la composition des peintures. Les broyeurs de couleurs s'infectaient directement, en inhalant la poussière dégagée par le broyage des couleurs, mais aussi indirectement, en respirant les émanations des poudres de couleur qu'ils diluaient avec des siccatifs et enfermaient dans des contenants, ou quand ils lavaient leurs instruments et outils de travail[39]. Bien d'autres professions étaient touchées par des intoxications au plomb: les potiers de terre et d'étain, les peintres faïenciers (émaux), les métallurgistes, les mineurs, les doreurs, les lamineurs de plomb, les fondeurs de caractères d'imprimerie, les teinturiers, les cordonniers pour femme, les vitriers, les carrossiers, les vernisseurs ou encore les navigateurs. Les traités médicaux — dans lesquels le système le néo-hippocratique des humeurs coexiste avec la méthode nosologique de Thomas Sydenham et les débuts de l'anatomo-pathologie de Jean-Baptiste Morgagni —, dressent un tableau clinique détaillé des manifestations d'une intoxication au plomb : le teint pâle et plombé, la noirceur et la chute des dents ; les douleurs des membres ; des vomissements, des maux d'estomac, une constipation chronique ; des coliques terribles, dites coliques des peintres, coliques des potiers, coliques minérales ou métalliques. S'y ajoutaient des tremblements, des contractions musculaires, des convulsions, la paralysie enfin. Les bilans établis par les établissements hospitaliers de la capitale étaient dramatiques: à l'Hôpital de La Charité, entre le 1er janvier 1774 et le 20 septembre 1775, 272 peintres ou broyeurs de couleurs avaient été admis victimes de coliques de plomb, dont plusieurs étaient morts[40]. Marseille, Lyon et, en Suisse, Genève connaissaient une situation semblable[41].

---

[38] *Ibidem*, p. 314.

[39] Les broyeurs de couleurs préparaient les couleurs à l'eau ou à l'huile pour la peinture en bâtiment, la porcelaine, les faïenceries, le papier peint, toutes activités en plein essor dans les cités du XVIIIe siècle, qui évoluaient rapidement sous l'effet de l'expansion démographique et des transformations architecturales. Dans la capitale, ils fournissaient en particulier le secteur du papier peint en pleine expansion depuis 1760, Christine VELUT, *Décors de papier. Production, commerce et usages des papiers peints à Paris, 1750-1820,* Paris : Monum Ed. du patrimoine, 2005.

[40] À Paris où la profession était nombreuse, la situation, particulièrement alarmante, avait été dénoncée par l'académicien Montigny en 1775 puis par le chimiste Guyton de Morveau en 1782. Th. LE ROUX, *op. cit. (supra* note 2), p. 24-25.

[41] Liliane MOTTU-WEBER, « Détourner les vapeurs ... », art. cit. *supra* note 32.

Toxicité et couleur de la peau

D'un ouvrage à l'autre, les médecins suivaient une démarche identique[42]: ils décrivaient le métier incriminé, les lésions et les pathologies subséquentes, puis ils énuméraient les thérapeutiques appropriées. Dans la première édition de son ouvrage, en 1700, B. Ramazzini citait quarante deux maladies professionnelles liées à la toxicité des substances employées. Il en ajouta douze autres dans la seconde édition, en 1713, ce qui portait le total à cinquante quatre. Quant à la liste établie par P. Patissier, largement reprise de celle de B. Ramazzini[43], elle incriminait presque tous les métiers de l'artisanat urbain. C'était aussi la première fois que la couleur de la peau apparaissait comme un critère séméiologique, révélateur de la nocivité des produits que les artisans manipulaient.

Le chercheur contemporain est souvent désappointé à la lecture des ouvrages médicaux modernes car la couleur de la peau n'y était guère scrutée en détail. Pour une vingtaine de métiers à peine, l'aspect / la coloration de la peau étaient jugés caractéristiques d'une maladie professionnelle[44]. En outre, lorsque la teinte de l'épiderme était spécifiée, la description en restait le plus souvent stéréotypée.

Quelles étaient les couleurs de l'épiderme associées aux maladies professionnelles ?

La palette des épithètes

La palette des épithètes employées par les médecins des temps modernes pour décrire la carnation symptomatique des maladies professionnelles, s'avère plutôt limitée. Les termes dont ils usaient pour dépeindre l'épiderme des mineurs étaient quasi similaires, que ces derniers travaillent à extraire des minerais métalliques (or, argent, cuivre, mercure) ou du charbon : les textes insistent sur leur malpropreté, leur tête à demi-rasée, leur aspect « hideux », qui les « rend plus semblables à des ombres qu'à des hommes ». Leur peau était fréquemment rongée d'ulcères aux bras et aux jambes. Il arrivait fréquemment que les minerais métalliques, qu'ils arrachaient au sous-sol, en passant dans leurs humeurs corporelles, teignent leur peau. Ainsi, le *Traité des maladies des artisans* évoque-t-il le reflet doré dont brillait le corps des ouvriers qui s'échinaient dans les mines d'or de Dalmatie[45].

La pâleur de la peau, le teint livide voire « cadavéreux » étaient signalés dans presque toutes les intoxications professionnelles, quand elles

---

[42] Ils suivaient l'ordre traditionnel, de la tête au talon.

[43] Voir les tableaux en annexe, *infra*, p. 175.

[44] Il s'agit des différentes catégories de mineurs, des peintres, des plâtriers, des chauffouriers, des corroyeurs, des chimistes, des potiers de terre et d'étain, des verriers et des mirotiers, des blanchisseuses, des boulangers, des doreurs, des ouvriers de la soie, des marchands de vin et des brasseurs.

[45] B. Ramazzini, *op. cit. supra* note 4.

atteignaient un stade avancé. Les miroitiers et les doreurs offraient aux regards un « teint d'une couleur pâle et livide », « un aspect morne et la pâleur de la mort »[46], un « visage cadavéreux aussi », en raison du mercure qu'ils avaient ingéré, tout comme les potiers d'étain qui utilisaient du soufre, en sus du plomb[47]. Les chimistes se faisaient remarquer par la « couleur livide de leur visage »[48]. Les potiers de terre, qui usaient de plomb, montraient un « visage plombé et cadavérique, sans couleur » ; ils étaient « livides, cachectiques et toujours malades »[49]. Les peintres étaient également attaqués par le plomb, qui provoquait la « pâleur de leur visage, un extérieur cachectique », « un teint pâle et livide, des affections mélancoliques »[50]. Les blanchisseuses voyaient « leur teint et le rose de leurs joues se décolorer et se teindre en jaune », en nettoyant les étoffes de soie à la vapeur de soufre[51]. Le visage des plâtriers / chauffouriers était « plâtré » en raison du matériau qu'ils pétrissaient constamment[52]. Les corroyeurs, qui assouplissaient et teignaient le cuir des animaux avec de l'huile, exposaient un « visage blême et cadavérique, enflé » ; ils étaient essoufflés et « d'une couleur livide »[53].

D'autres métiers, qui ne maniaient pas de matières toxiques, arboraient pourtant la trace de leurs activités sur leur visage. Les boulangers, pâles et couverts de poussière de farine, pâtissaient d'une pédiculose prononcée, due à un mélange de crasse et de farine[54]. Les liniers, les chanvriers, les cardeurs de cocons de vers à soie, tous « pâles et couverts de poussière », souffraient d'asthme et de toux[55]. Les fossoyeurs présentaient « un visage cadavéreux »[56]. Alors que les ouvriers sédentaires étaient « pâles et bouffis », ceux dont le métier exigeait de l'exercice en plein air affichaient un « teint rembruni et des chairs fermes », un thème cher au pré-hygiénisme qui valorisait le grand air et l'exercice[57]. À la même époque, Samuel A. Tissot dépeignait les gens de lettres, qui préféraient rester enfermés à écrire

---

[46] W. Buchan, *op. cit.* (*supra* note 7), Paris : Froulé, 1783, t. 1, p. 99. Le chapitre II du tome 1 s'intitule « Des diverses professions qu'exercent les hommes considérées comme causes de maladies ».

[47] B. Ramazzini, *op. cit.*, p. 26 et 37 ; Ph. Patissier, *op. cit.* (*supra* note 5), p. 34-35 et 52 ; Ph. Hecquet, *op. cit.* (*supra* note 6) t. 2, p. 74 et 91.

[48] B. Ramazzini, *op. cit.*, p. 23 ; Ph. Patissier, *op. cit.*, p. 250-251.

[49] B. Ramazzini, *op. cit.* p. 34 ; Ph. Patissier, *op. cit.*, p. 70.

[50] B. Ramazzini, *op. cit.*, p. 40-41 ; Ph. Patissier, qui distingue les peintres de tableaux des peintres en bâtiments, *op. cit.*, p. 58-69.

[51] B. Ramazzini, *op. cit.*, p. 43 ; Ph. Patissier, *op. cit.*, p. 255 ; Ph. Hecquet, *op. cit.*, t. 2, p. 126.

[52] B. Ramazzini, *op. cit.*, p. 46-47 ; Ph. Patissier, *op. cit.*, p. 99-100.

[53] Ph. Patissier, *op. cit.*, p. 144 ; Ph. Hecquet, *op. cit.*, t. 2, p. 137.

[54] Ph. Patissier, *op. cit.* (*supra* note 5), p. 192-194 ; Ph. Hecquet, *op. cit.* (*supra* note 6) t. 2, p. 100.

[55] Ph. Patissier, *op. cit.*, p. 160-161 ; Ph. Hecquet, *op. cit.*, t. 2, p. 214-215.

[56] B. Ramazzini, *op. cit.*, p. 71-72 ; Ph. Patissier, *op. cit.*, p. 155.

[57] Ph. Patissier, *op. cit.*, p. 358.

et à penser, en négligeant tout exercice physique, comme des êtres « pâles et maigres », dont il opposait le sang anémique au sang rouge et vigoureux des laboureurs[58]. La pâleur du teint épargnait seulement les marchands de vin et les distillateurs d'eau de vie à la face rougeaude et au pouls fort.

Ainsi, les mêmes qualificatifs — « pâle, livide, blême, plombé, cadavéreux » —, servaient-ils à caractériser la décoloration de la peau dans un grand nombre de pathologies professionnelles : il faut maintenant en préciser le sens.

Du normal au pathologique

Quelle devait être la couleur normale de la peau selon la physiologie de l'époque ? Lorsque les quatre principales humeurs du corps étaient équilibrées et qu'en conséquence le sujet jouissait d'une bonne santé, son teint était vermeil, c'est-à-dire selon le *Dictionnaire de l'Académie française* dans l'édition de 1694, « de couleur incarnate. Se dit principalement du teint et des fleurs »[59]. L'entrée « teint » cite en exemples les expressions « teint vermeil, frais et vermeil, blanc et vermeil » et décline les divers coloris du visage qui vont d'un teint de rose et de lis, à un « teint frais » et à un « teint fleuri », des carnations reflétant une complexion sanguine, la plus favorable[60]. Le signe extérieur d'une bonne santé était donc un teint frais, rose et blanc, à l'exception des travailleurs en plein air, dont le teint devait être « rembruni, bruni », « devenu de couleur plus brune par l'exposition au grand air »[61].

A l'inverse, les pathologies professionnelles se trahissaient par un teint « livide », une épithète que, selon le *Dictionnaire de Furetière* de 1690, on donnait à la peau lorsqu'elle était « offensée par des coups, des contusions ou corrompue par quelque cause interne »[62]. « Un visage plombé », y lit-on, « est un signe d'indisposition ». L'adjectif « pasle », fréquemment employé dans les traités médicaux et qui avait pour synonyme « blesme », se définissait comme « de couleur tirant sur le blanc ». Il ne se disait guère que d'une « personne qui a perdu sa couleur naturelle ou par quelque maladie ou par quelque mouvement subit qui fait que le sang se retire du visage au cœur »[63]. Les exemples donnés en 1690 pour illustrer le terme « pasle » se réfèrent tous à la mort : « pâle comme la mort », « pâle à la mort ». Enfin, l'attribut « cadavéreux » renvoie à la couleur du cadavre

---

[58] Samuel A. Tissot, *L'avis au peuple sur sa santé*, Rouen : Machuel et Racine, 1782, 3ᵉ éd., p. 60. Un chapitre a pour titre « Prévenir ou au moins diminuer considérablement les maux ».

[59] *Le Dictionnaire de l'Académie Françoise*, Paris : Veuve de Jean-Baptiste Coignard et Jean-Baptiste Coignard, 1694, t. 1 : A-L, art. « Coloris » p. 262.

[60] *Ibidem*, 1694, t. 2 : M-Z, art. « Teint », p. 533.

[61] *Ibidem*.

[62] Antoine Furetière, *Dictionnaire universel contenant généralement tous les mots françois tant vieux que modernes ...*, La Haye et Rotterdam : Arnout et Reinier Leers, 1690, t. 2, art. « Livide », p. 477.

[63] *Ibidem*, t. 3, art. « Pasle », p. 56-57.

dans l'édition de 1718 du *Dictionnaire de l'Académie Française*[64]. Au bout du compte, les termes « pâle, pâleur, livide, blême » désignaient bien la santé menacée, la maladie. Les poussières ingérées, les vapeurs respirées imprégnaient les humeurs du corps, entraînant la corruption du sang qui, en pigmentant l'épiderme, déterminait la couleur du teint.

Conclusion

Au cours du XVIIIe siècle, la mobilisation des institutions savantes, parisiennes et / ou provinciales, contre les nuisances artisanales et industrielles a encouragé les recherches sur la séméiologie et l'étiologie des pathologies professionnelles ainsi que sur les moyens de combattre leurs méfaits par l'innovation technique, sans jamais déboucher sur une véritable politique sanitaire. Dans l'étude des maladies professionnelles, l'attention des milieux médicaux et savants ne s'est guère portée sur la couleur de la peau qui constituait un marqueur, parmi d'autres, de la santé et de la maladie. La description de son aspect n'apportait guère d'informations capitales : la présence de boutons, celle de la gale étaient signalées sans que leur apparence fasse l'objet d'une analyse minutieuse. Seules les lésions cutanées consécutives aux affections syphilitiques suscitaient un examen approfondi. Pour les médecins du XVIIIe siècle, le coloris de l'épiderme constituait l'un des éléments du tableau clinique, mais pas nécessairement le plus déterminant. Ils avaient clairement tendance à privilégier d'autres symptômes quand ils exploraient le domaine des pathologies professionnelles.

---

[64] *Le Dictionnaire de l'Académie Françoise*, Paris : Veuve de Jean-Baptiste Coignard et Jean-Baptiste Coignard, 1718, 2e éd., t.1, art. « Cadavereux ».

Philibert Patissier, *Traité des maladies des artisans et de celles qui résultent des diverses professions*, Paris : chez J.-B. Baillière, 1822, Introduction, p. XLVIII, XLIX, L, LI : « Résultats des recherches faites en 1807 sur la mortalité professionnelle dans tous les hôpitaux de Paris »

PROFESSIONS.	MORTALITÉ des hommes malades dans les hôpitaux.	MORTALITÉ des femmes malades dans les hôpitaux.
Allumeurs	3 sur 11	1 sur 4
Allumettes (Mdes dans les rues)		3 13
Balayeurs	0 10	1 6
Bardeurs	0 17	
Batteurs en grange	3 25	
Bijoutiers (ouvriers)	9 76	1 13
Blanchisseurs (1)	8 35	109 711
Bonnes d'enfans		3 24
Bonnetiers (ouvriers)	11 109	2 11
Bottiers (ouvriers)	5 31	
Bouchers (ouvriers)	11 77	
Boulangers (ouvriers)	40 455	
Bourreliers (ouvriers)	11 45	
Boutonniers	5 42	5 41
Breteliers (ouvriers)	» »	2 56
Brocanteurs	7 30	
Brodeuses (2)		34 374
Broyeurs de couleurs	2 16	1 20
Bruniscuses	8	
Calcineurs de plomb (3)	1	
Cardeurs à la carde	4 30	12 54
Carreleurs	1 14	
Carriers	24 132	
Charcutiers (garçons)	1 22	
Chaudeliers	1 14	
Charbonniers	5 25	
Charpentiers (ouvriers)	17 129	
Charretiers	48 320	
Charrons	13 94	
Chiffonniers	7 87	10 70
Cloutiers	2 38	

PROFESSIONS.	MORTALITÉ des hommes malades dans les hôpitaux.	MORTALITÉ des femmes malades dans les hôpitaux.
Lapidaires (ouvriers)	1 sur 20	
Layetiers	1 14	
Limonadiers (garçons)	7 81	
Lingères (ouvrières)(1)		83 sur 521
Marée (marchandes de)		2 53
Maréchaux	10 93	
Mariniers	3 45	
Matelassiers	1 20	0 14
Mégissiers	1 20	
Mendians	4 6	3 28
Menuisiers	59 408	
Merciers	1 11	1 9
Militaires (garde de Paris)	100 2159	
Orphelins venant des hospices	0 19	
Ouvriers au pont	1 30	
— aux glaces	1 39	2 13
— au canal de l'Oureq	4 227	1 17
— sur les ports	8 59	
Palefreniers	7 69	
Passementières		7 30
Pâtissiers	5 37	
Paveurs	3 36	
Peintres en bâtimens	17 175	
— en voitures	8 32	
Perruquiers	21 172	5 10
Plombiers	4 28	
Polisseurs	5 23	5 54
Porteurs	10 70	7 66
— d'eau	22 149	2 15
Portiers	6 11	25 67
Potiers d'étain	1 4	
— de terre	4 16	
Ramoneurs	1 38	
Ravaudeuses		40 269
Relieurs	2 22	4 21
Repasseuses		9 24
Revendeurs	9 32	96 537
Rubanniers		3 10
Savetiers	4 11	1 1
Scieurs de long	10 90	
Selliers	14 68	
Serruriers	40 377	
Tabletiers	15 32	1 8
Tuillandiers	2 28	

PROFESSIONS.	MORTALITÉ des hommes malades dans les hôpitaux.	MORTALITÉ des femmes malades dans les hôpitaux.
Colporteurs	5 sur 29	
Cochers	52 301	
Commissionnaires	24 148	
Cordiers	6 24	
Cordonniers	105 807	6 sur 58
Corroyeurs	5 65	
Couteliers	1 18	
Coupeuses de poils		7 24
Couturières (1)		190 1617
Cuisiniers	27 136	31 266
Décrotteurs	9 35	1 3
Dentellières (2)		15 89
Doreurs en bois	5 55	
— sur métaux	1 6	
Ébénistes	11 131	
Écrivains en échoppe	12 49	
Épiciers (garçons)	1 25	
Évantaillistes	3 9	7 26
Femmes de chambre		2 20
— de ménage		7 33
Férailleurs	1 17	0 7
Ferblantiers	6 39	
Fileurs	3 68	49 372
Fondeurs	14 72	
Frotteurs	2 26	
Fruitiers (3)	3 18	20 189
Fumistes	1 24	
Gagne-deniers	74 341	17 62
Gantières		7 81
Garçons d'attelage	0 60	
Gardes-malades		13 67
Gaziers	2 34	8 38
Halle (marchandes à la)		2 21
Imprimeurs en lettres	10 107	
Infirmiers des hôpitaux (4)	1 40	4 44
Jardiniers	38 265	1 88
Journaliers	130 857	154 812

PROFESSIONS.	MORTALITÉ des hommes malades dans les hôpitaux.	MORTALITÉ des femmes malades dans les hôpitaux.
Tailleurs d'habits	60 sur 505	10 sur 44
— de pierre	18 87	
Tanneurs (ouvriers)	1 32	
Tapissiers (ouvriers)	7 32	
Teinturiers	3 36	1 5
Terrassiers	41 429	0 11
Tisserands	13 146	2 10
Tonneliers	13 92	
Tourneurs en bois	10 74	
Traiteurs	0 17	
Tricoteuses		3 14
Valets de pied	0 18	
Vidangeurs	1 14	
Vignerons	14 70	6 41
Vins (garçons, Mds et Mdes de)	14 160	4 10
Vitriers	4 20	
Voituriers	8 27	

175

Changer de couleur
Une histoire de la dépigmentation volontaire

Antoine PETIT[1]

Dans le monde entier, des millions de personnes s'emploient à éclaircir le teint naturel de leur peau. Les pratiques éclaircissantes ont reçu diverses dénominations selon les régions et les cultures ; nous les regroupons par commodité sous le terme de « dépigmentation volontaire » [DV]. La DV relève d'une volonté délibérée d'éclaircissement de la peau saine, encore que le souhait d'effacer des taches disgracieuses ou pathologiques puisse être une occasion, voire un prétexte pour en débuter la pratique. Elle met en œuvre des procédés variés, dominés par des applications cutanées quotidiennes de produits dépigmentants ; des traitements généraux par voie orale ou injectable sont parfois utilisés aussi. Tout cela nourrit une industrie florissante et des trafics illégaux transitant par des réseaux commerciaux plus ou moins mafieux. Nombre des substances utilisées sont interdites à la vente en tant que cosmétiques et se révèlent, tôt ou tard, délétères pour la peau, mais aussi parfois pour la santé générale de celles et ceux qui les utilisent. Des articles médicaux mettent en garde contre les dangers de la DV aussi bien au Nigeria[2] qu'au Sénégal[3], aux États-Unis[4], en Jordanie[5], en Inde[6], aux Philippines[7] ou dans bien d'autres pays[8].

La lecture de la presse écrite ou des forums sur internet fait apparaître schématiquement deux grandes manières de considérer la DV, avec des interprétations « ethnico-sociales » qui s'opposent à des interprétations

---

[1] Praticien Hospitalier. Service de Dermatologie, APHP Hôpital Saint-Louis, Paris.
[2] F.O. AJOSE, « Consequences of skin bleaching in Nigerian men and women », *International Journal of Dermatology* [désormais abrégé *Int J Dermatol*] 44, Suppl 1, oct. 2005, p. 41-43.
[3] Antoine MAHÉ, Fatimata LY, G. AYMARD, J.M. DANGOU, « Skin diseases associated with the cosmetic use of bleaching products in women from Dakar, Senegal », *British Journal of Dermatology*, 148, 2003, p. 493-500 ; A. MAHÉ, F. LY, A. GOUNONGBÉ, « La dépigmentation cosmétique à Dakar (Sénégal) : facteurs socio-économiques et motivations individuelles », *Sciences Sociales et Santé*, 22, 2004, p. 5-33.
[4] R.A. HOSHAW, K.G. ZIMMERMANN, A. MENTER, « Ochronosislike pigmentation from hydroquinone bleaching creams in American blacks », *Arch Dermatol*, 121, 1985, p. 105-108.
[5] S.H. HAMED, R. TAYYEM, N. NIMER, H.S. ALKHATIB, « Skin-lightening practice among women living in Jordan: prevalence, determinants, and user's awareness », *Int J Dermatol*, 49, 4, Apr. 2010, p. 414-420.
[6] S.B. VERMA, « Obsession with light skin – shedding some light on use of skin lightening products in India », *Int J Dermatol*, 49, 4, Apr. 2010, p. 464-465.
[7] A. EASTON, « Women have deadly desire for paler skin in the Philippines », *Lancet*, 352, 1998, p. 555.
[8] O. DADZIE, Antoine PETIT, « Skin bleaching: highlighting the misuse of cutaneous depigmenting agents », *Journal of the European Academy of Dermatology and Venereology*, 23, 2009, p. 741-750.

« esthétiques »[9]. Pour les premières, le souhait de s'éclaircir serait en lien avec l'intériorisation d'une hiérarchie des couleurs de peau inscrite dans des inconscients collectifs par les histoires des sociétés : domination des couches aristocratiques féodales sur une paysannerie plus foncée car plus exposée au soleil, domination des Arabes à teint plus clair sur les Africains lors de l'expansion de l'Islam, domination du monde européen sur le monde africain à travers l'esclavage et la colonisation, prédominance des teints clairs dans les castes supérieures en Inde...

Le second modèle d'interprétation considère que la recherche de la beauté, motivation avancée par l'immense majorité des personnes qui s'éclaircissent la peau, ne dépend pas de l'intériorisation de hiérarchies ethniques ou sociales. Certains évoquent une valeur esthétique presque universelle et immanente de la clarté, en tout cas dans le sexe féminin où prédominent largement les pratiques dépigmentantes. De fait, des différences d'exposition solaire liées au mode de vie, voire des facteurs génétiques, déterminent dans de nombreuses populations une plus grande clarté des femmes par rapport aux hommes[10], contraste « naturel » que les femmes chercheraient à reproduire ou à amplifier. D'autres auteurs mettent l'accent sur la dynamique intrinsèque d'un phénomène de mode[11], auto-amplifié par les pressions de l'entourage et de la publicité, plutôt que sur les significations qu'on pourrait trouver à l'éclaircissement. Dans cette DV édulcorée qu'on veille pour ainsi dire à priver de sens, la valeur des teintes s'efface parfois jusqu'à ce que l'éclaircissement des peaux foncées ne soit rien de plus que le symétrique du bronzage des peaux claires, parce que « l'herbe est toujours plus verte dans le pré d'à côté », ou en raison d'une loi générale (thermodynamique ?) qui tend à l'uniformisation vers une couleur brune intermédiaire[12], ou encore dans une perspective individualiste, comme l'a exprimé un chanteur jamaïquain célèbre, en vertu du droit de chacun à décorer son corps comme il l'entend[13].

Les différents types d'interprétation de la DV font volontiers appel à l'histoire : histoire des relations entre les peuples chez les uns, histoire des pratiques cosmétiques chez les autres... Nous proposons de survoler rapidement le fil de ces deux histoires et de la manière dont elles se sont

---

[9] H. DIDILLON, D. BOUNSANA, « Modifier la couleur de sa peau : mode ou complexe ? » in Élo DACY (dir.), *L'actualité de Frantz Fanon*, Actes du colloque de Brazzaville (12-16 décembre 1984), Paris : Karthala, 1986, p. 255-283.

[10] Céline EMERIAU, « La dépigmentation volontaire », in *Coloris corpus*, Jean-Pierre ALBERT, Bernard ANDRIEU *et al.* (dir.), Paris : CNRS Editions, 2008, p. 375-382.

[11] A. MAHÉ, F. LY, A. GOUNONGBÉ, art. cité *supra* note 3 ; Antoine MAHÉ, « Les défis de la dépigmentation cosmétique volontaire », *Annales de Dermatologie et de Vénéréologie* [désormais *Ann Dermatol Venereol*] 145, 2018, p. 81-82.

[12] Fatimata LY, « La dépigmentation cosmétique et ses déterminants socio-comportementaux », *Ann Dermatol Venereol*, 141, 2014, p. 91-93.

[13] Antoine PETIT, « La dépigmentation volontaire : tours et détours de la honte », *Champ Psy*, 62, 2013, p. 153-164.

rejointes aux XXe siècle pour contribuer au phénomène de la dépigmentation volontaire.

Beauté féminine et traditions d'éclaircissement

Les élégies de la Rome antique chantaient la clarté comme première qualité du teint de la femme, à côté de son uniformité et de son éclat lumineux[14]. Les représentations picturales de scènes amoureuses, comme celles découvertes à Pompéi par exemple, figurent généralement une femme au teint beaucoup plus clair que son partenaire masculin, dont le tégument apparaît d'une nuance rouge-brun. Cette valorisation de la clarté chez les femmes est perceptible dans l'Antiquité grecque et perdure en Occident durant tout le Moyen Âge[15] et la Renaissance. Au premier siècle après Jésus-Christ, Pline l'Ancien évoquait la lambrusque, ou vigne sauvage, « dont les femmes se servent pour éclaircir leur teint et effacer les taches du visage »[16]. Plus tard au XVIe siècle, on lira : « La fiente de veau démêlée et incorporée avec la main en huile et gomme, est singulière à ôter le hâle du soleil et à donner une couleur vive à la peau »[17]. Les recettes pour atteindre l'idéal de clarté abondent dans cet ouvrage comme dans d'autres de la même époque[18]. Les femmes sont généralement seules concernées et les valeurs d'uniformité et de luminosité sont régulièrement associées à la clarté, montrant qu'au souci d'éclaircir le visage se mêle celui d'en effacer des taches et de lui donner de l'éclat.

Les procédés traditionnels d'éclaircissement peuvent être répartis en plusieurs catégories[19]. La première rassemble les moyens de photo-protection. En effet, la lumière solaire est un puissant stimulant de l'activité pigmentaire de l'épiderme (« mélanogenèse »). On peut s'en protéger par des vêtements[20], des ombrelles, des masques ou des maquillages couvrants, voire par la claustration[21]. La seconde catégorie est celle des extraits végétaux utilisés par voie topique à la manière de plantes médicinales, et dont certains possèdent sans doute un pouvoir éclaircissant mineur en interférant avec le système pigmentaire de l'épiderme. Ainsi en est-il de

[14] Marie-Claire ROLLAND, *La peau humaine dans la littérature romaine*, Thèse d'études latines et néolatines, Université Rennes II, 2017.
[15] Jean-Yves TILLIETTE, « *Nigra sum, sed formosa*. Le verset 1, 4 du *Cantique des cantiques* et l'hagiographie des saintes pénitentes », *Micrologus* 13, *La pelle umana, The Human Skin*, 2005, p. 251-265.
[16] Pline, *Histoire Naturelle*, XXIII (tr. Jacques André, CUF, 1971), 14.
[17] Pline, *L'histoire du monde* [*sic*], Lyon : éd. À la salamandre par Claude Senneton, 1562, p. 322.
[18] Isabella Cortese, *I secreti della signora Isabella Cortese*, Venise, 1561.
[19] A. SCARPA & A. GUERCI, « Depigmenting procedures and drugs employed by melanoderm populations », *Journal of Ethnopharmacology*, 19, 1987, p. 17-66.
[20] S.B. VERMA, article cité *supra* note 6.
[21] Joseph ONDONGO, *La pratique du Xessal (Dépigmentation Volontaire) au Congo-Brazzaville : un exemple d'acculturation antagoniste. Étude de clinique ethnopsychana-lytique*, Thèse de doctorat en psychologie, Université Paris X Nanterre, 1989.

l'arbutine, connue pour être produite par la busserolle (« raisin d'ours »), présente aussi dans de nombreuses autres plantes. En revanche, on peut raisonnablement émettre des réserves sur des procédés faisant appel à des produits tels que citron ou fenouil, connus pour réagir au soleil en provoquant des rougeurs et des taches hyperpigmentées. La troisième catégorie est celle des recettes à portée probablement plus magique ou symbolique que pharmacologique, qu'il s'agisse de crottes de crocodile, d'intestins de hérisson ou de lait d'ânesse, voire de l'ingestion de kaolin ou d'aliments de couleur blanche. Pline explique : « On dit que faisant bouillir quarante jours et quarante nuits le talon d'un jeune taureau blanc, jusqu'à ce qu'il soit entièrement résolu, et enduisant un linge blanc de ce liniment, il déride et blanchit la peau, pourvu qu'on le porte la nuit, comme nos dames font leurs masques »[22]. Plusieurs des ingrédients proposés sont utilisés aussi à d'autres fins que l'éclaircissement, comme les applications d'urine humaine ou de bave d'escargot par exemple. Enfin, certains procédés pourraient agir de multiples façons. L'usage de la céruse (« blanc de plomb »), connue depuis l'antiquité comme fard ou comme peinture et qui peut être responsable d'intoxication au plomb, pourrait relever à la fois du maquillage, de la photoprotection et de la pensée magique.

La valorisation de la clarté féminine souffre des exceptions. Certaines ne font que confirmer la règle, comme sainte Marie l'Égyptienne, belle courtisane à peau claire d'Alexandrie au Ve siècle, qui s'était retirée seule dans le désert mener une vie de privations. Son corps brûlé par le soleil est représenté noirci et enlaidi, mais cette laideur terrestre n'est là que souligner par contraste la blancheur intérieure qui se révélera au Ciel. La peau foncée aurait ici une double valeur allégorique, représentant la noirceur de la vie pécheresse et la souffrance de l'ascèse rédemptrice qui lui fait suite[23]. Mais le lien entre beauté, féminité, séduction et clarté a aussi de vraies limites : la clarté n'est ni nécessaire, ni suffisante pour séduire. Le fameux *nigra sum, sed formosa,* du *Cantique des Cantiques,* en témoigne. On s'accorde aujourd'hui à dire que le *nigra* en question désigne simplement un teint hâlé par le soleil, et non une appartenance ethnique ; la question reste de savoir si l'opposition que traduit le « mais », est bien présente dès les premières versions du texte hébreu ou a été ajoutée après coup par la traduction de Jérôme dans une optique chrétienne de valorisation de la clarté[24]. On sait en tout cas qu'une femme de la Rome antique convenablement pâle pouvait manquer de charme et être moins désirable qu'une rivale plus foncée[25]. Le

---

[22] *Op. cit. supra*, note 17.
[23] J.-Y. TILLIETTE, article cité *supra* note 15.
[24] J.-Y. TILLIETTE, *ibid.* ; Gilbert DAHAN, « *Nigra sum, sed formosa.* Aux origines d'un stéréotype ? L'exégèse de *Cantique* 1, 5 (4) aux XIIe et XIIIe siècles », in *Au cloître et dans le monde. Hommes, femmes et société (IXe-XVe siècles)*, Paris : Presses de l'Université Paris-Sorbonne, 2000, p. 15-31 ; Benjamin BRAUDÉ, « Black Skin / White Skin in Ancient Greece and the Near East », *Micrologus*, 13 (*op. cit. supra* note 15), p. 11-21.
[25] M.-Cl. ROLLAND, *op. cit. supra* note 14.

teint foncé serait même un indice de plaisir charnel dans certaines sociétés : les hommes Ndembu, en Afrique centrale, valoriseraient une teinte de peau très noire chez leurs maîtresses et plus claire chez leurs épouses[26]. Cela peut être rapproché du stéréotype occidental qui oppose femme blonde et maîtresse brune, comme si le teint foncé était associé au plaisir sexuel par opposition à la clarté et la blondeur angéliques. Dans un registre plus « ethnique », pour anticiper la suite de cet exposé, la femme au teint foncé a nourri chez l'homme blanc contemporain, de Charles Baudelaire à Serge Gainsbourg (*Couleur café*) ou Julien Clerc (*Mélissa, métisse d'Ibiza*), des rêveries érotico-exotiques[27] souvent teintés du fantasme raciste d'une « proximité avec la nature », promesse de délices supérieurs…

Identités ethniques et modifications imaginaires de la pigmentation

La pensée raciale s'est développée essentiellement à partir du XVIIIe siècle en Occident, pour atteindre son apogée au XIXe et au XXe. Dans l'Antiquité[28] et au Moyen Âge[29], on avait des idées sur le degré de pigmentation mélanique des peuples étrangers et sur le lien entre cette pigmentation et la géographie, notamment la latitude et l'ensoleillement (la peau de certains peuples du Sud est foncée parce que « rôtie par le soleil ») ; les penseurs de ces époques pouvaient aussi porter des jugements positifs ou négatifs sur les caractéristiques intellectuelles ou morales de personnes partageant un même degré de pigmentation et un même habitat, ou sur leur culture. Pour autant, ils s'intéressaient moins à la création de groupes à partir de caractéristiques corrélées entre elles, qu'aux déterminants individuels de la « complexion », comme, par exemple, les effets des astres sur les humeurs qui circulent dans l'organisme. Peut-être leur manquait-il encore l'outil conceptuel indispensable au développement d'une « théorie des races », qui est la génétique, avec un modèle théorique de transmission des traits physiques ou psychiques. Pline l'Ancien écrivait par exemple :

> « D'après Eudicus, il y a dans l'Hestimotide deux sources, dont l'une, le Céron, rend noires les brebis qui en boivent, et l'autre, le Nélée, les rend blanches. Celles qui boivent de l'une et de l'autre sont pies. [...] Ces eaux, d'après le même Théophraste, opèrent aussi sur les hommes : ceux qui boivent celles du Sybaris sont plus bruns, plus

[26] Dominique ZAHAN, « L'homme et la couleur », in Jean POIRIER (dir.), *Histoire des mœurs*, Paris : Gallimard, NRF, Encyclopédie de la Pleiade, 1990, p. 115-180.
[27] Gilles BOETSCH & Eric SAVARESE, « Le corps de l'Africaine, érotisation et inversion », *Cahiers d'études africaines*, 153, 1999, p. 123-144.
[28] B. BRAUDÉ, article cité *supra* note 23.
[29] Maaike van der LUGT, « La peau noire dans la science médiévale », *Micrologus,* 13 (*op. cit. supra* note 15), p. 439-475 ; Peter BILLER, « Black Woman in Medieval Scientific Thought », *ibid.*, p. 477-491. *Cf.* les pages de Maaike van der Lugt dans ce volume.

durs, et ont les cheveux crépus ; ceux qui boivent celles du Crathis sont blancs, plus mous, et ont les cheveux pendants. [...] »[30].

Le concept d'hérédité est laissé ici en dehors de la réflexion sur la couleur de peau, et l'on perçoit bien que le référentiel pour juger des propriétés morales et physiques associées à la pigmentation reste celui du genre : la clarté vient avec le féminin et la mollesse, la pigmentation avec la force et la virilité.

En 1765 était publié à Amsterdam, un ouvrage de Claude-Nicolas Le Cat, intitulé *Traité de la couleur de la peau humaine en général, de celle des nègres en particulier, et de la métamorphose d'une de ces couleurs en l'autre*. L'auteur y dissertait sur le mécanisme de la pigmentation cutanée (démontrant notamment que le cerveau des Noirs était plus foncé que celui des Blancs) tout en développant des idées avancées, dans l'esprit des Lumières, sur l'égalité entre les peuples[31]. Le frontispice montre une femme européenne entourée de personnages représentant l'Asie, l'Afrique et l'Amérique, avec la citation de Virgile[32] *non vultus, non color unus*, détournée de son sens original, pour dire là la diversité humaine. Il n'est pas question dans ce livre de dépigmentation volontaire, puisque les métamorphoses évoquées ne sont en fait que des descriptions plus ou moins fidèles de pathologies pigmentaires variées. Néanmoins, ces changements pigmentaires sont bien mis en lien avec l'existence de peuples différant par la pigmentation et le terme de métamorphose pourrait suggérer que seule la couleur les sépare.

A la fin du XVIIIe siècle toutefois, les théories raciales ont déjà commencé de se développer. Des hiérarchies fondées sur la pigmentation s'impriment dans la réalité sociale puis dans les esprits, persistent et se transmettent. Face aux organisations sociales et aux systèmes de pensée raciale, l'éclaircissement du teint prend de nouvelles significations ; de nouveaux usages apparaissent, de façon parfois très différente selon les régions. Aux Caraïbes par exemple, les disparités historiques et culturelles entre différents territoires sont considérables et s'accompagnent d'importantes différences dans les pratiques d'éclaircissement cutané. La dépigmentation volontaire, très présente en Haïti, épargne presque complètement la Martinique et la Guadeloupe, où le souci d'échapper à la « malédiction de la couleur » se traduirait surtout par la recherche de partenaires au teint moins foncé, assurant une peau plus claire à la descendance[33]. Cette « stratégie matrimoniale » a d'autant plus de sens qu'elle s'inscrit dans la suite d'un système de hiérarchie sociale progressive selon le degré de métissage (métis, quarteron etc.), qui a été très en vogue

---

[30] Pline, *Histoire Naturelle*, XXXI, 9 (ed. Guy Serbat, CUF, 1972).

[31] Claude-Nicolas Le Cat, *Traité de la couleur de la peau humaine en général, de celle des nègres en particulier, et de la métamorphose d'une de ces couleurs en l'autre, soit de naissance, soit accidentellement*, Amsterdam, 1765.

[32] Virgile, *Enéide* VI, v. 47 (ed. Henri Goelzer, CUF, 1925).

[33] Jean-Louis BONNIOL, *La couleur comme maléfice. Une illustration créole de la généalogie des Blancs et des Noirs*, Paris : Albin Michel, 1992.

dans certaines colonies françaises ; elle semblerait inopérante face à la « one drop rule » américaine stipulant qu'une fraction infime d'ascendance africaine-américaine suffit à définir une identité « noire ».

Dans la première moitié du XXe siècle, en l'absence de procédé de dépigmentation véritablement efficace, l'éclaircissement cutané qui permettrait à un individu le passage d'une identité « Noire » à une identité « Blanche » relève donc essentiellement de la fiction ou de la fantaisie, comme l'illustre une comptine enfantine encore en vogue dans les écoles françaises au début des années 1960 : « Une négresse, qui buvait du lait / Ah, se dit-elle, si je le pouvais / Je tremp'rais ma tête / Dans ce bol de lait, / Je serais plus blanche / Que tous les Français ». Par ailleurs, le blanchiment des « Nègres » est un procédé humoristique utilisé par les publicitaires pour vanter les qualités de savons, lessives ou détergents : « le savon La Perdrix blanchit tout » ; « avec Javel SDC, pour blanchir un nègre on ne perd pas son savon » ; « Lessive de la Ménagère, elle blanchirait un nègre » etc. Cette imagerie délibérément raciste rappelle les valeurs de purification ou d'assainissement de la peau souvent liées à l'éclaircissement dans l'imaginaire des utilisateurs comme dans les propriétés revendiquées sur les étiquettes des cosmétiques dépigmentants.

Enfin, en 1952, Frantz Fanon écrivit :

> « Depuis quelques années, des laboratoires ont projeté de découvrir un sérum de dénégrification ; des laboratoires, le plus sérieusement du monde, ont rincé leurs éprouvettes, réglé leurs balances et entamé des recherches qui permettront aux malheureux nègres de se blanchir et ainsi de ne plus supporter le poids de cette malédiction corporelle »[34].

L'histoire de la dépigmentation volontaire pouvait commencer...

Les dépigmentants « scientifiques » du XXe siècle

Le succès de la dépigmentation volontaire et la diffusion de sa pratique à grande échelle semblent liés à l'apparition, au cours du XXe siècle, de deux types d'agents pharmacologiques à l'effet dépigmentant particulièrement puissant : les dérivés de l'hydroquinone et les corticoïdes. Ces deux classes de molécules synthétiques, dont la production industrielle est nécessaire pour des motifs différents, ont été rapidement détournées de leur usage initial pour gagner des circuits de distribution plus ou moins illégaux qui s'étendent dans le monde entier. D'autres procédés coexistent néanmoins, que nous envisagerons d'abord.

Un des premiers outils thérapeutiques modernes employés dans un dessein de dépigmentation cutanée a sans doute été la radiothérapie. Il reste peu de traces scientifiques de cette pratique, qu'on connaît surtout à travers quelques gros titres sensationnels dans la presse américaine du début du siècle : « Burning of Birthmarks, Blemishes of the Skin and Even Turning a

---

[34] Frantz FANON, *Peaux noires, masques blancs* (1952), Paris : Seuil, 1971, ch. 5.

Negro White with the Magic Rays of Radium, the New Mystery of Science »
[*New-York America*, 10 Jan. 1904] ; ou encore : « Can the Ethiopian
Change his Skin or the Leopard Change his Spots: Radium Light Turns
Negro's Skin White » [*Boston Globe*, 25 Jan. 1904].

Un autre agent important est le mercure. Des recherches plus
approfondies seraient nécessaires pour rassembler des données historiques
précises concernant son utilisation à des fins dépigmentantes. Le mercure
était utilisé en thérapeutique humaine avant même le XVIe siècle jusqu'à
l'avènement de la pénicilline, par voie topique ou générale (en inhalations
notamment), principalement pour lutter contre la syphilis. Il était
responsable d'effets secondaires majeurs, parfois même létaux (sans avoir
d'efficacité antisyphilitique prouvée...). Son efficacité dépigmentantante
était bien connue elle aussi et les dangers médicaux de cet usage cosmétique
ont été dénoncés pendant plusieurs siècles, au même titre que ceux d'autres
métaux lourds comme le plomb[35]. Aujourd'hui, les sels de mercure sont
toujours présents dans certaines préparations dépigmentantes utilisées à
travers le monde[36] ; ils entraînent parfois des cas isolés ou de petites
épidémies d'intoxication, marqués principalement par des signes
neurologiques, rénaux[37] ou fœtaux[38].

Une discrète abrasion mécanique ou caustique de l'épiderme
s'inscrit dans une tradition culturelle fréquente dans la plupart des
populations à peau fortement pigmentée (toilette au filet, hammam, savons
exfoliants...). Ces pratiques modérées visent généralement à éliminer la
desquamation physiologique de l'épiderme, invisible sur un fond clair mais
qui donne un aspect terne (« cendré ») aux peaux plus foncées ; elles ont
pour objectif de donner plus d'éclat et de douceur, plus que de dépigmenter.
De fait, une agression trop importante de l'épiderme a toutes les chances
d'être responsable d'une hyperpigmentation post-inflammatoire secondaire,
sauf à la faire suivre d'applications de dermocorticoïdes ou d'hydroquinone.
Un « décapage » initial, aussi appelé « mordançage », est ainsi parfois
pratiqué pour intensifier temporairement la DV et accélérer
l'éclaircissement ; il est bien décrit par exemple au Congo avec le

---

[35] Voir les travaux de Catherine LANOË, par ex. « L'invention de la peau. Les techniques de
blanchiment du visage à l'époque moderne, XVIe-XVIIIe siècles », *Communications*, 81,
2007, p. 107-120.

[36] C.R. HAMANN, W. BOONCHAI, L. WEN, E.N. SAKANASHI, C.Y. CHU, K. HAMANN, C.P.
HAMANN, K. SINNIAH, D. HAMANN, « Spectrometric Analysis of Mercury Content in 549
Skin-Lightening Products: Is Mercury Toxicity a Hidden Global Health Hazard? », *J Am
Acad Dermatol* 70, 2, Feb. 2014, p. 281-287 ; G.F. SUN, W.T. HU, Z.H. YUAN, B.A. ZHANG,
H. LU, « Characteristics of Mercury Intoxication Induced by Skin-lightening Products »,
Chinese Medical Journal (Engl.), 130, 2017, p. 3003-3004.

[37] J.W. KIBUKAMUSOKE, D.R. DAVIES, M.S. HUTT, « Membranous nephropathy due to skin-
lightening cream », *British Medical Journal,* 1974, p. 646-647.

[38] R. LAUWERYS, C. BONNIER, P. EVRARD, J.-P. NNART, A. BERNARD, « Prenatal and Early
Postnatal Intoxication by Inorganic Mercury Resulting from the Maternal Use of Mercury
Containing Soap », *Human Toxicology*, 6, 1987, p. 253-256.

« zazou »[39]. Les caustiques employés sont variés, issus généralement de l'environnement domestique (soude, défrisants, acides, tensio-actifs, sable, ciment…).

En 1939 était publiée, dans un journal de l'académie américaine de médecine, l'observation d'un ouvrier noir, employé par une tannerie, qui avait développé une dépigmentation profonde sur les zones de contact avec ses gants de travail, accompagnée de lésions similaires (vitiligoïdes) à distance[40]. L'enquête, menée sur place et dans d'autres usines du même type, découvrit plusieurs cas semblables et incrimina finalement le monobenzyléther d'hydroquinone, utilisé comme antioxydant dans une marque spécifique de gants de travail. Au cours de la discussion, les auteurs faisaient référence à un article allemand de 1936 démontrant le pouvoir dépigmentant de l'hydroquinone sur le pelage des souris : scientifiques et industriels allaient dès lors se lancer dans la course pour étudier, comprendre et reproduire cet effet, tant à des fins thérapeutiques que cosmétiques. L'hydroquinone devint finalement le symbole (honni) de la dépigmentation volontaire, principale et souvent seule substance connue du grand public pour être utilisée dans ce but, et à qui on attribue généralement à tort toutes les complications médicales de la pratique. Dérivé benzénique largement utilisé dans l'industrie chimique, l'hydroquinone présente la propriété d'inhiber l'activité d'une enzyme essentielle à plusieurs étapes de la synthèse de pigment mélanique et finit par détruire les cellules pigmentaires. En thérapeutique dermatologique, c'est un élément incontournable de la lutte contre les hyperpigmentations pathologiques telles que le mélasma. Très vite développée en tant que cosmétique éclaircissant en même temps qu'antitaches, elle a été largement utilisée en Europe et aux États-Unis. En 1974 étaient publiées en Afrique du Sud les premières séries de patients Noirs atteints de dyschromies leucomélanodermiques liées à l'usage cosmétique de son dérivé le monobenzyléther d'hydroquinone[41]. Peu après, un essai clinique systématique conclut dans le même pays à l'innocuité de préparations dépigmentantes renfermant moins de 3 % d'hydroquinone[42], tandis qu'une autre étude détaillait la principale complication cutanée liée à l'usage immodéré de l'hydroquinone et favorisée par l'exposition solaire, l'ochronose exogène[43]. Les législations européennes et nord-américaines ont autorisé la présence d'hydroquinone jusqu'à la concentration de 2 % dans

---

[39] J. ONDONGO, op. cit. supra, note 21.

[40] E.A. OLIVER, L. SCHWARTZ, L.H. WARREN, « Occupational Leukoderma », Archives of Dermatology and Syphilology, 42, 6, Dec. 1940, p. 993-995.

[41] M. DOGLIOTTI, I. CARO, R.G. HARTDEGEN, D.A. WHITING, « Leucomelanoderma in Blacks. A Recent Epidemic », South African Medical Journal, 48, 1974, p. 1555-1558.

[42] B. BENTLEY-PHILLIPS, M.A. BAYLES, « Cutaneous Reactions to Topical Application of Hydroquinone. Results of a 6-year Investigation », S Afr Med J, 49, 34, 9 Aug. 1975, p. 1391-1395.

[43] G.H. FINDLAY, J.G.L. MORRISON, I.W. SIMSON, « Exogenous Ochronosis and Pigmented Colloid Milium from Hydroquinone Bleaching Creams », British Journal of Dermatology, 93, 1975, p. 613- 622.

des cosmétiques dépigmentants, puis l'Europe l'a interdite en 2001 tandis que les États-Unis la conservaient, considérant que les dangers de la molécule pour la santé étaient largement surévalués[44]. Aujourd'hui les dermatologues continuent de l'utiliser généralement à la concentration de 4 à 5 % ; interdite officiellement dans les cosmétiques européens, on la trouve, en fait, dans d'innombrables produits illicites à la composition affichée mensongère[45], à des concentrations dépassant parfois 20 %.

La synthèse complète de la cortisone ouvrit, en 1951, une nouvelle ère de la thérapeutique médicale. Dès 1952, la cortisone montrait une discrète efficacité contre l'eczéma en applications locales sur la peau[46] ; des dérivés d'action anti-inflammatoire plus puissante allaient apparaître quelques années plus tard. Médicaments de base en dermatologie, principal traitement topique de l'inflammation cutanée, les dermocorticoïdes ont entraîné une révolution dans le monde de la dermatologie, mais aussi dans celui de la dépigmentation volontaire. Ils sont actuellement classés en Europe selon quatre niveaux de puissance, leur efficacité étant bien corrélée à leurs risques d'effets secondaires. Le sommet de l'échelle, dermocorticoïde de classe 4, est essentiellement représenté par le propionate de clobétasol, présent dans d'innombrables spécialités commerciales prétendument produites et distribuées en tant que médicament, mais dont le nom et l'étiquetage (« Plaisir », « Charme », « D 7 jours », « Fashion Fair », « l'Ivoirienne » etc.) ne laissent aucun doute sur leur destination finale, qui est le marché de la dépigmentation. En 1975, des dermatologues de Dakar écrivent :

> « Si les propriétés dépigmentantes des corticoïdes locaux sont ignorées des médecins, elles sont par contre fort connues et utilisées des élégantes africaines soucieuses d'éclaircir leur teint. Certaines préparations pharmaceutiques spécialisées sont distribuées sur le marché en dehors de tout contrôle et tendent à remplacer (ou au moins compléter) l'action des « éclaircissants » classiques à base de sels de mercure ou de dérivés de l'hydroquinone »[47].

Depuis les années 1990, le principal procédé dépigmentant employé par les femmes d'Afrique de l'ouest consiste à appliquer sur l'ensemble du tégument un mélange artisanal de lait à l'hydroquinone et de crème au clobétasol[48]. Les complications cutanées et générales[49] de ce dermocorti-

---

[44] J.J. NORDLUND, P.E. GRIMES, J.P. ORTONNE, « The Safety of Hydroquinone », *Journal of the European Academy of Dermatology and Venereology*, 20, 2006, p. 781-787.

[45] DASS de Genève, Rapport annuel 2003 – Campagne de dosage de l'hydroquinone dans les produits cosmétiques.

[46] M.B. SULZBERGER, V.H. WITTEN, « The Effect of Topically Applied Compound F in Selected Dermatoses », *Journal of Investigative Dermatology*, 19, 2, Aug. 1952, p. 101-102.

[47] J.-P. MARCHAND, J. ARNOLD, B. N'DIAYE, « La dépigmentation cutanée induite par les corticoïdes chez les Noirs Africains », *Nouvelle Presse Médicale*, 5, 5, 31 Jan 1976, p. 274.

[48] A. MAHÉ, F. LY, G. AYMARD, J.M. DANGOU, article cité *supra* note 2 ; O. DADZIE, A. PETIT, « Skin Bleaching: Highlighting the Misuse of Cutaneous Depigmenting Agents », *J Eur Acad Dermatol Venereol*, 23, 2009, p. 741-750 ; A PETIT, C. LUDMANN-COHEN, P.

coïde très puissant sont considérées comme un véritable problème de santé publique dans plusieurs pays d'Afrique subsaharienne[50].

Ces dernières années ont vu enfin croître la popularité d'autres procédés dépigmentants, tels que le glutathion ou la corticothérapie administrés par voie générale, mais sans preuve d'une efficacité aussi élevée que celle des dermocorticoïdes très puissants et de l'hydroquinone concentrée.

Diffusion, confusion, banalisation...

A partir des années 1970, la puissance conjuguée des dérivés de l'hydroquinone et des dermocorticoïdes, ainsi que leur facilité de production et de distribution assurèrent une diffusion croissante de la DV dans le monde entier. Sur le plan épidémiologique, en dépit des allégations de certains, qui apparaissent plutôt comme des souhaits, l'engouement pour la DV n'a jamais réellement faibli depuis cette période et différentes enquêtes suggèrent que les produits dépigmentants seraient utilisés aujourd'hui par au moins 50 % des femmes adultes dans plusieurs pays[51].

Par ailleurs, la DV franchit, avec ces nouveaux agents, un seuil d'efficacité qui bouleverse les pratiques éclaircissantes et la manière dont elles sont perçues, pouvant induire chez les utilisateurs et chez les observateurs extérieurs un ressenti profond de changement ou de désir de changement d'identité. Il apparaît ainsi une sorte de télescopage entre une tradition féminine d'éclaircissement esthétique et le fantasme d'un changement de statut social[52], voire « racial ». Cette situation a rapidement fait l'objet de débats passionnés et polémiques en Afrique subsaharienne et d'une manière générale pour les personnes d'ascendance africaine. En

---

CLEVENBERGH, J.F. BERGMANN, L. DUBERTRET, « Lightening and its Complications Among African People Living in Paris », *J Am Acad Dermatol*, 55, 2006, p. 873-878.

[49] E. RAYNAUD, C. CELLIER, J.L. PERRET, « Dépigmentation cutanée à visée cosmétique. Enquête de prévalence et effets indésirables dans une population féminine sénégalaise », *Ann Dermatol Venereol*, 128, 2001, p. 720-724 ; A. MAHÉ, J.L. PERRET, F. LY, F. FALL, J.P. RAULT, A. DUMONT, « The Cosmetic Use of Skin-Lightening Products during Pregnancy in Dakar, Senegal: a Common and Potentially Hazardous Practice », *Trans Roy Soc Trop Med Hyg*, 101, 2 2007, p. 183-187.

[50] P. DEL GIUDICE, E. RAYNAUD, A. MAHÉ, « L'utilisation cosmétique de produits dépigmentants en Afrique », *Bulletin de la société de pathologie exotique*, 96, 5, 2003, p. 389-393.

[51] F.A. SENDRASOA, I.M. RANAIVO, M. ANDRIANARISON, O. RAHAROLAHY, N.H. RAZANAKOTO, L.S. RAMAROZATOVO, F. RAPELANORO RABENJA, « Misuse of Topical Corticosteroids for Cosmetic Purpose in Antananarivo, Madagascar », *Biomed Res Int*, 2017, 2017:9637083, Epub 2017 Aug. 21 ; A.E. AHMED, M.E HAMID, « Use of Skin-Whitening Products by Sudanese Undergraduate Females: a Survey », *Journal of Racial and Ethnical Health Disparities*, 4, 2, Apr. 2017, p. 149-155, Epub 2016 Mar 2 ; S.Z. RUSMADI, S.N. SYED ISMAIL, S.M. PRAVEENA, « Preliminary Study on the Skin Lightening Practice and Health Symptoms Among Female Students in Malaysia », *Journal of Environmental and Public Health*, 2015 ; 2015:591790, Epub 2015 Nov. 26.

[52] Voir les trois illustrations, p. 189.

Afrique du Sud, comme au Congo et dans d'autres régions du monde, la proportion non négligeable de sujets de sexe masculin parmi les utilisateurs de produits dépigmentants montre que les traditions esthétiques féminines ne peuvent pas expliquer à elles seules le succès de la dépigmentation volontaire[53]. D'un autre côté, l'interprétation « ethnique » de la DV est volontiers sous-tendue en Afrique par le postulat d'un complexe d'infériorité reposant sur l'intériorisation d'une hiérarchie raciale fondée sur l'intensité de la pigmentation ; elle conduit alors souvent à une condamnation violente de cette pratique, en tant que soumission à une idéologie raciste. Nous avons voulu montrer comment le caractère embarrassant de cette interprétation, quel que soit le crédit qu'on lui accorde, la faisait habituellement rejeter au profit d'un oubli, d'une négligence, d'une minoration ou d'une banalisation de la dépigmentation volontaire[54].

Un des discours « banalisants » les plus communs sur la DV, qui consiste à établir une symétrie avec le bronzage, évacue de facto la question embarrassante d'une possible hiérarchie « raciale » de la pigmentation. Cette comparaison avec le bronzage conforte une approche médicale pragmatique de la DV, qui considère cette dernière comme une pratique potentiellement addictive. Souvent en effet, les personnes qui souffrent de complications inesthétiques ou morbides de leurs pratiques dépigmentantes ne parviennent pas à les interrompre, bien qu'elles en reconnaissent la responsabilité – de la même façon que certaines personnes à peau claire deviennent véritablement « addict » au bronzage artificiel en dépit des taches, des rides et des cancers cutanés qu'il entraîne[55].

Conclusion

La dépigmentation volontaire est un phénomène complexe et polymorphe, sous la dépendance d'une grande variété de ressorts sociologiques, anthropologiques et psychologiques. Nous pensons que la seconde moitié du XXe siècle a vu la confluence de ses deux principales racines historiques, pratiques anciennes et modérément efficaces d'éclaircissement des femmes d'un côté, fantasmes de changement d'identité sociale ou raciale de l'autre. La découverte d'agents dépigmentants extrêmement efficaces a probablement précipité leur collusion et leur confusion, dans l'esprit des utilisateurs comme dans celui des commentateurs.

---

[53] H. DIDILLON, D. BOUNSANA, op. cit. (supra note 9) ; J. ONDONGO, op. cit. supra note 21.
[54] Antoine PETIT, « La dépigmentation volontaire : réalités, interprétations, résistances », L'autre (Cliniques, cultures et sociétés), 8, 1, 2007, p. 95-108.
[55] Antoine PETIT, « L'addiction à la dépigmentation », La Peaulogie, 2018, accepté pour publication.

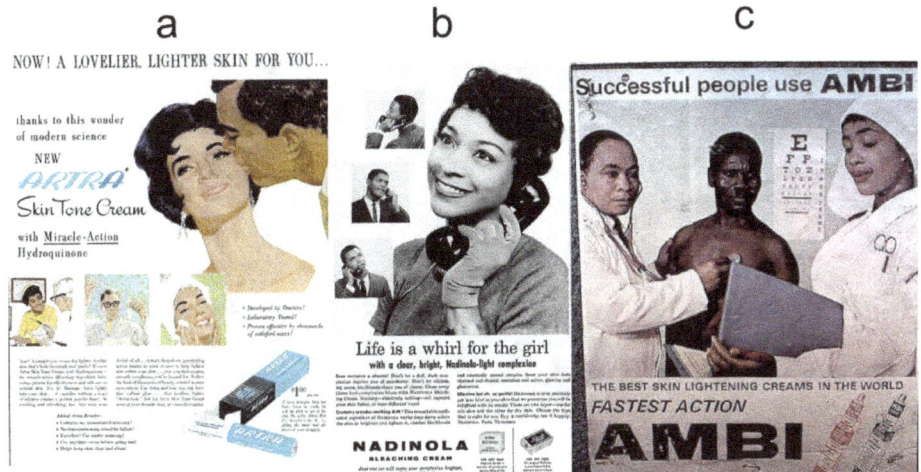

Affiches publicitaires de la seconde moitié du XXe siècle :

a. États-Unis, crème à l'hydroquinone vantée pour éclaircir le teint d'une femme d'ascendance européenne ; son partenaire a la peau nettement plus foncée ;

b. États-Unis, même propos mais pour un couple d'ascendance africaine ; la différence de teint est moins marquée et on note une certaine « européanisation » des traits de la femme ;

c. Afrique, la dépigmentation profonde, synonyme de prestige et de réussite, caractérise cette fois ci le médecin homme comme l'infirmière, par opposition au patient.

Les couleurs du corps chez Platon : dignité ou indignité du teint ?

Vivien LONGHI[1]

Commençons par écouter Goethe, auteur d'un *Traité des couleurs*, et qui rappelle avec malice que couleur et philosophie ne font pas bon ménage[2]. Comment, dans la philosophie de Platon *a fortiori*, la couleur pourrait-elle échapper à une telle dévalorisation[3] ? La couleur *corporelle* pourrait même sembler doublement indigne chez le philosophe grec idéaliste. Rappelons donc quelques-uns des principaux énoncés négatifs lisibles à ce sujet dans les dialogues. On en trouve tout d'abord une condamnation métaphysique. Autrement dit, l'existence postulée de réalités supérieures aux états physiques fait de la couleur un élément caractéristique de l'imperfection du monde d'ici-bas, qu'il soit d'un chatoiement trompeur ou bien, paradoxalement, terne et sans éclat véritablement digne de ce nom[4]. Dans le monde intelligible que Diotime fait entrevoir dans le *Banquet*, par opposition, la divine beauté est précisément celle qui n'est faite ni de chairs ni de couleurs[5]. Dans le *Phèdre*, il est encore explicitement dit que la réalité

---

[1] Maître de conférences en langue et littérature grecques, Université de Lille, Halma (UMR 8164).

[2] Goethe, *Traité des couleurs*, tr. Paul-Henri Bideau, Paris : Triades, 2003, p. 90 : « Car de tout temps il fut quelque peu dangereux de traiter de la couleur, à tel point qu'un de nos prédécesseurs se risqua même un jour à dire : "Le taureau devient furieux si on lui présente une étoffe rouge ; mais le philosophe, dès qu'on lui parle seulement de couleur, se met en rage" ». Voir Claude ROMANO, *De la couleur, un cours*, Paris : éd. de la Transparence, 2013 (ed. pr. 2010), p. 9, pour une brève discussion de cette indignité philosophique de la couleur soulignée par Goethe et p. 53 *sq.* pour Goethe et son traité des couleurs.

[3] Voir Angelo BAJ, « Faut-il se fier aux couleurs ? Approches platoniciennes et aristotéliciennes des couleurs », in Marcello CARASTRO (dir.), *L'antiquité en couleurs, Catégories, pratiques, représentations*, Grenoble : Jérôme Millon, 2009, p. 131-152, pour un aperçu, notamment p. 140, pour une synthèse sur la dévalorisation platonicienne de la couleur. Selon lui, l'admiration pour la couleur ne se laisse voir qu'exceptionnellement dans des récits mythiques, pour des couleurs parfaites d'autres mondes dont nous n'avons pas de connaissance directe.

[4] C'est un paradoxe exposé dans le *Phédon*, 110 a 1-4 et 110 c7-d 2 notamment (ed. Léon Robin, CUF, 1926) : les couleurs du monde physique d'ici-bas sont dénigrées car ce ne sont pas des couleurs véritables. Elles sont fades, délavées, vert-de-gris, comparables à des roches marines enfouies sous l'océan et usées par la saumure. Dans le monde intelligible, les couleurs véritables seront au contraire éclatantes.

[5] *Banquet*, discours de Diotime, 211 d 8-e 3 (ed. Léon Robin, CUF, 1929) : « Que penserons-nous d'un homme à qui il serait donné de voir le beau bien défini (εἰλικρινές), pur, sans mélange (ἄμικτον), et non pas plein de chairs humaines (σαρκῶν) et de couleurs (χρωμάτων), et de tout autre écoulement (φλυαρίας) mortel, mais à qui il serait possible de voir le beau divin lui-même dans sa forme simple (μονοειδὲς) ». Toutes les traductions sont personnelles, sauf mention contraire.

véritable, celle que voit l'âme libérée de son corps est sans couleur, achromatique[6]. Quoi qu'il en soit des nuances d'un dialogue à l'autre, le charnel et le coloré sont associés pour être mieux renvoyés au corrompu, au périssable et au méprisable. Dans le *Timée*, le tableau, si l'on ose dire, n'est pas bien différent. Ce sont les couleurs internes de l'organisme qui sont observées cette fois : les fluides corporels se fondent en un rouge dominant, dans leur état normal[7]. C'est dans la maladie que se manifeste de façon éclatante la polychromie corporelle. Au cours de l'accès pathologique dû à une humeur aigre, se déploie une bigarrure effrayante dans un écroulement inquiétant des chairs colorées[8]. Même quand elle est l'objet d'une analyse physique de ses éléments la couleur n'échappe pas à une certaine dévalorisation collatérale. La perception d'une effluve excessivement colorée vient ainsi faire violence au réceptacle qu'est l'œil[9]. Pour clore ce parcours rapide, ajoutons que la couleur est enfin un indice de dégradation politique. Son excès est la caractéristique de la licence démocratique : les variations constitutionnelles et juridiques, le flou législatif de la démocratie ressemblent à un manteau bariolé, aux couleurs florales[10]. La remarque rejoint une condamnation plus globale par le philosophe du goût démocratique pour le mélange dans une « cité gonflée d'humeurs » (*République* III, 372 e 9) qui laisse entrer tout ensemble artistes, peintres, artisans, et … des médecins (373 a-d) censés soignés des corps de citoyens qu'on devine aussi pathologiquement colorés que ceux décrits dans le *Timée*. Tous les champs de questionnement traditionnels de la philosophie

---

[6] *Phèdre*, 247 c 6 (ed. Léon Robin, CUF, 1933) : « Ce lieu supracéleste, aucun des poètes n'a en encore chanté l'hymne, ni ne le louera dignement. Il est ainsi : il faut avoir l'audace de dire la vérité, surtout quand on parle de la vérité. La réalité qui est réellement sans couleur (ἀχρώματος) et sans forme et impalpable, qui ne peut être vue que par l'intellect seul pilote de l'âme … occupe ce lieu. »

[7] *Cf. Timée*, 80 d 7- e 6 (ed. Albert Rivaud, CUF, 1925), pour le mécanisme de fabrication de la couleur rouge du sang.

[8] *Timée,* 82 e 3-7 : « Quand la chair se fond et que par un mouvement inverse elle déverse dans les vaisseaux le produit de sa fonte, alors, avec l'air qui l'accompagne, le sang prend dans les vaisseaux une grande et infinie variété (πολύ τε καὶ παντοδαπὸν [...] ποικιλλόμενον) de couleurs (χρώμασι), d'aigreurs, et encore d'acidités et de saumures : il contient alors des biles, des *ichôrs* (ἰχῶρας) et des phlegmes multiples. *Cf.* aussi 83 b-c « L'aigre alors replongé (βαφεῖσα) dans le sang a pris une couleur plus rouge, et, mélangé (συγκεραννυμένου) avec le noir, donne une couleur verdâtre (χλοῶδες). Et une couleur jaune (ξανθὸν χρῶμα) se mélange encore avec l'aigre, quand une chair jeune se fond sous l'effet du feu qui entoure l'inflammation. Et le nom commun à toutes ces choses est "bile" (χολήν) : il a été donné par des médecins, ou bien par un homme capable de regarder beaucoup de choses dissemblables, et de voir en elles un genre (γένος) digne de servir de nom à toutes. Les autres formes (εἴδη) de bile, ont chacune, suivant leur couleur (κατὰ τὴν χρόαν) un nom particulier ».

[9] *Timée*, 67 c 4-68 d 8.

[10] *République* VIII, 557 c-d (ed. Émile Chambry, CUF, 1934) : « Cette constitution, dis-je, a bien l'air d'être la plus belle de toutes. Comme un manteau bigarré (ποικίλον), orné de toutes sortes de couleurs (πεποικιλμένον πᾶσιν ἄνθεσι), ce gouvernement bariolé de toutes sortes de caractères (ἤθεσιν) pourrait sembler le plus beau. Et peut-être, dis-je, celle-ci, comme des enfants et des femmes, qui admirent les choses bigarrées, beaucoup le jugeraient le plus beau. »

platonicienne, métaphysique, physico-médical et politique, offrent donc, à des degrés divers, des énoncés dépréciatifs sur la couleur corporelle. N'y a-t-il toutefois aucun usage philosophique de ces couleurs, notamment de la carnation ? Jamais de *ut pictura poiesis* chez Platon ? Il faut sans doute se méfier de cette première analyse, monolithique, du thème[11]. Le teint ne peut-il être au service d'une compréhension plus approfondie de la réalité, cesser d'être un leurre pour devenir au plein sens du terme signe et indice de la vérité ?

Les carnations ont un rôle important dans certains traités politiques ou récits historiques après l'antiquité : ce code de la représentation de l'homme d'État offre des connotations symboliques[12]. Cela est vrai aussi proba-blement à l'époque de Platon, même si la mention topique du teint des chefs se rencontre plus généralement dans des textes postérieurs à la Grèce classique[13]. Dans l'Athènes classique l'obtention de la bonne carnation est un enjeu central de l'art pictural[14]. Les dialogues platoniciens sont-ils dès lors eux aussi sensibles à la question du teint de leurs grands hommes et cherchent-ils à rivaliser avec l'art du portrait sur ce point ? La peinture sert bien de modèle dans des développements politiques. Quand il s'agit de définir les chefs d'une cité le philosophe retient l'exigence de donner de la chair aux hommes qu'il façonne. Dans le *Politique*, la couleur est introduite par analogie : elle est aussi indispensable à un tableau que la notion de

---

[11] Sur le sujet de la peinture, Stephen HALLIWELL, « Plato and Painting », in Keith RUTTER et Brian SPARKES, *Word and Image in Ancient Greece*, Edinburgh : University Press, 2000, p. 99-116, a bien montré la complexité et la polyvalence des discours platoniciens. Voir p. 103, avec une mise en garde méthodologique utile : « Standard accounts of Plato's supposed hostility to painting, including many attempts to trace evolving patterns in his references to the art, are reductive and simplified ; they depend on over-dogmatising readings of individual arguments, and they often miss subtleties within those arguments ».

[12] Un bon exemple serait *Le livre du courtisan* de Castiglione (tr. Alain Pons, Paris : Flammarion, 1991), où l'intérêt porté au teint du courtisan (I, 19) va de pair avec la valorisation de la peinture, discipline que doit connaître le parfait homme de cour (I, 50-52). Voir aussi, pour les nombreuses mentions des carnations royales dans les chroniques médiévales l'étude d'Iris Naget dans le présent volume.

[13] Notons toutefois un passage de Xénophon, *Agésilas*, I, 13 où la tranquillité du Spartiate dans sa lutte contre Tissapherne est soulignée par sa capacité à donner des ordres et à agir d'un visage plein de splendeur (μάλα φαιδρῷ τῷ προσώπῳ), alors que ses propres troupes sont effrayées par l'ultimatum du satrape perse. Plutarque consacre un chapitre liminaire de sa *Vie d'Alexandre* (4,3) au teint du roi, évoquant notamment l'erreur du peintre Apelle qui donna à Alexandre un teint sombre et terreux, contrairement à la nature de ce dernier, plutôt pâle, coloré de pourpre. La position de la description au début du récit de la vie signale qu'il y a là un *topos* de la description d'un grand homme. Dans le chapitre I de cette vie, Plutarque a d'ailleurs comparé son art de brosser les caractères des grands hommes à celui du portraitiste.

[14] Voir Laurence VILLARD, « L'essor du chromatisme au IVᵉ siècle : quelques témoignages contemporains », in Agnès ROUVERET, Sandrine DUBEL, Valérie NAAS (dir.), *Couleurs et matières dans l'Antiquité : textes, techniques et pratiques*, Paris : éd. Rue d'Ulm, 2006, p. 43-54, part. p. 44 pour un rappel de cette perspective illusionniste de la peinture du Vᵉ et IVᵉ siècles grecs, et de son intérêt pour la carnation des figures, que relate la tradition. Elle s'appuie elle-même sur les travaux d'Agnès ROUVERET, *Histoire et imaginaire de la peinture ancienne (Vᵉ siècle av. J.-C.- Iᵉʳ siècle ap. J.-C.)*, EFR, Paris-Rome : de Boccard, 1989.

paradigme l'est dans une enquête philosophique qui cherche à définir le bon politique avec évidence et clarté (ἐνάργεια)[15]. La comparaison avec le coloris des chairs obtenu par le bon peintre de figures vivantes (ζῷον) sert à Platon à manifester le besoin d'une nouvelle recherche dialectique qui rende les choses moins abstraites et définisse mieux l'action du politique. Dans la *République*, le philosophe-législateur est aussi défini comme ζωγράφος (501 c 6), peintre, qui non seulement dessine les grandes lignes juridiques de l'État utopique mais encore colore son tableau et fabrique une « carnation » (ἀνδρείκελον) pour les gardiens nouvellement institués[16]. Autrement dit, il ne faut pas se contenter d'un schéma réglementaire et législatif abstrait, quand on pense une nouvelle cité, mais il faut « façonner » les hommes, en connaissant bien les valeurs morales qui doivent se mélanger dans leur âme. Pour bien les peindre il faut d'ailleurs se servir d'une tablette « vierge » : la métaphore picturale entre alors en résonnance avec le travail polymorphe de purification qui est celui du philosophe législateur et réformateur de la *République*[17]. Le législateur est donc un bon peintre qui connaît la technique

---

[15] *Politique*, 277 b 6-c 6 (ed. Auguste Diès, CUF, 1950) : « Nous avons fait une démonstration trop longue et nous n'avons pas totalement achevé notre mythe. C'est une faute technique dans notre discours. Ce dernier est comme une peinture (ζῷον) qui a son contour extérieur suffisamment dessiné (περιγραφήν), mais ce qu'on obtient au moyen d'onguents (οἷον τοῖς φαρμάκοις) et par le mélange des couleurs (συγκράσει τῶν χρωμάτων), je veux dire son plein éclat (ἐνάργειαν), il ne l'a pas encore recouvré (ἀπειληφέναι). Toutefois c'est plutôt par l'expression et le discours (λέξει καὶ λόγῳ) que par le dessin (γραφῆς) et la technique artisanale dans son ensemble (συμπάσης χειρουργίας) qu'il convient de montrer tout vivant (πᾶν ζῷον) à ceux qui sont capables de suivre. » Ce sera la fonction du paradigme du tissage que de permettre de définir plus précisément la véritable fonction du politique, voir Dimitri EL MURR, *Savoir et gouverner. Essai sur la science politique platonicienne*, Paris : Vrin, 2014, p. 50-66 pour la notion de paradigme et ses enjeux dialectiques.
[16] *République* VI, 501 b (*op. cit. supra* note 10) : « Ensuite, je pense que, pour perfectionner leur ouvrage [les législateurs-philosophes de la cité] regarderaient fréquemment de deux côtés, d'une part vers la nature de la justice, de la beauté, de la tempérance et d'autres vertus semblables, et d'autre part, vers ce qu'ils sont en train de placer dans les hommes qu'ils fabriquent : ils mélangent (ξυμμειγνύντες) et broient (κεραννύντες) dans leur creuset, à partir des types de vie différents (ἐπιτηδευμάτων), la carnation de humaine (τὸ ἀνδρείκελον), si l'on emprunte ce mot à Homère, qui a parlé d'une "forme divine" (θεοειδές) ou "d'un aspect aux dieux semblable" (θεοείκελον) qui pénètre dans les hommes. » Sur le mot ἀνδρείκελον et la technique picturale d'imitation des chairs qu'il suppose, voir A. ROUVERET (*op. cit. supra* note 14) p. 42-43 et L. VILLARD (*op. cit. supra* note 14), p. 46-48 notamment pour son usage chez Platon et le problème de traduction qu'il pose dans la *République*. Il a un double sens et désigne à la fois « ce qui ressemble à l'homme, a figure humaine » et, dans un sens plus technique le mélange de couleur ou la « couleur chair », la « carnation ». Il est, selon L. Villard, traduisible par « couleur chair » dans le *Cratyle* 424 e. Notons que le *Timée* 19 b-c reprend l'image de la πολιτεία, celle définie dans la *République*, comme tableau.
[17] L'image de la tablette vierge (πίνακα, *République*, VI, 501 a 2) rejoint celle de l'épure des statues qui permet d'obtenir des formes et des couleurs parfaites (III, 361 d repris en VII, 540 c) pour désigner la recherche de l'homme juste ou du gardien parfait. Les images renvoient tant au travail de définition qu'à différentes opérations politiques de sélection préalables à l'éducation des gardiens de la cité, qu'il s'agisse de contrôle des naissances ou de soustraction des enfants à leur parents. Le philosophe est un véritable dessinateur qui peint des hommes agréables aux dieux (501 c) tout en traçant le schéma de l'Etat.

du coloris outre celle du dessin. Qu'est-ce qui correspond à ces carnations dans la discussion philosophique sur la formation des gardiens ? Ce sont les ἤθη, les caractères, les mœurs que le philosophe doit connaître, organiser, assembler, mélanger[18]. C'est en tant qu'il sait apporter tout ce qui est nécessaire à une âme, vertus et sciences capables de s'associer et s'harmoniser, que le philosophe éducateur élabore une sorte de couleur morale pour ses gardiens. Il s'érige ainsi au rang de démiurge qui crée la vie éthique à partir d'un matériau premier, comme celui du *Timée*[19]. L'image de la confection d'une couleur chair correspond à la radicalité du projet de la *République*, fabrication totale de l'homme juste, à partir d'une page blanche. Dans ces passages, la carnation dont il est question est toutefois singulièrement désincarnée, pure métaphore explicative. L'usage du teint ne va pas au-delà de l'analogie méthodologique qui permet de qualifier l'art démiurgique du philosophe. En revanche, dans la description des gardiens ou des hommes politiques, le teint ne réapparaît pas. Le philosophe prétend créer des êtres de toute pièce, *comme* un peintre, mais il n'est pas peintre ou portraitiste de ceux qu'il a créés. Les gardiens ne sont ainsi pas décrits pour leur bonne mine, quoiqu'ils fassent beaucoup d'exercice dès leur plus tendre jeunesse[20]. Sans doute la question du beau teint, dont on verra bientôt les connotations érotiques, serait-elle ici déplacée dans cette rude éducation concurrentielle décrite au livre VII du grand dialogue politique. Les gardiens de la *République*, sans couleur, n'ont pas de visage incarnant leur rayonnement et leur pouvoir. Dans les diverses sciences qu'ils doivent maîtriser en outre, il ne leur est pas non plus demandé de savoir discerner les belles carnations d'un corps ou de connaître l'art du coloris[21]. La maîtrise de la couleur est remarquablement maintenue à distance de ces hommes dont Socrate a pourtant revendiqué, en démiurge, peindre les chairs. Doit-on conclure de ces remarques que la carnation est uniquement un thème métaphorique chez Platon et qu'il n'y a pas de place pour sa représentation dans le dialogue philosophique ?

Ce serait faire fi trop rapidement de certains indices que le personnage de Socrate lui-même laisse en chemin. Il y a bien des couleurs qui émanent d'un visage ou d'un tableau et qui ne sauraient être inessentielles ou passées sous silence. Dans les *Mémorables* de Xénophon un texte célèbre montre

---

[18] Le thème du bon mélange des aptitudes et des caractères se voit en 503 c-d, où Socrate énumère les associations de vertus qui doivent forger l'âme des gardiens.

[19] Cf. *Timée* 41 d-e (*op. cit. supra*, note 7). Notons avec L. Villard que l'ἀνδρείκελον, cette carnation fabriquée par les peintres, est aussi comparée au sperme chez Aristote, cf. *Génération des animaux*, 725 a (ed. Pierre Louis, CUF, 2002).

[20] En revanche dans le *Gorgias*, 465 b-c (ed. Alfred Croiset, CUF, 1923) et le *Phèdre*, 239 c-d (*op. cit. supra* note 6) la bonne mine est associée aux vertus de l'exercice physique. Voir aussi pour la médecine *Régime* III, 70 et 76 (ed. Robert Joly, CUF, 1967).

[21] Les gardiens ne sont pas censés admirer la peinture ou savoir reconnaître exactement la beauté féminine à partir de l'étude des tableaux comme doit le faire par exemple le courtisan du XVIe siècle inventé par Castiglione cf. I, 52.

Socrate en pleine discussion sur la peinture des caractères avec Parrhasios[22]. Le philosophe fait prendre conscience au grand peintre de la capacité de son art à représenter les vices et vertus de l'âme. Et de souligner le choix que doit faire le bon peintre de peindre les belles âmes. La bonté, la bienveillance, l'hostilité, la générosité se voient, transparaissent (διαφαίνει) sur le visage de ceux qui sont animés de ces vertus. Le visage brille, miroite d'un certain nombre de nobles sentiments que le peintre Parrhasios, par son usage subtil de la couleur, peut figurer. Au début de la *République* (III, 401 a-d), même constat de la nécessité d'imiter le beau qui, une fois inscrit dans une œuvre, émane d'elle et vient nourrir et fertiliser l'âme de la jeune personne[23]. Socrate lui-même, dans le tableau qu'en donne Alcibiade n'est-il pas ce silène à l'εἶδος (*Banquet* 215 b 5) sans doute très coloré qui appelle la découverte de ses richesses intérieures[24] ? Éloge de la peinture et croyance dans la signification d'un visage et d'un teint se fondent, on le voit, en un seul discours. Picturalité et physiognomonie vont de pair : la couleur, l'éclat, réel ou représenté, peuvent jouer le rôle de signe indicateur de valeurs et de vertus, que Socrate incarne et qui l'intéressent aussi au plus haut point[25].

La croyance du philosophe dans la signification des couleurs d'un visage est mise en scène dans les premiers dialogues. Il fait régulièrement

---

[22] Xénophon, *Mémorables,* III, 10, 3-5 : Socrate chez le peintre Parrhasios (tr. Louis-André Dorion, CUF, 2011) : « Mais quoi ? demanda-t-il, ce qu'il y a de plus attachant, de plus agréable, de plus affectueux, de plus désirable et de plus charmant, le caractère de l'âme, l'imitez-vous ? Ou bien est-ce impossible à imiter ? — Socrate, répondit-il, comment pourrait-on imiter ce qui n'a ni proportion, ni couleur (χρῶμα), ni aucune des caractéristiques dont tu viens de parler, et qui n'est pas du tout visible ? — Y a-t-il chez l'homme, demanda-t-il, une façon bienveillante et une façon hostile de regarder autrui ? — À mon avis, oui, répondit-il. — Dans ce cas peut-on imiter cette expression dans les yeux ? — Tout à fait répondit-il ? — Quant aux bonnes et aux mauvaises choses qui arrivent à nos amis, as-tu l'impression que ceux qui s'en préoccupent affichent le même visage que ceux qui ne s'en préoccupent pas ? — Pas du tout, par Zeus, répondit-il, car leurs visages deviennent resplendissants au bonheur de leurs amis, et sombres en cas de malheur. — Eh bien, reprit-il, ces expressions peuvent être représentées ? (ἀπεικάζειν) — Tout à fait répondit-il. — De même, la magnificence et la générosité, la bassesse et la mesquinerie, la modération et le bon jugement, l'insolence et l'absence de goût transparaissent sur le visage et dans la posture des hommes au repos ou en mouvement (διὰ τοῦ προσώπου διαφαίνει). — Tu dis vrai, répondit-il. — Eh bien, ces qualités peuvent-elles également être imitées ? — Bien sûr, répondit-il. Est-ce que tu considères, demanda-t-il, qu'il est plus agréable de voir des hommes qui révèlent de beaux, bons et aimables caractères, ou qui en révèlent de laids, mauvais et haïssables ? — Par Zeus, Socrate, cela fait une différence. »

[23] St. HALLIWELL (*op. cit. supra* note 11), p. 108, fait le rapprochement entre ces deux textes et y voit la trace d'une valorisation socratique de la forme visuelle produite par les arts plastiques, qui communique des sentiments et des valeurs morales.

[24] Voir aussi *l'Apologie de Socrate* de Xénophon (ed. François Ollier, CUF, 1961) : à la fin de son discours le philosophe dit ne pas craindre la mort et impressionne par son allure éclatante (c. 27, φαιδρός). Dans le *Phédon* de Platon « il ne change pas de couleur ni de visage » dans ce moment fatal où il boit le poison (117 b 2-b 7).

[25] On touche ici à la physiognomonie antique. Voir, pour un état de la question postérieur aux dialogues de Platon, Jérôme WILGAUX, « La physiognomonie antique : bref état des lieux », in Jérôme WILGAUX et Véronique DASEN (dir.), *Langages et métaphores du corps dans le monde antique*, Rennes : Presses universitaires, 2006, p. 185-195.

des remarques, à la première personne, dans la diégèse, sur la couleur de ses interlocuteurs. Notons que ces relevés du rougissement disparaissent ensuite dans les œuvres probablement plus tardives de la production platonicienne. Elles prennent souvent la forme de didascalies où sont commentés par Socrate les traits et les couleurs du visage des personnages. Il y a une dizaine de rougissements ou de changements de couleur qui manifestent tous un sentiment puissant à l'œuvre dans l'âme. Ils ont été peu commentés et seulement pour conclure que leur sens n'est pas fondamentalement différent de celui que le rougissement a encore de nos jours. Il y aurait là marque de gêne ou de honte[26]. On peut approfondir la question. Exprimé le plus souvent par ἐρυθριῶ, il concerne majoritairement des jeunes gens (*Charmide*, 158 b 5 - c 7, *Lysis*, 213 d 1-7, *Euthydème*, 275 d 6, et, pour des orateurs impétueux ou apprentis sophistes : *Euthydème* 297 a, *Protagoras*, 312 a, *République* I, 350 d 3). Il est toujours signifiant et expliqué dans le récit comme le fruit d'un sentiment : ce n'est pas un motif esthétique, mais éthique. Un amoureux d'un certain âge, Hippothalès rougit aussi au moment où il doit dévoiler son amour pour Lysis (*Lysis* 204 b 1-5 et 222 b 1-3)[27]. Dans tous les cas, le rougissement apparaît presque toujours dans des dialogues de palestre ou de gymnase, il est le fait de jeunes gens ou de vieux amoureux poètes jouant les jeunes comme Hippothalès. C'est un motif éphébique, l'expression d'une gêne noble, d'une pudeur, d'une difficulté à se lancer dans une discussion d'égal à égal avec Socrate, ou bien la manifestation de honte ou de colère rentrée chez un jeune sophiste qui a cherché à faire passer comme admis des points qui sont en réalité réfutés dans le dialogue, et doit admettre son ignorance.

Un certain nombre de ses rougissements entretiennent en outre un lien particulier au sentiment amoureux. La valeur érotique du signe est double. La rougeur est d'abord une puissance active, une grâce et un charme qui frappent Socrate, admiratif de son interlocuteur rosissant[28]. Le vocabulaire

---

[26] Paul GOOCH, « Red Faces in Plato », *The Classical Journal,* 83, 1987, p. 124-127 ; Maria da Graça GOMEZ DE PINA, « L'arrossire sorridendo di Ippocrate », in Giovanni CASERTANO (dir.), *Il Protagora di Platone : strutture et problematiche*, Naples : Loffredo, 2004, p. 39-64.

[27] Voir enfin *Phédon* pour l'absence de changement de couleur de Socrate, aussi à valeur morale 117 b 2 - b 7.

[28] *Charmide*, 158 b-c (tr. Alfred Croiset légèrement modifiée, CUF, 1921) : « Dis-moi si tu partages son avis et si tu te crois suffisamment pourvu de sagesse ou si tu penses le contraire. Charmide eut le rouge qui lui monta au visage (ἀνερυθριάσας) d'abord et n'en parut que plus beau (ἔτι καλλίων ἐφάνη), car cette timidité (τὸ αἰσχυντηλὸν) convenait (ἔπρεψεν) à son âge. Ensuite, non sans noblesse (οὐκ ἀγεννῶς), il me répondit qu'il lui était également difficile de me dire sur le champ oui ou non ». *Cf.* aussi *Lysis*, 213 d 1-7 (tr. Alfred Croiset, CUF, 1921, légèrement modifiée) : « "Peut-être, Ménexène, avons-nous mal dirigé toute cette recherche. - Je crois que nous ne l'avons pas bien dirigée, Socrate", dit Lysis. Et en même temps qu'il disait cela, il rougit (ἠρυθρίασεν). Il me semblait en effet (γάρ) avoir laissé échapper (ἐκφεύγειν) ce mot involontairement (ἄκοντα), à cause de sa concentration extrême d'esprit sur nos propos. Et il était évident qu'il écoutait en étant bien concentré. Moi désireux de donner quelque relâche (ἀναπαῦσαι) à Ménexène et charmé par sa philosophie (ἡσθεὶς τῇ φιλοσοφίᾳ), changeant de partenaire, je me tournais vers Lysis pour élaborer nos discours ».

employé pour désigner l'effet produit par le rougissement sur le philosophe est celui de la relation homoérotique ou plus largement du coup de foudre (ἡσθεὶς, *Lysis*, 213 d)[29]. Socrate ne cache pas le charme exercé sur lui par le rosissement des chairs, plaisant en soi et surtout quand il est juvénile. Mais, dans les descriptions, le charme ressenti et assumé par Socrate n'est pas de l'ordre du pur effet du désir ou du pur plaisir de la contemplation. Car la rougeur, charmante, témoigne aussi du fait que la parole philosophique commence à agir sur la jeune personne. Autrement dit et en ce sens le rougissement est aussi la marque d'un *éros passif*, la trace de la morsure de la philosophie sur l'éphèbe. Le signe captive Socrate autant qu'il manifeste que le jeune interlocuteur est lui-même captivé par la philosophie, dans une belle relation réciproque. Dans le *Charmide* (158 b-c) le rougissement marque l'entrée en philosophie : il manifeste la suspension des prétentions au savoir d'un jeune homme pourtant en majesté dans la cité, prisé et courtisé de tous à la palestre. Il accompagne l'acceptation de l'aporie concernant la redoutable question de ce qu'on croit savoir. En outre, dans le contexte médical qui est celui du début du dialogue (Socrate est appelé, rappelons-le, comme médecin du jeune Charmide migraineux), la prise de parole socratique semble agir comme remède : le rougissement est un effet direct de la parole socratique sur le corps, qui détourne la sensation du mal. Dans le passage comparable du *Lysis* (213 d) le phénomène est encore solidaire chez le jeune éphèbe d'un élan philosophique, voire d'une tentative un peu brusque pour attirer l'attention de Socrate et entrer avec lui dans le dialogue. Lysis vient en effet de constater que la recherche était mal conduite et veut redresser la discussion. Phénomène involontaire, le signe corporel vient manifester que le jeune homme est frappé par le désir de philosopher et de s'unir dans le dialogue à Socrate. Le vieux philosophe commente d'ailleurs la chose explicitement : il est « charmé par la philosophie » du jeune homme qui a su interrompre l'entretien et s'y immiscer au bon moment, avant que la discussion ne dérive. Le rougissement donc comme marque d'un désir philosophe, qui sait reconnaître et dénoncer l'aporie ou la dérive de la discussion. L'*Euthydème*

Le charme du rougissement est rappelé en *Lysis*, 204 b 1-5, mais avec un certain décalage puisqu'il s'agit alors du rougissement du très mûr Hippothalès à qui l'on demande, à la palestre, de qui il est amoureux (tr. Croiset légèrement modifiée) : « Alors, Ctésippe l'interpella : "C'est charmant (ἀστεῖον) de rougir, Hippothalès, et d'hésiter (ὀκνεῖς) à dire son nom à Socrate. Mais si ce dernier t'entretient ne serait-ce qu'un instant, il sera assommé à t'entendre toujours en parler" ».

[29] On trouve le fréquent verbe ἥδομαι dans le *Contre Timarque* d'Eschine (ed. Victor Martin, CUF, 1927) pour un coup de foudre visuel au début d'une relation pédérastique dévoyée (57). On le rencontre aussi, en dehors des relations homoérotiques, à propos de « l'œil d'Hélène charmé » par le corps de Pâris, dans l'*Eloge d'Hélène* de Gorgias (ed. Stéphane Marchand, CUF, 2016), § 19, juste après, d'ailleurs, une mention du charme procuré par les couleurs d'une peinture, au § 18.

(275 d 6) pourrait se prêter à une analyse similaire[30]. L'éphèbe rougit quand s'exprime son goût naissant pour la philosophie. Socrate joue avec des codes symboliques de la culture de son temps quand il relève ce signe corporel. Le rosissement était traditionnellement une manifestation de gêne et de pudeur, mais aussi une grâce de l'émoi amoureux juvénile[31]. Ici, le signe est transposé dans la relation naissante à Socrate qui brille comme le véritable objet de désir dans ces dialogues (selon un motif explicite à la fin du *Banquet* dans le discours amoureux d'Alcibiade). En relevant l'émoi coloré des jeunes gens, Socrate rappelle bien sa condition de spécialiste de l'amour : « par tout le reste je suis médiocre et de peu de ressource ; mais c'est en moi une sorte de don des dieux de savoir reconnaître au premier coup d'œil celui qui aime ou qui est aimé » dit-il après avoir constaté le rougissement d'Hippothalès dans le *Lysis* (204 c-d). L'interprète avisé des devenirs amoureux des âmes qu'est Socrate discerne la couleur, comme il ressent chez autrui les affres de la première conception des idées, de leur embryogénèse, selon l'image bien connue du *Théétète*[32].

Socrate, par des didascalies surprenantes, se fait peintre des protagonistes du dialogue. La couleur a un lien à l'*éros* philosophique dont elle est un signe à ne pas négliger. C'est bien du côté de l'amour et du désir qu'il faut chercher l'éminente dignité du teint dans la philosophie de Platon. Le rapport de l'amour à la couleur n'est toutefois pas simple. Certes l'*éros* personnifié, incarné en jeune éphèbe dans le *Banquet* est décrit pour sa bonne mine dans le discours que le poète Agathon lui consacre[33]. L'accent est mis sur la fleur (ἄνθος) qui caractérise le teint du dieu, sur ses couleurs florales. Cette carnation, outre qu'elle connote la richesse d'un coloris varié, était une donnée picturale, la *manière* de certains peintres, relevée dès

---

[30] 275 d 5-e 1 (tr. Louis Méridier, CUF, 1931) : « Le jeune homme, à cette question difficile, se mit à rougir, et pris de court (ἀπορήσας), il me regardait. Et moi, comprenant son désarroi : "Courage ! Clinias, lui dis-je, réponds bravement à l'un ou l'autre sens, selon ton opinion. Car peut-être est-il en train de te rendre le plus grand service" ».

[31] La partie droite de la paroi latérale nord de la « Tombe du plongeur », en Grande Grèce et d'époque classique, offre un très bel exemple de rehauts de rouge sur les joues qui signalent la beauté éminente et émue d'un jeune homme lors de la relation homoérotique, cette fois dans le cadre du banquet et non plus de la palestre.

[32] Notons que le teint n'est peut-être pas sans lien avec la grossesse : il est utilisé pour en juger dans la *Collection hippocratique*. L'*incipit* de *Nature de la femme* (ed. Florence Bourbon, CUF, 2008), qui fait mention immédiate du teint, suffit à rappeler son importance dans la médecine des femmes : « Au sujet de la nature de la femme et des maladies voilà ce que je dis : avant tout, c'est le divin (τὸ θεῖον) qui en est responsable (αἴτιον) chez les hommes; il y a ensuite les natures de femmes liées au teints (χροιαί) ». D'autres réflexions médicales déduisant la fertilité du teint se retrouvent dans *Femmes stériles*, c. 216 et 232 (ed. Fl. Bourbon, CUF, 2017).

[33] *Banquet* 196 a 6 - b 3 (*op. cit. supra* note 5), « La beauté de son teint (χρόας), son régime de vie au milieu des fleurs la désigne (ἡ κατ' ἄνθη δίαιτα τοῦ θεοῦ σημαίνει). Car sur ce qui est sans fleur ou qui a perdu sa fleur, corps ou âme ou toute autre chose, l'amour ne s'établit pas. Mais dans le lieu où il y a belle fleur (εὐανθής), bonne odeur (εὐώδης), là l'amour se pose et demeure. »

l'antiquité[34]. Elle dévoile, *signale* (σημαίνει) comme le souligne Agathon, un mode de vie divin (δίαιτα) dans une probable allusion à des savoirs diététiques communément admis[35]. Une telle représentation d'Éros par le poète Agathon vient rappeler que le teint est bien essentiel dans les choses de l'amour : c'est un élément central du coup de foudre. C'est une des causes de l'élan érotique : on le voit dans le *Phèdre*, où un paragraphe est consacré, dans les discours préliminaires sur l'amour, à la question du teint à préférer chez un amant, *topos* du discours amoureux[36]. Chez Sappho, sont évoqués tant la délicatesse des carnations de l'aimée que les changements de couleur de celle qui aime[37]. Dans l'iconographie, certains rehauts de rouge peuvent se laisser apercevoir sur les beaux visages des éphèbes amoureux au banquet (« Tombe du plongeur »)[38].

Cette importance majeure du teint dans la représentation poétique d'*éros* que donne le poète Agathon est-elle confirmée dans le discours de Diotime, un peu plus loin dans le *Banquet*? La prêtresse élabore sa conception très connue d'un sublime amour. Le motif du teint fleuri revient alors mais pour être en partie repoussé : ce n'est lui, mais l'âme qui doit provoquer l'élan amoureux[39]. La pulsion scopique doit être dépassée (211 d 3-8) : il ne faut plus courir à toute force partout dans tous les banquets, captivé par la contemplation de l'être aimé. Le mépris des couleurs et des chairs humaines s'exprime explicitement (211 d 8-e 3). De tels passages doivent-ils conduire à donner raison à l'aphorisme de Goethe cité au début du présent article, selon lequel la philosophie véritable est bien trop haut placée pour se soucier du teint ? Il faut faire la part d'un contexte d'énonciation spécifique. Diotime joue ici le rôle d'un guide de vertu et son discours se fait volontairement catégorique et polémique. Une telle rudesse de la condamnation relève d'un certain *ethos* de la muse inspiratrice[40]. Alcibiade, plus loin, croit au contraire savoir que Socrate ne se désintéresse

---

[34] *Cf.* Plutarque, *Gloire des Athéniens* 346 a (ed. Françoise Frazier, CUF, 1990) : « Comme Euphranôr qui comparait son Thésée à celui de Parrhasios, et qui disait que celui-ci avait dévoré des roses, mais le sien de la viande de bœuf ».

[35] Ce passage lie la couleur teint avec un certain régime, une certaine diète, comme chez certains médecins (*Régime* III, 70 et 76).

[36] Dans le *Phèdre*, l'amour maladif est celui qui recherche les couleurs issues du maquillage, de la paresse (239 c 6 - d 1). Par opposition, l'amour qui veut le bien de son objet recherche des couleurs naturelles issues de l'exercice.

[37] Sappho, *Poèmes* (ed. Edgar Lobel & Denys L. Page, Oxford : Clarendon Press, 1953), fr. 16, 18 pour un visage éclatant ; 31, pour le changement de couleur amoureux ; 53 : les Charites « aux bras de rose ».

[38] Voir *supra* note 31.

[39] *Banquet*, discours de Diotime, 210 b 6-c 3 : « Ensuite c'est la beauté dans les âmes qu'il estimera plus précieuse que celle des corps de sorte que, si quelqu'un a une belle âme, sans avoir une beauté bien fleurie (σμικρὸν ἄνθος), cela lui suffira, il l'aimera et en prendra soin ».

[40] Pensons aux Muses d'Hésiode (*Théogonie* v. 26 *sq.*, ed. Paul Mazon, CUF, 1928) qui accusent le poète qu'elles vont inspirer de n'être qu'un ventre, ou même à la Déesse de Parménide qui recommande de se détourner des sentiers habituellement fréquentés par les mortels égarés.

pas totalement de la fleur ou de l'éclat de sa jeunesse[41]. Si l'on en croit l'éphèbe, même s'il sera détrompé concernant le désir sexuel qu'il croyait lire chez Socrate, l'attention au charme des couleurs et des corps juvéniles, l'intérêt pour l'éclat printanier de la jeunesse (ὥρα) ne sont pas totalement délaissés par le philosophe et ce malgré l'enseignement anciennement reçu par Diotime. Le Socrate du *Banquet* n'est peut-être pas en désaccord avec celui qui constatait le rougissement des éphèbes dans les premiers dialogues.

C'est que l'éclat d'un teint et d'un visage est aussi indissolublement lié à l'amour noble et véritable. Le *Phèdre* est explicite sur ce point. L'amour sublime décrit à la fin du mythe repose sur un élan visuel[42]. Dans le coup de foudre amoureux, qui précède l'échauffement interne de l'âme, celui qui a été jadis initié aux beautés du monde suprasensible, fait la rencontre bouleversante du visage de l'amant, « imitation de la forme divine ». Visage qui *imite*, peinture oserait-on dire, de la beauté divine. L'éromène est une véritable « statue », dont Socrate laisse imaginer la surface colorée. Le mot θεοειδός, désignant la Forme que le visage de l'amant reproduit, était employé dans la *République* VI comme synonyme de θεοείκελον et rapproché d'ἀνδρείκελον, la carnation humaine. La chair humaine de l'aimé incarne la forme divine. Par ce canal visuel passeront les émanations amoureuses échauffantes et fertilisantes (*Phèdre* 251 b - 252 c)[43], dont les mouvements sont décrits dans les mêmes termes que ceux des effluves enflammées de la couleur dans le *Timée* (67 c - 68 d). C'est bien un choc de couleur que le coup de foudre amoureux, même transmué, idéalement, en une réminiscence des beautés immortelles vues lors de la vie antérieure de l'âme. La carnation reprend dans le *Phèdre* ses droits au service d'un *éros* libérateur, récupère sa fonction de signe annonciateur d'une vérité et de guide de l'âme, que le discours de Diotime lui avait fait partiellement perdre. Plutarque accentuera encore le lien entre perception de la couleur et amour sublime dans son *Erotikos*[44].

---

[41] *Banquet*, 217 a 3-6, discours d'Alcibiade : « Comme je croyais qu'il avait un vrai intérêt (ἐσπουδακέναι) pour ma jeunesse (ὥρᾳ), je pensais y voir une aubaine et une chance merveilleuse, pensant qu'il était en mon pouvoir, en accordant mes faveurs à Socrate, d'entendre tout ce qu'il savait. Car je considérais ma jeunesse comme bien merveilleuse (θαυμάσιον). » Le mot ὥρα qui désigne la saison nouvelle, le printemps et ici la beauté fraiche d'Alcibiade, est à rattacher au champ sémantique du teint fleuri.

[42] *Phèdre*, 251 a 1-5 : « L'initié, celui qui jadis a beaucoup contemplé, quand il voit un visage ou bien quelque forme de corps imitant (μεμιμημένον) la beauté de forme divine (θεοειδὲς), d'abord il frissonne et le prend alors une des frayeurs de jadis. Ensuite il honore l'être aimé comme un dieu, tournant sans cesse ses regards (προσορῶν) vers lui, et s'il ne craignait de passer pour totalement fou, il ferait des sacrifices aux jeunes garçons comme à une statue (ἀγάλματι) et à un dieu ».

[43] Voir Vivien LONGHI, « L'amour médecin de l'âme dans le *Phèdre* de Platon (250 e 1 - 252 c 3) : rapprochements avec la *Collection hippocratique* », *Études platoniciennes* [en ligne], 10, 2013, sur cette deuxième étape du coup de foudre amoureux.

[44] Plutarque, *Sur l'Amour*, ed. R. Flacelière, CUF, 1952. Il rappelle l'importance de la couleur dans la formation de l'Amour céleste qui doit s'éveiller à travers l'image mortelle des corps (765 b). Le motif du ton floral d'amour est développé (765 d). C'est ensuite l'image de l'arc-

Le teint apparaît donc revêtu, de façon assez surprenante, d'un indéniable prestige dans la philosophie de Platon. Le travail pictural sur la carnation sert de repère méthodologique pour penser le portrait éthique dans des dialogues politiques. Le rougissement des visages est un signe qui lie fortement les jeunes gens à Socrate et exprime leur élan et leur ardeur philosophique nouvellement découvertes. Enfin, le beau teint, floral et lumineux, est indissolublement liée à *éros*, parce qu'il est son moyen d'action principal pour séduire, mais aussi, et c'est là que réside sa plus grande dignité, parce qu'il est l'indice et la trace de Beautés intelligibles à poursuivre.

Bibliographie complémentaire

Louis GERNET, « Dénomination et perception des couleurs chez les Grecs » in Ignace MEYERSON, *Problèmes de la couleur*, Paris : SEVPEN- EPHE, 1957, p. 313-326.

Adeline GRAND-CLÉMENT, *La fabrique des couleurs. Histoire du paysage sensible des Grecs anciens (VIIIe-début du Ve siècle av. n. è.)*, Paris : De Boccard, 2011.

Stephen HALLIWELL, *The Aesthetics of Mimesis : Ancient Texts and Modern Problems*, Princeton : University Press, 2002.

Anne MERKER, *La vision chez Platon et Aristote*, Sankt Augustin : Akademia Verlag, 2003.

Michel PASTOUREAU, *Une histoire symbolique du Moyen Âge occidental*, Paris : Seuil, 2004.

Maria Michaela SASSI, « Fisiognomica », in Giuseppe Cambiano, Luciano Canfora, Diego Lanza (dir.), *Lo spazio letterario della Grecia antica*, vol. I, tome I, Rome : Salerno editrice, 1993, p. 431-448.

Maria Michaela SASSI, « Entre corps et lumière : réflexions antiques sur la nature de la couleur », in Marcello CARASTRO (dir.), *L'Antiquité en couleurs. Catégories, pratiques, représentations*, Grenoble : Jérôme Millon, 2009, p. 277-300.

Gérard SIMON, *Archéologie de la vision. L'optique, le corps, la peinture*, Paris : Seuil, 2004.

Peter STRUYCKEN, « Color mixtures according to Democritus and Plato », *Mnémosyne* 56, 2003, p. 273-305.

Laurence VILLARD (dir.), *Couleurs et vision dans l'Antiquité classique*, Rouen : Publications de l'université de Rouen, 2002.

---

en-ciel qui permet d'expliquer la dialectique du visible et de l'invisible dans le coup de foudre amoureux (765 f-766 b).

La gamme chromatique de la lâcheté
dans les traités physiognomoniques grecs

Anne-Marie FAVREAU-LINDER[1]

« Un teint brouillé, verdâtre, est un signe à la fois de lâcheté et d'ingéniosité malfaisante, s'il ne résulte pas d'une maladie » prévient le physiognomoniste et médecin Adamantios[2]. La couleur du corps est un signe important tant pour la médecine que pour la physiognomonie dans la mesure où elle s'écarte ou au contraire se conforme à une norme bien souvent implicite qui serait la couleur d'un corps en bonne santé ou signalant un bon caractère. La remarque d'Adamantios montre bien toutefois la différence essentielle qui sépare les signes pris en compte par le médecin de ceux retenus par le physiognomoniste. Pour le premier, la couleur verdâtre (ὑπόχλωρος) est un symptôme parce qu'elle est perçue comme une altération du teint provoquée par la maladie ; pour le second, la couleur est signe si elle est non pas passagère mais si elle se présente comme un caractère permanent et stable, généralement inné[3]. Par ailleurs, le physiognomoniste antique ne s'intéresse qu'aux signes apparents sur le corps et non, à l'inverse du médecin, aux sécrétions ou aux fluides qui peuvent en sortir[4], si bien que les mentions de couleurs dans les traités de physiognomonie, même si elles peuvent concerner a priori toutes les parties du corps, sont plus nombreuses pour le teint, les cheveux et les yeux[5]. La couleur est un signe parmi de nombreux autres que peut présenter une partie du corps, elle ne joue donc qu'un rôle

---

[1] Maître de conférences de langue et littérature grecques, Université Blaise-Pascal, Clermont-Ferrand.

[2] Adamantios, *Physiognomonica*, II, 33. Le texte grec est celui de l'édition des *Scriptores Physiognomonici* de Richard FÖRSTER, *Scriptores physiognomonici græci*, vol. 1, Leipzig, Teubner, 1893. J'ai traduit en français les extraits cités dans cet article. Une traduction anglaise du traité est disponible dans un volume, consacré à la *Physiognomonie* de Polémon, mais incluant également les autres traités antiques : Ian REPATH, « The Physiognomy of Adamantius the Sophist », in Simon SWAIN, *Seeing the Face, Seeing the Soul. Polemon's Physiognomy from Classical Antiquity to Medieval Islam*, Oxford, 2007, p. 487-547.

[3] Sur la distinction par le physiognomoniste entre signes constants et signes changeants, voir Ps.-Aristote, A, 806 a 8 (voir les éditions des sources *infra*). Sur la différence entre la couleur comme qualité et donc pérenne et due à une « constitution naturelle », κατὰ φυσικὴν σύστασιν) et comme affection (provoquée par un facteur extérieur ponctuel comme une émotion et donc passagère), voir Aristote, *Catégories*, 9 b 9-34.

[4] Voir Laurence VILLARD, « Couleurs et maladies dans la collection hippocratique, les faits et les mots », in L. VILLARD (dir.), *Couleurs et vision dans l'Antiquité classique*, Rouen : Presses universitaires, 2002, p. 45-64 et, dans ce volume, les articles d'Isabelle Boehm sur Galien et de Laurence Moulinier-Brogi sur les urines.

[5] Sur le plan méthodologique, le physiognomoniste établit une hiérarchie entre les signes présentés par les différentes parties du corps et la prééminence revient aux signes des yeux et à ceux du visage : Pseudo-Aristote, A, 806 b 35 et B, 814 b ; Adamantios I, 4 et surtout II, 1.

relatif dans l'attribution d'un caractère[6] et sa spécificité est parfois difficile à saisir, quand la mention de la couleur vient prendre place dans une énumération hétéroclite de critères, au côté par exemple de la taille, du caractère humide ou sec, de la mobilité d'un membre, etc[7]. Toutefois, les traités consacrent quelques développements spécifiques à la couleur de la peau ou à celle des yeux. L'étude de ces passages permet de poser la question de l'élaboration ou non par le physiognomoniste d'une forme de système chromatique, qui ordonnerait d'une part les couleurs les unes par rapport aux autres et organiserait de l'autre les équivalences entre couleur et trait moral. Un caractère moral servira de fil directeur à cette étude, celui de la lâcheté, parce qu'il m'a semblé jouer le rôle d'un principe structurant dans ces notices, voire dans l'établissement d'un système chromatique.

Le corpus de cette étude est limité à deux traités en langue grecque : le premier est attribué à Aristote mais les deux livres qui le composent sont dus probablement à deux auteurs différents, d'obédience aristotélicienne, et datent du IIIe siècle av. J.-C.[8] ; le second est rédigé par un certain Adamantios, identifié par les Modernes avec un médecin du IVe siècle ap. J.-C., auteur également d'un traité sur les vents[9]. Le texte d'Adamantios est un épitomé d'un traité antérieur datant du IIe siècle ap. J-C, celui du sophiste Polémon de Laodicée, dont l'original grec est désormais perdu[10]. La

---

[6] Seule la combinaison de ce signe chromatique avec d'autres caractères physiques permet l'établissement d'un diagnostic valide, sur le principe de la combinaison des signes, voir Adamantios II, 1 : χρὴ δὲ εἰδέναι, ὡς ἀφ' ἑνὸς σημείου καθ' αὐτὸ καὶ ἀπὸ δύο οὐ χρὴ βεβαίως δοκεῖν ἀποφαίνεσθαι, ἀλλ' ἀπὸ πλειόνων καὶ μειζόνων τῶν ἀλλήλοις ὁμολογούντων, « Il faut savoir qu'on ne doit pas croire qu'on rend un avis sûr en le tirant d'un signe à lui seul ou même de deux, mais d'un plus grand nombre de signes, d'une importance plus grande et qui concordent entre eux ».

[7] Par exemple Adamantios I, 77, à propos des yeux.

[8] Pseudo-Aristotele, *Fisiognomica*, introduzione, traduzione, e note da Giampera Raina, Milan : BUR, 1993, p. 19-24 et Georges BOYS-STONES, « Physiognomy and Ancient Psychological Theory », in S. SWAIN, *op. cit.* (*supra* note 2), p. 19-124, part. p. 56-58 ; la possibilité d'un seul auteur est en revanche postulée par Valéry LAURAND, « Les hésitations méthodologiques du Pseudo-Aristote et de l'Anonyme latin », in Christophe BOUTON, V. LAURAND et Layla RAÏD (dir.), *La physiognomonie, problèmes philosophiques d'une pseudo-science*, Paris : Kimé, 2004, p. 17-41, part. p. 24-35. Même si les deux parties des *Physiognomonica* sont deux traités dus à des auteurs distincts, tous deux s'inscrivent étroitement dans un héritage doctrinal aristotélicien et présentent de ce fait une parenté et des points communs importants, *cf.* G. BOYS-STONES *op. cit. supra*, p. 64-75. Les traités antiques ultérieurs attribuent d'ailleurs à un seul et même auteur, Aristote, les *Physiognomonica*.

[9] R. FÖRSTER, *op. cit.* (*supra* note 2), p. C-CVII et Simone FOLLET, « Adamantios », in R. GOULET (dir.), *Dictionnaire des philosophes antiques*, Paris : CNRS édition, 1994, p. 51-53.

[10] Le traité de Polémon a également été transmis par une version syriaque (malheureusement très incomplète) et par une version arabe composée ou bien à partir du texte grec ou bien à partir d'une traduction syriaque (voir les opinions divergentes de Mauro ZONTA, *Fonti greche e orientali dell'*Economica *di Bar-Hebraeus nell'opera* La Crema della Scienza, Naples : Istituto Universitario Orientale, 1992, p. 25-47 et Robert HOYLAND « A new edition and translation of the Leiden Polemon », in S. SWAIN (dir.), *op. cit. supra* note 2, p. 330-463, part. p. 330-332). La version arabe est un jalon essentiel dans la connaissance du traité de Polémon car elle conserve les exemples de cas contemporains proposés par le sophiste pour illustrer

comparaison avec les traités pseudo-aristotéliciens montre l'influence de ces derniers sur l'œuvre de Polémon et sur la version abrégée — et peut-être ponctuellement remaniée — de celle-ci par Adamantios. Je me contenterai dans cette étude de renvoyer aux textes du Pseudo-Aristote (désormais Ps.-Aristote A et B) et d'Adamantios.

Les couleurs de la lâcheté

Bien des signes peuvent être les indices d'un tempérament lâche (*deilos*), comme le montre justement le portrait-type du lâche (Ps.-Aristote A, 807b5 et Adamantios II, 46), mais la couleur de la peau, des yeux et éventuellement des cheveux est un signe récurrent. Ainsi, sur les huit carnations recensées dans le chapitre consacré au teint, quatre chez Adamantios dénotent la lâcheté et une la vaillance.

> « Il est clair d'après ce qui a été dit précédemment [développement ethnographique] que **le teint noir** (*melaina chroia*) **indique lâcheté** et ingéniosité tandis que le **teint blanc** (*leukè*) **et qui tend vers le blond** (*hupoxanthos*) **exprime la vaillance** (*alkè*) **et la fougue** alors que **le teint très blanc et sans mélange aboutit à l'absence de virilité** (*anandria*). Le corps tout entier roux est la marque d'un homme rusé et plein d'astuces. **Un teint brouillé, verdâtre** (*hupochlôros*), **est un signe à la fois de lâcheté** et d'ingéniosité malfaisante, s'il ne résulte pas d'une maladie. **La couleur appelée « vert foncé »** (*melanchlôros*, ou « vert-miel » dans les manuscrits) **un caractère lâche**, glouton, bavard, irascible, prolixe. La couleur enflammée un caractère furieux ; celle légèrement rouge, un bon naturel, enclin à apprendre, vif dans ses mouvements »[11].

D'autres défauts peuvent y être également associés mais la lâcheté (*deilia*) vient en premier. J'inclus le manque de virilité (*anandria*), dénoté par un

---

certains caractères. Le traité de physiognomonie latin dont l'auteur demeure inconnu mais daté généralement du IVe siècle *p.C.*, s'inspire de trois sources grecques antérieures : les traités pseudo-aristotéliciens, celui d'un certain Loxos inconnu par ailleurs (IVe s. *a.C.*) et le traité de Polémon, voir Anonyme latin, *Traité de Physiognomonie*, ed. et tr. Jacques André, Paris : Les Belles Lettres, CUF, 1981, p. 24-31.

[11] Adamantios II, 33 : Δῆλον δὲ ἀπὸ τῶν προλελεγμένων, ὡς ἡ μὲν μέλαινα χροιὰ δειλίαν καὶ πολυμηχανίαν μηνύει, ἡ δὲ λευκὴ καὶ ὑπόξανθος ἀλκὴν καὶ θυμὸν λέγει, τὸ δὲ πάνυ λευκὸν ἄκρατον εἰς ἀνανδρίαν φέρει. πυρρὸν δὲ τὸ σῶμα πᾶν δολεροῦ καὶ πολυτρόπου ἀνδρός ἐστι δεῖγμα. χροιὰ δὲ ἀνατεταραγμένη ὑπόχλωρος δειλίας ἅμα καὶ κακομηχανίας σημεῖόν, εἰ μὴ ὑπὸ νόσου γεγένηται. τὸ δὲ μελάγχλωρον (μελίχλωρον mss) καλούμενον χρῶμα δειλόν, γαστρίμαργον, λάλον, ὀργίλον, γλώσσαλγον. τὸ δὲ φλογοειδὲς χρῶμα ἐμμανές, τὸ δὲ πράως ἐρυθρὸν εὐφυές, εὐμαθές, ὀξυκίνητον. Μελάγχλωρον est une correction due à Förster pour μελίχλωρον dans les manuscrits. Il est difficile de trancher : on trouve μελίχλωρον dans le passage correspondant chez le Ps.-Aristote B (812 b), mais une expression qui évoque plutôt le composé grec μελάγχλωρον dans la version arabe et dans le traité de l'Anonyme latin (§ 79). Toutefois, il est clair dans ce chapitre d'Adamantios que cette nouvelle carnation occupe la place du teint μελίχλωρον dans la description du Ps.-Aristote, même si des traits moraux supplémentaires lui sont attribués, dont la lâcheté.

teint très blanc, dans le champ de la lâcheté, car en grec l'*andreia* désigne la vertu propre au mâle, à savoir le courage. D'ailleurs dans le traité du Ps.-Aristote B (812 b), le même teint très blanc est associé cette fois à la lâcheté.

La lâcheté peut avoir plusieurs teintes, ou plus exactement plusieurs teints peuvent être le signe d'un caractère lâche, y compris des teints qui se situent aux deux extrémités du spectre chromatique[12] : un teint très noir comme un teint très blanc, ce qui pourrait paraître contradictoire. La diversité de la palette chromatique de la lâcheté s'explique par la diversité des paradigmes qui servent de référent, ce que le texte du Ps.-Aristote montre clairement alors que le référent demeure implicite chez Adamantios.

« Les hommes très noirs sont lâches, par référence aux Égyptiens, aux Éthiopiens. Les hommes très blancs, des lâches, par référence aux femmes. La couleur qui concourt à la bravoure (*andreia*) doit être au milieu de ces deux-là. Les blonds, courageux, par référence aux lions. Les hommes très roux, fourbes, par référence aux renards. Les hommes qui ont un teint jaunâtre (*enôchroi*) et brouillé sont lâches, par référence à l'altération que produit la peur. Les hommes à la couleur vert-miel (*melichlôroi*) sont froids : le froid signifie difficulté de mouvement ; et si les parties du corps se meuvent avec difficulté, ils seront lents. Ceux dont la couleur est rouge (*eruthron*) sont vifs, parce que toutes les parties du corps sous l'effet du mouvement se réchauffent et rougissent. Ceux dont la couleur est enflammée (*phlogoeidê*) sont fous, parce que toutes les parties du corps, étant trop échauffées, prennent la couleur de la flamme. Or ceux dont la chaleur corporelle atteint un degré extrême seront fous »[13].

Dans le cas de la couleur noire, c'est un paradigme ethnique qui se voit appliqué pour évaluer le teint d'un individu non pas africain, mais européen ; aussi, même si l'homme noir constitue la référence chromatique extrême, le teint envisagé par le physiognomoniste, sous le qualificatif « noir ou très noir » est sans doute un teint simplement plus foncé que la carnation

---

[12] La couleur noire et la couleur blanche sont pensées comme un couple de contraires qui s'excluent, *cf.* Aristote, *Catégories*, 11 b 35 mais admettent des intermédiaires (12 a 20), voir également *De sensu*, 442 a 20-25 (gamme de six ou sept couleurs).

[13] Ps.-Aristote B, 812 a 12 : Οἱ ἄγαν μέλανες δειλοί· ἀναφέρεται ἐπὶ τοὺς Αἰγυπτίους, Αἰθίοπας. οἱ δὲ λευκοὶ ἄγαν δειλοί· ἀναφέρεται ἐπὶ τὰς γυναῖκας. τὸ δὲ πρὸς ἀνδρείαν συντελοῦν χρῶμα μέσον δεῖ τούτων εἶναι. οἱ ξανθοὶ εὔψυχοι· ἀναφέρεται ἐπὶ τοὺς λέοντας. οἱ πυρροὶ ἄγαν πανοῦργοι· ἀναφέρεται ἐπὶ τὰς ἀλώπεκας. οἱ δὲ ἔνοχροι καὶ τεταραγμένοι τὸ χρῶμα δειλοί· ἀναφέρεται ἐπὶ τὸ πάθος τὸ ἐκ τοῦ φόβου γιγνόμενον. οἱ δὲ μελίχλωροι ἀπεψυγμένοι εἰσίν· τὰ δὲ ψυχρὰ δυσκίνητα· δυσκινήτων δὲ ὄντων τῶν κατὰ τὸ σῶμα εἶεν ἂν βραδεῖς. οἷς τὸ χρῶμα ἐρυθρόν, ὀξεῖς, ὅτι πάντα τὰ κατὰ τὸ σῶμα ὑπὸ κινήσεως ἐκθερμαινόμενα ἐρυθραίνεται. οἷς δὲ τὸ χρῶμα φλογοειδές, μανικοί, ὅτι τὰ κατὰ τὸ σῶμα σφόδρα ἐκθερμανθέντα φλογοειδῆ χροιὰν ἴσχει· οἱ δὲ ἄκρως θερμανθέντες μανικοὶ ἂν εἴησαν. Le texte grec est celui de l'édition Bekker. J'ai traduit en français les extraits cités. Les notations de couleur dans le Ps.-Aristote A sont éparses et interviennent presque toutes dans le portrait physique des types de caractères. Elles concernent dans leur grande majorité le teint, puis les yeux, et une seule fois les cheveux.

habituelle présentée par un Grec ou un Romain qui sert de norme implicite[14]. Dans le cas d'un teint blanc, le référent est celui du genre et l'opposition sous-jacente est celle entre le teint plus clair de la femme et celui plus hâlé de l'homme[15]. Pour le teint verdâtre ou jaunâtre (chez le Ps.-Aristote), l'analogie se fait avec l'altération subie par le teint lorsqu'on est en proie à la frayeur. Les adjectifs de couleur *ôchros* et *chlôros* évoquent tous les deux une teinte pâle, et signalent donc une forme de décoloration. La méthode suivie est celle fondée sur la comparaison avec les traits pris par le corps lors d'un état émotionnel particulier. Enfin, le parallèle avec le monde animal permet de justifier l'association entre le teint blond et le courage, car il s'agit de la couleur du lion, animal donné par le physiognomoniste comme paradigme à la fois de la virilité chez les animaux et de la bravoure[16]. La physiognomonie repose en effet sur le principe de l'analogie avec trois champs principaux où la caractérisation physiognomonique est donnée pour acquise sans que les principes légitimant les associations entre traits physiques et traits moraux soient vraiment exposés[17] : il s'agit de la caractérisation physiognomonique des peuples (méthode ethnologique), des animaux (méthode zoologique) et des affects (méthode éthologique) ; la distinction du genre est développée à partir du paradigme animal[18]. Ainsi, la diversité des couleurs qui signalent la lâcheté est liée à la multiplicité des paradigmes de la lâcheté et de la vaillance dans les domaines qui servent de référent à la physiognomonie.

Cependant le physiognomoniste semble également, d'une certaine manière, ordonner son exposé selon une forme de gamme chromatique, avec deux couleurs qui occupent les deux extrêmes du spectre, le blanc et le noir, et un juste milieu auquel correspond une couleur médiane, le blond, vers laquelle peut tendre aussi bien le blanc que le noir : « La couleur qui concourt à la bravoure doit être au milieu de ces deux-là. Les blonds,

---

[14] Sur cette superposition des champs ethnologique et physiognomonique et la difficulté qu'elle pose pour la définition de ce que recouvre le qualificatif de « noir », voir Maaike van der LUGT, « La peau noire dans la science médicale », in *La pelle umana. The Human Skin*, *Micrologus*, 13, 2005, p. 439-476, part. p. 444-456.
[15] Sur le teint de l'homme et de la femme dans l'art et la littérature archaïques, *cf.* Adeline GRAND-CLÉMENT, *La fabrique des couleurs. Histoire du paysage sensible des Grecs anciens (VIIIᵉ-début du Vᵉ siècle av. n. è.)*, Paris : de Boccard, 2011, p. 234-244.
[16] Ps.-Aristote B, 809 b 12-15 ; Adamantios II, 2.
[17] Les *Physiognomonica* du Ps.-Aristote questionnent toutefois la fiabilité de ces méthodes analogiques (notamment Ps.-Aristote A, 805 b - 806 a 7, *cf.* V. LAURAND, art. cité *supra* note 8 et G. BOYS-STONES *op. cit.* (*supra* note 8), p. 66-71), en montrant la difficulté d'isoler avec assurance, par l'observation, le signe physique traduisant un trait moral ou les signes propres à une espèce animale, mais il n'interroge pas les causes de la correspondance entre signe physique et trait moral. On ne retrouve guère ces doutes méthodologiques chez Adamantios, à l'exception notable des réserves sur la méthode ethnologique qui donne lieu pourtant à une caractérisation physiognomonique des peuples (Adamantios I, 2 et II, 31).
[18] Ps.-Aristote B, 809 a 25 ; Adamantios II, 2.

courageux, par référence aux lions »[19]. La notion de juste milieu rejoint également celles de mesure et de modération, essentielles dans l'appréciation positive d'un signe corporel dans la physiognomonie qui, à l'inverse, juge très négativement tout excès. Ainsi, une couleur qualifiée par un adverbe qui accentue la teinte tel que ἄγαν, λίαν, πάνυ (« très », « trop ») est un signe qui dénonce un vice[20] ; à l'inverse, un adjectif de couleur accompagné de l'adverbe πραῶς (« doucement ») ou au degré du comparatif marque la proportion raisonnable (et approximative) et constitue un signe favorable[21].

Le système de correspondances chromatiques est établi à partir du teint et transposé ensuite à d'autres parties du corps, comme les yeux. Cette transposition est très nette chez le Ps.-Aristote qui en avertit d'ailleurs le lecteur, par le rappel que la correspondance chromatique est une règle qui vient d'être établie (« on l'a vu » est répété deux fois) et vaut de manière générale et donc, semble-t-il, quelle que soit la partie du corps[22] :

> Ceux dont les yeux sont très noirs sont lâches. La teinte très noire, on l'a vu, signifie la lâcheté. Les yeux qui ne sont pas très noirs mais qui inclinent vers la couleur blonde sont braves. Ceux dont les yeux sont bleu pâle ou blancs, sont lâches. Car on a vu que la couleur blanche signifie la lâcheté. Les yeux qui ne sont pas bleu pâle mais fauves (charopoi) sont braves, par référence au lion et à l'aigle. Les hommes aux yeux jaune pâle et troubles sont lâches par référence à l'altération, du fait que les hommes effrayés prennent un teint jaunâtre, d'une couleur non uniforme »[23].

---

[19] Dans le chapitre d'Adamantios sur le teint, l'auteur va du blanc vers le blond (voir *supra*), alors que dans celui sur les yeux du Ps.-Aristote B (voir *infra* 812 b), il va du noir au blond.

[20] Ces adverbes sont récurrents notamment dans le passage sur le teint du Ps.-Aristote B : Οἱ ἄγαν μέλανες, οἱ δὲ λευκοὶ ἄγαν, οἱ πυρροὶ ἄγαν ; *cf.* Adamantios II, 33 : τὸ δὲ πάνυ λευκὸν ; mais on trouverait bien d'autres illustrations dans l'ensemble des traités.

[21] Par exemple, Adamantios II, 32 : λευκότεροι τὴν χρόαν et II, 33 : τὸ δὲ πράως ἐρυθρὸν εὐφυές. Les adjectifs de couleur composés du suffixe ὑπο- (« qui tend vers », « légèrement ») peuvent également avoir cette valeur de modération, mais leur emploi est plus ambivalent. Sur la valeur des adjectifs composés de couleurs, *cf.* Alain BLANC, « Rendre les nuances de couleur en grec : l'emploi du procédé linguistique de la composition nominale », in L. VILLARD (dir.), *Couleurs et vision ..., op. cit.* (*supra* note 4), p. 11-27.

[22] Cette équation ne vaut en réalité, chez le Ps.-Aristote B, que pour le teint et les yeux. Les autres parties du corps envisagées dans ce passage (poitrine, cou, joues) ne pouvant se signaler que par des nuances de rouge, couleur qui n'est pas intégrée dans la gamme chromatique de la lâcheté. La description des cheveux, peu après, ne fait aucune place à la couleur et c'est le caractère raide / frisé qui est corrélé aux notions de bravoure et de lâcheté. En revanche, la couleur des cheveux s'ajoute à celle de la texture chez Adamantios (II, 37) et reproduit pour partie seulement les correspondances, car d'autres qualités ou défauts viennent compléter ou supplanter le couple lâcheté / bravoure.

[23] Ps.-Aristote B 812 b : Οἷς δὲ οἱ ὀφθαλμοὶ ἄγαν μέλανες, δειλοί· ἡ γὰρ ἄγαν μελαίνη χρόα ἐφάνη δειλίαν σημαίνουσα. οἱ δὲ μὴ ἄγαν μέλανες ἀλλὰ κλίνοντες πρὸς τὸ ξανθὸν χρῶμα εὔψυχοι. οἷς δὲ οἱ ὀφθαλμοὶ γλαυκοὶ ἢ λευκοί, δειλοί· ἐφάνη γὰρ τὸ λευκὸν χρῶμα δειλίαν σημαῖνον. οἱ δὲ μὴ γλαυκοὶ ἀλλὰ χαροποὶ εὔψυχοι· ἀναφέρεται ἐπὶ λέοντα καὶ ἀετόν. [...] οἱ ὠχρόμματοι ἐντεταραγμένους ἔχοντες τοὺς ὀφθαλμοὺς δειλοί· ἀναφέρεται ἐπὶ τὸ πάθος, ὅτι οἱ φοβηθέντες ἔνωχροι γίνονται χρώματι οὐχ ὁμαλῷ.

Cette correspondance justifie qu'un œil présentant la même couleur jaune pâle que celle du teint soit, en vertu d'une forme de continuité ou d'universalité de l'équation chromatique, un signe là encore de lâcheté, alors même que l'analogie valait au départ pour le seul teint. La palette chromatique du teint sert donc de référence, et ce d'autant plus naturellement qu'en grec, le mot couleur *chroà, chroia* (et même parfois *chrôma)* peut désigner la peau[24]. Quelques adaptations sont toutefois nécessaires, et ainsi pour l'œil, c'est la couleur *glaukè*[25], la plus claire, qui revêt pour partie les valeurs de la couleur *leukè* (blanche) pour le teint : « Ceux dont les yeux sont bleu pâle ou blancs, sont lâches ». L'alternative paraît poser une équivalence entre les deux couleurs. Cependant l'introduction d'une nouvelle couleur, celle des yeux *charopoi*, semble indiquer la prise en compte des spécificités chromatiques de l'œil puisque l'adjectif, à l'instar de *glaukos*, n'est employé que pour les yeux et semble décrire une teinte plus foncée que le bleu clair de *glaukos*[26]. La catégorie des yeux *charopoi* peut paraître faire redondance avec la catégorie des « yeux noirs qui tendent vers le blond », puisque ces deux couleurs dénotent la bravoure (*eupsuchoi*) en vertu du même paradigme du lion, dont les yeux sont explicitement décrits par l'adjectif *charopoi*[27], tandis que la blondeur (de son pelage) était le référent dans le chapitre sur le teint. Ce redoublement s'explique par la superposition du système chromatique du teint à celui de l'œil.

Le système est plus complexe dans le traité d'Adamantios, où la couleur *glaukè* n'est plus un strict équivalent du blanc si bien que l'équation chromatique ne peut pas être la même.

> « Le bleu pâle (*glaukotès*) dans les yeux, un caractère plus sauvage, le noir un caractère plus doux. En effet, la majorité des animaux sauvages ont des yeux bleu pâle (*glauka*) mais tu découvriras que les animaux doux ont des yeux noirs. Parmi les yeux bleu pâle,

---

[24] A. GRAND-CLÉMENT *op. cit.* (*supra* note 15) p. 33-42. Par ex., Ps.-Aristote A, 806 b 3-5.

[25] Les yeux *glaukoi* sont le plus souvent connotés négativement, *cf.* Muriel PARDON-LABONNELIE, « La dépréciation des yeux clairs dans les traités de physiognomonie gréco-romains », in Véronique DASEN et Jérôme WILGAUX (dir.), *Langages et métaphores du corps dans le monde antique*, Rennes : PUR, 2008, p. 197-206.

[26] Seuls les yeux sont *charopoi* dans les deux traités (Ps.-Aristote, Adamantios). La détermination de la couleur désignée par l'adjectif *charopos* est débattue. Peter-Georges MAXWELL-STUART, in *Studies in Greek colour terminology. 2, Charopos*, Leyde : Brill, 1981, traduit *charopos* par « ambre », qui est la couleur habituelle des yeux des lions. L'adjectif *charopos* est de fait associé au lion depuis Homère (*Odyssée* XI, 611) et de manière privilégiée dans la physiognomonie. Dans ce passage du Ps.-Aristote, *charopos* fait contraste avec *glaukos* et est distinct de la couleur évoquée par « noir tendant vers le blond » ; il doit également renvoyer au lion. J'ai choisi « fauve », moins pour la couleur que pour la connotation léonine. Différents indices dans les traités invitent à associer *charopos* à une teinte foncée, peut-être brune : les yeux *charopoi* peuvent paraître à première vue noirs (Adamantios I, 1) et sont traduits par *subnigri* dans l'Anonyme latin (§5). Pour une traduction par « bleu foncé », fondée sur la traduction arabe, voir Jas ELSNER, « Physiognomics : Art and Text », in S. SWAIN (dir.), *op. cit. supra* note 2, p. 203-224, part. p. 220-221.

[27] L'aigle est également un référent dans ce passage, mais l'adjectif est associé de manière privilégiée au lion, *cf.* 809 b 19 et *cf.* Adamantios II, 2.

une teinte trop blanche, un caractère lâche, une teinte bilieuse (*cholôdes*), un caractère sauvage, une teinte semblable à la couleur des olives un caractère vaillant [...] »[28].

La couleur *glaukè* forme certes une paire avec la couleur noire, comme c'était le cas pour la couleur *leukè*, mais ce couple est pensé selon un autre système de référence, non plus fondé sur le modèle féminin ou ethnique mais sur un paradigme zoologique, qui divise les animaux en deux grandes catégories : animaux sauvages et animaux domestiques, avec leur trait de caractère correspondant, sauvage / farouche (*agrios*) et doux (*hèmeros*). La lâcheté n'apparaît plus d'emblée comme le vice au centre du système de correspondances morales et l'association de l'œil bleu pâle avec un caractère sauvage et farouche suggère, à l'inverse des connotations de la couleur blanche, l'attribution de caractères adjacents comme la fougue et la bravoure. Cependant, la richesse de la palette chromatique des yeux *glaukoi* permet de réintroduire la lâcheté. Les variations chromatiques des yeux *glaukoi*, ordonnées du plus pâle au plus foncé, offrent en effet une nuance plus pâle encore que la couleur *glaukè* (« une teinte trop blanche », τὸ μὲν λίαν λευκόν) qui permet de retrouver les équivalences attendues[29]. Les mêmes nuances s'observent d'ailleurs pour la couleur noire mais dans le sens inverse du plus foncé vers le plus clair : « Pour l'œil noir, une teinte très noire, un caractère lâche et rusé, mais une teinte noire qui tend vers le blond un caractère fort et magnanime »[30].

La rigidité apparente de ce système de correspondances chromatiques est donc modulée par les aménagements obligés quand on passe à une autre surface corporelle que la peau. De plus la richesse des paradigmes de lâcheté et de virilité que la physiognomonie s'efforce d'intégrer semble interdire qu'un paradigme et une couleur — comme pas exemple le paradigme ethnologique des peuples africains et la couleur noire — s'imposent et éclipsent les autres. Toutefois un paradigme et une teinte semblent prévaloir pour la bravoure, le modèle du lion et le teint blond.

La variété de la palette chromatique de la lâcheté et sa structuration en une forme de système assez cohérent en dépit de la diversité des paradigmes est possible dans des chapitres qui sont expressément consacrés aux différentes teintes du corps ou d'une partie du corps. Qu'en est-il des couleurs de la lâcheté et du courage lorsque la couleur n'est plus qu'un signe corporel parmi d'autres associés à ces caractères moraux ?

---

[28] Adamantios, II, 36.

[29] *Cf.* aussi Adamantios I, 8. Adamantios, toutefois, ne donne pas d'exemples pour illustrer ces nuances alors qu'un modèle animal est convoqué pour d'autres couleurs mentionnées ensuite. Un paradigme ethnologique se superpose peut-être au paradigme zoologique dans le cas des yeux *glaukoi*, puisque les gens du nord (décrits en II, 31) sont caractérisés par leurs yeux bleu pâle et se voient attribuer un caractère sauvage (*agrios*).

[30] On notera encore dans ce passage l'absence des yeux *charopoi* et du paradigme du lion ; en revanche la mention des yeux jaunes (*ôchra ommata*) signe d'un homme peureux et soupçonneux fait peut-être écho à la catégorie des yeux *enôchroi* du Ps.-Aristote B, 812 b.

Les portraits du lâche et du brave : de l'explication analogique à l'explication physiologique

Les traités de physiognomonie grecs ne sont pas seulement ordonnés en une description des signes corporels selon les différentes parties du corps, mais ils comprennent également un catalogue de types moraux, où sont réunis, pour chaque caractère, les signes qui le trahissent et qui permettent de valider le diagnostic. Ce catalogue, aussi bien chez le Ps.-Aristote A que dans le traité d'Adamantios, s'ouvre sur la caractérisation de l'homme brave puis de l'homme lâche. Or le portrait-type du lâche ne comprend qu'une seule notation de couleur, celle du teint, jaune pâle dans le traité du Ps.-Aristote A (807 b : περὶ τὸ πρόσωπον ὕπωχρος, « une teinte jaune pâle autour du visage »)[31]. La nuance de jaune et de pâleur comprise dans l'adjectif ὕπωχρος fait écho à la carnation jaunâtre évoquée dans le chapitre du Ps.-Aristote B sur le teint (ἔνωχροι) et associée à la lâcheté, en vertu de l'altération du teint provoquée par la peur. Le modèle qui sous-tend le choix de cette couleur de la lâcheté n'est donc pas emprunté à une catégorie étrangère (peuple distinct, animal, femme)[32] mais à celle, familière et partagée, de l'homme envahi par la peur, sentiment aisément reconnaissable aux manifestations physiques qu'il entraîne.

Le portrait du brave (*andreios*) intègre également le signe du teint dans sa caractérisation ; or la couleur du brave déjoue les attentes, puisque ce n'est plus le « teint blond » qui se voit associé à l'*andreia* comme il l'était de manière exclusive dans les chapitres sur le teint examinés précédemment, et le paradigme du lion est abandonné sur ce point[33]. Le teint du brave est qualifié de « vif » (τὸ χρῶμα τὸ ἐπὶ τοῦ σώματος ὀξὺ)[34] ou d'« assez vif » (ὀξύτερον)[35], notation qui ne renvoie pas immédiatement à une couleur

---

[31] Le teint du lâche chez Adamantios fait difficulté : la tradition manuscrite principale porte μελανόχρουν que R. Förster corrige en μελίχλωρον, d'après la leçon de l'*épitomè Matritensis*. On ne rencontre pas de mot composé associant une nuance au terme couleur chez Adamantios, la leçon des manuscrits est donc peu probable. La version arabe évoque un teint noir et vert, ce qui correspondrait au μελάγχλωρον, proposé par R. Förster en correction à μελίχλωρον, en II, 33 ; le traité latin (§ 91) est assez confus sur le teint du lâche (*colore nigro uel pallido uel albo, sed et cum pallore albo*). Il est assez probable, quoi qu'il en soit, que la couleur du lâche en II, 46 soit cohérente avec celle de II, 33, soit μελίχλωρον soit μελάγχλωρον.

[32] Autant de modèles de l'altérité très souvent convoqués pour définir en creux l'identité et la norme (*cf. Aristotele, Fisiognomica*, ed. M.-F. Ferrini, p. 84-85).

[33] Certes cette divergence peut être due à la différence entre les deux auteurs, mais j'émets l'hypothèse qu'elle relève surtout d'un changement de paradigme et de principe explicatif commun aux deux auteurs, à savoir le recours à un raisonnement physiologique implicite ou explicite. Principe analogique et principe physiologique peuvent d'ailleurs être juxtaposés, et le Ps.-Aristote A attribue au brave un œil *charopos* comme celui du lion (référence implicite).

[34] Ps.-Aristote 807 b 3-4. Certains traducteurs font porter l'adjectif ὀξὺ non pas sur le nom précédent, τὸ χρῶμα, mais sur le suivant, μέτωπον (le front). Toutefois la comparaison avec la caractérisation du brave chez Adamantios suggère plutôt qu'il vient qualifier la couleur du corps, et c'est ainsi que je le comprends *cf.* également R. Förster (*ed. cit. supra* note 2) et I. REPATH (*op. cit. supra* note 2).

[35] Adamantios II, 45, *cf.* Anonyme latin § 90 (*color acrior magis quam pressior*).

précise mais plutôt à une intensité chromatique. Dans un autre passage du traité du Ps.-Aristote A (806 b 5), le teint vif est donné pour le signe d'un « tempérament chaud et sanguin » (αἱ μὲν ὀξεῖαι θερμὸν καὶ ὕφαιμον). Même si les deux adjectifs décrivent dans la syntaxe sémiotique du passage des traits de caractère plutôt qu'un état corporel, il n'en demeure pas moins qu'ils désignent à l'origine des éléments physiologiques, la chaleur et le sang, qui évoquent en retour, dans le domaine chromatique, une idée de rougeur[36]. La notation de couleur qui suit celle du teint vif, le teint « rosé » (αἱ δὲ λευκέρυθροι) confirme la valeur rouge implicite du teint vif, puisque le « rosé », comme l'indique l'adjectif composé en grec, est un mélange de blanc au rouge et suggère donc une nuance plus claire par rapport à la précédente.

Cette caractérisation chromatique nouvelle introduit une explication qui n'est plus d'ordre analogique mais physiologique[37] : la vivacité du teint est corrélée aux phénomènes de chaleur corporelle et d'afflux du sang. La corrélation, qui demeure assez implicite dans la remarque sur les teints vifs chez le Ps.-Aristote A, est exposée plus clairement dans un développement consacré par le Ps.-Aristote B (813 b) au critère de la taille d'un homme comme signe de vivacité ou de lenteur d'esprit. La correspondance entre trait moral et trait physique est — fait exceptionnel — assignée à une cause physiologique et explicitée : plus un homme est petit, plus le flux du sang parcourt un espace restreint et plus les mouvements (*kinèseis*) atteignent vite le siège de la pensée[38]. Le phénomène est inverse dans le cas d'hommes de grande taille. Cependant ce schéma général est compliqué par la prise en compte de qualités naturelles complémentaires, qui amènent le physiognomoniste à subdiviser les deux catégories. Le caractère humide ou sec de la chair et la couleur de la peau sont deux signes corrélés à la température interne du corps et qui manifestent donc le rôle joué par cet

---

[36] *Cf.* le teint ὕφαιμον et le corps ἐπίπυρρος de l'impudent (Ps.-Aristote B, 807 b 30).

[37] Sur la prédominance du raisonnement analogique dans la physiognomonie et la rareté des questionnements sur la cause, *cf.* Galien, *Des tempéraments* (ed. Kühn I, 624, 7-12) : Οὐδὲ γὰρ οἱ φυσιογνωμονεῖν ἐπιχειροῦντες ἁπλῶς ἀποφαίνονται περὶ πάντων, ἀλλ' ἐκ τῆς πείρας καὶ οἴδε διδαχθέντες. Εἰ μέν τις ἱκανῶς εἴη δασὺς τὰ στέρνα, θυμικὸν ἀποφαίνονται, μηροὺς δ' εἴπερ εἴη τοιοῦτος, ἀφροδισιαστικόν·οὐ μὴν τήν γ' αἰτίαν προστιθέασιν. οὐδὲ γὰρ ὅτι λέοντι μὲν ἐμφερὴς τὰ στέρνα, τράγῳ δὲ τὰ κατὰ μηροὺς ἐπειδὰν φῶσι, τὴν πρώτην αἰτίαν ἐξευρήκασι. διὰ τί γὰρ ὁ μὲν λέων θυμικός, ὁ δὲ τράγος ἀφροδισιαστικός, ὁ λόγος ἐξευρεῖν ἐπιζητεῖ. μέχρι γὰρ τοῦδε τὸ μὲν γιγνόμενον εἰρήκασι, τὴν δ' αἰτίαν αὐτοῦ παραλελοίπασιν, « En effet, pas même ceux qui entreprennent de faire de la physiognomonie ne se prononcent sur toute chose de manière unilatérale mais à partir de l'expérience dont même ces gens-là ont tiré quelque instruction. Ainsi, si un homme se trouve avoir la poitrine assez poilue, ils déclarent qu'il est fougueux, si ce sont les cuisses, qu'il est lubrique. Cependant, ils n'ajoutent pas la cause. En effet, lorsqu'ils disent qu'il ressemble à un lion par sa poitrine, mais à un bouc pour ce qui concerne les cuisses, ils n'ont pas découvert la cause première. Pour quelle raison le lion est-il fougueux tandis que le bouc est lubrique, le raisonnement cherche à le découvrir. Jusqu'ici ils ont affirmé le fait mais ils ont laissé de côté sa cause ».

[38] Ps.-Aristote B, 813 b : Οἱ μικροὶ ἄγαν ὀξεῖς · τῆς γὰρ τοῦ αἵματος φορᾶς μικρὸν τόπον κατεχούσης καὶ αἱ κινήσεις ταχὺ ἄγαν ἀφικνοῦνται ἐπὶ τὸ φρονοῦν.

élément sur la vitesse des afflux sanguins vers le siège de la pensée. Ainsi, deux constitutions contraires se dessinent selon que la température corporelle vient tempérer ou accentuer les effets induits par la taille :

> « Tous les hommes de grande taille qui ont une chair humide ou un teint correspondant à celui causé par le froid, ne font rien efficacement. En effet, comme l'afflux (de sang) s'effectue dans un vaste espace et lentement du fait du froid, il ne réussit pas à arriver jusqu'au siège de l'intelligence »[39].

> « Tous les hommes de grande taille qui ont une chair sèche et un teint causé par la chaleur, s'avèrent efficaces et intelligents. En effet, la chaleur de la chair et du teint a remédié à l'excès de grandeur si bien que c'est la bonne proportion pour l'efficacité »[40].

Le physiognomoniste indique donc explicitement que la couleur de la peau varie selon la température corporelle et distingue des couleurs chaudes et des couleurs froides, sans que la teinte exacte soit ici mentionnée. On peut toutefois les préciser si on met en relation ce passage avec celui, précédent, consacré aux différentes carnations :

> « Les hommes à la couleur vert-miel (*melichlôroi*) sont froids : le froid signifie difficulté de mouvement ; et si les parties du corps se meuvent avec difficulté, ils seront lents. Ceux dont la couleur est rouge (*eruthron*) sont vifs, parce que toutes les parties du corps sous l'effet du mouvement se réchauffent et rougissent »[41].

La notation « froids » devrait renvoyer logiquement à un trait moral que le teint vient révéler, tout comme le tempérament « chaud » évoqué précédemment, mais l'hésitation est permise car l'explication qui suit convoque l'élément physiologique de la froideur corporelle comme une cause (ou un effet ?) de la difficulté de mouvements, qui elle-même explique la lenteur générale de ces hommes. Le glissement d'un sens physique de l'adjectif à un sens moral (tout comme dans le cas d'ὀξύς[42]) témoigne plus profondément de conceptions physiologiques sous-jacentes. Le teint vert-miel ou son contraire le teint rouge sont donnés comme des indices d'un tempérament froid ou chaud et dans le cas du teint rouge, il est explicitement présenté comme le résultat d'un échauffement corporel. Dans le chapitre

---

[39] Ps.-Aristote B, 813 b : ὅσοι δὲ τῶν μεγάλων ὑγραῖς σαρξὶ κεχρημένοι, ἢ καὶ χρώμασιν ἃ διὰ ψυχρότητα ἐγγίνονται, οὐδὲν ἐπιτελοῦσιν· οὔσης γὰρ τῆς φορᾶς ἐν μεγάλῳ τόπῳ καὶ βραδείας διὰ τὴν ψυχρότητα, οὐ συνανύει ἀφικνουμένην ἐπὶ τὸ φρονοῦν.

[40] Ps.-Aristote B, 813 b : ὅσοι δὲ τῶν μεγάλων ξηραῖς σαρξὶ κεχρημένοι εἰσὶ καὶ χρώμασι διὰ θερμότητα, γίνονται ἐπιτελεστικοὶ καὶ αἰσθητικοί· τὴν γὰρ τοῦ μεγέθους ὑπερβολὴν σαρκῶν τε καὶ χρώματος ἡ θερμότης ἤκέσατο, ὥστε σύμμετρον εἶναι πρὸς τὸ ἐπιτελεῖν.

[41] Ps.-Aristote 812 a 12. L'anonyme latin n'hésite pas à fondre ces passages du Ps.-Aristote pour proposer une gamme des teints chauds et froids (§ 88).

[42] Les adjectifs θερμός et ὀξύς sont associés dans d'autres passages des deux traités : chez le Ps.-Aristote A, 806 b 26 (« les mouvements nonchalants indiquent une intelligence sans vigueur, les mouvements vifs un tempérament ardent ») ὀξύς est appliqué à un trait corporel, ἔνθερμον à un trait de caractère ; à l'inverse chez le Ps.-Aristote B, 812 a, les mouvements créent un échauffement et de tels individus sont vifs (*cf.* aussi 813 a 19). Les mêmes phénomènes physiologiques (mouvement, chaleur, relation à la rapidité de l'intelligence) semblent à l'œuvre, même si les caractérisations sont présentées différemment.

correspondant d'Adamantios, la carnation *melanchlôros* (ou *melichlôros*) est un signe de lâcheté sans qu'aucune référence ne soit faite à un phénomène physiologique.

L'adjonction d'un teint vert-miel (ou foncé) à la gamme chromatique de la lâcheté chez Adamantios s'inscrit sans doute aussi dans une tradition péripatéticienne fondée sur une physiologie de la peur[43]. Aristote définit en effet à plusieurs reprises dans son œuvre la peur comme un refroidissement : « la peur est un refroidissement provoqué par la faible quantité de sang et par le manque de chaleur »[44]. Aristote décrit en réalité les effets du sentiment passager de la peur sur l'organisme, c'est-à-dire les perturbations qu'elle entraîne. Mais la relation causale devient réversible lorsque c'est la nature d'un individu, conçue comme un mélange de qualités premières parmi lesquelles la chaleur et le froid, qui est le point de départ à la caractérisation psychologique ou morale de ce dernier[45]. Le principe devient alors, dans un problème aristotélicien[46] : « Sont courageux ceux dont la nature est chaude, lâches ceux qui sont froids »[47]. Avec une telle prémisse, on peut reconstituer un syllogisme, du type : « les hommes au teint vert-miel sont froids »[48] ; or, « les hommes froids sont lâches »[49], donc « les hommes au teint vert-miel sont lâches », conclusion que ne propose pas — étonnamment — l'auteur du traité de physiognomonie péripatéticien, mais Adamantios pour qui c'est un fait admis.

L'affirmation première d'Aristote corrèle non seulement le sentiment de la peur à un état physiologique mais donne également un élément d'explication supplémentaire au refroidissement corporel en faisant

---

[43] Pour les symptômes chez le médecin Galien, voir I. BOEHM, « La peur au ventre. Conceptions galéniques de la peur », in Sandrine COIN-LONGERAY et Daniel VALLAT (dir.), *Peurs antiques*, Saint-Etienne : Presses Univ., 2015, p. 263-269, part. 265-266 et 268 ; on retrouve pâleur jaune, refroidissement, tremblement lié au reflux du sang vers le bas du corps.

[44] Aristote, *Parties des animaux* IV, 11 [692 a 24] : Κατάψυξις γὰρ ὁ φόβος δι' ὀλιγαιμίαν καὶ δι' ἔνδειάν ἐστι θερμότητος.

[45] *Parties des animaux* II, 4 [650 b 27] : « Mais les animaux dont le sang est trop aqueux sont plus timides (*deilotera*). Car la peur refroidit. Donc les animaux qui ont dans le cœur ce mélange (*krasis*) sont prédisposés à cette affection. L'eau en effet se solidifie sous l'effet du froid. Aussi les animaux qui n'ont pas de sang sont plus craintifs (*deilotera*), de manière générale, que les animaux sanguins. Sous l'empire de la peur, ils restent sans mouvement, laissent échapper des excréments et certains changent de couleur. » (tr. P. Louis, CUF).

[46] Les *Problèmes* réunissent des écrits qui, le plus souvent, ne sont pas d'Aristote lui-même mais d'auteurs influencés par l'école péripatéticienne et par l'héritage hippocratique ; toutefois, dans le cas du livre XIV, P. Louis considère que son attribution à Aristote est probable et signale plusieurs parallèles avec d'autres œuvres.

[47] *Problèmes*, XIV, 8 (ἀνδρεῖοι δέ εἰσιν οἱ τὴν φύσιν θερμοί, δειλοὶ δὲ οἱ κατεψυγμένοι) et XIV, 16 (tr. P. Louis), consacrés à une question ethnologique : « Pourquoi les habitants des pays chauds sont-ils craintifs (*deiloi*) et ceux des pays froids courageux (*andreioi*) ? ». Ce constat paraît en effet paradoxal, car la chaleur est associée plutôt au courage et le froid à la lâcheté. L'influence de la température extérieure (le climat) permet de résoudre la difficulté.

[48] Ps.-Aristote B, 812 b : ἀπεψυγμένοι.

[49] Ps.-Aristote, *Problèmes*, XIV, 16.

intervenir le rôle du sang[50], lequel sera convoqué dans certains *Problèmes* pour justifier la décoloration du teint. Ainsi le problème XXVII, 3 oppose-t-il les réactions physiologiques provoquées par les sentiments de colère ou de peur :

> « Pourquoi dans les emportements, alors que la chaleur se concentre à l'intérieur du corps, on est plein de chaleur et d'assurance, tandis que c'est le contraire dans la peur ? [...] quand on a peur, au contraire, le sang et la chaleur fuient ensemble vers le bas (τοῖς δὲ φοβουμένοις κάτω συμφευγόντων τοῦ αἵματος καὶ τοῦ θερμοῦ). [...] Ou dans leur cas (*sc. les angoissés*) n'est-ce pas la soif qui est en cause mais plutôt un dessèchement consécutif au refoulement du sang qui fait également qu'ils sont pâles (πεφευγότος τοῦ αἵματος, ὅθεν καὶ ὠχροί) ? »[51].

Les mêmes éléments internes sont affectés par les sentiments de colère et de peur, à savoir la chaleur et l'afflux du sang, qui, dans le premier cas, se propagent vers le haut du corps — d'où la rougeur qui envahit, peut-on penser, notamment le visage — dans le second, délaissent au contraire la partie supérieure du corps pour refluer vers le bas — d'où le phénomène de pâleur[52].

La décoloration du teint sous l'effet de la peur est déjà un symptôme remarqué par Homère qui décrit ses héros que la peur fait pâlir (ὠχρός)[53] ou blêmir (χλωρός)[54], traduction qui ne rend pas exactement la nuance jaune dans un cas, verte dans l'autre. L'association indifférente chez Homère de l'une ou l'autre teinte à l'expérience de la peur témoigne de la familiarité de cette corrélation dans la pensée grecque et permet de mieux comprendre les variantes chromatiques entre les traités péripatéticiens et celui d'Adamantios, les premiers préférant des composés d'*ôchros*, le second de *chlôros*. Le physiognomoniste interprète ces teints jaunâtre ou verdâtre non plus comme des manifestations physiques d'une émotion, mais comme des couleurs permanentes, signes d'un caractère moral lâche et reflet, peut-être, d'une complexion particulière. Les références à des explications physiologiques demeurent toutefois exceptionnelles dans les traités de

---

[50] G. BOYS-STONES, *op. cit.* (*supra* note 8), p. 72, note que le sang est chez Aristote le principe physiologique qui sous-tend les inférences physiognomoniques, et relève également son rôle dans Ps.-Aristote B, 813 b et dans la physiognomonie de Loxus (p. 60-61).

[51] Le livre XXVII des *Problèmes* est entièrement consacré à la peur et au courage, en s'attachant surtout à leurs conséquences physiologiques. P. Louis considère que l'auteur de ce livre n'est pas Aristote, mais sans doute un médecin à la fois versé dans la philosophie péripatéticienne et bon connaisseur des œuvres hippocratiques, et date l'ouvrage de la deuxième moitié du IIIe siècle *p.C.*

[52] *Cf.* également Ps.-Aristote, *Problèmes* XXVII, 6 et 8, avec la même association de la peur au reflux de la chaleur corporelle vers le bas du corps (notamment le ventre), ce qui entraîne la pâleur, notamment du visage (XXVII, 8, 948 b 15-17 : τὸ μὲν πρόσωπον ὠχρόν) comme le notait le Ps.-Aristote des *Physiognomonica* (807 b).

[53] Par ex. Pâris, *Iliade* III, 35. Sur la décoloration du teint par la peur, *cf.* A. GRAND-CLÉMENT, *op. cit.* (*supra* note 15), p. 211-213, qui note également la récurrence de l'expression « peur verte » (χλωρὸν δέος) chez Homère.

[54] Ainsi les Troyens en *Iliade* XV, 4.

physiognomonie qui ne s'embarrassent pas, en général, d'une recherche des causes pour rendre compte d'une particularité physique et morale. Elles sont d'ailleurs limitées aux quelques traces relevées dans les *Physiognomonica* composés dans un cercle péripatéticien[55].

La diversité des teints de la lâcheté illustre la superposition des paradigmes convoqués par le physiognomoniste pour établir ses équations chromatiques entre trait physique et caractère moral. L'association entre la lâcheté ou la bravoure et l'un de ces paradigmes (Égyptien noir et lâche, lion blond et courageux, femme blanche et peureuse, homme pâle et terrifié) repose elle-même sur des observations et des croyances populaires fort anciennes et communément admises. La justification scientifique par une explication physiologique correspond à un effort théorique ultérieur effectué d'un côté par la médecine, de l'autre par la philosophie, ponctuellement réunies dans les recherches d'un philosophe comme Aristote ou d'un médecin comme Galien. Les traités physiognomoniques grecs portent très peu de traces de ces théories, et ce d'autant moins lorsque leur but est plus pratique que théorique[56]. Ainsi le traité du sophiste Polémon, condensé par Adamantios, ne s'adressait pas, à l'évidence, à des spécialistes mais à un plus large public intéressé par le profit qu'il pouvait tirer de la maîtrise de l'examen physiognomonique dans les relations sociales quotidiennes[57].

Au terme de son épitomé, Adamantios regrette que les portraits d'hommes qu'il vient de brosser par le truchement de sa seule écriture soient comme des tableaux sans couleurs (καθάπερ ἐν γράφαις ἀχρόοις), cet article aura montré, je l'espère, que le physiognomoniste fait naître une palette des vertus et des vices.

---

[55] Fabio STOK, « La fisiognomica fra teoria e pratica », in Gilbert ARGOUD et Jean-Yves GUILLAUMIN (dir.), *Sciences exactes et sciences appliquées à Alexandrie (IIIᵉ siècle av. J.-C. – Iᵉʳ siècle ap. J.-C.)*, Saint-Etienne : Presses universitaires, 1998, p. 172-187, part. p. 175-177, insiste, à raison, sur l'imperméabilité des traités antiques de physiognomonie à la théorie humorale développée par la tradition médicale et ne reconnaît que l'influence des traités zoologiques d'Aristote, sensible effectivement dans le traité du Ps.-Aristote. Voir également G. BOYS-STONES, *op. cit.* (*supra* note 8) p. 48-74 et 94-109. Adamantios ne fait jamais mention du rôle possible du sang même s'il emploie l'adjectif αἱματώδης pour décrire la couleur des yeux ou d'une veine apparente du cou ; en revanche, la bile est mentionnée à deux reprises (couleur des yeux II, 36 ; élément constitutif de l'œil I, 8). Quant aux éléments naturels, si l'humide et le sec sont des qualités récurrentes des parties du corps décrites (II, 59), le froid et le chaud ne sont évoqués par Adamantios à titre de facteurs physiques que dans la description climatique et ethnologique (II, 31), l'adjectif « chaud » qualifie pour le reste un caractère psychologique tandis que l'adjectif « froid » est absent.

[56] F. STOK, *op. cit.* (*supra* note 55) p. 178 voit dans ces traités des manuels (*technai*) à visée avant tout pratique.

[57] Voir le prologue au traité d'Adamantios I, 2 : « La physiognomonie notamment est une invention due à des hommes divins et qui peut apporter nombre de très grands bénéfices à ceux qui l'étudient ». Cette assertion est suivie d'une série d'exemples concrets.

Sources antiques

Scriptores physiognomonici græci, ed. Richard Förster, vol. 1, Leipzig : Teubner, 1893.

Adamantios :
Ian REPATH, « The Physiognomy of Adamantius the Sophist », p. 487-547 in Simon SWAIN, *Seeing the Face, Seeing the Soul. Polemon's Physiognomy from Classical Antiquity to Medieval Islam*, Oxford : University Press, 2007.

Anonyme latin, *Traité de physiognomonie* :
Anonyme latin. Traité de Physiognomonie, édition et traduction Jacques André, Paris : Les Belles Lettres, 1981.

Aristote :
Catégories, édition et traduction Richard Bodéüs, Paris : Les Belles Lettres, 2001.
Les parties des animaux, édition et traduction Pierre Louis, Paris : Les Belles Lettres, 2002[4] (1957).

Aristote (Pseudo), *Physiognomonie* :
Aristotelis opera, vol. 2, ed. Immanuel Bekker, Berlin : Reimer, 1831 (Repr. 1960).
Aristotele, Fisiognomica, introduzione, traduzione, note e apparati Maria-Fernanda FERRINI, Milan : Bompiani, 2007.
Pseudo-Aristotele, *Fisiognomica*, introduzione, traduzione e note, Giampera RAINA, Milan : BUR, 1993.
Simon SWAIN, « The Physiognomy attributed to Aristotle, Appendix », p. 638-661 in S. SWAIN, *Seeing the Face ... op. cit. supra*.

Aristote (Pseudo), *Problèmes* :
Problèmes, tome 2 : sections XI à XXVII, édition et traduction Pierre Louis, Paris : Les Belles Lettres, 1993.

Polémon, *Physiognomonie, version arabe* :
Robert HOYLAND « A new edition and translation of the Leiden Polemon », p. 330-463, in Simon SWAIN (dir.), *Seeing the Face ... op. cit. supra*.

Couleurs et émotions dans la physiognomonie des XVIᵉ et XVIIᵉ siècles

Laetitia MARCUCCI[1]

Le terme « émotion » peut être trompeur pour qui aborde les textes des XVIᵉ et XVIIᵉ siècles. En effet, les émotions, du verbe latin *e-movere*, mises en branle de l'âme, sont nommées « tumultes » ou « désordres » de l'âme à la Renaissance, puis sont étudiées plus systématiquement sous la modalité des « passions » à l'âge classique. Or, le terme « passion » ne désigne pas seulement ce qu'un individu ressent mais renvoie également à sa caractérisation morale[2]. À l'époque moderne, on considère que les manifestations des mouvements intérieurs de l'âme sont physiquement observables car elles viennent rider ou colorer le visage, siège privilégié de leur expression. La question des émotions interroge ainsi le rapport de l'âme et du corps, du visible et de l'invisible, de l'intériorité et de la manifestation sensible. Ces dimensions sont investies par la physiognomonie qui se situe au cœur de ces articulations conceptuelles d'un point de vue théorique, méthodologique et pratique. Celle-ci peut être définie comme l'art, la technique, fondée sur l'observation des signes inscrits à la surface du corps, qui a pour visée la connaissance des êtres humains, de leurs caractères et penchants, de leur santé, voire de leur destinée. S'appuyant notamment sur les humeurs, les tempéraments et les complexions, modalités sous lesquelles l'art médical aborde les émotions, la physiognomonie dresse des typologies et dessine une caractérologie. À la Renaissance, les grandes catégories de la tradition physiognomonique, celle des trois grands traités de physiognomonie antiques – les *Physiognomonica* du Pseudo-Aristote (IVᵉ-IIIᵉ siècle av. J.-C.), le *Livre de physiognomonie* de Polémon (IIᵉ s.) et le *Traité de physiognomonie* de l'Anonyme latin (IVᵉ s.) qui proposent tous trois des catalogues des vices et vertus – transmis par différentes traditions et manuscrits[3], sont en partie révisées, notamment du point de vue de la logique

---

[1] Chercheur à l'Université de Nice, CRHI (EA 4318), ADES (UMR 7268).
[2] *Cf.* Carole TALON-HUGON, *Les passions*, Paris : Armand Colin, 2004.
[3] Les *Physiognomonica* du Pseudo-Aristote furent traduits en latin au XIIIᵉ s. par Bartholomée de Messine. *Cf.* Richard FÖRSTER, *Scriptores Physiognomini Graeci et Latini*, Leipzig : Teubner, 1893, 2 vol. L'original grec du *Livre de physiognomonie* de Polémon est perdu, mais en partie connu grâce aux manuscrits grecs de l'épitomé d'Adamantios, copiés aux XVᵉ et XVIᵉ s. La version syriaque du texte est connue grâce à la tradition de la *Crème de la sagesse* et à Bar Hebraeus (XIIIᵉ s.). Le manuscrit arabe de référence a été copié à Damas en 1356. *Cf.* Leofranc HOLFORD-STREVENS, « Aulus Gellius: The Non-Visual Portraitist », « Appendix: *On the Sources for Polemo's Physiognomonica* », in Mark Julian EDWARDS et Simon SWAIN, *Portraits: Biographical Representation in the Greek and Latin Literature of the Roman Empire*, Oxford : Clarendon Press, 1997, p. 94-116, part. p. 113-116 et Mauro ZONTA, *Fonti greche e orientali dell'*Economica *di Bar-Hebraeus nell'opera* La Crema della Scienza, Naples : Istituto Universitario Orientale, 1992. Enfin, on se référera à l'Anonyme latin, *Traité de physiognomonie*, ed. et tr. Jacques André, Paris : Les Belles Lettres, 1981, p. 39-42, et

et de la sémiologie. Couleurs et émotions s'inscrivent dans la problématique du remaniement de l'organisation des modes de connaissance et de la régionalisation des savoirs à la Renaissance. Volumineux, éclaté dans le temps et dans l'espace, diffusé au gré des traductions, des rééditions, adaptations et réimpressions, le corpus des textes physiognomoniques, particulièrement polymorphe et hétérogène, est composé à la fois de textes qui la prennent explicitement pour objet, ou bien qui y font référence, ou bien encore qui l'utilisent ici et là comme méthode heuristique et herméneutique pour déchiffrer les signes du corps. En outre, la grande richesse de ses variations thématiques rend difficile toute entreprise de systématisation, d'autant que les héritages et influences multiples complexifient l'appréhension de la couleur du corps qui ne saurait constituer un phénomène transversal, uniforme, qui pourrait être aisément isolé, de part en part du corpus considéré. La méthode choisie dans le présent article est philosophique, historique et conceptuelle. Pour étudier couleurs et émotions dans leur articulation aux savoirs physiognomoniques, on s'appuiera sur un corpus de textes représentatif des grandes tendances et évolutions des XVIᵉ et XVIIᵉ siècles, en ce qu'il rend compte à la fois de permanences et de mutations significatives, manifestant et révélant schèmes de pensée et visions du monde. Tout d'abord, on examinera quelles catégories déterminent couleurs et émotions dans la médecine astrologique traditionnelle. Puis, on considérera les modalités et implications du tournant pathognomonique de la physiognomonie, sur les couleurs et émotions, au carrefour du médical et de l'esthétique.

La physiognomonie médicale de la Renaissance s'enracine dans la médecine grecque, notamment les corpus hippocratique et galénique, les corpus de la tradition arabe, et elle est par ailleurs portée par les humanistes, l'hermétisme et le néoplatonisme. Or, à l'âge moderne, les savoirs magiques tendent à s'hybrider : les auteurs combinent entre elles la chiromancie, l'astrologie, la physiognomonie, voire la métoposcopie. C'est le cas notamment chez le médecin Bartholomeo Della Rocca, dit Coclès, dans son *Compendion et brief enseignement de la physiognomonie et chiromancie*[4], chez Jean d'Indagine et son *Traité de chiromancie, physiognomonie et astrologie naturelle*[5], chez Jean Belot dans son *Instruction familière et très*

---

p. 47, sur les manuscrits et l'édition d'Antoine du Moulin, *De diversa hominum natura, prout a veteribus philosophis ex corporum speciebus reperta est, cognoscenda Liber*, Lyon, chez Jean de Tournes, 1549. Voir aussi, dans ce volume, la contribution d'A.-M. Favreau-Linder.

[4] Bartholomeo Della Rocca, *Bartholomei Coclitis chyromantiae ac physionomiae Anastasis, cum approbatione magistri Alexandri d'Achillinis*, Bologne, 1504. Sur la fusion opérée par Coclès entre physiognomonie et médecine à la charnière des XVᵉ et XVIᵉ siècles, *cf.* Joseph ZIEGLER, « Médecine et physiognomonie du XIVᵉ au début du XVIᵉ siècle », tr. fr. Maryline NICOUD et Nicolas WEILL-PAROT, *Médiévales*, 46, 2004, p. 89-108.

[5] Jean d'Indagine, *Introductiones apotelesmaticae elegantes in Chyromantiam, Physiognomiam, Astrologiam naturalem, Complexiones hominum, Naturas planetarum, Cum periaxiomatibus de faciebus Signorum et canonibus de aegritudinibus, nusquam fere simili tractata compendio*, Strasbourg, chez Johann Schott, 1522. On se référera *infra* à cette édition [désormais abrégée *ICPA*], ainsi qu'à l'édition d'Antoine du Moulin (*supra* note 3).

facile pour apprendre les sciences de chiromancie et physiognomie[6], ou bien chez Richard Saunders dans sa *Physiognomie, chiromancie, métoposcopie*[7], ou encore chez Robert Fludd dans son *Histoire métaphysique, physique et technique de l'un et l'autre monde, à savoir du grand et du petit*[8]. Tantôt les considérations médicales font l'objet de traités spécifiques, dans la veine astrologique, tantôt elles sont disséminées par bribes dans les traités et reliées à l'étude des tempéraments et passions de l'âme. Comme l'a montré Martin Porter dans son ouvrage *Windows of the soul, Physiognomy in European Culture 1470-1780*, un « canon partagé », bien qu'aujourd'hui oublié, a circulé du début à la fin de la période moderne. On retrouve dans ce corpus des considérations sur les propriétés des corps célestes mais aussi sur celles des corps naturels, sur les propriétés des plantes associées aux signes et planètes astrologiques, sur les phénomènes de sympathie et d'antipathie opérant entre les corps du monde naturel, parfois opposés à l'explication physiologique et humorale[9]. En outre, bien que les pratiques traditionnelles soient en passe d'être renouvelées, avec l'entrée progressive de l'expérimentation dans le champ de la connaissance, la tradition de la médecine astrologique est toutefois encore bien ancrée au XVIe siècle. En outre, en dépit des bulles papales, principalement celles de Sixte V en 1586, *Contra exercentes artem Astrologiae judicariae*, et d'Urbain VIII en 1631, elle continue d'être diffusée au XVIIe siècle, très liée à la pratique de l'observation physiognomonique.

À l'aune de ces considérations, le *Traité* de Jean d'Indagine (1522), pasteur allemand, de son vrai nom Johannes Rosenbach, apparaît comme un bon exemple à partir duquel dégager les principaux enjeux inhérents au traitement de la couleur dans la médecine astrologique, en lien avec l'étude des corps célestes et des complexions, en raison de ses caractéristiques génériques et de ses spécificités propres. En dépit de sa mise à l'index par une bulle du pape Paul IV en 1559, le *Traité* de Jean d'Indagine connut un franc succès. En effet, il a largement circulé dans l'espace européen émergent, particulièrement dans le Nord de l'Europe. Il fut réédité à de nombreuses reprises aux XVIe et XVIIe siècles et traduit dans les langues vernaculaires, telles que le français, le toscan, l'anglais, l'allemand, le néerlandais[10]. Le succès de son *Traité* tient aussi à l'édition lyonnaise, en

---

[6] Jean Belot, *Instruction familière et très facile pour apprendre les sciences de chiromancie et physiognomie*, 1619, in *Les œuvres de M. Jean Belot*, Lyon : Claude La Rivière, 1654.

[7] Richard Saunders, *Physiognomie, and Chiromancie, Metoposcopie: the symmetrical proportions and signal moles of the body [...] with the subject of dreams made plain, whereunto is added the art of memory*, Londres : N. Brook, 1653 (rééd. 1671).

[8] Robert Fludd, *Utriusque cosmi maioris scilicet et minoris metaphysica, physica atque technica historia : in duo volumina secundum cosmi differentiam diuisa*, Oppenheim, 1617-1623.

[9] Martin PORTER, *Windows of the Soul, Physiognomy in European Culture 1470-1780*, Oxford : Clarendon Press, 2005, p. 12.

[10] *Cf.* M. PORTER, *op. cit.* (*supra* note 9), p. 11 ; Jean-Jacques COURTINE et Claudine HAROCHE, *Histoire du visage, exprimer et taire ses émotions : du XVIe au début du XIXe siècle*, Marseille : Rivages, 1988, rééd. Paris : Payot, 2007, p. 37.

français, chez Jean de Tournes, en 1549, richement illustrée de gravures sur bois et d'une série de vingt-deux tableautins, représentant des portraits[11].

La matière du *Traité* est représentative d'un fonds physiognomonique traditionnel ancien, astrologique et hermétique, s'appuyant sur les propriétés occultes des corps, associant des sources et autorités antiques et médiévales, et intégrant, par ailleurs, des éléments du Néoplatonisme de Marsile Ficin, dont le nom est mentionné à plusieurs reprises. Conciliant les savoirs de son temps, Jean d'Indagine retient notamment l'idée d'une chiromancie considérée comme une « physiognomonie de la main », dans la lignée de l'humaniste Galeotto Marzio da Narni[12]. En outre, sans se départir de l'astrologie — il développe notamment une mélothésie[13], respectant le principe de la description physiognomonique et médicale, *a capite ad calcem* –, il entend introduire et développer dans son *Traité*, à la suite de Coclès, une « science des passions » qui soit aussi une « science de l'invisible »[14]. Il postule ainsi l'union harmonique de l'âme et du corps. Pour le physiognomoniste, l'aspect du corps est le reflet des états de l'âme : déchiffrer les marques physiques visibles et caractéristiques permet d'établir un portrait médical et moral des individus.

En ce qui concerne la couleur, dans le texte d'Indagine, comme dans nombre de traités de médecine astrologique, le système traditionnel à trois pôles prédomine, tel que décrit par Michel Pastoureau dans ses ouvrages sur la couleur[15], à savoir le rouge, le noir et le blanc. Au livre VI de son *Traité*, consacré aux complexions, Jean d'Indagine note d'ailleurs que le blanc et le noir constituent les deux pôles constitutifs de sa gamme chromatique, qui est assez restreinte[16]. Si dans la description du corps humain dans son ensemble, sous l'égide des planètes et des signes, le noir est surtout utilisé pour décrire les cheveux et les poils, le blanc pour les cheveux et la peau, le vermeil pour le teint, les couleurs dénotent des complexions en lien avec la circulation des

---

[11] *Cf.* Ulrich REIßER, *Physiognomik und Ausdruckstheorie der Renaissance: Der Einfluß charakterologischer Lehren auf Kunst und Kunsttheorie des 15. und 16. Jahrhunderts*, Munich : Scaneg, 1997, p. 67-73 ; Domenico LAURENZA, *De figura umana: fisiognomica, anatomia e arte in Leonardo*, Florence : Olschki, 2001, p. 7-8.

[12] Galeotto Marzio da Narni, astrologue à la cour de Mathias Corvin, protégé de Laurent de Médicis, auteur d'un *De homine*, Milan, 1490, inspira Bartholomeo Della Rocca. *Cf.* Alessandro D'ALESSANDRO, « Astrologia, religione e scienza nella cultura medica e filosofica di Galeotto Marzio », in Sante GRACIOTTI et Cesare VASOLI, *Italia e Ungheria all'epoca dell'umanesimo corviniano*, Florence : Olschki, 1994, p. 132-177 ; Lynn THORNDIKE, *A History of Magic and Experimental Science, Fourteenth and Fifteenth Century*, vol. 4, New York : Columbia University Press, 1934, p. 399-404.

[13] *Cf.* Wolfgang HÜBNER, *Körper und Kosmos: Untersuchungen zur Ikonographie der zodiakalen Melothesie*, Wiesbaden : Harrassowitz, 2013 et *Id.*, « La mélothésie zodiacale à la Renaissance », in Véronique DASEN et Jean-Michel SPIESER, *Les savoirs magiques et leur transmission de l'Antiquité à la Renaissance*, Florence : Sismel, ed. del Galluzzo, 2013, p. 301-330.

[14] *Cf.* J.-J. COURTINE et Cl. HAROCHE, *op. cit.* (*supra* note 10), p. 38.

[15] *Cf.* Michel PASTOUREAU, *Bleu : histoire d'une couleur*, Paris : Seuil, 2000 ; *id.*, *Noir : histoire d'une couleur*, Paris : Seuil, 2008 ; *id.*, *Vert : histoire d'une couleur*, Paris : Seuil, 2013 ; *id.*, *Rouge : histoire d'une couleur*, Paris : Seuil, 2016.

[16] Jean d'Indagine, *ICPA* (*supra* note 5), livre VI, chapitre « De l'observation des complexions par la couleur » : *extremi sunt albus et niger*.

fluides dans le corps : « le blanc entremêlé de rouge, avec les joues enflées, dénote le sang, le blanc montre le flegme, le pâle la mélancolie, le brun noirâtre et le noir signifient la colère »[17]. Les couleurs déterminent ainsi des types caractérologiques.

En outre, ces trois couleurs sont particulièrement bien représentées dans la partie consacrée à la chiromancie, par laquelle débute l'ouvrage, pour identifier complexions et tempéraments. La description des paumes et des lignes de la main intègre, entre autres, le tracé et la profondeur des sillons, les dessins spécifiques à l'intérieur de la paume, tels que les croix et les hachures. L'examen de la couleur est ainsi couplé à celui des formes et il constitue un élément important de la méthode. L'auteur regarde d'abord si la chair est « bien colorée », si la couleur de la ligne est pure, claire ou obscure. La densité, l'éclat et la luminosité (*splendor*) l'emportent sur la tonalité. Les couples de notions mis en évidence par Michel Pastoureau, « clair-sombre », « mat-brillant », « saturé-désaturé », « uni-composite », sont opératoires pour aborder ce type de textes[18]. On lit, par exemple, à propos de la ligne de vie :

> « Et certes, cela est certain que si le sang est pur, ou corrompu, et non pur, alors la ligne sera de couleur claire ou obscure : tellement que toutes les fois que le sang abonde en l'homme, elle sera rouge et resplendissante, et au contraire pâlissante et tirant vers la couleur du plomb[19], quand celui-ci lui fait défaut »[20].

L'uniformité de la coloration est aussi un élément-clef d'une bonne complexion. *A contrario*, les mélanges de couleurs et les points rouges sont de mauvais pronostics. Jean d'Indagine énonce ainsi la règle suivante :

> « Cela doit toujours être noté, pour toutes les lignes principales. Car si elles sont droites et non divisées, bien colorées, elles démontrent toujours la bonté de la complexion, et si elles sont disposées au contraire, elles dénotent toujours le contraire. Aussi quand la ligne de vie est profonde et de diverse couleur, c'est-à-dire ponctuée de petits points rouges, pâlissante, livide, ou violette[21], elle signifie malice, finesse, perfidie et envie, et elle montre que cet homme est babillard, qu'il se vante souvent et qu'il se plaît à lui-même »[22].

---

[17] *Ibid.* : *albus conspersus rubore, tumentibus buccis, sanguinem notat, albus phlegma, pallidus melancholiam, fuscus, subniger, niger choleram.*

[18] *Cf.* M. PASTOUREAU, *op. cit.* (*supra* note 15).

[19] Antoine du Moulin traduit « pâle et comme meurtrie, retirant à couleur de plomb » (*supra* note 3), p. 23. On trouve d'ailleurs *infra* dans le texte latin : *Si uero ualde rubea cum quadam plumbea liuiditate permixta, inconstantem* [...].

[20] Jean d'Indagine, *ICPA* (*supra* note 5), livre I, chapitre 2, « De la ligne de vie » : *Certum hoc enim est, ut ille purus, uel impurus fuerit, ita lineam hanc colorem fortitam, obscurum, aut clarum, adeo ut rubicunda ac splendida sit ea, quoties in homine sanguis abundat, et econtra pallens ac liuida, ubi ille defecerit.*

[21] Nous suivons ici la traduction d'Antoine du Moulin « pâlissante, et livide, ou violette », *op. cit.* (*supra* note 3), p. 23.

[22] Jean d'Indagine, *ICPA* (*supra* note 5), livre I, chapitre 2 : *Hoc autem semper notandum est, in omnibus lineis principalibus, quod si sint rectae, ac indistinctae, et bene coloratae, semper bonitatem complexionis ostendunt. Si uero contra dispositae fuerint, contrarium semper arguunt. Item si linea vitae sit grossa et profunda, et diversi coloris, id est per puncta rubra*

Jean d'Indagine dépeint moins des émotions, au sens où on peut l'entendre aujourd'hui, c'est-à-dire ce qu'un individu singulier peut éprouver à l'occasion d'un événement biographique, que des tempéraments, des inclinaisons, des vices et des vertus qui déterminent de grandes typologies. À propos de la ligne moyenne naturelle, par exemple, on peut lire :

> « Et si elle est tortueuse, non point unie, et inégale, et de diverse couleur, c'est le signe d'une âme petite et mesquine, et parfois de larcin. Quand elle est droite, égale, et d'une couleur lumineuse et qu'aucune ligne ne sort d'elle, c'est signe de bonne conscience et de justice. Mais quand la ligne moyenne naturelle est large et grosse, entremêlée d'aucune rougeur, elle dénote un entendement grossier et ignorant, et le défaut de prudence. Et quand elle n'est ni trop étroite ni trop large, et bien colorée c'est signe d'un homme joyeux, souriant, et fort aussi. Si elle est menue, fine et déliée, pâle ou blême, elle dénote la faiblesse du cerveau et les vapeurs montant de l'estomac à la tête. Et si cette ligne apparaît grosse et trop haute et qu'il y a auprès d'elle quelques petites lignes, avec une couleur rouge, cela montre que l'homme sera emporté et furieux »[23].

Les couleurs renseignent ainsi sur les tempéraments (sanguin, colérique, mélancolique, flegmatique, dont les complexions respectives sont étudiées au livre VI), en lien avec les humeurs. Les « émotions » évoquées sont celles qui leur sont associées. Or, les qualités et fonctions des couleurs ne sauraient être considérées isolément, en cela qu'elles dépendent d'un réseau étroit de correspondances analogiques, dans le contexte d'une connexion entre le macrocosme et le microcosme, entre les corps célestes et le corps humain. La topographie de la main, réalisée par des auteurs tels que Jean d'Indagine, consiste d'ailleurs en une miniaturisation du microcosme qu'est l'homme à l'égard du macrocosme, manifestant la dimension magique et symbolique de la chiro-physiognomonie[24]. La couleur est un signe à interpréter : la connaissance de ce type d'indices est nécessaire au médecin pour rétablir l'équilibre de la santé.

Ainsi, pour résumer, la couleur remplit tout d'abord une fonction classificatoire, dans l'approche descriptive du corps et sémiologique de la santé et de la maladie. En effet, les couleurs renvoient à des phénomènes naturels, présents en excès ou en défaut, témoignant de la sympathie entre les choses de la nature. Deuxièmement, la couleur remplit une fonction

---

pallens, ac liuida, malitiam, callididatem, inuidiam, ipsum alioqui hominem garrulum, iactabundum, ac sibi ipsi placentem.

[23] Jean d'Indagine, *ICPA* (supra note 5), livre I, chapitre 3 : *Eadem si fuerit tortuosa, non sibi constans, et inaequalis, ac diuersi coloris : signum sit paruitatis animi, et nonnunquam furti. Recta autem et aequalis sit fuerit, colorisque lucidi, et quaedam lineae moueantur ab ea, signum est bonae conscientiae et iusticiae. Sed quando media naturalis est lata et grossa, cum quadam rubedine permixta : ruditatem ingenium, et prudentiae inopiam arguit. Si quando aut nec angusta nimis, nec ultra modum larga, et bene colorata, laetum, hylarem, ac etiam fortem hominem signat. Quin etiam subtilis et tenuis, et liuida, uel pallens : debilitatem cerebri, ac ascendentes a stomacho in caput uapores. Et si haec linea compareat grossa et alta nimis, quaedamque paruae lineae iuxta eam sint, cum rubeo colore : iratum, furibundumque hominem ostendit.*

[24] Lucia RODLER, *Il corpo specchio dell'anima, Teoria e storia della fisiognomica*, Milan : Mondadori, 2000, « La via regia alla fisiognomica », p. 50.

symbolique et médiatrice, faisant le lien entre les corps célestes et les corps du monde sublunaires. Enfin, elle assure l'opérativité des thérapeutiques, – que l'on pense par exemple à la constitution de talismans, d'images, pratique courante de la médecine astrologique traditionnelle, même s'il n'y est pas fait allusion dans le texte du *Traité* de Jean d'Indagine.

Dans ce contexte, la couleur ne constitue pas un principe d'organisation en soi. En tant que qualité associée au corps et reflétant son état et, sous la modalité des passions également celui de l'âme, la couleur fait office d'intermédiaire entre des réalités matérielles et des principes : elle met, en effet, ainsi en relation le corps observé et les principes architectoniques de la pratique médicale. À l'entrée de l'âge moderne, l'étude des passions est encore proche des caractérologies et typologies anciennes. La couleur est un des éléments qui permet de rendre compte des relations que le corps entretient en premier lieu avec l'âme, du point de vue microcosmique, mais encore avec les autres éléments du macrocosme.

Si l'on peut bien parler d'un tournant dans l'ordre des représentations du monde, il a lieu sur le terrain du signe mutable. La palette colorée des émotions s'enrichit avec ce que l'on pourrait appeler le « fléchissement pathognomonique » de la physiognomonie. L'ambiguïté sémiologique est constitutive de la couleur et elle en marque les usages. Elle s'inscrit dans une logique de la trace, du probable et du nécessaire – sémiologie établie par les Anciens. En référence à Aristote dans les *Premiers Analytiques*[25] et les *Seconds Analytiques*[26], les signes-symptômes sont des *sêmeia*, c'est-à-dire des signes réfutables, vraisemblables, mais non nécessaires, qui recèlent une part d'indétermination et d'incertitude quant à la finalité. Les couleurs du corps, sur lesquelles porte l'observation médicale, appartiennent à cette catégorie de signes. Elles font partie de la panoplie d'indices à disposition du praticien, à partir desquels juger de la santé et de la maladie d'après les apparences corporelles. Pour autant, ce ne sont pas des *tekmêria*, c'est-à-dire des signes nécessaires, des preuves indubitables.

En effet, les couleurs sont relatives à des contextes. Elle portent sur des faits, sans remonter à la cause : si elles donnent des indications vraisemblables, plausibles, sur des états, en raison de la relation étroite de l'âme et du corps, elles ne permettent toutefois pas de remonter à la raison première des états de fait. Dans les *Premiers Analytiques*, Aristote prend l'exemple de la pâleur qui n'est pas indubitablement le signe de l'enfantement au contraire, dit-il, de l'allaitement qui en est la preuve[27]. Le « syllogisme physiognomonique » peut ainsi donner l'impression de remonter à la cause des choses mais, en réalité, il est incapable de répondre à la question « pourquoi ? » car il peut seulement porter sur les faits[28] : c'est

---

[25] Aristote, *Premiers Analytiques* [désormais abrégé *PA*], *inter alia* II, 2 [70 b 7] et II, 27, sur le syllogisme physiognomonique.
[26] Aristote, *Seconds Analytiques*, I, 13 [78 a 28], sur la question du vraisemblable.
[27] Aristote, *PA*, II, 27, tr. fr. Jean Tricot, Paris : Vrin, 2001, p. 322.
[28] Aristote, *PA*, II, 2, ed. cit. note précédente, p. 210.

en fait un syllogisme rhétorique, un enthymème[29]. Le physiognomoniste étudie les couleurs, *sêmeia*, dans le contexte de la logique propre aux enthymèmes. À la Renaissance, ce cadre théorique ainsi que la notion de « signe » sont discutés à nouveaux frais, comme l'ont montré Marie-Luce Demonet-Launey et Ian Maclean dans leurs travaux respectifs[30]. Du point de vue de la logique des propositions et d'un point de vue empirique, le jugement médical est sujet à l'erreur car il repose sur du vraisemblable, du contingent, plus ou moins probable. Ainsi, la couleur, outil de la clinique, ne saurait nullement constituer la fin de l'art médical.

Or, de nouvelles fonctions et de nouveaux usages de la couleur se dessinent aux XVIᵉ et XVIIᵉ siècles pour concevoir et décrire les émotions, manifestant une mutation profonde du regard et des mentalités. En effet, l'étude pathognomonique, étymologiquement une connaissance des passions, attentive aux signes éphémères, fugitifs, tend à s'autonomiser par rapport à l'approche proprement physiognomonique, qui se focalise sur des signes, si ce n'est permanents, tout du moins stables dans le temps – même si physiognomonie et pathognomonie ne seront complètement séparées que bien plus tard, sous la plume de Johann Caspar Lavater, dans son introduction à *L'Art de connaître les hommes par la physionomie* (1775-1778). L'histoire de la physiognomonie et celle de la pathognomonie sont en effet liées, même si la théorisation de la physiognomonie est chronologiquement antérieure à celle de la pathognomonie[31]. Le mouvement et l'écart, moins dénigrés, par rapport aux signes fixes, figés, immuables, vont de plus en plus caractériser la couleur et l'émotion, émaillant les évolutions des théorisations médicales et artistiques, avec des conséquences anthropologiques et sociales[32]. Dans l'histoire des idées, un paradigme n'en chasse pas un autre : les manières de penser et de voir le monde coexistent et se chevauchent un temps. En effet, cette tendance à la valorisation de la mutabilité du signe est chronologiquement contemporaine du traitement plus traditionnel dévolu à la couleur que l'on rencontre chez des auteurs comme Jean d'Indagine. Elle tend cependant à s'accroître avec le temps, avec l'émergence de l'« individu », au sens moderne du terme.

En effet, il ne s'agit plus seulement de s'intéresser à une typologie des tempéraments, s'appuyant sur une étude des signes radicaux à la suite de Jean Buridan[33], mais, de plus en plus fréquemment, il s'agit, dans les textes,

---

[29] *Cf.* Valéry LAURAND, « Les hésitations méthodologiques du Pseudo-Aristote », in Christophe BOUTON, Valéry LAURAND et Layla RAÏD, *La physiognomonie, problèmes philosophiques d'une pseudo-science*, Paris : Kimé, 2005, p. 17-44.

[30] *Cf.* Marie-Luce DEMONET-LAUNEY, *Les voix du signe. Nature et origine du langage à la Renaissance (1480-1580)*, Paris : Champion, 1992 ; Ian MACLEAN, *Logic, Signs and Nature in the Renaissance: the Case of Learned Medicine*, Cambridge : University Press, 2002.

[31] Laetitia MARCUCCI, « Le rôle méconnu de la physiognomonie dans les théories et les pratiques artistiques de la Renaissance à l'Âge classique », *Nouvelle Revue d'Esthétique*, 15, 2015, p. 123-133.

[32] *Cf.* J.-J. COURTINE et Cl. HAROCHE, *op. cit.* (*supra* note 10), p. 9-10, 37-81 ; J.-J. COURTINE, « Le miroir de l'âme », in Georges VIGARELLO, *Histoire du corps. 1. De la Renaissance aux Lumières*, Paris : Seuil, 2005, p. 319-325.

[33] *Cf.* J. ZIEGLER, art. cit. (*supra* note 4) ; Joël BIARD, *Logique et théorie du signe au XIVᵉ siècle*, Paris : Vrin, 1989, p. 199-202.

d'étudier un mouvement, un moment de tristesse ou de colère chez un individu, c'est-à-dire des signes accidentels, jusqu'ici soigneusement passés sous silence. Ainsi, la palette colorée des émotions s'élargit : le rosissement, le rougissement des joues, le bleuissement des lèvres, la pâleur qui s'installe sur un visage, deviennent des traits saillants à relever, des symptômes révélateurs d'une émotion, de processus anatomiques et physiologiques qui traduisent les tumultes de l'âme. Or, ces signes colorés sont susceptibles d'intéresser tant le philosophe que le médecin, ou encore l'artiste peintre et l'écrivain, dont les imaginaires se rencontrent sur le terrain de la mutabilité du signe. La couleur marque l'entre-deux de l'émotion, moins durable que la passion, mais évanescente, et dont les traces se lisent, se déchiffrent et s'interprètent. Elle n'est plus seulement la liaison entre des parties de la nature, mais elle est encore le signe du mouvement qui l'anime.

En outre, l'écart se creuse au cours du XVIIe siècle entre physiognomonie astrologique et physiognomonie naturelle[34]. Des textes qui intègrent des éléments de physiognomonie et d'astrologie, comme ceux de Juan Luis Vivès, amorcent ce mouvement. En effet, son *De anima et vita, libri tres*[35] marque la naissance d'un regard clinique sur la psychologie des émotions. L'auteur développe une psycho-physiologie : les émotions colorent la bile à l'intérieur des corps et, en retour, la coloration du corps influence également les émotions. Il donne ainsi des conseils pour vivifier l'âme et le corps[36]. Cette psychologisation ouvre plus largement la possibilité d'une éducation du comportement que ne le permettait la fonction prédictive usuelle de la physiognomonie[37]. L'écart se creuse aussi chez un auteur comme Giambattista Della Porta qui revisite la hiérarchie traditionnelle des signes et dont le *De humana physiognomonia* approfondit la méthode anatomo-pathognomonique de la physiognomonie, connue des Anciens et qui était déjà le support privilégié de la description et de la caractérisation des émotions[38].

Rattachées à la physiologie, les couleurs caractérisent le monde du périssable mais encore la vie de l'âme sujette aux troubles et tumultes du monde. La circulation des planches anatomiques entre le milieu des artistes et le monde des médecins[39] a facilité l'émergence d'un nouveau paradigme, une modalité sensible et incarnée de la couleur et de l'émotion, toutes deux observables et esthétiques, « *aist*hésiques » pourrait-on dire. La relative « pathognomonisation » de la physiognomonie traditionnelle fait de la couleur un signe-symptôme au moins partiellement mutable. Avec pour points d'appui l'anatomie et la physiologie, le regard tend à s'intérioriser. Ce

---

[34] J.-J. COURTINE et Cl. HAROCHE, *op. cit.* (*supra* note 10), p. 83-84.

[35] Juan Luis Vivès, *De anima et vita libri tres*, Basileae, 1538.

[36] *Cf.* Raymond D. CLEMENTS, « Physiological-Psychological Thought in Juan Luis Vives », *Journal of the History of the Behavioral Sciences*, 3, 3, 1967, p. 219-235.

[37] *Cf.* L. RODLER, *op. cit.* (*supra* note 24), « La funzione previsionale », p. 12-18.

[38] *Cf.* Elisabeth Cornelia EVANS, « Physiognomic in the Ancient world », *Transactions of the American Philosophical Society*, N.S., 59, 5, 1969, p. 1-101.

[39] Pierre HUARD et Marie-José IMBAULT-HUART, « Petite histoire de l'iconographie anatomique », *Histoire des sciences médicales*, 7, 1973, p. 32-34 ; Samuel EDGERTON Jr., « Médecine, Art et Anatomie », *Culture Technique*, 14, 1985, p. 165-181.

mouvement est sensible à divers égards. Dans les planches qui représentent le corps humain, on passe d'une approche mélothésique, telle qu'on peut en rencontrer dans les almanachs, à une exploration des entrailles, par exemple chez Vésale. Les médecins vont porter une attention accrue à la teinte de la peau. La présence, ou l'absence de coloration, manifeste l'apparition et la disparition, la montée en intensité jusqu'à la crise. La couleur de l'émotion qui teint la chair est la marque de la vie sensitive, incarnée. La question du mouvement et de l'écart rapportée à l'anatomie et aux émotions intéresse également les artistes, notamment Léonard de Vinci, qui, étudiant les *moti animi*, voit l'utilité de la physiognomonie pour figurer ces mouvements de l'âme. Il introduit ainsi une logique de la variation et de la déformation dans la représentation[40], poussée au maximum dans la caricature et la peinture des têtes grotesques[41]. On assiste aussi à un mouvement d'esthétisation du corps souffrant, de la chair malade, jusqu'à l'expression de la souffrance sur le visage, que l'on pense par exemple à l'*Enfant mordu par un crabe* de Sofonisba Anguissola, peint vers 1555, qui est, selon Flavio Caroli, « la mise en œuvre peut-être la plus en pointe, dans la seconde moitié du XVIe siècle, de la théorie physiognomonique »[42].

L'art du portrait, qui connaît son apogée au XVIIe siècle, met l'accent sur l'expression des passions et ouvre un nouveau chapitre de l'histoire des représentations du corps. La couleur devient une médiation technique de l'expressivité. Marin Cureau de la Chambre, médecin du roi, inspire le peintre Charles Le Brun qui développe une physio-pathognomonie, dans sa *Conférence sur l'expression générale et particulière des passions* (1668)[43], sensible au mouvement et à l'écart. En effet, il étudie la déformation des traits à partir de la « figure zéro » de la Tranquillité et qui va lui permettre de caractériser l'expression des émotions. Il est également sensible à la justesse du rendu de la couleur pour accomplir son dessein. La perception de la sensation colorée va devenir centrale dans l'exposition et l'analyse des émotions. Le mouvement et l'écart, en s'introduisant dans les typologies anciennes, contribuent à la modification du statut de la couleur. En retour, en s'inscrivant dans cette logique, cette dernière participe à la transformation des typologies existantes.

De même que des physiognomonies, particulières aux auteurs, se développent autour d'un fonds commun et de thématiques partagées, la

---

[40] Patrizia MAGLI, *Il volto e l'anima, Fisiognomica e passioni*, Milan : Bompiani, 1995, « Ancora Leonardo: metamorfosi e principi regolatori della varianza », p. 214-222.
[41] Michael W. KWAKKELSTEIN, *Leonardo da Vinci as a physiognomist. Theory and drawing practice*, Leiden, Primavera Pers, 1994, p. 57 ; Ernest Hans Joseph GOMBRICH, « Leonardo's Grotesque Heads, Prolegomena to Their Study », in Achille MARAZZA et al., *Leonardo, Saggi e Ricerche*, Rome : Istituto poligrafico dello strato, 1954, p. 199-219.
[42] *Cf.* Flavio CAROLI, « Cinq siècles de peinture des profondeurs. La physiognomonie de Léonard de Vinci à Freud », in Diane BODART et Gloria FOSSI, *Le portrait*, Paris : Gründ, 1998, p. 310 *sqq.*
[43] *Cf.* Carole TALON-HUGON, « Figurer les passions. *La conférence générale et particulière* de Charles Le Brun », *Figures de l'Art : revue d'études esthétiques*, 5, 1993, p. 213-237.

caractérisation et le traitement de la couleur au sein du corpus des textes physiognomoniques aux XVIe et XVIIe siècles ne sont pas homogènes. Aussi, il serait inexact de parler d'un changement brusque de paradigme, comme si une manière de voir le monde en chassait une autre alors que les visions du monde, hétérogènes, cohabitent un temps, voire s'entremêlent. Dans la médecine physiognomonique astrologique traditionnelle, abordée grâce au *Traité* de Jean d'Indagine, la gamme chromatique est peu variée. Les pôles dominants sont ceux de l'époque médiévale et demeurent le blanc, le rouge et le noir. Le physiognomoniste met en évidence des typologies ancrées dans un réseau de correspondances planétaires. Il n'est pas intéressé par la labilité émotionnelle biographique et singulière d'un sujet. Au contraire, les caractérisations morales reposent sur des traits stables. Dans ce contexte, la couleur, signe à interpréter, a principalement une fonction classificatoire, symbolique et de mise en relation entre des réalités corporelles humaines et célestes. Mais à l'entrée de l'âge moderne, la question de la couleur s'inscrit également dans une atmosphère de réflexion philosophique et conceptuelle où sont discutés le rapport de l'âme et du corps et la place dévolue à la philosophie naturelle. Si la physiognomonie astrologique traditionnelle demeure plutôt focalisée sur l'étude des signes radicaux, la physiognomonie, dans sa veine anatomo-pathognomonique, est de plus en plus attentive aux signes accidentels, contingents, mutables, catégorie à laquelle les couleurs appartiennent, du point de vue de leur manifestation sensible. L'élargissement de la gamme chromatique dans les textes physiognomoniques, ou dans ceux qui s'en inspirent, va de pair avec l'introduction du mouvement et de l'écart dans la caractérisation des individus, caractéristique du tournant pathognomonique de la physiognomonie. L'appréhension conceptuelle et pratique de la couleur, sémiologiquement ambiguë, s'en trouve modifiée. De plus, les fonctions traditionnelles de la physiognomonie sont transformées par le régime de sens propre à la couleur. Une approche « psycho-physiologique », « patho-physiognomonique » du corps et des émotions tend ainsi à se développer tant sur les plans médical qu'artistique. La couleur devient le support de l'expressivité des passions et de l'individualisation progressive de l'émotion. Ce changement de regard est révélateur de la régionalisation des savoirs au début de la période moderne. On assiste ainsi, au cours des XVIe et XVIIe siècles, à un déplacement du centre de gravité de la physiognomonie du champ de l'astrologie et de la médecine vers celui de l'esthétique, voire de la civilité avec l'exploration morale et sociale des passions, en lien avec l'émergence de l'« individu ». Les savoirs médicaux et la sensibilité artistique, en se rencontrant, créent de nouveaux imaginaires des sciences et des arts, et esquissent ainsi une nouvelle palette conceptuelle et visuelle autour de la représentation du corps. Couleurs et émotions manifestent ce changement de vision du monde.

TROISIÈME PARTIE

IMAGINAIRE, SYMBOLIQUE ET REPRÉSENTATIONS CHROMATIQUES DU CORPS

Les couleurs du mal et de la maladie : pratiques magiques et examens cliniques chez les médecins de l'Égypte des pharaons

Thierry BARDINET[1]

Dans l'Égypte des pharaons le choix des couleurs dans les représentations picturales obéit à un code particulier qui donne à leur emploi une valeur symbolique et religieuse. Ce code obligé explique que l'Égypte nous a laissé très peu de représentations exactes de la nature. Des fresques comme celle des célèbres oies de Meidoun du musée du Caire sont exceptionnelles. Ce code reposant sur un choix de couleurs simples, la palette du peintre égyptien sera très peu fournie, se limitant à l'emploi de couleurs considérées comme franches.

Si le choix des couleurs repose sur une convention religieuse, on peut se demander jusqu'à quel point le code égyptien des couleurs a influé sur l'interprétation des aspects du corps comme corps sain ou malade. On commencera tout d'abord à dire quelques mots sur ce code qui fut suivi constamment dans les représentations figurées des tombes et sur les parois des temples.

Les Égyptiens font remonter la genèse de ce code aux origines mêmes du monde, à ce qu'ils appellent « la première fois ». Ils pensaient que tous les constituants du monde qu'ils avaient maintenant sous les yeux étaient à l'origine dispersés et en solution dans une sorte de soupe primitive, le Noun. Puis le démiurge assembla les êtres et les choses et les nomma. Le monde créé, entouré par ce qui restait du Noun, était parfait mais instable. Immédiatement après sa création il commença à se dissoudre de lui-même pour rejoindre le Noun. L'idéologie pharaonique justifiait ainsi le travail incessant des travailleurs égyptiens sous l'autorité du pharaon. Il s'agissait de réparer sans relâche un monde se dégradant continuellement. Du monde crée à l'origine restaient cependant quelques éléments qui avaient survécu sans changement depuis la création. C'étaient les pierres et les métaux précieux, eux dont les teintes, donc les pigments, ne s'altéraient pas avec le temps.

Les pigments utilisés par le peintre égyptien, celui qui, dans les tombes, passe après le dessinateur et le scribe pour colorier les parois et leurs hiéroglyphes, vont servir de substitut aux pigments des matériaux d'éternité présent à l'époque de la création et rendre éternel et divin le mort représenté sur son sarcophage ou sur la paroi de sa tombe. Toutes les couleurs utilisées pour représenter le corps du dieu sur les parois des temples ou celles dont étaient revêtues ses statues représentent en fait les couleurs dominantes des

---

[1] Égyptologue, docteur de l'École pratique des hautes études (É.P.H.É.).

métaux et des matières minérales sacrées, ces matières toujours intactes depuis la « première fois »[2].

En dehors du noir qui illustre le limon fondateur, six couleurs conventionnelles sont employées dans le temple : le blanc, le jaune, le bleu, le bleu pâle, le vert pâle et le rouge. Ces couleurs représentent l'argent, l'or, le lapis-lazuli, la turquoise et son bleu tirant vers le vert, la cornaline ou le jaspe rouge[3]. Ces couleurs, comme substituts, possèdent les propriétés magiques des matières précieuses dont elles reproduisent les teintes.

Ainsi, dans le *Livre des Morts*, dans le chapitre de la « déclaration d'innocence », véritable répertoire des mauvaises actions humaines qui ne peuvent plus être reprochées au défunt car il est maintenant divinisé, on y affirme : « je n'ai pas transgressé (l'usage de) la couleur, je n'ai pas lavé (la statue) d'un dieu ». Le mort affirme que, de son vivant, il ne s'est pas emparé des propriétés magiques des pigments utilisés pour peindre les statues divines, en passant un linge humide sur elles. Pour un usage magique similaire on détachait de petits fragments de bas reliefs représentant la divinité, ou des hiéroglyphes gravés et peints sur les parois des temples. Cet usage se perpétue pendant la période chrétienne, dans la magie populaire.

Le vocabulaire égyptien désignant les couleurs ayant une forte connotation religieuse et se rapportant à des substances sacrées, forcément en nombre réduit, n'était pas très fourni. Il existait une classification où les couleurs étaient réparties par opposition ou antinomie et par complémentarité. Elle a bien été étudiée par les égyptologues, en dernier par Bernard Mathieu à partir des *Textes des Pyramides*, le plus ancien corpus de textes religieux égyptien[4].

La couleur noire était considérée comme particulièrement positive, étant associée au dieu de la végétation, Osiris, et à la couleur du limon fertile du Nil. Cette couleur joue dans les *Textes des Pyramides* à l'intérieur de deux systèmes : un système complémentaire noir / blanc et un système antinomique noir / rouge. L'œil noir et blanc d'Horus symbolisait l'œil du créateur, la lune obscure et la pleine lune. On notera la complémentarité du noir et du blanc qui ne sont pas chez les Égyptiens des couleurs opposées. Le noir et le rouge, quant à eux, renvoyaient à la terre fertile noire opposée au désert rouge et stérile, domaine du dieu Seth qui envoie les maladies.

La couleur blanche, que l'on vient de voir associée à la couleur noire, se trouvait elle aussi dans une relation antinomique avec la couleur rouge afin de marquer l'opposition entre Horus et Seth, opposition évoquée encore

---

[2] *Cf.* Sydney H. AUFRÈRE, *L'Univers minéral dans la pensée égyptienne*, Le Caire : IFAO, 1991, p. 574-575 ; *Id.*, « Évolution des idées concernant l'emploi des couleurs dans le mobilier et les scènes funéraires en Égypte jusqu'à l'époque tardive », in Sylvie COLINART et Michel MENU (dir.), *La couleur dans la peinture et l'émaillage de l'Égypte ancienne*, Actes de la Table Ronde Ravello, mars 1997, Bari : Edipuglia, 1998, p. 31-42 ; *Id.* « Les couleurs sacrées dans l'Égypte ancienne : vibration d'une lumière minérale », *Techné* 9-10, 1999, p. 19-32.

[3] Pour ces équivalences, *cf.* Bernard MATHIEU, « Les couleurs dans les Textes de Pyramides : approche des systèmes chromatiques », *Égypte nilotique et méditerranéenne* (Montpellier), 2, 2009, p. 25-52.

[4] B. MATHIEU, *op. cit.* (*supra* note 3).

par les couleurs de leurs deux couronnes, la blanche de Haute Égypte et la rouge de Basse Égypte. Cette couleur entrait dans une troisième complémentarité avec la couleur jaune, à propos de la composition du corps des dieux, dieux dont les os étaient en argent et les chairs en or.

Le vert, de son côté, était le symbole de la fraîcheur et de la santé. Sur le corps de l'enfant malade, on dessinait à l'encre verte des images d'Isis et de Nephthys pour attirer les deux déesses secourables. On croyait que la végétation, la verdure, ne prospérait que parce que les forces bénéfiques sont attirées par cette couleur. C'était la couleur symbole du vivant. Comme couleur liée à la santé, elle s'opposait au rouge, couleur liée au mal et à la maladie[5]. La couleur rouge sera donc la couleur qui s'oppose systématiquement aux trois couleurs précédentes. Cette triple opposition signifie, comme l'a montré B. Mathieu, qu'on n'a pas affaire à un système de représentation chromatique mais bien à une conception idéologique particulière.

Aux analyses de B. Mathieu, on peut ajouter que le rouge, couleur néfaste liée au dieu Seth qui envoie ses cohortes de démons-maladies, est aussi la couleur utilisée pour la représentation du corps de l'homme en parfaite santé sur toutes les parois des tombes. La contradiction n'est qu'apparente. Il s'agit d'un procédé d'évitement magique. Les démons-maladies, reconnaissant la couleur fétiche de leur patron, le dieu Seth, se sentent obligés de passer leur chemin. Ne pas tenir compte de cette couleur serait pour eux une transgression. Le même usage est visible à Deir el-Médineh où, pour protéger les maisons, on peint les encadrements de fenêtre en rouge ; ou encore dans le temple, dont la porte du *naos* du dieu est fabriquée en bois rouge[6]. Les représentations des tombes où, par ailleurs, les femmes sont peintes en jaune comme la déesse Isis, la grande magicienne, ce qui les protège, ne montrent donc pas la couleur de peau réelle des Égyptiens. Dans la célèbre « Table des nations » de la tombe de Ramsès III, les Libyens, les Syriens ou les Nubiens sont représentés tels qu'ils sont : les Nubiens sont noirs, les Libyens et les Syriens ont la peau plus claire. Seuls l'Égyptien est peint en rouge. C'est que la même protection magique que confère le rouge dans les représentations des tombes n'était pas accordée aux non-Égyptiens… et si les démons malfaisants qui rodent dans les tombes les attaquaient, ils évitaient alors, pensait-on, le sarcophage du défunt.

Si l'on se tourne maintenant vers les textes médicaux, il est facile de citer des exemples, montrant comment les médecins égyptiens usent du vocabulaire des couleurs, ce vocabulaire si pauvre et si connoté religieusement, avec ses oppositions et complémentarités se faisant uniquement sur le plan magique et religieux, sans référence au spectre lumineux.

---

[5] Th. BARDINET, *Relations économiques et pressions militaires en Méditerranée orientale et en Libye au temps des pharaons* [*Études et mémoires d'égyptologie* 7], Paris : Cybèle, 2008, p. 305-306.
[6] Th. BARDINET, *ibid.*

Dans le premier passage médical que nous citerons, il est question de l'absence de couleur, ce qui fournit ainsi le terme générique égyptien qui correspond à notre mot « couleur ». Il s'agit de la description d'une verrue, donc d'une excroissance, ne marquant pas de différence de couleur avec la peau qui l'entoure :

> « La couleur (*irtyw*) de la chose qui est là ne se distingue pas
> de (litt. est comme) (la couleur de) la peau et sa superficie a l'aspect
> de la partie de la peau qui l'entoure. »[7].

Le mot *irtyw*, qui se traduit ici par « couleur, coloration » était en fait une désignation ancienne du bleu lapis que l'on savait extraire du lapis-lazuli de façon assez simple. L'extraction produisait une poudre bleue qui n'était pas considérée comme un substitut visuel de cette pierre sacrée mais comme la pierre elle-même, en poudre. Cette nature minérale incontestable faisait de cette poudre le prototype mythique de toutes les couleurs extraites de pierres à pigments broyées : d'où l'emploi générique du mot *irtyw* qui le fait correspondre à notre mot « couleur ». On connaît un autre exemple d'emploi de ce mot, dans un titre : « Chef des fabricants de couleurs » qui montre comment *irtyw* désigne de façon générique n'importe quelle substance colorée.

En dehors d'*irtyw*, deux mots sont utilisés avec le même sens générique: *iwn* et *inm*[8]. Ils désignent tous les deux au sens propre la « peau » et le « pelage ». Il s'agirait de sens dérivés de mots qui, par ailleurs peuvent désigner la « complexion », ou même le « comportement » d'un individu, comme le précise B. Mathieu[9].

Mais les médecins égyptiens recourent à un procédé de notation des couleurs particulièrement précis, qui leur permet d'échapper à la langue religieuse des temples dont on vient de souligner la pauvreté du vocabulaire. Ce procédé utilise la comparaison. Il permet de décrire n'importe quelle couleur même et surtout celles qui n'ont pas de nom et ne sauraient en avoir un, car elles sont trop complexes ou encore particulières à une plante, un animal ou un objet quelconque. Toutes les langues du monde utilisent ce procédé. Prenons un exemple tiré du papyrus E. Smith (7, 19-20) :
> « Quant à l'expression "alors que ses yeux sont injectés de
> sang" cela signifie que la couleur (*irtyw*) de ses yeux est rouge,
> comme la couleur (*irtyw*) de la fleur appelée *šзs* ».

Autre passage du même papyrus (3, 20-21) :
> « Quant à l'expression "sa face est rouge" cela signifie que la
> couleur de sa face est rouge comme la couleur du fruit appelé *tmst* ».

---

[7] Papyrus Louvre E 32847, verso 9, 1.
[8] *Wb* I, 52, 10-18 ; 96, 14-20 ; 116, 10-11.
[9] B. MATHIEU, *op. cit.* (*supra* note 3), p. 25.

Les deux couleurs rouges, liées à des processus pathologiques se trouvent subtilement différenciées par des comparaisons différentes. Il ne s'agit donc pas du même rouge.

Dans un autre passage du papyrus E. Smith (5, 1), pour vérifier la cicatrisation osseuse d'une plaie du crâne, il faudra vérifier que la couleur de l'os atteint est celle d'un œuf d'autruche.

Ce système par comparaison, une fois développé, peut concerner à la fois la couleur et la forme. Pour les plantes, par exemple, on trouvera[10] :

> « (La graine du gattilier), elle ressemble exactement au grenat noir ».

Pour un serpent venimeux, qu'il vaut mieux distinguer lors d'une rencontre[11] :

> « Quant au serpent *ka-en-âm* il est de couleur comparable à la couleur d'une caille alors que sa tête et grande […] sa queue étant comparable a celle d'une souris ».

Noter la description du caméléon[12] :

> « Quant au caméléon il est tout entier vert alors que son ventre est blanc […] Si il est attaché sur des choses quelconques, il prend leur couleur ».

Certes, ce procédé de notation des couleurs par comparaison nous laisse parfois sur notre faim[13] :

> « Quant au serpent *sedeb*, il est très exactement rouge comme le serpent *sekhef* ».

En pathologie humaine, certaines affections sont rapportées à une couleur particulière. On a ainsi *sḥdt* « ce qui rend blanc » qui désigne les taches blanches de la peau, mot qui survivra en copte et qui sera utilisé pour rendre le grec *lépra* de la *Septante*. Le mot *tmsw*, nom que porte un placard rouge sur la peau, désigne, en dehors du contexte médical, une planche en bois rouge que l'on posait au dessus de l'entrée du temple pour repousser les démons, pour le procédé d'évitement dont on a parlé plus haut. L'identité des termes ne renvoie guère à un contexte commun qui serait alors médico-magique. Il ne s'agit en fait que d'une observation clinique.

Bien entendu l'emploi métaphorique des couleurs dans les textes médicaux reste possible. Un passage du nouveau papyrus médical du Louvre[14] précise ainsi que :

---

[10] Papyrus Louvre E 32847, recto x+13, 2.
[11] Papyrus Brooklyn 47.218.48 et 85, § 18.
[12] Papyrus Brooklyn 47.218.48 et 85, § 38.
[13] Papyrus Brooklyn 47.218.48 et 85, § 20.
[14] Papyrus Louvre E 32847, verso 3, 4.

« un teint gris se surajoutant à eux [= aux signes précédents] étant de mauvais pronostic [litt. "étant rouge"] ».

Ce n'est que dans les textes magiques qui accompagnent les descriptions cliniques que le côté dangereux de la couleur rouge, liée au dieu Seth, est mis en évidence. Ailleurs, cette couleur n'est qu'observation objective, concernant le sang ou l'inflammation.

Il en est de même pour le vert, symbole de la vitalité et du vivant. Dans le papyrus Ebers[15], la maladie dite « verte » — une maladie mortelle — est causée par un démon qui, partant de la poitrine parcourt le bras, ce qui correspond très probablement, dans notre réel pathologique, à un infarctus du myocarde, avec, peut-être, une référence au teint particulier du malade angoissé. En revanche, le symbolisme religieux du vert réapparaît dans la conjuration de l'œil malade du papyrus Ebers, avec mise en vedette de la couleur verte du fard à la malachite[16] :

« Viens malachite ! Viens la verte ! Viens écoulement de l'œil d'Horus ! Viens, rejet de l'œil d'Atoum ! Viens sécrétion sortie d'Osiris ! Viens à lui [= le malade] et chasse pour lui l'œdème (qui entraîne) le pus (fabriqué par) le sang ».

La couleur fait évidemment partie, dans les textes médicaux, des signes cliniques notés par les praticiens. Les médecins de l'Égypte ancienne étaient de bons cliniciens, sachant observer, principalement par la vue comme par le toucher et l'ouïe. Rechercher les signes d'un état pathologique fait d'ailleurs appel, avant tout, au don d'observation.

Sur ce point, tous les papyrus médicaux offrent de courtes notices concernant les symptômes les plus caractéristiques des maladies. Il s'agit de descriptions *a minima* que les Égyptiens appelaient des *šs3w*, des « descriptifs médicaux ». Ils correspondent à un schéma type d'observation clinique qui permet, en regroupant quelques signes clés récurrents, de repérer les distinctions entre les différentes affections localisées dans les mêmes endroits du corps et de proposer alors un pronostic, répondant ainsi aux angoisses essentielles du malade.

D'ailleurs, on ne peut pas parler de nosologie égyptienne, au sens d'une classification systématique des maladies par leur nom, mais seulement d'une liste de *šs3w,* « descriptifs médicaux », allant de la tête au talon, et regroupant un petit nombre de signes récurrents et nécessaires qui, une fois reconnus, suffisent pour se prononcer sur l'avenir d'un malade. Le système des *šs3w*, qui permettait de reconnaître les états pathologiques sans chercher à les nommer, était un système efficace d'investigation de la pathologie qui a permis aux médecins égyptiens de décrire des affections qui n'ont été reconnues que récemment. Dans ce système, le signe clinique n'est rapporté dans le « descriptif » que parce ce qu'il est déterminant (pathognomonique) ou encore parce qu'il fait partie d'un groupe de signes qui sont observés régulièrement ensemble, groupe de signes qui permet de proposer un

---

[15] Papyrus Ebers, n° 191.
[16] Papyrus Ebers, n° 385 (= Papyrus Louvre E 32847, verso 22, 5-7).

pronostic. Si la couleur observée n'a rien de spécifique ou ne fait pas partie d'un tableau clinique particulier, elle ne sera pas notée dans le *šs3w*.

De plus, peu d'affections présentent une couleur spécifique et caractéristique, comme dans la conjuration de « celle des Asiatiques » (= la lèpre)[17] :

> « Qui est aussi savant que Rê ? Qui en connaît autant que ce dieu – alors que le corps est charbonné (comme) avec du charbon de bois – pour se saisir du dieu d'en haut ? ».

En conclusion, il existe une représentation conventionnelle magique et religieuse du corps humain, c'est à dire du corps de l'Égyptien. C'est celle que l'on trouve dans la tombe. Mais on note, dans les textes médicaux, une utilisation non religieuse du vocabulaire concernant la couleur du corps qu'il soit sain ou malade. Les données cliniques recueillies par le praticien ne sont ainsi pas contaminées par les idées égyptiennes sur l'origine divine des colorants. Ce vocabulaire de la couleur des textes médicaux se trouve étendu et précisé grâce au procédé de la comparaison, une extension toutefois tempérée par une sous-notation volontaire de la couleur en tant que signe clinique dans les descriptifs médicaux qui visent à la concision, car la couleur est souvent reconnue comme peu spécifique de l'affection décrite et ne mérite donc pas toujours d'être indiquée.

Sources :
Papyrus Brooklyn 47.218.48 et 85 : Serge SAUNERON, *Un traité égyptien d'ophiologie*, Le Caire : IFAO, 1989.
Papyrus Ebers : Georg EBERS, *Das Hermetische Buch über die Arzneimittel der alten Ägypter in hieratischer Schrift*, Leipzig : Wilhelm Engelmann, 1875.
Papyrus Hearst : George A. REISNER, *The Hearst Medical Papyrus*, Leipzig : Hinrichs, 1905.
Papyrus Louvre E 32847 : Thierry BARDINET, *Médecins et magiciens à la cour du pharaon*, Paris : Khéops, 2018.
Papyrus E. Smith : James Henry BREASTED, *The Edwin Smith Surgical Papyrus*, Chicago : University Press, 1930.

Abréviations :
IFAO : Institut français d'archéologie orientale du Caire (Le Caire).
Wb. : Adolf ERMAN, Hermann GRAPOW, *Wörterbuch der ägyptischen Sprache*, Leipzig : Hinrichs, 1926-1931, repr. Berlin : Akademie Verlag, 1963.

---

[17] Papyrus Hearst 170 (=Papyrus Louvre E 32847, recto x+12,7).

Constance, l'empereur « verdâtre » : couleur, santé et pouvoir

Evelyne SAMAMA[1]

Parmi les épithètes accordées aux chefs, gouvernants, rois ou empereurs dans l'histoire européenne, plusieurs s'appuient sur une caractéristique physique, que ce soit une couleur de cheveux ou de barbe, comme celle de l'empereur Frédéric Ier, dit Barberousse[2] ; d'autres rappellent une disgrâce physique, voulue ou subie, comme les rois Charles II le Chauve[3], Louis II le Bègue[4], ou Louis VI le Gros[5]. Dans l'Antiquité, de telles épithètes ou des surnoms liés au physique des personnes royales demeurent rares[6]. En revanche, nombreuses sont celles qui ont une valeur politique ou militaire. L'une des plus fréquentes est *Megas*, « le Grand », que reçut Alexandre III, fils de Philippe II de Macédoine[7], et bien d'autres après lui[8]. Les surnoms antiques insistent sur des hauts faits d'armes, ou sont conférés pour une conduite particulièrement noble, que ce soit sur le plan moral ou politique. Dans l'Antiquité sont ainsi connus les *Nikatôr*, « le victorieux »[9], *Sôtèr*, « le Sauveur »[10] ou Evergète, « le Bienfaiteur »[11]. Cette habitude concerne

---

[1] Professeur d'Histoire ancienne, Université de Versailles Saint-Quentin en Yvelines, DyPaC (EA 2449).

[2] Friedrich I. von Hohenstafen, Barbarossa (1122-1190), règna sur l'Italie, la Germanie et la Bourgogne. Son père était Frédéric de Souabe (1090- 1147), dit « le Borgne ».

[3] Petit-fils de Charlemagne, Charles II, dit « le Chauve » (823-877), roi de Francie occidentale, puis empereur d'Occident (en 875).

[4] Fils de Charles II le Chauve, Louis II (846-879) fut roi des Francs de 877 à 879.

[5] Aussi dit « le Batailleur » (1081-1137), roi des Francs (1108-1137).

[6] Il convient toutefois de mentionner le cas d'Antigonos Monophtalmos, Antigone le Borgne (382-301 *a.C.*), stratège macédonien, auto-proclamé roi (*basileus*) d'Asie en 306. Aucun texte ne relate l'origine de son infirmité, *cf.* Albert ESSER, « Die Einäugigkeit des Antigonos », *Klinische Monatsblätter für Augenheilkunde*, 91, 1933, p. 541-543 et je me permets de renvoyer à E. SAMAMA, « A King Walking with Pain ? On the Textual and Iconographic Images of Philip II and Other Wounded Kings », in Christian LAES et al., *Disabilities in Roman Antiquity*, Leiden : Brill, 2013, p. 231-248, ici. p. 242. En revanche, pour les esclaves ou même certains citoyens, les surnoms tirés de caractéristiques physiques sont légion, *cf.* Iiro KAJANTO, *The Latin Cognomina*, Helsinki, 1982 (ed. pr. 1965) et, par ex., Alan CAMERON, « Black and White: A Note on Ancient Nicknames », *American Journal of Philology*, 119, 1998, p. 113-117.

[7] Alexandre III, né en 356, mort en 323. Après lui, d'autres sont dits *Megas*, comme Antiochos III (*regn.* 223-187), roi séleucide qui reconquit une partie de son territoire.

[8] C'est évidemment le cas de Louis XIV, roi de France (*regn.* 1643-1715).

[9] Cette épithète est portée par trois rois séleucides : Séleucos Ier (*regn.* 305-281), premier roi séleucide, Démétrios II (*regn.* 145-139, lors de son second règne, 129-126) et Séleucos V (*regn.* 125-124).

[10] C'est le surnom de trois rois séleucides : Antiochos Ier (*regn.* 281-261), fils de Seleucos *Nikatôr*; Séleucos III (*regn.* 226-223) et Démétrios Ier (*regn.* 162-150). Dans la dynastie lagide, sont ainsi qualifiés Ptolémée Ier (*regn.* 323-283) fondateur de la dynastie et Ptolémée IX (*regn.* 116-107 puis 88-80).

[11] Ce titre est accordé à un seul roi séleucide, Antiochos VII (*regn.* 138-129), mais à deux lagides : Ptolémée III (*regn.* 248-222) et Ptolémée VIII (*regn.* 144-116).

d'abord les monarchies hellénistiques, les dynasties lagide, en Égypte, et séleucide en Asie, les Antigonides semblant moins adeptes de tels qualificatifs[12]. Parmi les empereurs romains, enfin, de semblables surnoms, *cognomina,* sont rares et les titulatures impériales préfèrent commémorer les victoires militaires en qualifiant l'empereur d'un adjectif dérivé du nom du peuple qu'il a dominé[13]. L'empereur Antonin, dit « le Pieux », constitue à ce titre une exception[14]. Au regard de cette tradition romaine, le surnom de *Chlôros,* accordé à l'empereur Constance Ier, paraît d'autant plus surprenant[15]. Cet adjectif grec sert à désigner une couleur, entre le jaune pâle et le vert pâle. De la surprise naît la question : pourquoi donc un empereur romain fut-il qualifié d'une coloration qui semble aussi peu flatteuse que « verdâtre » ? À la recherche d'une explication à ce singulier surnom, *cognomen* définitif du père de Constantin, il convient de regarder de plus près quelques sources d'histoire romaine, avant de revenir aux couleurs grecques et de tenter de suggérer une petite « palette » d'interprétations.

La « couleur » de l'empereur

Avant d'étudier les sources romaines et byzantines sur la Tétrarchie, voici les lignes d'un baron d'Empire, un certain René-Nicolas Dufriche Desgenettes (1762-1837). Médecin chef de la Grande Armée[16], il rédigea, à la fin de sa vie, un ouvrage sur les causes de la mort des grands hommes. Dans son étude des empereurs romains, il mentionne Constance dans les termes suivants :

> « Constance Ier, surnommé Chlore à cause de sa pâleur, fils d'Eutrope et père de Constantin, naquit d'une famille illustre de Moesie, l'an 250. Distingué par ses vertus et sa valeur, il fut nommé César en 292, et justifia ce titre par ses victoires dans la Grande-Bretagne et la Germanie. Devenu empereur par l'abdication de

---

[12] Ces épithètes sont aussi, pour les Anciens, le moyen de distinguer entre homonymes, faute d'une numérotation comme nous la connaissons.

[13] Ainsi le surnom Germanicus, conféré après des victoires contre les Germains (d'après Caius Iulius Caesar, appelé Germanicus (en hommage à son père Drusus, qui était mort en 9 contre les Germains), général, frère aîné de l'empereur Claude et père de Caligula qui conserve l'épithète glorieuse, tout comme, après lui les empereurs, Claude, Néron et Vitellius). Par la suite, Germanicus redevient un titre en référence à des victoires contre les Germains, dans le cas de Domitien, à partir de 84, puis de Nerva et de Trajan (*regn.* 98-117). Trajan prend successivement les titres de Germanicus en 97, de Dacicus (victoire contre les Daces) en 102 et Parthicus en 116 (*Corpus Inscriptionum Latinarum* [*CIL*] VI, 960, inscription de la base de la colonne trajane à Rome). C'est aussi le cas de Septime Sévère (*regn.* 193-211), successivement Arabicus en 195 après une victoire contre les Arabes, Parthicus en 196 et Britannicus en 198.

[14] Né en 86, Antonin régna de 138 à 161. Il reçut en 139 du Sénat le surnom de Pius, qui souligne son respect envers les dieux et la patrie.

[15] Selon ma collègue Nicole Moine, qui suivit son enseignement à la Sorbonne dans les années 1960, et que je remercie pour sa remarque, à l'origine de cette enquête, l'historien Henri Irénée Marrou le nommait, non sans humour, « Constance le verdâtre ».

[16] Fait baron d'Empire en 1810, pour services rendus lors de la campagne d'Égypte, il fut de toutes les autres expéditions napoléoniennes jusqu'à Waterloo et poursuivit sa carrière comme Professeur à la Faculté de médecine de Paris (1815) et fut membre de l'Académie des sciences (1832) et de l'Académie de médecine (1830).

Dioclétien, il partagea l'empire avec Galère Maximien, en 305. Il s'occupa du bonheur des peuples, et protégea les chrétiens. Ce prince mourut à York, le 25 juillet 306, après avoir déclaré César son fils Constantin »[17].

Ce bref résumé comporte quelques inexactitudes, comme la naissance dans « une famille illustre » alors qu'il est très vraisemblablement d'humble extraction[18], la date de 292 qu'il faut repousser d'un an, car il est désormais admis qu'il a été proclamé César le 1er mars 293 à Milan, parallèlement à Galère (César de Dioclétien), comme César de Maximien Hercule. Il n'a pas plus « protégé les chrétiens », qu'il ne les a poursuivis, en grande partie parce que le christianisme n'était pas développé dans les terres occidentales de l'Empire romain dont il avait la charge. Sa mort, à York (Eboracum), dans des circonstances inconnues, est due soit à un affrontement contre les Pictes, soit à une maladie[19]. Le baron Desgenettes transmet néanmoins un élément, celui de la pâleur de l'empereur, qui vient ici justifier son surnom.

Il faut donc revenir aux sources contemporaines de Constance pour tenter de comprendre les raisons de la lividité impériale.

Marcus Flavius Valerius Constantius, dit Constantius, puisque telle est sa titulature[20], naquit dans les années 250 en Illyrie ou en Dacie. Parmi les 11 discours panégyriques, pour célébrer les empereurs, composés en latin entre 289 et 389, le *Panégyrique de Constance* (*Incerti Panegyricus Constantio Caesari* discours IV), retrace les victoires militaires de Constance en Bretagne (en 296). Il a probablement été prononcé à Trèves le 1er mars 297 devant l'empereur, le jour anniversaire de son accession au titre de César (le 1er mars 293)[21]. Conformément aux *topoi* des éloges, bien codifiés par des années d'entraînement rhétorique[22], le César est présenté comme un homme aux multiples qualités : « Dans ton visage même, ô César, on voyait le signe de toutes les qualités : sur ton front, celui du sérieux, dans tes yeux celui de la douceur, dans ton teint rougissant, celui de la modestie, dans ton

[17] René-Nicolas Dufriche Desgenettes, *Études sur le genre de mort des hommes illustres de Plutarque et des empereurs romains*, Paris : Didot, 1833 (104 pages), ici p. 85.
[18] Timothy E. GREGOR, art. « Constantius Chlorus », *Oxford Dictionary of Byzantium* ed. Alexander Kazdhan, Oxford : University Press, 1991, renvoie à Ronald SYME, « The Ancestry of Constantine », in *Bonner Historia-Augusta-Colloquium* 1971, dir. Jean BÉRENGER, André CHASTAGNOL et Frank KOLB, Bonn : Habelt, 1974, p. 237-253.
[19] Cette explication est celle proposée par Jean Malalas, *cf. infra*, note 38.
[20] Sur ces noms, *cf.* Nenad CAMBI, « Tetrarchic Practice in Name Giving », in *Diokletian und die Tetrarchie : Aspekte einer Zeitenwende*, ed. Alexander DEMANDT, Andreas GOLTZ u. Heinrich SCHLANGE-SCHÖNINGEN, Berlin : de Gruyter, 2004, p. 38-46, part. p. 42, mais l'auteur conclut, sans arguments probants, à une leucémie de Constance...
[21] *In Praise of Later Roman Emperors, the* Panegyrici Latini. *Introduction, Translation and Historical Commentary with the Latin Text of R.A.B. Mynors*, tr. Charles E.V. Nixon & Barbara Saylor Rodgers, Berkeley : Univ. of California Press, 1994 ; *Panégyriques latins*, ed. Edouard Galletier, Paris : Belles Lettres, CUF, 1949, vol. 1.
[22] Guy SABBAH, « De la rhétorique à la communication politique ; les *Panégyriques latins* », *Bulletin de l'Association Guillaume Budé*, 43, 1984, p. 363-388.

discours, celui de la justice »[23]. Faut-il comprendre que sa timidité ou sa pudeur le font rougir ? Une carnation claire ferait-elle ressortir le rouge qui lui monte aux joues ? Un point est sûr, en tout cas, il n'est pas ici question de teint vert ou jaune, ni même pâle[24].

Une autre source du début du IVe siècle, le chrétien Lactance (*ca* 250-*ca* 325), évoque Constance dans son pamphlet *Sur la mort des persécuteurs*, vraisemblablement écrit entre 318 et 321. Insistant sur le peu de poids qu'il exerça face aux trois autres représentants de la Tétrarchie, son co-Auguste, Galère et les deux Césars qui leur ont succédé, Lactance exprime cette faiblesse comme une incapacité physique[25] : « à cause de sa douceur et de son peu de santé » : *valitudine corporis impeditus*[26].

Voici enfin un premier indice : une santé fragile, reconnue par ses contemporains, ne confère-t-elle pas un teint blême ? Mais, dans ce cas, pourquoi recourir à un adjectif qui note la couleur verte plutôt que la pâleur ? Quoi qu'il en soit, cette indication demeure isolée.

Selon la chronologie des sources antiques, l'historien chrétien Eusèbe de Césarée (263-340), auteur d'une *Vie de Constantin*, a rédigé son texte vraisemblablement en 338, peu après le décès de l'empereur, en 337. Désireux d'inscrire son sujet dans une logique historique de bienfaisance, et attaché à la tradition des éloges qui énumèrent les qualités des ancêtres, Eusèbe ne manque pas de louer Constance, père de Constantin, et en fait déjà un bon chrétien — ce qui est erroné, car Constance adorait *Sol Inuictus*, le Soleil invaincu[27]. Eusèbe décrit ainsi son caractère, disant que : « [...] Constance était en grande réputation de modération, de douceur, de piété, et qu'en effet il traitait si favorablement ses sujets »[28]. L'empereur devient à ses yeux le chef de l'Église ce qui oblige à donner de lui une image conforme à l'homme pieux et respectueux de ses sujets, mais de remarque sur son physique, point.

---

[23] *Panégyrique* VIII, ed. Nixon & Saylor Rodgers (*cf. supra* note 21), p. 140, § 19, 3 : *In ipso Caesar tuo uultu uidebant omnium signum uirtutum : in fronte, grauitatis, in oculis lenitatis, in rubore uerecundiae, in sermone iustitiae.*

[24] Une telle mention aurait été à l'encontre des habitudes de l'éloge, le teint pâle étant prisé pour les femmes, *cf.* Adeline GRAND-CLÉMENT, « Blancheur et altérité : Le corps des femmes et des vieillards en Grèce ancienne », *Corps*, 3, 2, 2007, p. 33-39.

[25] Lactance, *De la mort des persécuteurs*, 20, ed. J. Moreau, Paris : Cerf, coll. Sources chrétiennes [SC 39], 1954 et *De mortibus persecutorum* ed. J.-P. Migne, *Patrologia Latina*, volume VII, col. 227A : XX. [...] *Nam Constantium, quamvis priorem nominari esset necesse, contemnebat, quod et natura mitis esset, et valitudine corporis impeditus. Hunc sperabat brevi obiturum ; et si non obisset, vel invitum exuere facile videbatur.* « car bien que Constance dût être considéré comme tenant le premier rang, il n'en faisait point de cas, à cause de sa douceur et de son peu de santé. Il espérait qu'il mourrait bientôt, ou qu'au pis aller il serait facile de lui ôter l'empire : car comment se maintenir contre trois adversaires si puissants ? »

[26] Littéralement : « embarrassé quant à la santé de son corps ».

[27] Stephan BERRENS, *Sonnenkult und Kaisertum von den Severern bis zu Constantin I. (193-337 n. Chr.)*, Stuttgart : Franz Steiner [Historia Einzelschriften 185], 2004. Mark A. SMITH, « The Religion of Constantius I », *Greek, Roman, and Byzantine Studies*, 38, 1998, p. 187-208 minimise le culte solaire et insiste sur la tradition païenne. *Cf.* aussi G. SABBAH, art. cit. *supra* note 22, part. p. 377.

[28] Eusèbe de Césarée, *Vie de Constantin*, VIII, 13, ed. Fr. Winckelmann, L. Pietri et M.-J. Rondeau, Paris : Cerf [SC 559], 2013.

Les auteurs suivants, comme le païen Aurelius Victor (327-390), se contentent de rappeler quelques faits marquants de son histoire militaire[29]. Son contemporain Eutrope (327-390) fait de même[30] dans son *Breviarum* (*Abrégé d'Histoire romaine*), le louant comme « homme éminent, remarquable administrateur, soucieux d'enrichir provinciaux et particuliers, pas spécialement attaché aux intérêts du fisc, disant préférer voir les richesses publiques détenues par les particuliers que mises en réserve en un seul coffre. »[31].

Orose (380-418 ?), un peu plus tard, se limite à une très brève mention morale, sans fournir de description physique[32] : après l'avoir qualifié de *uir tranquillissimus* (VII, 25, 15), il note simplement : « Constance, empereur de la plus grande bonté et affabilité, trouva la mort en Bretagne »[33].

L'*Histoire nouvelle* rédigée vers 500-520 par Zosime, un auteur païen, ne lui accorde que la mention de sa mort[34] en présence de son fils Constantin, accouru à son chevet.

Le résultat de la quête est maigre : non seulement aucun de ces auteurs ne le nomme Chlore, mais aucun non plus, ne fait allusion à un teint de couleur verte. Il faut en conclure que l'épithète est donc posthume[35].

Il semble bien que le premier à l'avoir utilisée soit Jean Malalas, un rhéteur syrien qui vécut au VIe siècle (491-578). Dans son ouvrage, la *Chronographie*, il parle de Constance comme suit : « Après le règne de Maxence, Constance Chlore régna treize ans. Il était grand, aux membres fins, aux cheveux blanchissants, d'une belle couleur de corps et d'yeux, avec un nez bien formé, peu de cheveux, calme et d'un grand cœur »[36].

Jean Malalas joint, pour la première fois dans les textes antiques, au

---

[29] Aurelius Victor, *Abrégé des Césars*, ed. et tr. Michel Festy, CUF, 1999 § 39, 2 et 40, 1 ; *Livre des Césars*, ed. et tr. Pierre Dufraigne, CUF, 1975, § 34, 7 ; 39, 24 ; 39, 26 ; 39, 30 ; 39, 42 ; 40, 1 ; 40, 3 et 40, 11.

[30] Eutrope, *Abrégé de l'Histoire romaine*, IX, 22 et 23 ; X, 1 ed. et tr. Joseph Hellegouarc'h, CUF, 1999.

[31] Eutrope, *ibid.* X, 1, 2.

[32] Orose, *Histoire (Contre les Païens)*, ed. Marie Pierre Arnaud-Lindet, CUF, 1991 (tome 3 livre VII), VII, 25, 5 ; 25, 7 ; 25, 15 ; 25, 16 ; 26, 1 et 28, 1.

[33] *Constantius uero Augustus summae mansuetudinis et ciuilitatis in Britannia mortem obiit* (VII, 25, 16).

[34] Zosime, *Histoire nouvelle*, II, 8, 2 (il est rejoint en Bretagne par son fils Constantin qui mutile les jarrets des montures trouvées dans les relais afin de se débarrasser de ses poursuivants) et II, 9, 1, ed. et tr. François Paschoud, CUF, 2000.

[35] C'est déjà l'avis d'Otto SEECK, auteur de l'article « Constantius I. » dans la *Realencyclopädie der classischen Altertumswissenschaft*, IV, 1, 1900, col. 1040-1043. Il indique que le *cognomen* Chlorus n'apparaît que chez les « auteurs byzantins tardifs » sans plus de précision.

[36] Jean Malalas, *Chronographie*, XII, 48, ed. Migne, *Patrologia Latina*, t. 97 (1865), col. 469 (grec) et 470 (latin) : Μετὰ δὲ τὴν βασιλείαν Μαξεντίου, ἐβασίλευσε Κωνστάντιος ὁ Χλωρὸς ἔτη ιγ΄. Ἦν δὲ μακρός, λεπτός, μιξοπόλιος, εὔχροος τὸ σῶμα καὶ τοὺς ὀφθαλμούς, εὔρινος, σπανός, ἥσυχος, μεγαλόψυχος. La traduction latine du passage est : *Maxentium excepit Constantius Chlorus, qui imperauit annos XIII. Erat hic procerus, gracilis, subcanus, coloris corpore oculorumque pulchro, naso eleganti, parcus, quietus, magnanimus.* Cf. la récente traduction sous le titre *Weltchronik* par Johannes von Thurn u. Misha Meier, Stuttgart : A. Hiersemann, 2009.

nom de l'empereur Constance l'épithète de Chlore, mais la description qu'il donne de son teint, d'une « bonne couleur » (*euchroos*) ne correspond pas à celle d'un malade[37]...

Un peu plus bas, le texte fournit une autre information : « Vers le même moment, l'empereur Constance mourut, après une maladie de quarante jours. Il était âgé de soixante ans »[38]. Ce chiffre semble arrondi, et la plupart des chercheurs considèrent désormais qu'il est décédé à 56 ans. Peu importe. La durée de la maladie est certainement aussi symbolique, puisqu'elle correspond tout juste à une quarantaine ... Suffirait-elle à justifier le passage d'un « bon teint » à une couleur vert pâle ? Et même si c'était le cas, il est peu vraisemblable que Jean Malalas ait souhaité conserver de l'empereur une image de malade, en optant pour un tel appellatif ainsi transmis à la postérité. Rien de plus sur la nature du mal, les symptômes, l'évolution ou les soins reçus par le malade. Assurément, le seul fait qui ait retenu l'attention des auteurs est l'arrivée de son fils aîné, né d'Hélène, Constantin, qui a fait la route depuis l'Italie à bride abattue pour recevoir de son père, au moment opportun, une succession arrangée par la Providence[39].

Il faut conclure cette première étape par un bilan à la fois décevant et intriguant : aucun des contemporains de l'empereur ne l'a dit pâle, sauf Lactance et, quand apparaît, chez Jean Malalas, le *cognomen Chlôros*, il n'est pas expliqué.

Une couleur de malade ?

Une source décrivant Constance après Jean Malalas, le dit pourtant pâle. C'est Jean Zonaras, auteur byzantin du XIIe siècle[40], qui a rédigé un *Abrégé d'Histoire universelle* (*Epitomè historiôn*)[41], depuis la création jusqu'à la mort de l'empereur byzantin Alexis Ier Comnène, en 1118, soit, selon ses calculs, un récit de 6619 ans d'humanité[42]. Jean Zonaras fournit, pour la première fois, comme explication au surnom de Constance la pâleur

---

[37] Sur la notion de « bon teint », voir les pages d'Isabelle Boehm dans ce volume.

[38] Jean Malalas, ed. cit. *supra* note 36, col. 472 (grec) et 471 (latin) : Συνέβη δὲ ἐν αὐτῷ τῷ χρόνῳ τὸν βασιλέα Κωνστάντιον ἀρρωστήσαντα ἡμέρας μ′ τελευτῆσαι. Ἦν δὲ ἐνιαυτῶν ἑξήκοντα. *Accidit autem eodem tempore imperatorem Constantium in morbum incidere ex quo quadragesimo post die interiit, aetatis anno sexagesimo.*

[39] Ainsi Jean Zonaras XII, 33, *cf. infra* [col. 5560] : « On dit que comme Constance s'affligeait durant sa dernière maladie de l'incapacité des trois plus jeunes de ses fils, un ange lui apparut (Λέγεται γὰρ ὅτι τῷ Κώνσταντι καὶ ἀθυμοῦντι διὰ τὴν ἐπὶ τοῖς ἄλλοις πᾶσιν ἀποτυχίαν, ἄγγελος ἐπέστη) et lui commanda de choisir Constantin pour successeur ». *Cf.* le même épisode narré par Lactance, *De mortibus persecutorum* (*supra* note 25), et col. 234 A, XXIV. [...] *At ille* [Constantin] *incredibili celeritate usus, pervenit ad patrem jam deficientem, qui ei, militibus commendato, imperium per manus tradidit ; atque ita in lecto suo requiem vitae, sicut optabat, accepit.*

[40] Il naquit vraisemblablement vers 1074 et mourut après 1159.

[41] *The History of Zonaras, From Alexander Severus to the death of Theodosius the Great*, tr. Thomas M. Banchich and Eugene N. Lane, intro. & comm., Th. M. Banchich, Londres : Routledge, 2009.

[42] Ce texte est l'histoire « universelle » la plus complète depuis celle, au début du IIIe siècle *p.C.*, de l'historien Cassius Dion (163/4 - 235).

de son visage[43]. Cette indication semble avoir convaincu et une formulation semblable est répétée dans d'autres textes, comme dans la *Chronique* de Théodore de Cyzique[44] et reprise jusqu'à nos jours. Il faut toutefois noter qu'il recourt à un autre adjectif de couleur, *ôchros*, dont le sens est plutôt « jaune pâle, blafard »[45].

Il est donc temps de regarder d'un peu plus près le sens de l'adjectif *chlôros*, déjà présent dans les poèmes homériques.

Chlôros, adjectif de couleur, a le sens fréquent de « vert comme les jeunes pousses » ou « jaune clair ». Que le miel soit ainsi qualifié de vert[46] fait allusion à une telle teinte claire. Mais si *chlôros* est aussi associé à la peur qui rend vert (*chlôron déos*)[47], il exprime fréquemment l'idée de fraîcheur car le vert est la couleur de ce qui n'est pas encore mûr, ou qui est encore jeune[48]. Il qualifie donc les larmes (récentes) versées par les femmes tout comme la vigueur d'une jeune fille en proie aux émotions de l'amour[49].

Une valeur fréquente de l'adjectif, dès les textes homériques, se rattache donc à la jeunesse, à l'absence de maturité. C'est ainsi qu'il est appliqué au sang, pour parler du sang frais, ou au fromage, pour désigner le fromage frais, par opposition au sec. Dans le même ordre d'idées, la mort « verte » est celle des malheureux décédés avant l'heure (enfants, jeunes gens), durant les premiers stades de croissance. Il en est de même pour l'expression χλωρὰ καὶ ἔναιμα πράγματα qui désigne les « affaires toutes fraîches et récentes », littéralement, « où circulent la sève et le sang »[50].

---

[43] Jean Zonaras, *Histoire*, livre XII, 31 (§ 3) : « Maximien [...] choisit Constance, qui était appelé Chlorus à cause de sa pâleur (ὃς ἐπεκλήθη Χλωρὸς διὰ τὴν ὠχρότητα), et qui comme nous l'avons déjà dit, était le petit-fils de l'Empereur Claude. Il lui donna aussi en mariage Théodora sa fille ». Sur cette généalogie fictive, probablement à l'initiative de Constantin (vers 310), qui rattache Constance à Claude II le Gothique, voir les commentaires très éclairants d'André Chastagnol, dans son édition critique de l'*Histoire Auguste*, Paris : Robert Laffont, coll. Bouquins, 1994, notamment les p. 920-921.

[44] *Chronique de Théodore de Cyzique* 307, 5-17 : [...] Κώνσταντα, ὃς διὰ τὴν ὠχρότητα ἐπεκλήθη Χλωρὸς cité par Konstantinos ZAFEIRIS, « A Reappraisal of the Chronicle of Theodoros of Kyzikos », *Byzantinische Zeitschrift*, 103, 2010, p. 773-790, ici p. 779. Il est possible qu'une source commune ait servi à cette *Chronique*, à la *Synopsis* et au texte de Zonaras (*ibid.* p. 789). L'expression διὰ τὴν ὠχρότητα revient de texte en texte.

[45] *Cf.* P. CHANTRAINE, *Dictionnaire étymologique de la langue grecque* [*DELG*], Paris : Klincksieck, 2009 (2ᵉ ed.), *s.u.* ὠχρός.

[46] Μέλι χλωρόν, *Odyssée* X, 234. Sur la couleur du miel, *cf.* Alberta LORENZONI, « Il colore del miele e Apoll. soph. 168, 10 SS Bekker », *Sileno, Rivista di Studi classici e cristiani*, 15, 1989, p. 39-56.

[47] Alberta LORENZONI, « Eustazio: Paura "verde" e oro "pallido" (Ar. *Pax* 1176, Eup. fr. 253 K.-A., Com. Adespot. fr. 390 e 1380A E.) », *Quaderni Bolognesi di Filologia classica*, 5, 1994, p. 139-163, revient sur les teintes jaunes ou vertes prises par χλωρός.

[48] Voir P. CHANTRAINE, *DELG*, et aussi dans le supplément, p. 1367, *s.u.* χλωρός.

[49] Parmi les occurrences de χλωρός l'une a pu étonner certains ; il s'agit de la mention du rossignol *chloreïs* (*Odyssée* XIX, 518-524). Il convient, semble-t-il, d'y voir une allusion à son environnement (l'oiseau chante dans la verdure) plus qu'à une couleur qui ne s'applique pas à ses plumes, *cf.* Adrienne DIMAKOPOULOU, *Chloreis aedôn, pâle rossignol. Une étude sémantique*, Paris : Apolis éditions, 2016 et, plus généralement, Eleanor IRWIN, *Colour Terms in Greek Poetry*, Toronto : Hakkert, 1974.

[50] Aristote, *Rhétorique*, III, 3, 4 [1406 b 9], ed. et tr. M. Dufour et André Wartelle, CUF, 1973 : « Elles [les métaphores] manquent de clarté, si elles sont tirées de loin. Par exemple,

Pour revenir à la couleur, les mentions de teinte verte ne sont guère favorables dans le corpus hippocratique, ni en ce qui concerne les urines, ni pour les selles[51], les crachats[52], ou le pus[53], ni pour la peau ou le teint[54]. Elles sont le symptôme d'une maladie et sont généralement le signe d'une évolution peu favorable. Thucydide, dans la description qu'il propose de l'épidémie athénienne de 430, explique ainsi que « Au contact externe, le corps n'était pas excessivement chaud, ni non plus jaune-vert (*chlôron*), il était seulement un peu rouge »[55]. En revanche, à l'intérieur du corps, les malades brûlent et cherchent à tout prix à se désaltérer et se rafraîchir, avant une issue trop souvent fatale.

Comme teinte du visage, *chlôros* est mis en relation avec une altération du sang (anémie)[56] et correspond aux signes dont le médecin doit apprendre à se méfier : « Maladie aiguës [...] : teint de l'ensemble du visage jaune-vert (*chlôron*) ou même noir, livide ou plombé »[57].

> « Ceux qui, jeunes, ont mauvaise couleur pendant longtemps, mais chez qui, constamment, la coloration n'a pas le caractère ictérique, ceux-là, hommes et femmes, ont mal à la tête, mangent des pierres et de la terre, et ont des hémorroïdes. Les colorations verdâtres qui sont chroniques sans qu'il y ait de forts ictères, s'accompagnent de toutes les mêmes choses, si ce n'est qu'au lieu de manger des pierres et de la terre, les patients souffrent plus que les précédents aux hypochondres. »[58].

Il est inutile d'accumuler les exemples, la couleur verte, ou verdâtre, n'est pas, aux yeux des médecins hippocratiques, au nombre des signes favorables[59]. Pourtant, elle a parfois servi d'anthroponyme.

Une recherche des personnages nommés *Chlorus / Chlôros* dans les textes littéraires et le corpus épigraphique est intéressante, bien que la récolte

---

Gorgias parle des événements "tout frais et sanglants" ». Le passage concerne les métaphores impropres. L'expression attribuée à Gorgias (fr. 82 B 16, ed. Hermann Diels et Walther Kranz, *Die Fragmente der Vorsokratiker*, Berlin : Weidmann, 1954 (7ᵉ éd.), t. II, p. 304 = fr. 16, ed. Mario Untersteiner, *Sofisti, i testimonianze e frammenti*, Florence : La Nuova Italia, 1967, fasc. 2, p. 138) est discutée, car certains lisent χλωρὰ καὶ ἄναιμα πράγματα : « des choses pâles et vidées de leur sang ». Toutefois, le commentaire (*ad loc.*) d'Edward M. Cope, Cambridge : Univ. Press, 1877 éclaire la citation par la correction ἔναιμα et explique la traduction « fraîches, récentes » par la présence de sucs vitaux, sève et sang.

[51] *Pronostic* XI a 5, ed. et tr. Jacques Jouanna, CUF, 2013.
[52] *Pronostic* XIV, 3.
[53] *Pronostic* XVII, 5.
[54] *Pronostic* XXIV, 12.
[55] Thucydide, II, 49, 5.
[56] Jean UZAC, *De la chlorose chez l'homme*, Paris : J.-B. Baillière, 1853, ici p. 37. Du XVIᵉ au XIXᵉ siècle, la chlorose, ou « green sickness », fut considérée comme une maladie de femme, *cf.* Helen KING, « Green Sickness: Hippocrates, Galen and the Origins of the "Disease of Virgins" », *International Journal of the Classical Tradition*, 2, 1996, p. 372-387.
[57] *Pronostic* II, 2. De même, *Prénotions coaques*, 480 (ed. Emile Littré, *Œuvres d'Hippocrate*, V, Paris : Baillière, 1846) : « dans les affections ictériques, sans grande sensibilité, quand il y a des hoquets, un flux de ventre s'établit ; peut-être aussi le ventre se resserre ; ces malades passent au jaune tirant sur le vert » *cf. Prorrhétique* 146 et 154 et *Prénotions coaques* 600.
[58] *Prorrhétique* II, 31, tr. E. Littré, IX, Paris : Baillière, 1861, p. 64-65.
[59] Sur la disparition de la « chlorose », on lira aussi l'article de Jean STAROBINSKI, « Sur la chlorose », *Romantisme*, 31, 1981, p. 113-130.

en soit fort maigre[60]. Le *Lexicon of Greek Personal Names,* précieux répertoire de l'ensemble des anthroponymes grecs, ne fournit que quatre hommes ainsi nommés ; le premier est un affranchi qui vécut à Athènes[61] vers 330-320, les trois autres ont vécu en « Occident », de la Sicile à la Grande Grèce. Il s'agit d'abord d'un Chlôros carthaginois[62], décédé au IIe s. *a.C.* à Lilybée, sur la côte nord de la Sicile ; le deuxième est un Sicilien, devenu citoyen romain, installé à Halaisa et mentionné à quatre reprises par Cicéron dans la seconde de ses plaidoiries *Contre Verrès*[63]. L'orateur dit de ce Sextus Pompeius Chlorus qu'il était l'un des plus honnêtes citoyens. Enfin, le quatrième Chlorus est mort à Pompéi entre le 1er s. *a.C.* et le Ier s. *p.C.* Si l'affranchi de la fin du IVe siècle doit probablement son nom, comme c'est souvent le cas des esclaves, à une caractéristique physique, un teint verdâtre ou une couleur de cheveux très (trop) claire, les trois autres portent vraisemblablement aussi cet adjectif comme un sobriquet.

Notons donc, pour conclure, que l'anthroponyme, tout comme le surnom, est très rare, vraisemblablement peu flatteur et connoté comme d'origine grecque, ce qui ramène à la question de départ : mais pourquoi donc choisir ce *cognomen* pour un Empereur romain ?

Cherchez la femme, disent les Anglais. Le féminin serait-il d'un apport utile pour cette enquête ? Un écart onomastique en direction d'une forme Chlôris conduit vers le monde de la mythologie. Lors de son passage dans les Enfers, chanté dans le chant XI de l'*Odyssée*, Ulysse croise les plus belles reines et princesses. À une série de têtes couronnées succède une certaine Chlôris, la plus jeune des filles d'Amphion[64], et épouse du roi de Pylos, Nélée. Elle était « la plus belle des femmes, si belle que Nélée, pour l'avoir dans son lit, paya mille cadeaux »[65]. La mère du célèbre Nestor et de trois autres beaux enfants compte donc parmi les plus séduisantes des Enfers. Son nom est, sans nul doute, à mettre en rapport avec le charme de la jeunesse plus qu'avec un teint livide... Il est une autre Chlôris, plus célèbre, une jeune nymphe, aimée de Zeus puis épouse de Zéphyr, éternellement jeune et devenue divinité des fleurs, que les Romains nomment Flore. Elle incarne la puissance végétale qui fait éclore les fleurs au printemps et Ovide, dans les *Fastes*, lie son mythe à celui de Flore[66]. Cette fois aussi, le nom est à mettre en relation avec le dynamisme de la jeunesse et la vigueur de la renaissance de la nature.

---

[60] Le nom Chlôros ne connaît que dix occurrences dans tout le *Thesaurus Linguae Graecae.*

[61] Il a déposé sur l'agora, entre 330 et 322 *a.C.*, une *phialè* d'argent, en guise d'offrande, pour son affranchissement, *Supplementum Epigraphicum Graecum* [*SEG*] 25, 180.

[62] Imulch Inibalos Chlôros Ἰμύλχ Ἰνίβαλος Χλῶρος, *IG* [*Inscriptiones Graecae*] XIV 279 (ed. Georg Kaibel, Berlin, 1890) *SEG* 50, 993 et Olivier MASSON, *Semitica,* 26, 1976, p. 93-94.

[63] Cicéron, *Contre Verrès* II, 2, 23 et 102 : « l'un des plus honorables citoyens romains depuis longtemps, il est toujours regardé par les Sicilens comme le plus illustre et le premier d'entre eux ».

[64] Amphion est le fils d'Iasos qui régna sur Orchomène en Béotie.

[65] *Odyssée* XI, 281-282.

[66] Ovide, *Fastes,* V, 20. Dans le célèbre *Printemps* de Botticelli (1445-1510), le vent d'Ouest saisit la nymphe Chlôris, incarnation de la verdure. Ensuite, elle devient Flora, verdure au plus haut niveau de fertilité, car les fleurs et feuillages lui sortent de la bouche. Voir Leah KNIGHT, *Reading Green in Early Modern England,* Farnham : Ashgate, 2014, p. 39.

Le dernier témoin appelé dans cette enquête est le poète latin Horace (65 *a.C.* - 8 *a.C.*), dont une ode (III, 15) composée vers 28 *a.C.*, alterne savamment, comme onze autres de ces poésies, un vers glyconique[67] suivi d'un asclépiade mineur. Il y enjoint à une dame nommée Chlôris, épouse d'un certain Ibycus, de se comporter en digne mère de famille et de s'adonner au tissage de la laine au lieu de batifoler avec les jeunes gens, plaisir qu'elle doit laisser à sa jeune fille, Pholoé. Le poète a certainement en tête, pour avoir choisi ce nom, la couleur des premiers bourgeons du printemps, la fraîcheur et la vigueur de la jeunesse qui dure, tout en tenant le discours attendu et fréquent de la poésie amoureuse, moquant une « vieille » qui rivalise avec les jeunes. Ce double jeu d'Horace paraît un indice satisfaisant et il convient de revenir à l'empereur Constance.

La polysémie de *chlôros* et les Byzantins

Il faut admettre que bien peu nombreux furent ceux qui se sont trouvés porteurs de l'anthroponyme Chlôros, ou d'un tel *cognomen*. Pourquoi l'accoler au nom d'un empereur de la Tétrarchie, qui, de l'avis unanime, s'est comporté avec modération lors de son gouvernement comme César, et qui, devenu Auguste, n'a pas eu le temps, en une quinzaine de mois, de se faire trop d'ennemis ?

On peut alors émettre l'hypothèse suivante : ne faudrait-il pas conférer à ce surnom de couleur une explication inverse ? Constance aurait été dit pâle, *pallidus*, *a posteriori* pour justifier le surprenant surnom qui lui avait été accolé. La traduction du grec *chlôros* par *pallidus* est en effet possible dans la littérature latine[68]. De ce point de vue, la cohérence historique oblige alors à quelques mentions sur sa santé fragile, que personne ne peut contredire, faute de sources disponibles et dont la description recourt à un adjectif différent, ὠχρός, correspondant vraisemblablement à un teint plus jaune que vert[69]. Cela ramène au point de départ : pourquoi Chlôros ? Il est, peut-être, deux explications complémentaires à ce *cognomen* tardif.

La première s'appuie sur l'adoption de ce surnom par les auteurs chrétiens qui connaissent mieux Constance II, fils de Constantin, ou même Constance III. Unanimement célébré comme père de Constantin, Constance aurait alors été précisé par un adjectif exprimant les notions de jeunesse, de force[70], de vitalité et d'énergie. Χλωρός est aussi *uiridis* ou *uirens* c'est-à-dire « vigoureux »[71], ce qui pourrait convenir à celui qui a permis une

---

[67] La séquence est la suivante : spondée, dactyle, dactyle, puis spondée, dactyle, syllabe longue ‖ dactyle, dactyle

[68] Si l'on en croit les analyses de Jacques ANDRÉ, *Étude sur les termes de couleur dans la langue latine*, Paris : Klincksieck, 1949, p. 128 et 143-145.

[69] Les circonstances de sa mort demeurent floues, on l'a vu, et la durée de la maladie (quarante jours) paraît suspecte ; *cf. supra* note 38.

[70] Il s'agit ici d'une force nouvelle, bien loin de l'insuffisance vitale que les auteurs du XIXe siècle décrivaient à l'envi sous le nom de « chlorose », *cf. supra*, note 56.

[71] Philippe HEUZÉ, « Le poulain vert (Aulu-Gelle II, 26 et Virgile, *Georgiques*, III, 81-82) », in Jackie PIGEAUD (dir.), *La couleur, les couleurs, XIe entretiens de la Garenne-Lemot*, Rennes : PUR, 2007, p. 125-130. Voir aussi Michel PASTOUREAU, *Vert, Histoire d'une couleur*, Paris : Seuil, 2013.

dynastie nouvelle, dont la solidité affirmée se lit dans la reprise du thème onomastique Consta- (Constance, Constantin, Constant...) de sa descendance. L'observation de la nature et de sa verdeur, puissance de renouveau, a certainement permis un tel sous-entendu. Les termes appuyés sur l'étymon $*g^hleH_3$- expriment en effet, l'ardeur, l'éclat, la vigueur de la végétation plus que sa couleur même[72].

En parallèle avec cette hypothèse il est possible qu'un autre élément ait joué un rôle dans la pérennisation du *cognomen* de l'empereur Constance. Sa titulature est Gaius Flauius Valerius Constantius[73]. Or s'il fallait traduire Flauius, en évidente relation avec l'adjectif *flauus,* « jaune (doré), blond », — rendu en grec plutôt par l'adjectif *xanthos* —, *chlôros* pourrait présenter une option, certes moins fréquente, mais admissible, du fait du flou dans l'expression des couleurs[74], et conforme à l'étymologie[75] qui rattache la racine de *chlôros* à celle de *florus*[76] et *flauus.*

Il est temps de résumer cette hypothèse qui cherche à rendre compte d'un surprenant surnom impérial. La grande culture textuelle des Byzantins, parfaitement au fait de toutes les épithètes homériques et de la subtilité des chromatismes dans la langue grecque depuis les premiers écrits, leur aurait ainsi permis de conférer à Constance, une épithète savante d'une grande habileté : elle allie la traduction grecque de son *nomen* Flavius à l'allusion à une possible, mais pas certaine, santé fragile que rendrait une évocation d'un teint pâle, sans omettre un lien avec l'idée de la crainte divine[77]. L'adjectif semble ici ne pas avoir reçu le sens d'une teinte jaunâtre ou verdâtre qui aurait été un *unicum* parmi les *cognomina* impériaux. Un empereur, même de santé fragile ou de teint blême n'aurait très probablement pas été désigné par cette caractéristique — si ce n'est par des opposants ou des ennemis. Si l'on admet cette idée, il faut alors s'appuyer sur les autres sens de la famille de χλωρός. Le plus important, attesté durant toute l'Antiquité exprime la

---

[72] Voir P. CHANTRAINE, *DELG, s.u.* χλόη et suppl. *s.u.* χλωρός.

[73] Flavius Valerius, *Prosopography of the Later Roman Empire* I, dir. John R. Martindale, Cambridge : Univ. Press, 1980, p. 227-228.

[74] L'adjectif *ôchros*, « jaune, jaunâtre » utilisé pour désigner son teint en est un témoignage.

[75] Voir Alfred ERNOUT & Antoine MEILLET, *Dictionnaire étymologique de la langue latine*, Paris : Klincksieck, 1985⁴, *s.u. flauus* (a long), -a, -um : *color uidetur e uiridi e rufo et albo concretus* (Aulu-Gelle, II, 26, 12), traduit le grec ξανθός « jaune (doré), blond » et sert d'épithète des cheveux. De là est tiré le gentilice *Flavius*, osque *Flaviies (Flauii)*. L'adjectif est attesté depuis Ennius et surtout poétique. Dérivés : *flaueo, flauidus, flauesco* ... [...] Le poétique *florus* ne se laisse rapprocher que si l'on admet le passage de -*owos* à -*auus,* comme dans *octauus.* [...] *(H)olus, (h)oleris*, n., « légume vert », peut-être « chou », est à rapprocher de la racine *bhle-* / *bhlo-* (Blau, blue) car entre adjectifs de couleurs, la parenté est possible. Pour le grec, *cf.* P. CHANTRAINE, *DELG, s.u.* et suppl. p. 1367 : χλόος, « couleur de l'herbe tendre », χλόη « verdure nouvelle, gazon », χλοερός « d'un vert clair », χλο-reposant sans doute sur *g^hlH_3*-.

[76] Famille de χλοάζειν, germer et de *grün*, Gras, gelb, Gemüse, *flauus*, Galle (χόλος), *cf.* Edmund VECKENSTEDT, *Geschichte der griechischen Farbenlehre, das Farbenunter-scheidungsvermögen, die Farbenbezeichnungen der griechischen Epiker von Homer bis Quintus Smyrnäus*, Paderborn : Ferdinand Schöningh, 1888, *s.u.* χλωρός, p. 129-135 et p. 55.

[77] Faute de pouvoir poser une parfaite foi chrétienne, encore objet de débats actuels.

verdeur, auquel s'attache le concept de vivacité, de puissance fondatrice, puisque cet empereur a donné naissance à Constantin. Constance serait ainsi crédité, par les auteurs chrétiens de l'Empire byzantin, de l'espérance du renouveau[78], d'un « printemps de la foi chrétienne » que poursuivra son fils Constantin[79], figure centrale du IVe siècle, tout autant que (re)fondateur de Byzance-Constantinople, capitale de la *Pars orientalis* de l'empire romain, celui qui a su restaurer une autorité unique dans l'empire romain et poser les bases d'un possible empire théocratique. Ils rendent ainsi compte, par un seul adjectif, de toute l'originalité du père de Constantin, et le distinguent aussi de Constance II, fils de Constantin, et de Constance III (*regn.* 421).

Jouant sur toutes les significations de *chlôros* dans la littérature grecque depuis les poèmes homériques dont ils étaient fins connaisseurs, les Byzantins auraient ainsi opté pour une désignation originale qui, limpide à leur yeux, nous est devenue obscure.

---

[78] Sur la métaphore du jardin dans les panégyriques impériaux et sur l'aménagement des jardins au début d'un règne, voir Henry MAGUIRE, « Imperial Gardens and the Rhetoric of Renewal », in Paul MAGDALINO (dir.), *New Constantines : the Rythm of Imperial Renewal in Byzantium, 4th-13th centuries*, Aldershot : Variorum Reprints, 1994, p. 181, 197. Je remercie Antoine Pietrobelli pour cette référence.
[79] La bibliographie sur Constantin est immense, voir, par ex., Vincent PUECH, *Constantin, le premier empereur chrétien*, Paris : Ellipses, 2011.

Sublime clarté de la chevelure médiévale

Myriam ROLLAND-PERRIN[1]

Quelle difficulté d'envisager le rapport entre la bonne santé et la couleur de la chevelure dans la littérature médiévale dans la mesure où le premier symptôme capillaire de la maladie — succinctement définie ici comme une altération de l'état de santé — est la perte des cheveux !

Nous nous intéresserons d'abord au processus d'altération de la couleur de la chevelure au cours de la vie, à savoir le blanchiment, dont nous nous demanderons s'il est envisagé comme un changement qui dénature et dégrade la chevelure ou comme une modification sans impact négatif particulier voire comme une amélioration. Nous nous pencherons ensuite sur le cas des maladies proprement dites et sur leurs conséquences du point de vue capillaire et nous pourrons ainsi vérifier s'il existe un nuancier de couleurs lié à un fonctionnement plus ou moins harmonieux de l'organisme.

La chevelure blanche

Pour la majorité du genre humain, l'avancée en âge a comme conséquence le blanchiment de la chevelure, ou canitie dans le lexique médical. Ce processus irréversible débute lorsque les mélanocytes, cellules responsables de la teinte des cheveux, cessent de secréter de la mélanine. Certes, la vieillesse ne saurait être envisagée comme une maladie, sauf à regarder la vie elle-même comme, selon le mot fameux de Woody Allen, « une maladie sexuellement transmissible ». Néanmoins, on peut considérer que produire de la mélanine correspond au fonctionnement normal du corps humain. Le blanchiment est donc bien une altération d'une fonction de l'organisme. Dès lors, la question est de savoir comment la littérature médiévale envisage la canitie : est-elle perçue comme une dégénérescence ou au contraire comme une bonification ?

Alors que le lexique du français moderne se cantonne aux termes « gris / grisonnants » et « blancs / blanchissants » et à l'expression « poivre et sel », l'ancien français dispose d'un éventail lexical plus large pour envisager la couleur et le processus en lui-même. Outre « blanc » et « gris » qui dénotent simplement la teinte observée, on trouve sous la plume des auteurs « flori », « chenu », « entrechenu » et « meslé de chenes ». Ainsi, Chrétien de Troyes, dans *Le Conte du Graal,* use de cette expression inconnue en français moderne pour décrire le Roi Pêcheur :

> « Un bel prodome seoir vit,
> Qui estoit de chenes meslez »[2].

---

[1] Enseignante en CPGE au lycée Clemenceau, Nantes.
[2] « Il vit un homme de valeur / Dont les cheveux grisonnaient », Chrétien de Troyes, *Le Conte du Graal ou Le Roman de Perceval*, ed. et tr. C. Méla, Paris : Librairie Générale Française,

De belle prestance, ce roi grisonnant est doublement mis en valeur. En premier lieu, le substantif « prodome » formé à partir de « preu homme » exprime la valeur, la probité, la sagesse. Cette valorisation du personnage est amplifiée par l'emploi de « chenes » qui signale à la fois la couleur blanche et le caractère vénérable, tout comme l'adjectif *canus* qui avait ces deux valeurs dès le latin classique. La chevelure grisonnante qui auréole le Roi Pêcheur lui confère donc respectabilité et sagesse. Les exemples abondent, du XII⁰ au XV⁰ siècle : non seulement les cheveux blancs ne sont pas une dégradation du corps mais ils permettent de rendre tangible la maturité du personnage masculin.

Dès lors, on comprend mieux pourquoi les adjectifs « blanc » et « chenu » peuvent être employés conjointement alors que leur association paraît redondante. Ainsi, Gauvain promet-il à une jeune fille de la servir même quand il sera « chenuz et blans », manière de désigner par synecdoque l'âge avancé :

> « Einz seroie chenuz et blans,
> Pucele, que je me recroie
> De vos servir, ou que je soie »[3].

On ne saurait donc traduire cette expression si on ne considère pas que « chenu » qui, certes, renvoie à une chevelure entièrement blanchie par l'âge, bénéficie d'une résonance méliorative et se traduit alors par « vieux, ancien, sage » tandis que blanc se contente de renvoyer à une couleur. Si l'un est plus spirituel que corporel, l'autre demeure purement physique. Dans un conte courtois du XIII⁰ siècle, la connotation positive inhérente à l'emploi de *chenu* se voit précisément explicitée par la liste des personnages masculins invités à un mariage :

> « Manda les ancïens chenuz,
> Cels que il savoit plus senez
> De la terre, et du païs nez »[4].

Les cheveux blancs sont de la sorte les indices de la justesse du jugement. Dieu lui-même n'est-il pas traditionnellement représenté avec une imposante chevelure blanche ?

Un autre signe de la valorisation de la chevelure blanche est l'utilisation de l'adjectif « flori » qui intègre une métaphore passée dans la langue, celle qui assimile la chevelure à une prairie couverte de fleurs blanches. Cet adjectif est issu de la chanson de geste où il caractérise en premier lieu, bien sûr, l'empereur à la barbe fleurie, Charlemagne :

> « La siet li reis ki dulce France tient.
> Blanche ad la barbe e tut flurit le chef »[5].

Lettres Gothiques, 1990, v. 3086-3087. *N.B.* : Toutes les traductions sont de l'auteur de la contribution.

[3] « Il faudrait que je sois un vieillard aux cheveux blancs, / Jeune fille, pour refuser / De vous servir, où que je sois » *Ibid.*, v. 5604-5606.

[4] « Il invita les anciens, qui avaient la tête chenue, / Ceux qu'il savait être les plus sages », Huon le Roi, *Le Vair Palefroi*, dans *Nouvelles courtoises occitanes et françaises,* ed. et tr. Suzanne Méjean-Thiolier & Marie-Françoise Notz-Grob, Paris : Librairie Générale française, Lettres Gothiques, 1997, p. 504-577, v. 690-692.

Autant dire que la chanson de geste, genre parfois qualifié de conservateur, multiplie les images entraînant une valorisation des cheveux blancs et, *ipso facto*, de la vieillesse.

L'exemple ultime de la valorisation de la chevelure blanche est celui de l'ermite : sa sagesse, sa piété et son dévouement trouvent leur équivalent physique dans la couleur immaculée de ses cheveux. Tout se passe comme si, au terme du cheminement spirituel, la chevelure blonde ou brune subissait une (bien)heureuse métamorphose signalant physiquement la pureté intérieure acquise au fil des ans. Signalons ainsi le « chenuz prodom » qui apprend à Lancelot la naissance de Galaad, l'« hom viex et anciens et tout blanc chanu et [...] vestuz come prestres » du cortège du Graal ou encore l'ermite désigné dans *Girart de Roussillon* par le raccourci on ne peut plus expressif : « li sainz canuz ». Plutôt que de multiplier les exemples, mieux vaut se reporter au travail de Paul Bretel qui a déjà souligné que la blancheur de la chevelure et de la barbe intervient « parmi les traits descriptifs des religieux, comme le plus régulièrement évoqué » :

> « S'il est vrai que le vêtement blanc est signe des hautes valeurs spirituelles de la vie monastique, la teinte prise par la chevelure et par la barbe des "preudomes" a les mêmes connotations positives. Il s'agit, dans tous les cas, d'une beauté acquise, toute "spirituelle" et non charnelle »[6].

La blancheur embellit l'homme :

> « E voit .i. des plus biax homes seoir qu'il eust veü de son aage ; e estoit vestuz com hermites, e avoit la teste blanche e la barbe chanue »[7].

La beauté dans le *Perlesvaus* est ici explicitement rapportée à l'âge du personnage. La blancheur de la *teste* y est relayée par celle de la barbe et de l'habit, ce qui tend à assimiler l'ermite à un ange. Il faut donc accepter la coexistence de plusieurs idéaux physiques parallèlement célébrés au Moyen Âge même si certains traits demeurent récurrents :

> « Aprés regarda le roy et ses compaignons au passer qu'il fist qu'il avoit sy grant plenté de cheveulx qu'il en estoit tout vestu par derriere, et sy estoient sy longz qu'ilz luy venoient rez a rez des talons et en avoit sy grant foison, car ceulx de devant qui luy venoient par derriere descendans se rassambloient par les costez a la barbe qui l'acouvroit par devant, sy l'acouvroient sy plainement qu'on ne veoit de tout son corps de nu que le viaire et les bras qui couvers estoient d'unes manches larges et blanchet et les piez qu'il avoit aussy blancs que neige. Et sachiez tous certainement que sa barbe et ses cheveulx qui luy acouvroient le corps estoient aussi netz et aussi desmellez que

[5] « Là se trouve le roi qui gouverne la France. / Il a la barbe blanche et la tête toute fleurie », *La Chanson de Roland,* ed. Cesare Segre, traduction de l'italien par Madeleine Tyssens, Genève : Droz, TLF, 2003, v. 116-117.
[6] Paul BRETEL, *Les Ermites et les moines dans la littérature française du Moyen Âge (1150-1250),* Paris : Champion, 1995, p. 486.
[7] « Et il voit un des plus beaux hommes qu'il lui fut donné de voir de toute sa vie : il était habillé comme un ermite, il avait la tête blanche et la barbe chenue », *Le Haut Livre du Graal, Perlesvaus,* ed. William A. Nitze & T. Atkinson Jenkins, vol. I, *Text, Variants, and Glossary,* New-York : Phaeton Press, 1972, p. 89.

chacun poil fust ung fil d'argent brun, et estoit advis a ceulx qui le regardoient qu'on les oist fourmier entour luy ou il aloit, et estoient sy blancz a tous lez que ce sembloit de luy chose celestielle »[8].

C'est ainsi que l'abondance des cheveux (« sy grant plenté / regisoient, en avoit tant »), leur longueur extravagante (« rez a rez des talons / jusques aux talons »), leur bonne tenue (« aussi netz et aussi desmellez / sy netz et sy desmellez »), leur couleur claire (« sy blancz / sy clers de blancheur ») caractérisent aussi bien les chevelures des charmantes demoiselles que les impressionnantes toisons des moines solitaires. Ajoutons qu'à chaque type de beauté correspond une *comparatio* flatteuse : ici, pas d'association avec l'or mais avec l'argent bruni : « que chacun poil fust ung fil d'argent brun ou avec la neige : les cheveulx aussy blancs comme neige ». Le rapprochement avec la neige paraît adéquat pour un ermite mais l'intérêt d'une comparaison avec un métal précieux est moins évident, sauf si l'on considère cette expression comme un calque de l'image canonique assimilant la blondeur à l'éclat de l'or. Cette imitation traduit la volonté d'exprimer la brillance des cheveux blancs et leur rayonnante beauté, au moins égale à celle des chevelures féminines séculaires. Cette resplendissante chevelure blanche est un symptôme du rayonnement spirituel de ces « prodomes ».

Néanmoins, ce genre de beauté éthérée est inaccessible aux religieuses qui, une fois entrées au couvent, sont, quant à elles, vouées à l'enlaidissement. La disgrâce physique est présentée comme consécutive aux vœux : le cloître ne saurait se résumer au lieu d'asile des demoiselles désavantagées et dédaignées par la gent masculine. Quand la demoiselle entre en religion, elle est belle et louée à l'unanimité. Ainsi, le processus d'enlaidissement de sainte Modwenna s'enclenche-t-il juste après ses vœux :

« Vis li change e chevelure.
Le vis li chet, la culur mue,
La bealté li est chaue,
La face clere li est frunçue
La teste bloie est chanue »[9].

Le contraste est donc parfait entre les ermites et les moniales : pour les ermites la beauté résulte de la blancheur des cheveux, pour les moniales, le blanchiment des cheveux blonds est associé au ternissement de la peau devenue ridée, stigmates de la vieillesse et signes évidents d'une perfection

---

[8] « À son passage, le roi et ses compagnons remarquèrent qu'il avait une telle abondance de cheveux qu'il en était tout couvert par derrière, et ils étaient si longs qu'ils lui arrivaient à côté des talons et ils étaient si nombreux que ceux de devant qui tombaient sur son dos rejoignaient la barbe qui le couvrait par devant si bien qu'il en était si pleinement recouvert qu'on ne voyait de tout son corps nu que le visage, les bras couverts de larges manches blanches et les pieds aussi blancs que neige. Sachez tous qu'en vérité que la barbe et les cheveux qui lui recouvraient le corps étaient si propres et si bien démêlés que chaque poil semblait un fil d'argent brillant, et ceux qui le regardaient croyaient les entendre bruisser autour de lui. Ils étaient si blancs de tous côtés qu'on aurait dit qu'il était un être céleste », *Le Roman de Perceforest, première partie*, ed. Jane H.M. Taylor, Genève : Droz, 1979, p. 254, l. 6751-6767.
[9] « Son visage et sa chevelure se transforment. / Son visage s'affaisse, il change de couleur, / Sa beauté s'est évanouie. / Son visage clair s'est ridé. / Sa tête blonde a blanchi », *St. Modwenna*, ed. A. T. Baker & A. Bell, Oxford : Anglo-Norman Text Society, 1947, v. 575-580.

perdue : « La bealté li est chaue ». Ainsi, pour les religieux, la beauté passe-t-elle par la sublimation d'un corps devenu blanc éclatant mais les religieuses, elles, doivent devenir moins attirantes pour que leur beauté terrestre ne fasse pas obstacle à leur salut.

Manifestement, la bonification esthétique des cheveux par le blanchiment est l'apanage des personnages masculins. Les personnages féminins ne profitent donc pas des retombées positives du vieillissement de la chevelure. La femme blanchissante incarne la décrépitude physique et peut même figurer allégoriquement la mort. Cette tendance encore embryonnaire à la fin du Moyen Âge se vérifiera à la Renaissance où le portrait de la vieille femme servira de repoussoir : il s'agira alors de convaincre, à la manière d'un Villon ou d'un Ronsard, de la nécessité pour les jeunes femmes de profiter du temps présent. Le portrait de la vieille femme aura alors pour fonction majeure de présenter une perspective menaçante et d'inviter au *Carpe Diem*[10].

Pour autant, la femme qui a l'idée de cacher ses cheveux blancs par une teinture n'en est pas moins fustigée par les moralistes. Juvénal déjà invectivait les coquettes qui achetaient les chevelures blondes d'esclaves pour masquer les imperfections de la leur. Au Moyen Âge, une telle pratique relève « d'une négation ou d'une réfection orgueilleuse et blasphématoire de la Création »[11]. La femme qui passe trop de temps à sa toilette, tressant sa chevelure, la teignant, la dressant en hennin ou encore usant de postiches se voit dénoncée comme si elle remettait en cause la perfection de l'œuvre divine. Afin de terrifier leurs lectrices, quelques auteurs didactiques peignent les tourments de celles qui se sont adonnées au plaisir de longuement se coiffer. L'une d'entre elle, damnée, revient pour mettre en garde son amie sur les méfaits d'un tel comportement :

> « Et a ce propos Guillaume de Paris en son livre du monde universel, recite comment deux femmes jadis furent tres curieuses de soi parer et pigner. Si avint que l'une d'icelles mourut, et après qu'elle fu morte, elle s'apparut a sa compaigne qui se pignoit et lui dist : "Mamye, avise toi, car je suis dampnee a cause de mes curiositéz que je mantenoie quant j'estoie avecques toi. Et m'est avis que teles

---

[10] Villon se livre à un exercice d'école, dans le double portrait de la Belle Heaumière : à la beauté blonde de sa jeunesse répond la chevelure grise et laide de ses vieilles années. L'ensemble du portrait se limite à une description physique des ravages du temps : « Qu'est devenu ce front poly, / Cheveux blons, ces sourciz vo[t]iz, / Grant entreuil, ce regard joly / Dont prenoië les plus soubtilz, / Ce beau nez droit, grant ne petiz, / Ces petites joinctes oreilles, / Menton fourchu, cler viz traictiz, / Et ces belles levres vermeilles ? [...] Le front ridé, les cheveux griz, / Les sourciz cheux, les yeulx estains, / Qui faisoient regars et ris / Dont maint [s] meschans furent actains, / Nez courbes, de beaulté loingtaings, / Oreilles pendentes, moussues, / Le visz paly, mort et detains, / Menton froncé, levres peaussues... », François Villon, *Œuvres*, ed. Auguste Longnon, Paris : Honoré Champion, 1992, *Le Testament*, LII, v. 493-500 et LIV, v. 509-516.
[11] Noëlle LÉVY-GIRES, « Se coiffer au Moyen Âge ou l'impossible pudeur » in *La Chevelure dans la littérature et l'art du Moyen Âge*, études réunies par Chantal CONNOCHIE-BOURGNE, Aix-en-Pr., Publications de l'Université de Provence (*Senefiance* n° 50), 2004, p. 280.

curiositéz ne sont autre chose fors que cause de luxure et de toute dissolucion charnelle" »[12].

Point de salut pour la femme blanchissante sinon dans la carrière religieuse ou dans la modestie d'un voile ne laissant aucun cheveu apparent.

La chevelure malade

Dans un deuxième temps, intéressons-nous à la maladie proprement dite quand elle a un effet sur la chevelure. La conséquence la plus courante en est la chute des cheveux. Dans le *Lancelot en prose*, roman-fleuve du XIIIe siècle, version en prose christianisée du *Chevalier de la Charrette* de Chrétien de Troyes un siècle plus tôt, le héros éponyme contracte une violente maladie après avoir bu l'eau envenimée d'une fontaine. Il est contraint à garder le lit et la maladie entraîne la perte de ses cheveux[13]. C'est une perte dommageable du point de vue esthétique car le roman avait au préalable longuement insisté sur les qualités et la jolie couleur châtain clair de la chevelure de Lancelot. Pour le personnage féminin, la perte des cheveux par maladie est encore plus inquiétante que pour l'homme. Elle est vécue comme un déshonneur, une malédiction, un signe ostentatoire à masquer. Dans *Le Roman de la Rose*, une vieille femme donne des leçons de maintien à de plus jeunes et leur conseille, si par malheur elles en venaient à perdre leur chevelure, de cacher immédiatement leur crâne dégarni :

> « Et s'ele veoit decheoir,
> Dont granz duel feroit au veoir,
> Les biaus crinz de sa teste blonde,
> Ou s'il convient que l'en la tonde
> Par aucune grant maladie,
> Dont biautez est tost enledie […]
> Face tant que l'en li aporte
> Cheveus de quelque fame morte,
> Ou de soie blonde borriaus,
> Et boute tout en ses forriaus »[14].

De manière générale, l'effet de la maladie sur les cheveux est leur chute et celle-ci est dommageable quel que soit le sexe du personnage.

Toutefois, il existe une occurrence où la pilosité d'un personnage, suite à un empoisonnement, change de couleur. Il s'agit du personnage de

---

[12] Jacques LEGRAND, *Archilogue Sophie, Livre de bonnes mœurs*, ed. Evencio Beltran, Paris : Champion, 1986, p. 371.

[13] « Mais il li est si avenu qu'il ne li est remés cuir sor lui ne ongles en mains ne am piez que tuit ne li soient chaoit ne chevel en teste. Mais il se sent auques alegié de son mal, si commance ses chevex a mestre en une boiste et a garder les bien, car il les [21c] voudra envoier a la roine par ce qu'ele croie mielz ceste aventure ; et l'an fait son commandement ». *Lancelot. D'une aventure d'Agravain jusqu'à la fin de la quête de Lancelot par Gauvain et ses compagnons*, ed. Alexandre Micha, Tome IV, Genève : Droz, 1979, LXXVI, 10, p. 139.

[14] « Et si elle voyait tomber, / Ce qui serait une bien triste chose à voir, / Les beaux cheveux de sa tête blonde, / Ou si elle devait se la faire tondre / À cause d'une de ces maladies graves / Qui transforment vite la beauté en laideur […] / Qu'elle fasse en sorte qu'on lui apporte / Les cheveux de quelque femme morte / Ou des bourrelets de soie blonde, / Et qu'elle mette tout dans ses boudins », Guillaume de Lorris & Jean de Meun, *Le Roman de la Rose*, ed. M. Méon, Paris : Didot, 1814, v. 13283-13296.

Caradoc, dans *Le Livre de Caradoc*, qui est un élément de la *première Continuation de Perceval*, écrite au XIIIe siècle. Les parents de Caradoc qui sont un enchanteur et une nièce d'Arthur, vont, par vengeance, faire en sorte que leur fils soit mordu par un serpent. Après la morsure, Caradoc est amaigri et affaibli par le venin du serpent qui s'est attaché à son bras, et qui va y rester enroulé deux ans. C'est, pour le personnage, une lente décrépitude :

> « Mau fu faiz et de grant laidor ;
> Le fronc ot plat et la veüe
> Anfossee et la char ossue, [...]
> Barbe grant jusqu'à la ceinture
> Mellee de noire tainture,
> Et les chevox lons et mellez
> Qui li venoient jusqu'au lez »[15].

La coordination de *lons* et *mellez* montre l'abandon de tout soin capillaire et confirme la laideur de l'ensemble du personnage, son étrange sauvagerie. Ce qui nous intéresse particulièrement ici est la « noire tainture » que prend sa barbe. Elle est à associer à la couleur du serpent quasi satanique à l'origine de l'empoisonnement :

> « Un serpent molt orible et noir
> Et felon et de mal afaire »[16].

Indéniablement, les poils que la maladie a teints en noir et qui serpentent dans la chevelure de Caradoc ont quelque chose d'inquiétant voire de diabolique. N'oublions pas, d'ailleurs, que ce serpent appartient à un enchanteur. En effet, le poil ou le cheveu noir, rarissimes dans la littérature médiévale, sont extrêmement infamants. C'est la couleur de l'ennemi lors des croisades, comme on peut le voir dans les portraits des Sarrasins par Jean de Joinville dans la *Vie de Saint Louis*. C'est aussi évidemment la couleur par excellence des diables comme ici dans une hagiographie : « Lor cheveus estoient noir, qi de testes q'il avoient noires et cornues lor issoient, et si estoient si lons qu'il covroient toz lor cors »[17].

La couleur noire qui ne réfléchit pas la lumière se charge de connotations morales négatives, en vertu de l'association immémoriale du mal, du péché et de la couleur noire dans la culture chrétienne occidentale. Les cheveux noirs, qui sont une disgrâce physique, remplissent une fonction répulsive et signalent une impureté de l'âme, ils sont le reflet de la noirceur du cœur. Dès lors, la teinture noire qui recouvre les poils de la barbe de Caradoc renvoie à l'origine démoniaque de sa maladie, à savoir un serpent

---

[15] « Sa grande laideur le rendait désagréable à regarder ; / Il avait le front plat, les orbites creuses / Et il était décharné [...] / Sa barbe qui descendait jusqu'à la ceinture / S'était teinte de noir, / Et ses cheveux longs et emmêlés / Lui tombaient jusqu'aux côtés », *The Continuations of the Old French Perceval of Chretien de Troyes*, vol. II, *The First Continuation, Redaction of Mss E M Q U*, ed. William Roach & Robert H. Ivy, Philadelphie : American Philosophical Society, 1950, manuscrit E, v. 11362-11370.

[16] « Un serpent particulièrement horrible, noir, / Traître et mal intentionné », *Ibid.*, v. 2614-2616.

[17] « Leurs cheveux noirs sortaient de leur tête noire et cornue et, de leur longueur, couvraient entièrement leur corps », Wauchier de Denain, *La Vie Seint Marcel de Lymoges*, ed. Molly Lynde-Recchia, Genève : Droz, 2005, p. 82, l. 1186-1189.

qu'un enchanteur a placé dans le but de tuer le héros. Plus précisément, le noir est d'autant plus hideux qu'il est considéré comme l'exact opposé du blond. Le portrait du personnage laid nous informe, par symétrie, sur les canons esthétiques en vigueur[18]. Aux cheveux noirs le blâme hyperbolique, aux cheveux blonds l'éloge démesuré. Cette opposition de la beauté et de la laideur physiques relève d'une conception morale manichéenne dans la mesure où le Moyen Âge formule l'adéquation du beau et du bien, de l'être et de l'apparence : « Et li meillor sont li plus sor »[19].

Cet aphorisme manifeste un antagonisme moral : la clarté des cheveux est présentée comme une manifestation de la largesse divine à l'endroit des plus méritants, des plus nobles en somme. La couleur de la chevelure est donc le reflet de l'âme. C'est pourquoi, avant même la couleur blonde, c'est la clarté des cheveux qui est valorisée, en tant qu'elle exprime la pureté de l'âme. Seul importe de réfléchir la lumière divine. En définitive, blonde ou blanche, la chevelure claire témoigne de la bonne santé morale.

---

[18] Ainsi le portrait des Bédouins brossé par Joinville explicite-t-il par une relation causale la disgrâce de ces étrangers : « De touailles sont entorteillees leur testes, qui leur vont par desous le menton, dont ledes gent et hydeuses sont a regarder, car les cheveus des testes et des barbes sont touz noirs », Jean de Joinville, *Vie de saint Louis,* ed. Jacques Monfrin, Paris : Dunod, 1995, § 252, l. 2-5.

[19] « Et les meilleurs sont les plus blonds », Chrétien de Troyes, *Cligès,* ed. et tr. Philippe Walter (dir. Daniel Poirion), Paris : Gallimard, coll. La Pléiade, 1994, p. 171-336, v. 968.

Le Prince malade : couleur et symbolique du corps royal dans les chroniques (XIe siècle- XIIIe siècle)

Iris NAGET[1]

La figure du Prince malade met en évidence la question d'une possible fragilité de l'autorité personnelle, l'exercice de la puissance souveraine sur ses sujets mais aussi l'interaction entre pouvoirs et états pathologiques, la personne publique et la personne privée. Auguste Brachet fait naître la vocation de cette étude à travers la publication d'un essai[2] sur l'hérédité de Louis XI en 1903. À propos de ce travail, Jules Viard apprécie « l'emploi simultané de trois disciplines forts dissemblables les unes des autres : la critique historique, la clinique moderne et la pathologie médiévale »[3].

La couleur n'est pas seulement un phénomène physique perceptif : c'est aussi et surtout une construction culturelle, un fait de société. Selon Michel Pastoureau, « il n'y a pas de vérité transculturelle de la couleur, selon une interprétation psychologique ou neurobiologique »[4]. Ainsi, l'homme de science du Moyen Âge parle-t-il rarement des couleurs pour elles-mêmes. Le contraste est même grand entre l'abondance des textes concernant la physique ou la métaphysique de la lumière et la pauvreté du discours spécifique de la couleur. Les descriptions physiques restent donc évasives et rares, surtout au début du XIe siècle dans les chroniques, c'est particulièrement le cas pour les rois de France.

Les chroniques rapportent davantage l'aspect factuel de la maladie pendant l'exercice du pouvoir du roi qu'une analyse détaillée de son aspect pathologique, trahissant la dimension confidentielle du savoir médical savant, auquel les chroniqueurs n'ont, le plus souvent, pas accès. Pourtant, l'évocation de la maladie dans ces textes indique l'importance accordée au « corps privé » du roi tout autant qu'à son « corps public »[5]. L'accent mis sur la couleur se fait alors le révélateur d'un enjeu à la fois symbolique et politique dans la diffusion de l'information à travers les sources narratives.

L'étude de la couleur dans ces descriptions pathologiques amène à s'interroger sur la portée symbolique et politique de la maladie royale. La couleur employée dans la description du corps du roi en proie à la maladie permet-elle d'en révéler la cause à l'historien ?

---

[1] Doctorante à l'Université de Paris Nanterre.
[2] Auguste BRACHET, *Pathologie mentale des rois de France. Louis XI et ses ascendants. Une vie humaine étudiée à travers six siècles d'hérédité (852-1483)*, Paris : Hachette, 1903 (2e éd.).
[3] Jules VIARD, compte-rendu du livre d'Auguste Brachet cité note précédente, *Bibliothèque de l'École des Chartes*, 66, 1905, p. 296-298.
[4] Michel PASTOUREAU, *Une histoire symbolique du Moyen Âge occidental*, Paris : Seuil, 2004, p. 127.
[5] Ernst H. KANTOROWICZ, *Les deux corps du roi : essai sur la théologie politique au Moyen Âge*, tr. Jean-Philippe et Nicole Genet, Paris : Gallimard, 1989.

Louis VI le Gros et Saint Louis : deux expressions opposées de la couleur de la maladie

Le teint blême de Louis VI le Gros, simple codification d'un portrait royal ?

Louis VI souffre depuis son enfance d'obésité congénitale, transmise par ses parents, Philippe Ier et Berthe de Hollande. Selon Orderic Vital, c'est un homme corpulent, d'une grande force musculaire, qui a hérité de la haute stature de ses parents. Il possède aussi de nombreuses blessures de guerre[6]. Ses blessures ainsi que la maladie le handicapent fortement. D'autres chroniqueurs se révèlent plus caustiques (ou réalistes ?) dans la description du souverain : il se trouve ainsi surnommé le « roi aux yeux chassieux » et « l'éveillé » (car souffrant d'insomnies) par Gervais de Tilbury[7]. Orderic Vital, que le roi croise lors du concile de Reims, le décrit dans son *Historia ecclesiastica*, comme « un grand, gros et blême à la parole facile »[8].

Dans le système codifié de l'époque féodale, dire d'un individu qu'il a le teint pâle, c'est souligner la noblesse de son rang. Pour un chroniqueur du XIIe siècle, en Occident, un roi doit donc avoir le teint pâle, la peau claire, les veines apparentes (bien que le terme de sang bleu de l'aristocratie n'apparaisse qu'au XVIIe siècle, en opposition aux *laboratores* qui ont le teint hâlé ou rubicond). Les Sarrasins ont la peau sombre, brune ou noire : tout seigneur de haut rang doit donc s'en distinguer. Mais sommes-nous uniquement dans une appréciation sociale du teint du souverain par le chroniqueur ou s'agit-il plutôt d'une appréciation morale du souverain, ennemi de l'Angleterre ? Car insister sur les yeux chassieux d'un roi n'a rien de valorisant : c'est sous-entendre une mauvaise âme révélée par son regard.

Ainsi, le terme « blême » renvoie-t-il peut-être à une manifestation du manque d'éclat du règne, contraire au caractère divin de la royauté, de la lignée des Capétiens ? La manifestation d'une fourberie naturelle, révélée par la pâleur d'un visage, marque une lignée frappée par l'excommunication de Philippe Ier, roi adultère, toujours selon Orderic Vital[9]...

Si l'on traverse le Rhin, la description de la pâleur prend encore une autre dimension. Le français actuel tend à confondre les adjectifs pâle, blême ou livide. Or dans la littérature allemande, par exemple, le rouge et le blanc du visage servent en fait principalement à traduire sur le visage l'effet d'un sentiment. Les personnages rougissent ainsi sous l'effet de la joie, de l'amour, de la peur, de la colère ou de la honte ; le vocabulaire employé

---

[6] Éric BOURNAZEL, *Louis VI le Gros*, Paris : Fayard, 2007, p. 47 et note 84. Voir aussi Suger, *Louis VI*, ed. Henri Waquet, Paris : Les Belles Lettres, 1964, p. 236 et p. 256.
[7] Gervais de Tilbury, *Otia imperialia*, ed. *Recueil des Historiens des Gaules et de la France* [désormais *RHGF*], Paris, 1723-1904, XIV, 13 ; *Chronicon Gaufredi Vosiensis*, *RH* XII, 430.
[8] Orderic Vital, *Historia ecclesiastica*, ed. Auguste Le Prévost, Paris : Renouard, 1840, IV, p. 377 : *Erat enim ore facundus, statura procerus, pallidus et corpulentus.*
[9] Orderic Vital, *Historia ecclesiastica*, ed. F. Guizot, Paris : J.-L.-J. Brière, 1825-1827, livre IX, p. 407 : « Philippe, roi des Français, ravit Bertrade, comtesse des Angevins, et, ayant abandonné sa noble épouse, se maria honteusement avec une adultère. Repris par les prélats de France de ce qu'il avait abandonné volontairement sa femme, comme Bertrade son mari, il refusa de venir à résipiscence d'un crime si odieux, et, accablé de vieillesse et de maladies, il pourrit déplorablement dans les ordures de l'adultère ».

comprend alors des termes indiquant un degré plus vif que la couleur habituelle du visage[10].

L'adjectif pâle, tout en étant attribué à des personnes ou des créatures qui pouvaient avoir cette teinte, perd une grande partie de sa valeur de perception pour devenir la couleur symbolique de la fausseté, de l'« hypocrisie, du manque de courage moral »[11].

L'obésité devient un péché, chez le mauvais souverain qui n'a su se maîtriser, une punition morale de son manque de mesure et de discernement, déjà décriée par les chroniqueurs contemporains de Philippe Ier. Gros, gras, il est la proie de la *gula*, la gourmandise, vice moqué, un des sept péchés capitaux, en même temps que se développent les traités sur les vices et les vertus. Il illustre l'idée d'envie, d'excès, d'indécence, de souillure : *invidia, luxuria*.

Associer la figure blême du roi Louis à sa corpulence met donc en évidence le portrait d'une figure contradictoire : derrière l'apparente robustesse d'un souverain guerrier transparaît la manifestation de la fragilité d'un roi déjà fatigué par l'exercice de son pouvoir et en proie au vice caractérisé par la maladie. Qu'en est-il vraiment ?

Il est évidemment impossible, sauf cas exceptionnel, de connaître le poids exact des souverains mais l'étude du vocabulaire permet d'établir la distinction entre embonpoint et obésité morbide[12]. D'*elegans et formosus*, il devient *grossus, crassus* et *pinguis*[13].

Les chroniques soulignent son teint pâle, *pallidus*, et ses yeux chassieux, *lippi*, et ajoutent à cela l'adjectif *corpulentus*, de sorte que, selon la médecine moderne, le roi présente les signes d'un œdème et de problèmes hépatiques, liés à une alimentation débridée et riche[14]. Il souffre, en conséquence, d'épisodes de diarrhées chroniques. Suger ajoute que c'est cet état qui provoque alors sa mort[15], lors de sa campagne militaire dans la forêt de Compiègne, en 1137.

Reste à savoir si, le roi aurait conservé un teint livide jusqu'à la fin de sa vie, à la suite de l'empoisonnement orchestré par sa belle-mère, Bertrade de Montfort, au début de l'an 1101. Revenu d'un séjour mouvementé en Angleterre auprès d'Henri Ier au cours duquel il échappe à l'arrestation mandatée par sa belle-mère, il ne tarde pas à tomber malade[16]. Alité, ne pouvant ni boire ni manger, il est entouré de plusieurs médecins qui ne parviennent pas à le guérir. Le roi, finalement sauvé par les soins experts

---

[10] Voir « rougir, rougi, rovir », André G. OTT, *Étude sur les couleurs en vieux français*, Paris : E. Bouillon, 1899.

[11] André G. OTT, *op. cit.* (*supra* note 10), p. 54.

[12] Voir les travaux de Danièle ALEXANDRE-BIDON, « Enflures et boursouflures : l'obésité au Moyen Âge », *Micrologus*, 20, 2012, p. 223-237.

[13] *Ibid.*

[14] Jean DUFOUR, *Recueil des actes de Louis VI roi de France (1108-1137)*, publié sous la direction de R.-H. BAUTIER, Paris : Académie des Inscriptions et Belles-Lettres, 1992-1994, p. 470-473.

[15] Suger, *Vie de Louis VI le Gros*, ed. Auguste Molinier, Paris : Picard, 1887, p. 124, cité par A. BRACHET, *op. cit.* (*supra* note 2), p. 220 : *ventris profluvio, sicut aliquando consueverat, graviter cepit anxiari.*

[16] É. BOURNAZEL, *op. cit. supra* note 6, p. 32.

d'un « praticien barbu venu de Barbarie », un certain Tsour[17], aurait conservé en séquelle cette pâleur inquiétante.

Ce récit des « tentatives criminelles de Bertrade », « femme-tentatrice » à l'origine de l'excommunication du roi Philippe Ier, instigatrice d'une l'éviction pure et simple du fils « héritier par naissance » est un scénario un peu trop convenu qu'il faut prudemment identifier comme indémontrable. Dans ses travaux, à la fin du XIXe siècle, Achille Luchaire n'accordait déjà « qu'une confiance limitée »[18] au récit du chroniqueur, quand Auguste Brachet mentionnait simplement la « légende d'empoisonnement »[19].

Selon Éric Bournazel, la vérité est que Louis VI, de constitution fragile malgré sa vaillance naturelle, « resta chroniquement malade tout au long de sa vie »[20]. Jean Dufour affirme quant à lui que l'obésité congénitale du souverain et son alimentation excessive seraient à l'origine de cet affaiblissement stigmatisé par sa pâleur[21].

L'« héritier aux yeux chassieux », ce « grand et gros homme au teint blême, à la parole facile », souffrant d'insomnies et de diarrhées chroniques[22], apparaît donc, dans une société de guerriers chasseurs au mode de vie déréglé, comme atteint du même mal que celui qui emporta son père : la dysenterie. « Ils ont fait de leur ventre un dieu, le plus funeste ennemi qui soit, raille Henri de Huntingdon. Ils ont tellement dévoré qu'ils se sont perdus eux-mêmes par la graisse »[23]. Là réside « en définitive la source d'une pâleur qui n'avait rien de suspecte, dans ces problèmes hépatiques et l'œdémisation liés à l'obésité congénitale et à la malnutrition endémique »[24].

La description de la pâleur du souverain malade demeure donc tantôt la représentation d'une distinction naturelle de l'autorité du souverain, tantôt la manifestation d'une faiblesse du corps, elle-même consécutive d'un déséquilibre des humeurs lié aux vices, soit la représentation d'un état de grâce divine.

Rougeur et pâleur dans la passion de Saint Louis

Les descriptions de chroniqueurs contemporains de Louis IX évoquent le portrait d'un roi aux apparences plutôt chétives. Salimbene d'Adam[25] décrit un roi au physique agréable et avantageux, mais maigre et frêle, bien

---

[17] *Ibid.*, p. 473.

[18] Achille LUCHAIRE, *Les premiers Capétiens*, Paris : Tallandier, 1980 (rééd.), introduction p. XXVI.

[19] A. BRACHET, *op. cit.* (*supra* note 2), p. 223.

[20] É. BOURNAZEL, *op. cit.* (*supra* note 6), p. 33.

[21] J. DUFOUR, « Louis VI, roi de France (1108-1137), à la lumière des actes royaux et des sources narratives », *Comptes rendus des séances de l'Académie des Inscriptions et Belles-Lettres*, 134e année, 1990. p. 456-482.

[22] A. BRACHET, *op. cit.*, p. 221.

[23] Henri de Huntingdon, *Epistula de contemptu mundi*, ed. Thomas Arnold, in *Henrici archidiaconi huntendunensis Historia Anglorum : The history of the English by Henry, archdeacon of Huntingdon, from A.C. 55 to A.D. 1154*, Oxford : Parker, 1879, p. 312.

[24] É. BOURNAZEL, *op. cit.*, p. 47 ainsi que note 85.

[25] Marie-Thérèse LAUREILHE, *Sur les routes d'Europe au XIIe siècle. Jourdain de Giono, Thomas d'Eccleston et Salimbene d'Adam*, Paris : Editions franciscaines, 1959, p. 175.

que ce dernier n'hésite pas à marcher : sont ainsi notés le goût du souverain pour l'effort et le dépassement de l'esprit par la mortification. Le souverain passe une grande partie de sa vie malade, bien que son règne soit l'un des plus longs de la dynastie.

Louis IX est atteint de maladies chroniques : un érésipèle à la jambe droite, le paludisme dont les crises le frappèrent à plusieurs reprises, ainsi que la dysenterie, le scorbut lors de la première croisade[26], et, enfin, la fièvre typhoïde, qui l'emporta à Tunis[27] en 1270. Louis IX souffre de douleurs chroniques à la jambe droite, selon un témoignage de Guillaume de Saint-Pathus :

> « Le benoît roi avait une maladie qui chaque année le prenait deux, trois ou quatre fois, et parfois elle le tourmentait, plus ou moins. Quand cette maladie prenait le benoît roi, il ne comprenait pas bien et n'entendait pas tant que la maladie le tenait et il ne pouvait ni manger ni dormir […]. Ladite maladie le tenait trois jours, parfois plus, parfois moins, avant qu'il puisse sortir de son lit par ses propres forces. Et quand cette maladie commençait à être moins pénible, sa jambe droite entre le mollet et la cheville devenait rouge comme sang et elle était enflée à cet endroit, cette rougeur et cette enflure duraient un jour entier jusqu'au soir. Et après cette enflure et cette rougeur s'en allaient peu à peu, si bien qu'au troisième ou au quatrième jour ladite jambe était revenue comme l'autre et le benoît roi était complètement guéri »[28].

Le chroniqueur insiste sur la rougeur de la blessure : le rouge vif renvoie au feu de la douleur. Concernant le diagnostic, l'érésipèle est une dermatose d'origine infectieuse. Due le plus souvent à une bactérie de type streptocoque, elle provoque une vive réaction de défense de l'organisme. Ce processus inflammatoire concerne le derme et l'hypoderme, rendant la peau rouge vif. Il n'y a donc aucune intention pour l'auteur d'exagérer l'état du roi mais encore ici, le propos se double d'un enjeu symbolique dans la description.

Pour l'homme médiéval, cette manifestation de la douleur renvoie à la couleur de la passion du Christ, à l'image symbolique de la souffrance. Pourtant, guérissant d'elle-même, cette blessure ne symbolise-t-elle pas la manifestation d'un état de grâce ? La couleur rouge-sang renvoie à l'image de piété, à celle d'un Christ rédempteur. Revenant de manière épisodique jusqu'à la fin de sa vie, selon les propos de Saint-Pathus, cette maladie affaiblit continuellement le roi qui multiplie les affections.

Sur ses souffrances lors de la croisade d'Égypte, entamée en 1248, Guillaume de Saint-Pathus écrit :

> « Et lorsque le benoît roi fut fait prisonnier par les Sarrasins après son premier passage [croisade], il fut si malade que les dents lui lochaient [branlaient] et que sa chaire était décolorée et pâle et il avait un flux de ventre très grave et il était si maigre que ses os de l'échine

---

[26] Jacques Le GOFF, *Saint Louis*, Paris : Gallimard (rééd.), coll. Folio Histoire, 2013, p. 989.
[27] Jacques DEBLAUWE, *De quoi sont-ils vraiment morts ?*, Paris : Tallandier, 2015, p. 35.
[28] Guillaume de Saint-Pathus, *Vie de Saint Louis*, ed. Henri-François Delaborde, Paris : Picard, 1899, p. 116.

du dos semblaient tous aigus et il était si faible qu'il convenait qu'un homme de sa mesnie le portât à toutes nécessités [...] »[29].

On devine facilement les symptômes du scorbut, maladie liée principalement à une carence en vitamine C, par l'atteinte des gencives : « les dents lui lochent ». Sa pâleur renvoie ici à la faiblesse et au manque de vitalité. Il est pâle, sa chair est décolorée : il court un réel danger de mort.

Il est intéressant de mettre en opposition la première description qui renvoie à l'ardeur de sa dévotion, mise en valeur par la couleur rouge-sang de sa blessure à la jambe ; et ici, la description d'une maladie affectant sa vitalité traduite par la décoloration des chairs. Il est devenu si faible que c'est un de ses sujets qui le porte. On reste cependant toujours dans l'idéal chevaleresque de la souffrance sacrificielle.

La fonction descriptive du terme *pallidus* est à nuancer car ambiguë. La peau du souverain en bonne santé renvoie à un idéal où la blancheur devait être suffisamment diaphane pour laisser paraître le rosé, voire le rouge de la chaire sous-jacente. Comme l'exprime le terme de carnation, renvoyant à la fois à la texture de la peau et, par transparence, au derme de la chair. Ici, la peau livide, dépourvue de nuance rose, est celle d'un corps dévitalisé, fragile, malade.

Le couple rougeur / pâleur rappelle aussi, dans la littérature médiévale du XIIIe siècle, l'image de pureté et de bravoure. Dans le roman de Chrétien de Troyes, *Perceval ou le Roman du Graal*, dès les premières pages, Perceval est subjugué par l'association de ces deux couleurs lors de sa première rencontre avec les chevaliers de la Table Ronde : « Il vit les hauberts étincelants, les heaumes éclatants de lumière ; il vit le blanc et le vermeil reluire au soleil, et l'or et l'azur et l'argent. Ce spectacle lui parut très beau et très noble »[30]. Un écho de cette description revient, plus loin dans l'œuvre, lors de la rêverie de Perceval qui contemple les trois gouttes de sang vermeil, d'une oie blessée par un faucon, sur la neige ; ou bien la lance qui saigne, lors du cortège du Graal, chez le roi Pêcheur. Le chiffre symbolique trois, rappelant la Trinité, et l'omniprésence de ce code de couleur évoquent à la fois la passion du Christ et, dans l'imaginaire collectif, un idéal chevaleresque contemporain de Louis IX.

Couleurs et santé à la cour de Philippe le Bel, l'importance du soin esthétique

Couleur et soin du corps

A partir du XIIe siècle, les soins du corps occupent une place croissante dans la littérature médicale, et manifestement aussi dans la pratique ; les auteurs de traités de médecine ou de chirurgie accordent en effet de plus en plus d'importance, sous le nom d'*ornatus* ou de *decoratio*, « ornement, embellissement », à ce que nous appelons aujourd'hui

---

[29] Guillaume de Saint-Pathus, *op. cit.*, p. 112, cité par Auguste BRACHET, *op. cit.* (*supra* note 2), p. 398.

[30] Chrétien de Troyes, *Œuvres complètes*, Paris : Gallimard, coll. la Pléiade, 2005, p. 35.

cosmétique ou cosmétologie[31]. L'idéal d'un teint pâle est toujours de rigueur au XIIIe siècle, y compris pour les hommes qui se révèlent être également soucieux de leur carnation.

Henri de Mondeville, chirurgien de Philippe Le Bel puis de Louis X dit Le Hutin, les prend en compte dans le troisième livre de sa *Chirurgie* et énumère les « laideurs », selon ses termes, dont peuvent souffrir les hommes de la cour : « la rougeur excessive ; la blancheur superflue ; la brûlure par le soleil, le vent, etc. ; une couleur sombre ou laide ; des poils contre nature, et la rareté de la barbe »[32]. Il donne ensuite une série de remèdes pour lutter contre ces défauts, tout en se démarquant de ces pratiques esthétiques : contre la rougeur, il donne trois remèdes, contre l'excessive pâleur, quatre.

Concernant la chevelure, le soin des cheveux aristocrates est important et génère un métier à proprement parler[33]. Mondeville évoque ces questions en deux parties dans le chapitre IV du livre III : « pour le moment on traitera 1°/ du nettoiement, 2°/ de la coloration avec une bonne couleur, 3°/ de leur bonne odeur »[34]. Pour le reste, l'auteur comptait traiter dans la 3e doctrine, manquante, un premier chapitre sur « le soin des cheveux et des poils » et le suivant sur « les maladies des cheveux et des poils ».

Les cheveux blancs étaient vécus comme « un drapeau que la mort aurait planté sur une tête » selon la formule de Bernard de Gordon rapportée par Guy de Chauliac[35]. Le problème de la calvitie est mentionné dans les *Catholica Salerni* qui propose une recette d'écorce de noix pour noircir les cheveux[36]. Quitte à utiliser des produits nocifs, la cour du roi est préoccupée par le souci de l'apparence et d'une certaine jeunesse. Guy de Chauliac mentionne la pratique de la teinture, au risque pour certains d'en garder de graves séquelles, voire d'en mourir. Comme l'ont souligné les auteurs de *L'Histoire de la vie privée*[37], la chevelure était un élément important de la représentation de la personne : le blond roux était la couleur de prédilection. Des recettes pour blondir les cheveux sont attestées dans l'Occident latin depuis le XIIe siècle au moins, avec les *Catholica Salerni,* qui offraient deux nuances de blonds, *flavus* et *aureus*[38].

La chevelure rousse est elle aussi porteuse d'une image ambiguë. La chevelure ou la barbe rousse rappellent la félonie biblique et littéraire : Judas, Caïn, Dalila, Saül, Ganelon, Mordret[39]. Sa couleur se situe à mi-chemin entre le rouge et le jaune, une note orangée qui démontre le manque

[31] Laurence MOULINIER, « Soins du corps à la cour de France au tournant du XIVe siècle », in Mathieu DA VINHA, Catherine LANOË, Bruno LAURIOUX (dir.), *Culture de cour, cultures du corps (XIVe-XVIIIe siècle)*, Paris : PUPS, 2011, p. 31-50.

[32] Henri de Mondeville, *Chirurgie,* ed. Éd. Nicaise, Paris : Alcan, 1893, III, 1, 11, p. 582.

[33] Charles LANGLOIS, *La vie en France au Moyen Âge de la fin du XIIe au milieu du XIVe siècle d'après les romans mondains du temps*, Paris : Hachette, 1927, p. 57.

[34] Henri de Mondeville, *Chirurgie*, cité par L. MOULINIER, art. cit. (*supra* note 31), p. 42.

[35] Gui de Chauliac, *Inventarium, sive Chirurgia magna*, ed. Michael Mc Vaugh et Scarlett Ogden, Leiden : Brill, 1997, 2 vol., p. 316.

[36] *Catholica magistri Salerni*, in *Magistri Salernitani nondum editi*, ed. Piero Giacosa : Fratelli Bocca, Turin, 1901, p. 71-162, ici p. 72.

[37] Philippe ARIÈS et George DUBY (dir.), *Histoire de la vie privée*, vol. 2, Paris : Seuil 1999.

[38] *Catholica magistri Salerni, op. cit.* (*supra* note 36), p. 71-162.

[39] M. PASTOUREAU, *op. cit.* (*supra* note 4), p. 127.

de franchise, qui exprime l'ambiguïté d'humeur, la traîtrise. Le roux est donc le « mauvais jaune », sombre et saturé, celui des démons, du goupil, de l'hypocrisie, du mensonge, et le rouge mat et terne de l'Enfer, qui brûle sans éclairer[40]. Le blond doré est, lui, signe de faste et de distinction esthétique et donc, politique, comme l'illustre le cas du roi Philippe le Bel.

Le traité de Mondeville renvoie ainsi l'image d'une cour demandeuse en matière d'embellissement, hommes et femmes confondues. Si l'homme doit limiter ses soins de beauté sous peine d'attirer la critique et les moqueries, le praticien s'impose comme le tiers indispensable du soin médical comme du soin de beauté et traduit un souci d'apparence codifié dans l'aristocratie du XIIe et du XIIIe siècle.

La santé de Philippe le Bel

Le roi Philippe IV le Bel correspond aux critères des canons de santé de la fin du XIIIe siècle. Il est décrit selon les chroniqueurs comme *flavus, rubicundus, candidus et decorus, incessu rectus et corporis statura procerus*[41].

À *flavus* se rattache *flavens* dont la signification est « jaune brillant ». *Fulvus* a la même origine que *flavus*, mais il exprime une teinte de jaune plus sombre. À côté de ces expressions principales, le latin s'en est créé un florilège complet de désignations. Ainsi *aureus*, « jaune d'or », *deauratus*, « doré » ; *cereus*, « jaune comme la cire » ; *croceus*, « jaune safran »[42]. *Flavus* est la désignation la plus usitée en latin pour exprimer la couleur jaune, sa racine est la même que celle de *fulueo*, dont la signification est « briller, luire, flamber »[43].

Il est intéressant de constater que les termes *candidus et rubicundus* renvoient toujours l'idée d'un rayonnement, encore une fois. *Candidus* est un mot qui comporte l'idée de blanc, mais un blanc brillant : c'est, selon André Ott, « moins la désignation d'une couleur que celle de l'abondance de la lumière »[44]. *Rubicundus*, qui a donné en français l'adjectif rubicond, renvoie ici à un idéal de santé.

Il est vrai que le règne de Philippe Le Bel n'est pas émaillé par de longues périodes de maladies, ni même affaibli par une constitution fragile du roi, contrairement à ses prédécesseurs (Philippe Ier, Louis VI le Gros, Saint Louis…). Sa mort presque brutale survenue à l'âge honorable de 46 ans en atteste. Mais les causes de sa mort sont encore matière à débat : est-il mort d'une attaque cérébrale causée par un traumatisme crânien consécutif à une chute de cheval ou est-ce le contraire[45] ? Toujours est-il que le portait du roi, nourri d'une nouvelle littérature des miroirs des Princes au succès florissant, est idéalisé.

---

[40] *Ibid.*
[41] *Chronique anonyme d'un chanoine de Saint-Martin-de-Tours*, ed. *RHGF* XXII, 17.
[42] A. G. OTT, *op. cit.* (*supra* note 10), p. 70.
[43] *Ibid.*
[44] *Ibid.*, p. 1.
[45] J. DEBLAUWE, *op. cit.* (*supra* note 28) p. 48.

En conclusion, comme l'illustra E. Kantorowicz, l'obsession de la continuité du pouvoir est symbolisée dans la fonction descriptive du portrait d'un prince immortel afin d'en assurer la perpétuation[46]. De l'idéal chevaleresque à la personnification mystique de l'ascète, de la représentation du roi robuste à celle du faste de cour, le corps du roi est exposé au regard critique de ses contemporains. L'étude de la couleur du corps du roi en cette période du Moyen Âge permet de renseigner l'historien sur la perception de la maladie du souverain par ses contemporains davantage qu'elle ne permet une réelle interprétation de la symptomatologie de sa maladie.

L'étude de la dimension symbolique de la couleur permet en revanche de nuancer l'appréhension de cette maladie par des chroniqueurs bien peu disposés à en interpréter les symptômes. Tantôt blême, donc suspecté par certains d'avoir été victime d'un empoisonnement, tantôt livide car perdant sa vitalité au moment de perdre sa croisade, le roi porte sur lui les stigmates de sa politique.

A contrario, Philippe Le Bel, d'une santé de fer, « rayonne », à l'image de sa royale chevelure. Son image révèle une aura puissante à la Cour : à une époque où tendent à se répandre les miroirs venus d'Orient[47], la couleur révèle les prémices d'une préoccupation grandissante pour l'apparence, devenu instrument politique. Il faudra ainsi attendre le milieu du XIVe siècle pour voir se développer l'iconographie royale devenue indispensable à la consolidation d'une représentation de la royauté.

---

[46] E. H. KANTOROWICZ, *Les deux corps du roi ... op. cit. supra* note 5.
[47] Stanis PEREZ, *Le Corps du Roi*, Paris : Perrin, 2018, p. 65.

« Incarnats merveilleux ».
Teint, couleur de peau et discours symbolique chez les souverains français d'Ancien Régime (XVIe-XVIIIe siècles)

Stanis PEREZ[1]

> « Son teint est composé des plus belles couleurs ;
> Et n'en déplaise à la Reyne des Fleurs,
> Elle n'eut iamais d'égale
> A l'incarnat qui rend son teint si beau.
> Chaque matin luy donne un éclat tout nouveau ;
> Ce teint tout seul pourroit la rendre illustre ;
> Et l'on diroit à voir son aimable fraischeur,
> Que les perles et leur blancheur,
> Sont faites seulement pour luy donner du lustre »[2].

Ces vers inspirés sont de François Payot de Lignières. Mais si les philologues ont identifié cet illustre inconnu, personne n'a su ou pu mettre un nom sur cette « Mme Neophille » décrite avec soin et célébrée pour la subtilité de son teint de rose. Au-delà de la pompe et des lourdeurs d'une préciosité sur le déclin (nous sommes en 1663), l'intérêt pour le teint et la couleur de la peau est une constante des poésies baroques et classiques, le miroir de l'âme attirant autant l'attention des laudateurs que des détracteurs. Avec la valorisation du visage et l'idéal d'« honnêteté » rendant le raffinement curial peu compatible avec les effets du Soleil et de la vie au grand air, les variations chromatiques de l'épiderme ont joué un rôle considérable à l'époque moderne. Et affirmer ceci ouvre autant une trajectoire en direction d'une histoire sociale des cosmétiques — de mieux en mieux connue grâce à Catherine Lanoë et Nahema Hanafi — que d'une réflexion plus globale sur le corps, sa mécanique et les dispositifs qui dramatisent, politisent ou stigmatisent l'apparence physique[3]. Après tout, dans la France classique, un coup d'œil pouvait suffire à distinguer le croquant du grand seigneur, notamment en observant son visage (« monstre & horloge de tout le corps » selon le médecin Jean Liébault[4]) et la couleur de son teint. Sans surprise, le visage de Descartes, allégorie nationale d'un

---

[1] Chercheur associé à Pléiade (Université de Paris-XIII SPC) et coordonnateur de recherche à la MSH Paris Nord.
[2] Martinet, *La Galerie des Peintures, ou Recueil des portraits et eloges en vers*, Paris : Ch. de Sercy, 1663, 2e partie, p. 750-751.
[3] Catherine LANOË, *La Poudre et le fard. Une histoire des cosmétiques de la Renaissance aux Lumières*, Seyssel : Champ Vallon, 2008 ; Nahema HANAFI, *Le Frisson et le baume. Expériences féminines du corps au Siècle des Lumières*, Rennes : PUR, 2017.
[4] Jean Liébault, *Trois livres de l'embellissement et ornement du corps humain*, Lyon : B. Rigaud, 1595, p. 26.

improbable « esprit cartésien », ne pouvait montrer autre chose qu'un « teint pâle »[5].

Qu'en est-il du cas des souverains ? La majesté sacrée met-elle entre parenthèses ces affaires de teint et de couleur de peau ? À ne considérer que les portraits peints, l'embellissement protocolaire des modèles, donc leur idéalisation, risquerait fort de conduire sur une voie sans issue. Quant aux descriptions littéraires, elles auraient tendance à balancer dangereusement entre la caricature moqueuse et le compliment calculé, ce qui n'est pas d'un grand secours. Pour autant, l'enquête ici ébauchée n'est pas vaine puisqu'il ne s'agit pas de retrouver la « véritable » couleur de peau des rois et des reines de France — quel en serait l'intérêt, en l'occurrence ? —, mais d'observer ce que dit le vocabulaire employé et quelles stratégies biohistoriques peuvent se révéler en filigrane de cette problématique sincèrement épidermique.

Pâleurs

Un bref retour en arrière est nécessaire. Au Moyen Âge, les représentations des souverains sont tellement idéalisées que la question ne se pose même pas : sur une vignette, un roi ou une reine ont la même couleur de peau, à cette nuance près que les princesses ont le plus souvent une chevelure blonde tandis que les hommes sont assez systématiquement bruns (arborer des cheveux roux serait une catastrophe)[6]. Au teint de porcelaine de la femme prude et maternelle (la pâleur nacrée renvoie tout naturellement au lait et signale un tempérament doux[7]), s'oppose communément le teint hâlé du guerrier animé d'humeurs colériques ou sanguines (la virilité renvoie toujours à la couleur du sang[8]). Voilà qui revenait à faire des gender studies sans le proclamer... Mais à cette époque, le réalisme n'étant pas vraiment à la mode, un stéréotype suffisait amplement. En outre, les réflexions érudites consacrées aux questions gravitant autour du teint étaient bien plus nuancées qu'on ne le croit. Si une pâleur excessive constituait un signe de dérèglement chronique, à l'inverse, un teint trop basané trahissait un tempérament bouillonnant, dominateur voire tyrannique. Or, le Prince idéal doit se maîtriser tandis que son épouse doit être séduisante : tous deux ont donc intérêt à avoir un teint intermédiaire dont les variations conjoncturelles, en fonction des émotions du quotidien, demeurent dans les normes de ce que les

---

[5] Saverien, *Histoire des philosophes modernes*, Paris : Chez différents libraires, 1763, III, p. 293.
[6] Voir Stanis PEREZ, *Le Corps du roi. Incarner l'État de Philippe-Auguste à Louis-Philippe*, Paris : Perrin, 2018, p. 97-98.
[7] Blanche de Castille, par exemple, était qualifiée de « *Candida candescens candore et cordis et oris* » (« Candide en sa candeur, blanche de cœur et de visage ») par Guillaume Le Breton dans sa *Philippide* (livre 6), in *Œuvres de Rigord et de Guillaume Le Breton*, ed. Delborde, Paris : Renouard, 1885, vol. 2, p. 152.
[8] Raymond III, comte de Tripoli, était décrit comme mélancolique et colérique « ayant le teint bazané, les cheveux noirs » par Louis Maimbourg, *Histoire des Croisades*, Paris : S. Mabre-Cramoisy, 1674, p. 410.

physiognomonistes, les portraitistes ou les médecins décrivent et recommandent.

D'ailleurs, à la Renaissance, la focalisation sur le visage a encouragé les auteurs à instrumentaliser leurs observations en matière de couleur de peau. Pour critiquer la cour et les mœurs « très libres » d'Henri III, L'Estoile a souligné le teint excessivement pâle de ces hommes qui ne l'étaient plus tout à fait. Un pasquin tout à fait irrévérencieux a stigmatisé cette mode ambiguë :

> « Que ce sont de beaux compagnons
> Que le Roy et tous ses mignons !
> Ils ont le visage un peu palle,
> Mais sont-ils femelle ou masle ? »[9]

Manifestement c'est l'emploi de fards qui était en cause ; il ne s'agissait pas de la vraie carnation des mignons gravitant autour d'un roi qualifié d'hermaphrodite dans le fameux pamphlet de Thomas Artus. Ce brûlot bien au fait des usages de la cour mentionnait l'emploi d'un éventail « comme d'un parasol pour se conserver du hasle, & pour donner quelque rafraichissement à ce teint délicat[10] ». On préférait, bien entendu, un teint brun[11].

Quant à Catherine de Médicis, la pâleur visible dans la plupart de ses portraits, semble confirmée par le témoignage de Varillas qui affirmait qu'« Elle surpassoit toutes les autres Dames de son siècle en la blancheur de son teint[12]. » Voici, à n'en pas douter, une observation d'autant plus étrange que cette reine était née en Toscane. L'historien s'est-il mis au diapason des codes picturaux ou s'est-il souvenu de portraits tardifs, c'est-à-dire exécutés après la mort d'Henri II ? Ou a-t-il confondu son teint naturel et l'effet des cosmétiques qu'elle employait peut-être ? Quel que soit son âge, une veuve ne saurait avoir des joues aussi roses que les petites princesses destinées à être mariées ou que leurs aînées enfin fécondes. Balzac, en souvenir de l'impassible majesté de Catherine, en a dit bien plus dans *La Comédie humaine* que tous les historiens de l'art réunis :

> « Cette pâleur d'ivoire, si belle aux lumières, si favorable aux expressions de la mélancolie, faisait vigoureusement ressortir le feu de ses yeux d'un bleu noir qui, pressés entre des paupières grasses, acquéraient ainsi la finesse acérée que l'imagination exige du regard des rois, et dont la couleur favorisait la dissimulation »[13].

---

[9] *Mémoires-journaux de Pierre de L'Estoile*, ed. Brunet, Paris : Librairie des bibliophiles, 1875, II, p. 48.

[10] *Description de l'Isle des hermaphrodites*, rééd., Cologne [Bruxelles] : Héritiers de H. Demen [Fr. Foppens] 1726, p. 18.

[11] « [...] la blancheur reçoit un grand ornement d'estre embrunie, non seulement pource que quelques uns veulent dire, que la blancheur est toujours accompagnée d'une molesse, à faute de chaleur qui brunit le teint & affermit la chair & le courage : ains pource que le brun ainsi qu'un umbrage donne quelque grande grace au visage qui ne se ternit de long tans. » Pierre de Dampmartin, *De la conoissance et merveilles du monde et de l'homme*, Paris : Th. Perier, 1585, f. 66 v. Il est à noter que ce traité était dédié à Henri III.

[12] Varillas, *Histoire de Charles IX*, Paris : Cl. Barbin, 1686, I, p. 2.

[13] Honoré de BALZAC, « Sur Catherine de Médicis », *Études philosophiques et études analytiques*, Paris : Furne, 1846, p. 15. Ne s'est-il pas inspiré du portrait de Marguerite de

Incarnats

On se souvient du mot de La Bruyère au sujet des paysans, décrits comme des « animaux farouches » à la fois « noirs, livides & tout brûlez du Soleil »[14]. Les aristocrates de sang noble ont forcément un teint clair ravivé d'une touche de rouge lors des grandes occasions. Tout un imaginaire dynastique et corporel se déploie autour de cette apparence qui, en théorie, doit faciliter les distinctions sociales et montrer qu'à l'évidence chacun est bien à sa place. À son mariage, un jeune roi en pleine forme présentera des « iouës teintes en pourpre naturel » (Louis XIII en 1615)[15] alors que l'infortunée Marie Stuart, quelques instants avant de placer sa tête sur le billot, impressionnera les témoins « car iamais on ne la vist plus belle, aiant une couleur aux joues qui l'embellissoit »[16]. On se souvient également du portrait littéraire du jeune Louis XIV contenu dans l'œuvre citée au début de cette communication :

> « Son visage, sur lequel la petite verole a laissé quelques legeres marques de la puissance que les maladies exercent sans distinction sur toutes sortes de sujets, n'a rien emporté de la vivacité de son teint, & de cette couleur de la Vertu que la pudeur a conservé (*sic*) toute entière, [...]. La blancheur est aussi restée toute entiere, pour combattre avec le corail de cette belle & prétieuse bouche, aupres de laquelle les Roses sont pâles [...] »[17].

Évidemment, par contraste, le machiavélique cardinal Mazarin ne pouvait bénéficier de semblables compliments et, dans le même recueil, la comtesse de Brégis se contenta d'affirmer que « son teint est mêlé des plus belles couleurs, en ce qu'elles paroissent plus vives qu'à l'ordinaire [...] »[18]. À la modération parfaite d'un roi plutôt pâle, il convenait d'opposer le bagout méridional d'un premier ministre quelque peu basané[19]. Italien par-dessus le marché, ce dernier ne pouvait pas avoir une peau plus claire que son maître, tous les codes habituels en auraient été bousculés, ce que les frondeurs ont souligné, jusqu'au ridicule, dans certaines mazarinades[20]. Tout un chacun se souvenait également du teint basané de l'odieux Concini[21]. En

---

Valois par Ronsard, un poète qui célébrait « son beau front d'yvoire blanchissant » ? Voir *Les Œuvres de Ronsard*, Paris : G. Buon, 1578, I, p. 176, « Elegie » (reprint).

[14] La Bruyère, *Les Caractères de Théophraste*, rééd., Paris : E. Michallet, 1699, p. 319.

[15] *L'Apollon françois*, Paris : A. Saugrain, 1616, p. 5.

[16] *Œuvres de Brantome*, ed. Lalanne, Paris : Renouard, 1873, VII, p. 431.

[17] *Galerie des portraits*, rééd. E. de Barthélémy, Paris : Didier, 1860, p. 6.

[18] Martinet, *op. cit.* (*supra* note 2), p. 10-11.

[19] Voir ce qu'en disent les savants : « Au contraire, la nation de Midy, suiecte aux ardeurs du soleil, est plus petite et gresle, d'un teinct brun, ayant les cheveux crespes, les yeulx noirs, les cuysses debiles. Ceulx cy certes pour la paucité de leur sang et la subtitlité de l'air sont de grand esprit et d'engin tresagu ; pour ceste cause apperçoivent plus legerement la congnoissance des choses, et sont plus prompz à conseil et bonne deliberation, en maladie fortz et resistans, en la guerre se monstrent lasches et pusillanimes » : Gilles d'Avrigny, *Le Livre de police humaine*, tr. fr., Paris : M. Boursette, 1553, f. 98 r-v.

[20] « Toute la peau de son corps est fort dure et bazannée hormis entre les deux tetins, qu'elle est fort tendue, et de couleur entre verd et jaulne [...] » : *La naissance dun monstre espouvantable*, Paris : A. Coulon, 1649, p. 13.

[21] Il est traité de « Bazanné » dans le pamphlet *Le bon Navarrios* [sic] *aux pieds du Roy* (sl, sn, 1615, p. 1). Au sujet du contexte, voir Hélène DUCCINI, *Faire voir, faire croire. L'opinion publique sous Louis XIII*, Seyssel : Champ Vallon, 2003, p. 171.

ce qui concerne un souverain, un moyen terme a été choisi : sa pureté rayonnerait grâce à sa peau blanche tandis que sa vitalité jaillirait de ses lèvres corail. Il est intéressant de souligner que cet équilibre est tout à fait comparable à l'idéal féminin de l'époque, la jeunesse relative de Louis XIV (il n'a pas vingt ans) explique peut-être cette étrange confusion des genres. Par convention, les portraits montraient la même chose en attribuant une chevelure presque blonde ou tirant sur le châtain clair à un homme qui, passé l'enfance, fut toujours châtain foncé[22].

Au XVIIe siècle, un roi de France ne saurait être basané à l'excès : ceci rappellerait immédiatement la proportion de sang italien, béarnais ou espagnol coulant dans ses veines. Il s'agirait presque d'un signe d'*hybris* en vertu de l'imaginaire « national ». En l'occurrence, l'incorporation des ancêtres est toujours sélective quand la raison d'État et la conjoncture diplomatique l'exigent. J'avais abordé cette question, il y a quelques années, dans un article du volume collectif *Louis XIV espagnol ?* publié par le Centre de recherche du château de Versailles[23]. J'avais montré que l'immense majorité des peintres et des sculpteurs avaient effacé tout ce qui, sur le visage du souverain, pouvait rappeler un type hispanisant (pilosité au niveau du menton, lèvre des Habsbourg d'Espagne, teint hâlé, etc.). Même si la Reine mère était elle-même une Habsbourg à la peau très claire, les conventions imposaient de « franciser » le descendant de Saint Louis, lui-même fils d'une Castillane ! L'imaginaire monarchique dictait le bon teint à avoir, celui d'une vertu douce et virile compatible avec le stoïcisme et la raison d'État, en somme un moyen terme entre l'Autriche et l'Italie.

Les archiatres se sont mis au diapason et, en 1693, Fagon a laissé un bel exemple de portrait d'État dans le *Journal de santé de Louis XIV* : « Sa peau blanche, au-delà de celle des femmes les plus délicates, mêlée d'un incarnat merveilleux, qui n'a changé que par la petite-vérole, s'est maintenue dans sa blancheur sans aucune teinte de jaune, jusqu'à présent »[24]. Ce médecin, alors fraîchement nommé, fut bien le seul à décrire un roi à la peau de porcelaine, une observation *a priori* incompatible avec les codes de la virilité et de la grandeur masculine. Mais s'il l'a fait, c'était dans le but de ruiner le diagnostic d'un prédécesseur disgracié, Antoine d'Aquin, ce dernier ayant qualifié de « bilieux » le caractère du souverain[25]. Non, affirma Fagon, Louis XIV n'a jamais été bilieux, il aurait la peau jaune... Il est mélancolique mais, heureusement, il n'a pas du tout le teint noir... En prenant quelques libertés avec le discours humoral, le Premier médecin s'est efforcé d'ajuster son point de vue à une description conforme à l'imaginaire royal. S'agissait-il de donner le ton de sa contribution au panégyrique médical qu'il commençait à prolonger ? Ne s'est-il pas soucié de l'incohérence de son propos en attribuant au Roi-Soleil une peau plus blanche encore que celle

---

[22] Retenons la peinture conservée à Versailles (MV 3439) ainsi que le petit portrait en pendentif conservé au Louvre (OA 6627). Les cheveux, dans les deux cas, sont très clairs.

[23] Stanis PEREZ, « Quelques poils au bas de la bouche, ou les enjeux du portrait du roi », in *Louis XIV espagnol ?*, Gérard SABATIER, Margarita TORRIONE (dir.), Paris : Presses de la MSH, 2009, p. 57-75.

[24] *Journal de santé de Louis XIV*, ed. Stanis Perez, Grenoble : Millon, 2004, p. 273.

[25] *Journal de santé de Louis XIV*, op. cit., p. 272.

des femmes ? Ou s'agissait-il, en réalité, de faire taire certaines rumeurs malveillantes sur une naissance hors du commun survenue vingt ans plus tôt ?

Anomalies

L'anecdote est bien connue et Voltaire l'a rapportée comme il se doit : dans les années 1660, la reine Marie-Thérèse aurait accouché d'une petite fille « noire » rapidement cachée dans un couvent afin d'étouffer le scandale. L'écrivain l'aurait rencontrée au moment où il rédigeait son *Histoire du siècle de Louis XIV*. Un détail de la relation prend toute son importance : cette fille putative du Roi-Soleil, dit l'auteur, « était extrêmement basanée, et d'ailleurs lui ressemblait[26]. » Ressemblance de physionomie ou de couleur de peau ? Il est vrai que le portrait peint par Le Brun dans les années 1660-1663 exhibe un Louis XIV bien bronzé mais pas au point de passer pour un Africain ou un métisse[27]. La Palatine se souvenait, un an après la mort du roi, d'un homme « grand et cendré, ou d'un brun clair »[28]. Si le fait est avéré, comment expliquer cette étrange couleur de peau ? En premier lieu, il faut insister sur un point : le 16 novembre 1664, la reine a effectivement accouché d'une enfant à la couleur singulièrement foncée. Elle se prénommait Marie-Anne et elle mourut trente neuf jours plus tard. Les Mémoires de Mlle de Montpensier livrent des précisions assez évocatrices :

> « […] la fille dont elle étoit accouchée ressembloit à un petit Maure que M. de Beaufort avoit amené, qui étoit fort joli, qui étoit toujours avec la Reine ; que quand l'on s'étoit souvenu que son enfant y pourroit ressembler, on l'avoit ôté, mais qu'il n'étoit plus temps, que la petite fille étoit horrible ; qu'elle ne vivroit pas […] »[29].

La religieuse cachée à Moret, sous le pseudonyme évocateur de « Marie-Louise », ne serait autre que cette fillette déclarée morte (et dont un cadavre de substitution aurait pourtant été exposé, conformément au rituel funéraire de la Cour)[30].

Cette hypothèse « complotiste » a été remise en question, dès le début du XVIIIᵉ siècle, par la prudente princesse Palatine : « Il est faux que la reine ait mis au monde une négresse. Feu Monsieur, qui avait été présent, disait que la petite princesse était laide, mais point noire »[31]. Non, il n'y aurait pas eu de substitution d'enfant, la fille de Marie-Thérèse aurait simplement subi le contrecoup d'un accouchement difficile. Le duc de Luynes, à peu près au même moment, évoquait très prosaïquement cette fille « dont le visage étoit

---

[26] Francheville [Voltaire], *Le Siècle de Louis XIV*, Dresde : G. C. Walther, 1752, 3ᵉ éd., II, p. 106.
[27] MV 5930, musée du château de Versailles.
[28] *Lettres de Madame […]*, ed. Maurice Goudeket, Paris : Club français du livre, 1948, p. 15, lettre du 8 janvier 1716.
[29] *Mémoires de Mademoiselle de Montpensier*, ed. Adolphe Chéruel, Paris : G. Charpentier, 1859, IV, p. 15-16.
[30] Sur l'identité de la religieuse, *cf.* E. SOLLIER, « Notice sur l'ancien couvent de Moret et sur la religieuse connue sous le nom de Mauresse », *Mémoires lus à la Sorbonne dans les séances extraordinaires du Comité impérial […]*, Paris : Imprimerie impériale, 1866, p. 223 *sq.*
[31] *Lettres de Madame […]*, *op. cit. supra* note 28, 2ᵉ partie, p. 175, lettre du 8 octobre 1719.

tout à fait violet, et même noir, parce qu'elle avoit apparemment beaucoup souffert en venant au monde »[32]. Si, nécessairement, on abandonne la mystérieuse Mauresse de Moret à l'histoire romancée du Grand Siècle, on ne peut que s'intéresser au cas de ce bébé royal pas comme les autres en observant ce que le savoir médical pouvait dire en pareil cas.

Du côté des médecins royaux, aucun document n'a été établi et l'autopsie de l'enfant, sans doute effectuée, n'a laissé aucune trace dans les archives. Par contre, beaucoup de praticiens et autres savants considéraient qu'une femme blanche pouvait donner naissance à un enfant de couleur, il suffisait pour cela d'une bonne dose d'imagination. Ce thème a déjà été bien exploré par le passé[33] et les références ne manquent pas : depuis l'Antiquité, on fait dire tantôt à Galien, tantôt à Hippocrate, qu'une princesse antique avait frôlé la répudiation pour avoir donné naissance à un bébé de la mauvaise couleur. Mais, l'un des deux princes de la médecine, aurait mis en évidence la présence d'un tableau d'esclave noir au pied du lit de la parturiente ainsi disculpée[34]. Dans une autre version, celle-ci tirée d'une conférence prononcée au Bureau d'adresses de Renaudot, Galien aurait provoqué la procréation d'un enfant blanc par une Africaine en faisant peindre sur le lit de cette dernière l'image d'un petit Européen[35]... La puissance de l'imagination, bien connue chez les femmes, expliquerait cette invraisemblable situation. En s'appuyant sur l'exemple, plus banal, des taches dites « de vin » visibles sur la peau des bébés, effets d'une soudaine envie chez leur mère pendant la gestation, le discours médical tenait pour plausible l'hypothèse d'une coloration spectaculaire, mais pas « monstrueuse », de certains nourrissons.

Laurent Joubert a passé en revue les avatars de cette imagination qui, agissant sur les esprits et les humeurs au moment de la formation du fœtus, pouvait laisser ses marques sur le corps de l'enfant à naître[36]. Un désir inassouvi de cerise ou de fraise se traduirait par une marque rouge, de forme identique, n'importe où sur la peau du nourrisson. Et, dans certains cas, on reconnaîtrait même des melons, des figues voire des concombres, fruits ou légumes désirés hors de saison... Mais Joubert ne souscrivait pas totalement à cette hypothèse et il cantonnait l'effet de l'imagination aux premiers jours de la conception. Tout le reste ne serait que superstition. D'autres auteurs ont suivi la voie, comme François Mauriceau[37] ou encore Nicolas Venette, ce dernier réfutant l'éventualité qu'une Blanche engendrât un Noir par le seul effet de son imagination[38].

[32] *Mémoires du duc de Luynes*, ed. Louis Dussieux, Eudore Soulié et Honoré d'Albert Luynes, Paris : Didot, 1865, t. xv, p. 304.
[33] Wendy DONIGER, Gregory SPINNER, « Misconceptions : Female Imaginations and Male Fantasies in Parental Imprinting », *Daedalus*, 127, 1, 1998, p. 97-129.
[34] Pierre Boaistuau, *Histoires prodigieuses*, Paris : G. Buon, 1578, f. 15 v.
[35] *Conférences du Bureau d'Adresse*, Paris : A. Soubron, 1656, I, p. 715 *sq*.
[36] Laurent Joubert, *Premiere et seconde partie des Erreurs populaires [...]*, Paris : Cl. Micard, 1587, p. 136-138.
[37] François Mauriceau, *Traité des maladies des femmes grosses*, Paris : chez l'auteur, 1675, p. 65.
[38] Nicolas Venette, *Tableau de l'amour considéré dans l'estat du mariage*, Parme : Fr. Gaillard, sd, p. 389.

Mais cela ne signifie pas que tous les contemporains aient témoigné du même recul prudent. En septembre 1601, Jean Héroard rédigea la toute première description du futur Louis XIII dans son volumineux journal : « [...] un enfant grand de corps, gros d'ossements, fort musculeux, bien nourri, fort poli, de couleur rougeâtre et vigoureux tout ce que l'on peut penser pour cette petite (*sic*) âge. » Il signala également, quelques lignes plus loin, différentes anomalies :

> « Il porta sur lui ces marques : entre les deux sourcils mais plus proche du droit, se trouva une tache rougeâtre ronde, de la grandeur d'un petit denier ; une autre au-dessus de la nuque, sous la racine des cheveux, de pareille couleur et de même figure, mais de grandeur semblable à un rouge double, et une autre petite de la même couleur à l'entrée de la narine gauche [...] »[39].

Confidence de Marie de Médicis en décembre de la même année : « La reine dit que la marque rouge qu'il a sur la nuque, à la racine des cheveux, pouvoit provenir d'une envie qu'elle eut de manger des betteraves, lesquelles on lui ôta et n'en voulut point demander[40] ». Prudemment, Héroard ne se risqua à aucun commentaire, et tous les portraitistes en firent de même en « oubliant » de représenter cette marque.

Conclusion

L'observation médicale du teint des souverains n'a laissé que peu de traces, mais celles-ci n'en sont sans doute pas moins précieuses, surtout lorsqu'elles impliquent de graves décisions. Terminons par une brève allusion à l'incroyable mission du docteur Duphénix, un médecin parti examiner, dans le plus grand secret, l'état de santé de Marie Leczinska, alors future épouse de Louis XV. Si le coup de foudre du jeune roi en présence du petit portrait de sa promise est une anecdote bien connue, la disparition de cette œuvre due à Pierre Gobert, empêche naturellement de disserter au sujet du visage de la jeune femme[41]. Mais il y a plus important : des rumeurs provenant de l'hostile cour de Lorraine décrivaient une princesse polonaise maladive, aux phalanges malformées et surtout épileptique[42]. Dans le doute, la cour de Versailles missionna un médecin-espion qui s'infiltra en Pologne, approcha discrètement la princesse et remit son rapport en mars 1725 :

> « Après avoir eu l'honneur de voir Son Altesse Royale, examiné sa taille et ses bras, le coloris de son visage et ses yeux, nous déclarons qu'elle est bien conformée, ne paraissant aucune défectuosité dans ses épaules ni dans ses bras dont les mouvemens sont libres ; sa dent saine, ses yeux vifs, son regard marquant en même temps beaucoup de douceur ».

Et, plus loin :

---

[39] *Journal de Jean Héroard*, ed. Soulié, Paris : Didot, 1868, I, p. 5.
[40] *Idem*, I, p. 13.
[41] Jennifer G. GERMANN, *Picturing Marie Leszczinska (1703–1768) : Representing Queenship in Eighteenth-Century France*, Farnham : Ashgate, 2015.
[42] *Journal et mémoires de Mathieu Marais*, ed. Adolphe de Lescure, Paris : Didot, 1864, III, p. 183.

« Nous devons ajouter qu'il nous a été rapporté par ledit sieur Kast (il s'agit d'un médecin ordinaire du roi Stanislas) que la princesse est parfaitement réglée, ses règles d'une louable couleur et ne durant qu'autant qu'il est nécessaire. On peut juger de la vérité de ce fait par son coloris qui, quoique un peu altéré par les derniers accès de fièvre qu'elle a eus récemment, ne paraît cependant que très légèrement changé ; la carnation étant naturelle et assez animée pour juger de son rétablissement et de la régularité de ces mouvemens périodiques »[43].

En une formule, le médecin s'est voulu très rassurant sur la santé de la promise et, incidemment, sur sa capacité à donner des enfants à la Couronne de France. Mais quelle aurait été la conséquence d'un mauvais teint ? Le rapport du médecin pouvait-il être neutre quand le destin de deux royaumes était en jeu ? Ou bien, à sa manière, l'homme de science s'est-il plié aux codes qui voulaient que, dans tout portrait d'État, on lissât les traits et l'on éclaircît les peaux ? Élisabeth Vigée-Lebrun, artiste au coup d'œil et au trait de pinceau impeccables, disait bien de Marie-Antoinette que « ce qu'il y avait de plus remarquable dans son visage, c'était l'éclat de son teint. » Le panégyrique de la reine pouvait monter en puissance :

« Je n'en ai jamais vu d'aussi brillant, et brillant est le mot ; car sa peau était si transparente qu'elle ne prenait point d'ombre. Aussi ne pouvais-je en rendre l'effet à mon gré : les couleurs me manquaient pour peindre cette fraîcheur, ces tons si fins qui n'appartenaient qu'à cette charmante figure et que je n'ai retrouvés chez aucune femme »[44].

Étrangement, cette immense portraitiste ne remarqua jamais les traces laissées par la petite vérole qui frappa Marie-Antoinette à l'âge de deux ans et qu'une modeste servante observait tous les jours pendant sa détention à la Conciergerie[45].

---

[43] Document cité dans la *Revue rétrospective*, 2ᵉ série, 10, 1837, p. 205-206.

[44] *Souvenirs de Madame Louise-Elisabeth Vigée-Lebrun*, Paris : Fournier, 1835, I, p. 64-65.

[45] « [...] çà et là, quelques marques de petite-vérole, très-adoucie, et pour ainsi dire imperceptible, qu'on apercevait plus à quatre pas. », Laffont d'Aussonne, *Mémoires secrets et universels des malheurs et de la mort de la reine de France*, Paris : A. Philippe, 1836, II, p. 20. Si l'objet de cette compilation de documents est évidemment apologétique, le détail mentionné par Rosalie Lamorlière ne saurait être considéré comme un compliment, bien au contraire.

Représenter le corps souffrant :
couleur, peinture et sculpture
dans l'Antiquité classique*

Agnès ROUVERET[1]

Aborder la question de la représentation du corps malade dans la perspective diachronique et transdisciplinaire de ce colloque est une piste de réflexion stimulante pour le spécialiste de l'antiquité classique, malgré les difficultés liées à la nature fragmentaire et hétérogène des sources. Certes, les textes mentionnent des tableaux ou des sculptures figurant des corps malades ou souffrants, tels le Philoctète d'Aristophon, la Jocaste de Silanion ou les mourants d'Apelle[2]. Cependant, la perte des chefs-d'œuvre de la peinture antique, souvent peints sur bois, celle des œuvres célèbres de la statuaire en bronze, ainsi qu'en marbre, en dépit des nombreuses copies qui en furent réalisées, sont autant d'obstacles à l'établissement d'un corpus significatif.

On peut remarquer toutefois que les acquis considérables de la recherche sur la médecine antique, en premier lieu grâce à l'édition et au commentaire des textes médicaux grecs et latins, dont la Collection des Universités de France donne une illustration exemplaire, ont coïncidé avec un renouveau profond des études sur la peinture grecque et romaine, grâce à des découvertes spectaculaires, comme celle des peintures funéraires de Macédoine[3], et aux progrès incessants dans l'analyse physico-chimique des matériaux et celle des images numériques.

Grâce à ces acquis, les travaux sur la couleur et sur la polychromie des œuvres antiques ont renouvelé l'approche de l'objet d'art et de son histoire. Ainsi, sur le portrait supposé de « Bérénice II », découvert en 1901 à Hermoupolis Magna, une pièce majeure de la collection de Raoul Warocqué conservée au musée de Mariemont[4], le visage tacheté qui apparaît sur la photographie (figure 1) garde l'empreinte des multiples transformations de la statue. Elles ont affecté la surface du marbre, en couches successives,

---

* Je remercie Hariclia Brécoulaki, Renaud Robert et Annie Verbanck-Piérard pour leur aide précieuse dans la réalisation du dossier iconographique.
[1] Professeur émérite d'Archéologie et Histoire de l'Art, Université de Paris Nanterre, UMR 7041, ArScAn.
[2] Plutarque, *Comment lire les poètes*, 18c (ed. A. Philippon, CUF, 1987) ; Plutarque, *Propos de table*, V, 1, 674 a (ed. Fr. Fuhrmann, CUF, 1978) ; Pline l'Ancien, *Histoire Naturelle*, XXXV, 90 (ed. J.-M. Croisille, CUF, 1985, dorénavant abrégé *HN*) ; sur art et médecine, *cf.* Mirko GRMEK et D. GOUREVITCH, *Les maladies dans l'art antique*, Paris : Fayard, 1998.
[3] Hariclia BRECOULAKI, *La peinture funéraire de Macédoine. Emplois et fonctions de la couleur IVe- IIe s. av. J.-C.* [*Meletemata* 48], Paris : de Boccard, 2006 (avec bibliographie).
[4] Brigitte BOURGEOIS, « Ganôsis et réfections antiques de polychromie. Enquête sur le portrait en marbre « de Bérénice II » au Musée royal de Mariemont », p. 64-81, ainsi que Dominique ROBCIS, « Annexe 1 » et Nathalie BALCAR, « Annexe 2 », p. 82-85, in Annie VERBANCK-PIÉRARD (dir.), *Trésors hellénistiques de Mariemont* [*Cahiers de Mariemont*, 40], Mariemont : Musée Royal de Mariemont, 2016.

partiellement conservées depuis le léger « maquillage » jusqu'à l'usage pesant de la dorure, toutes pratiques documentées dans les sources écrites. Toute trace de dorure est absente des globes oculaires mais l'accentuation des cils et des sourcils renforce le regard et son pouvoir de fascination.

Figure 1. Portrait supposé de Bérénice II, avec rehauts polychromes
Musée royal de Mariemont, inv. B 264.
(© Musée royal de Mariemont. Photo M. Lechien, avec l'aimable autorisation
du Musée royal de Mariemont.).

L'analyse de plusieurs portraits récemment découverts, dont la petite tête masculine en ivoire de Korinos (Pydna), en Macédoine (figure 2), met en lumière le jeu entre une représentation quasiment clinique de la texture du globe oculaire et l'affirmation de formes d'idéalité, qui sont propres au nouvel art de cour[5], bien qu'elles s'inscrivent dans la réflexion plus ancienne sur le rôle des yeux comme expression sensible de l'âme[6].

Figure 2. Pydna, tombe B de Korinos, tête en ivoire.
(Photo H. Brecoulaki, d'après H. Brecoulaki, *op. cit.* note 5, pl. VI a)

Variations sur la couleur chair (*andreikelon*)

La tension entre l'expression la plus précise possible de l'apparence corporelle et l'idéalisation des traits physiques trouve un terrain d'élection dans la représentation de corps en bonne santé. Deux signes manifestes sont

---

[5] Hariclia BRECOULAKI, « Saisir la ressemblance ou surpasser le modèle ? La représentation de la figure humaine dans la peinture grecque et la tradition du portrait peint dans l'Égypte gréco-romaine », in Pascale LINANT DE BELLEFONDS, Évelyne PRIOUX et Agnès ROUVERET (dir.), *D'Alexandre à Auguste. Dynamiques de la création dans les arts visuels et la poésie,* Paris : PUR, 2015, p. 95-109.
[6] Xénophon, *Mémorables,* III, 10, 1-5 (ed. M. Bandini et L.-A. Dorion, CUF, 2011), dialogue entre Socrate et le peintre Parrhasios.

la luminosité du regard et l'aspect de la peau. Un terme particulier *andreikelon* désigne la couleur chair. La manière de peindre les carnations est un des critères majeurs d'évaluation des peintres antiques. En contraste avec les traditions archaïques, fondées essentiellement sur des aplats de couleur, le modelé des ombres et des lumières, une innovation que les sources antiques attribuaient au peintre Apollodore d'Athènes[7], permettait d'exprimer les multiples nuances de l'épiderme et de ses altérations sous l'effet des émotions et des passions. Au-delà du simple contraste entre le blanc et l'ocre, elle permettait d'indiquer les signes particuliers liés au genre, à l'âge et au milieu social. C'est pourquoi, malgré le prestige des premiers peintres célèbres du Ve siècle av. J.-C., Polygnote et Mikon[8], qui avaient mis en image les grands thèmes fondateurs de l'identité hellénique, et notamment athénienne, les premiers traités d'histoire de l'art grec, composés entre la fin du IVe siècle et la première moitié du IIIe siècle av. J.-C, voyaient l'« invention » de la technique des ombres et des lumières comme une véritable mutation dans l'art de peindre[9].

Platon, dont la position vis-à-vis de l'art pictural est plus nuancée qu'on a pu le dire, est un précieux témoin de ces transformations. Dans plusieurs passages, le travail sur la matière picturale lui permet d'exprimer métaphoriquement la tension éprouvée par le législateur[10] et par le philosophe au pouvoir entre les valeurs idéales et leur incarnation dans la cité des hommes. Dans un passage de la *République*[11], la comparaison suit le processus de création du tableau depuis le dessin préliminaire jusqu'aux multiples nuances de la couleur chair. Dans le *Cratyle*[12], la même métaphore, appliquée à la création des mots, évoque la saisie de la ressemblance sur un portrait. Cette fois l'image commence par les ultimes touches de couleur, le pourpre ou tout autre pigment, avant d'atteindre la couche sous-jacente, la couleur chair, elle-même issue d'un mélange complexe.

Le fait que la même racine désigne en grec la surface de la peau et la couleur (famille de *chrôs* / *chrôma*) permet de comprendre la pertinence et la

---

[7] Pline l'Ancien, *HN*, XXXV, 60 ; Plutarque, *Gloire des Athéniens*, 346 a (ed. Fr. Frazier, CUF, 1990). On peut dater approximativement l'activité d'Apollodore, dont Pline l'Ancien situe l'acmé à la 93e Olympiade (408-405 *a.C.*), dans le dernier tiers du Ve siècle av. J.-C.

[8] Sur la valorisation de ces deux peintres : Aristote, *Poétique* 1448 a 1 ; 1450 a 25 ; *Politique* 1340 a 35 (ed. R. Dupont-Roc et J. Lallot, Paris : Seuil, 1980) ; pour Théophraste, Pline l'Ancien, *HN*, VII, 205 (ed. R. Schilling, CUF, 1977).

[9] Pline l'Ancien, *HN*, XXXV, 29 ; A. ROUVERET, *Histoire et imaginaire de la peinture ancienne (Ve siècle av. J.-C. – Ier siècle ap. J.-C.)*, BEFAR 274, Paris : de Boccard, 1989 et 2014[2], *Postface*, p. 575-599. D'abord identifiés à partir de la critique des sources des livres XXXIII à XXXVII de l'*Histoire Naturelle* de Pline l'Ancien, leur contenu a été enrichi par la découverte des nouvelles épigrammes de Posidippe de Pella : Colin AUSTIN et Guido BASTIANINI, *Posidippi Pellaei quae supersunt omnia*, Milan : LED, 2002 ; Évelyne PRIOUX, *Petits musées en vers. Épigramme et discours sur les collections antiques*, Paris : CTHS et INHA, 2008 (avec bibliographie).

[10] La référence première est la médecine : Jacques JOUANNA, « Le médecin modèle du législateur dans les *Lois* de Platon », *Ktèma*, 3, 1978, p. 77-91. Le mélange des humeurs règle la santé et la maladie (*Nature de l'homme*, c. 4).

[11] Platon, *République* VI, 500d- 501b (ed. É. Chambry, CUF, 1931) ; *Lois* VI, 769 b-c (la métaphore s'étend à la survie posthume du tableau, ed. É. des Places, CUF, 1951).

[12] Platon, *Cratyle*, 424 e (ed. L. Méridier, CUF, 1931).

fécondité d'un tel réseau métaphorique, qui ne se limite pas à l'art de peindre. En effet, la couleur et ses changements jouent un rôle essentiel dans l'établissement du diagnostic médical. Laurence Villard[13] a souligné les points de convergence entre les subtiles variations de couleur de l'épiderme, des sécrétions internes et des humeurs décrites avec acribie par les médecins et le modelé des ombres et des lumières réalisé par les peintres contemporains. La variété des nuances est, dans les deux cas, impressionnante. Elle a aussi souligné le lien que l'on peut poser entre la couleur des humeurs (bile jaune, bile noire, sang rouge, phlegme blanc) et celle de la palette des peintres classiques, limitée, d'après certaines sources, au noir, au jaune, au rouge et au blanc (ce qui est contredit par les données réelles)[14].

Une boutade du peintre Euphranor, qui était aussi sculpteur[15], garde peut-être la trace dans l'opinion courante de l'importance du régime alimentaire dans certains mouvements philosophiques, comme le pythagorisme, mais aussi dans la médecine hippocratique. Il aurait déclaré que le Thésée de Parrhasios était nourri de roses alors que le sien l'était de chair[16]. Auteur de traités sur les proportions et les couleurs (*de symmetria et coloribus*), Euphranor souligne la différence entre les deux canons adoptés. Sur son tableau, exposé sur l'agora dans le portique de *Zeus Eleuthérios*[17], Thésée avait la grandeur qui convenait au héros célébré pour l'établissement d'un régime égalitaire à Athènes[18]. Le Thésée de Parrhasios, « peint dans un style raffiné, ressemblait à un affamé »[19].

---

[13] Laurence VILLARD, « Couleurs et maladies dans la *Collection Hippocratique* : les faits et les mots », in L. VILLARD (dir.), *Couleurs et vision dans l'Antiquité classique*, Rouen : Publications de l'Université, 2002, p. 45-64 ; EAD., « L'essor du chromatisme au IVe siècle. Quelques témoignages contemporains », in Agnès ROUVERET, Sandrine DUBEL et Valérie NAAS (dir.), *Couleurs et matières dans l'antiquité. Textes, techniques et pratiques*, Paris : Éditions Rue d'Ulm, 2006, p. 43-53) ; sur le lexique : Alain BLANC, « Rendre les nuances de couleur en grec : l'emploi du procédé linguistique de la composition nominale », in L. VILLARD (dir.), *Couleurs et vision ... op. cit.*, p. 11-27 ; sur les couleurs chez Galien, *cf.* Isabelle BOEHM, « Couleur et odeur chez Galien », *ibid.*, p. 78-96.

[14] Cicéron, *Brutus*, 70 (ed. J. Martha, CUF, 1923) ; Pline l'Ancien, *HN*, XXXV, 50 ; sur la coïncidence entre la « palette de base » de Galien et la couleur des humeurs, *cf.* Véronique BOUDON, « La théorie galénique de la vision », in L. VILLARD (dir.), *Couleurs et vision ..., op. cit.*, p. 65-75.

[15] Pline l'Ancien, *HN*, XXXIV, 50, 77 (ed. H. Le Bonniec et H. Gallet de Santerre, CUF, 1953) et XXXV, 128-129 ; Quintilien, *Institution oratoire*, XII, 10, 12 (ed. J. Cousin, CUF, 1980).

[16] Pline l'Ancien, *HN*, XXXV, 129. Plutarque, *Gloire des Athéniens* 346 a, précise qu'il s'agissait de « viande de bœuf ».

[17] Pausanias, *Description de la Grèce*, I, 3, 3-4, *cf.* Domenico MUSTI et Luigi BESCHI, *Pausania. Guida della Grecia, I, l'Attica*, Milan : Mondadori, 1982, p. 269-272 ; A. ROUVERET, « Les lieux de la mémoire publique : quelques remarques sur la fonction des tableaux dans la cité », *Opus*, VI-VIII, 1987-1989, p. 101-124.

[18] Pline l'Ancien, *HN*, XXXV, 128.

[19] Plutarque, *Gloire des Athéniens* 346 a, poursuit : « mais voyant celui d'Euphranor, quelqu'un dit non sans esprit : « Voici la Grèce d'Érechtée au grand cœur, que jadis éleva Athéna, fille de Zeus » (*Iliade* II, 547-548) ». Le jeu de mot repose sur l'équivoque entre δῆμος, « peuple », qui figure dans la citation, et δημός, « graisse », selon A. J. KRONENBERG, *Mnemosyne*, 7, 1939, p. 37-38 cité par Fr. Frazier et Chr. Froidefond dans leur édition de Plutarque, *Œuvres Morales*, V.1, CUF, 1990, n. 14, p. 239-240.

La minceur et sans doute la jeunesse du Thésée de Parrhasios illustrent ainsi l'opposition entre le voluptueux peintre d'Ephese[20], héritier de le *truphè* ionienne, et la virilité athlétique du héros de la démocratie athénienne, dont la vigueur repose sur un régime carné. Elle pourrait aussi anticiper la création d'un « nouveau » canon par Lysippe, en particulier pour représenter Alexandre, un canon aminci par rapport aux proportions plus massives des statues polyclétéennes, jugées désormais obsolètes[21].

Le contraste entre les roses et la viande rouge concerne aussi l'incarnat. À propos du tableau d'Apelle figurant Alexandre tenant la foudre, Plutarque note que l'artiste avait donné un teint plus foncé au visage du jeune roi, qui était « naturellement blanc »[22]. Comme le suggère H. Brécoulaki, cet artifice ne répondait peut-être pas seulement à une recherche esthétique sur les valeurs lumineuses et l'éclat[23]. Il pouvait aussi souligner la virilité du jeune prince.

Dans ce milieu aristocratique, le teint clair marque aussi la différenciation sociale. L'exemple le plus net est celui des jeunes chasseurs peints sur la façade de la tombe de Philippe II[24]. Leurs chairs rosées contrastent avec le teint plus foncé de l'homme plus âgé, pesamment vêtu, qui place les filets à l'extrémité droite de l'image. Les soldats qui veillent sur l'entrée de la tombe d'Aghios Athanasios ont aussi un teint hâlé[25].

Le choix esthétique d'Euphranor pour son Thésée, en revanche, pourrait correspondre au teint soutenu du « peuple d'Érechthée au grand cœur », tel qu'ils apparaît dans l'*Iliade* (II, 547-548), offrant un même modèle de référence pour l'ensemble des citoyens.

De ces recherches sur les carnations à la fois mimétiques et « idéales », résulte une couleur « parfaite » de la bonne santé, celle qui caractérise, à Athènes, l'homme de bien et son épouse, une couleur naturelle, qui refuse, comme le fait Ischomaque[26], les artifices du maquillage. Elle repose sur une palette allant du rose (enfant, femme, tout jeune homme) jusqu'à des teintes masculines plus soutenues marquant le jeune guerrier, formé aux exercices physiques du gymnase, un teint qui, dans la convention

---

[20] Il se désignait lui-même comme *habrodiaetus* « ami du plaisir » en signant ses œuvres : Athénée, *Deipnosophistes* XII, 543 c et XV 687 b ; Pline l'Ancien, *HN*, XXXV, 71.
[21] *Cf.* Eugénie SELLERS in Katharine JEX-BLAKE et Eugénie SELLERS, *The Elder Pliny's Chapters on the History of Art*, Londres : Macmillan, 1896, rééd. Raymond V. SCHODER, Chicago : Ares, 1976³, p. XXVII *sq.*, ainsi que Posidippe de Pella, épigramme 62 A-B (traduction É. PRIOUX, *op. cit.*, *supra* note 9, p. 201).
[22] *Vie d'Alexandre*, IV, 3, 1 (ed. R. Flacelière et É. Chambry, CUF, 1975).
[23] *Op. cit.*, *supra* note 5, p. 97 *sq.* Trois types de carnations ont été identifiés dans le corpus macédonien : pour les hommes, un brun-rouge qui n'est jamais très foncé, une teinte rose, un peu plus foncée que pour les femmes, un blanc rosé identique pour les hommes et les femmes.
[24] H. BRECOULAKI, *op. cit.*, *supra* note 5, pl. IV c-d ; Ps. Aristote, *Physiognomonie*, 807 b17.
[25] H. BRECOULAKI, *op. cit.*, *supra* note 5, pl. V b.
[26] Xénophon, *Économique*, X, 5-6 (ed. P. Chantraine, CUF, 1949) ; le *miltos* est une ocre rouge particulièrement utile pour la peinture des carnations : Théophraste, *De lapidibus*, 51, 6 (ed. S. Amigues, CUF, 2018).

théâtrale, va jusqu'à un beau rouge vif[27]. À ces signes positifs, s'ajoute la vivacité, la luminosité et la franchise du regard.

Ces couleurs de la bonne santé sont à l'opposé de la *facies hippocratica* :

> « Il faut observer de la façon suivante dans les maladies aiguës : d'abord le visage du malade pour savoir s'il est semblable à celui des gens en bonne santé et surtout s'il est semblable à lui-même. Ce sera l'état le plus favorable, alors que l'état le plus opposé au semblable est le plus redoutable. Voici quel sera cet état : nez effilé, yeux enfoncés, tempes affaissées, oreilles froides et contractées, lobes des oreilles écartées, peau du front sèche, tendue et aride, teint de l'ensemble du visage jaune ou même noir, livide ou plombé »[28].

Puis vient l'examen des yeux :

> « [S'ils] fuient l'éclat de la lumière, ou pleurent involontairement, ou divergent, ou si un œil devient plus petit que l'autre ou si le blanc des yeux devient rouge ou livide, ou contient de petits vaisseaux noirs, ou si de la chassie apparaît autour des pupilles, ou si les yeux flottent (dans leur orbite), ou sont exorbités ou fortement enfoncés, ou si le teint de l'ensemble du visage est altéré, considérez que tout cela est mauvais et funeste ».

Il s'agit enfin d'analyser l'apparence des yeux pendant le sommeil : « si en dessous apparaît une partie du blanc alors que les paupières se ferment … c'est un signe fâcheux qui annonce fortement la mort ». Parmi les signes négatifs, on note aussi la paupière livide ou jaune, les lèvres pendantes, froides, devenant toutes blanches.

La mort « couleur de pourpre »

Si l'on s'en tient à la palette des quatre humeurs et des quatre couleurs, on voit que les marqueurs chromatiques de la maladie, dont certains annoncent la mort, reposent sur la disparition du rouge et de ses mélanges pour privilégier le blanc, le jaune, le noir et toutes les nuances qui résultent de leurs mélanges. Il s'agit plus globalement de priver le teint et les yeux de l'éclat, signe de santé et critère de la beauté[29].

Un cas fait exception, au moins dans la tradition homérique, celui de la mort « couleur de pourpre »[30]. L'expression apparaît au chant XVI de l'*Iliade*, dans le combat qui précède la mort de Sarpédon sous les coups de Patrocle, tué à son tour par Hector, à la fin du chant. Il s'agit de la mort des héros, la « belle mort », où l'effusion du sang est suivie du rituel des funérailles, lorsque le corps lavé de ses souillures, reçoit les honneurs qui lui

---

[27] Luigi BERNABÒ BREA, *Menandro e il teatro greco nelle terracotte liparesi*, Gênes : Sagep Editrice, 1981, p. 157-182, pl. XXIV, Agnes SCHWARZMAIER, *Die Masken aus der Nekropole von Lipari* [*Palilia* 21], Wiesbaden : Reichert, 2011, p. 43-44, p. 49-50, p. 60, p. 103, pl. 8 a.

[28] *Pronostic*, 2, 1 (ed. J. Jouanna, CUF, 2013).

[29] Florence GHERCHANOC, *Concours de beauté et beautés du corps en Grèce ancienne. Discours et pratiques*, Bordeaux : Ausonius, 2016.

[30] *Iliade*, XVI, v. 330-334 ; voir l'harmonie en rouge et noir de la mort violente (XVI, 345-350), qui caractérise les Myrmidons, semblables aux loups : *Iliade*, XVI, 156-164 et 351-355.

sont dus[31]. Comme la teinture en pourpre, utilisée pour les étoffes du rituel funéraire, la mort est indélébile[32].

Le traitement exceptionnel accordé par Zeus à son fils, le prince lycien Sarpédon, annonce et préfigure les deux récits des funérailles de Patrocle et d'Hector sur lesquels s'achève l'*Iliade*. Zeus en effet, sur le conseil de Héra (v. 450-457), ordonne à Apollon de laver le corps, de l'oindre d'ambroisie, et de le revêtir de vêtements divins (v. 666-675), avant de le remettre à Hypnos et Thanatos, pour qu'ils le transportent en Lycie, où il sera enseveli par les siens « dans un tombeau, sous une stèle ».

Or sur le cratère, daté de 510 av. J.-C. environ, qui porte la double signature d'Euxithéos, potier et d'Euphronios, peintre (figure 3), la représentation du cadavre de Sarpédon emporté par Hypnos et Thanatos, accompagnés d'Hermès, offre l'image saisissante de ce qu'on pourrait appeler une pietà païenne[33]. Ce chef-d'œuvre d'Euphronios ne saurait mieux illustrer ce que François Villard appelle « l'esprit de progrès », que l'on observe sur la céramique peinte entre 530 et 480 av. J.-C. au sein du petit « groupe des pionniers », qui sut exploiter toutes les ressources de la nouvelle technique des vases à figures rouges. La mobilité au sein des ateliers, leur esprit de rivalité dont témoignent les inscriptions, la fréquentation des jeunes gens de bonne famille, tous ces éléments montrent que ces artistes avaient une claire conscience de leur valeur et du caractère novateur de leurs expériences.

Figure 3. Cratère en calice signé par Euphronios, provenant de Cerveteri : transfert du corps de Sarpédon par Hypnos et Thanatos. Cerveteri, Museo Nazionale Cerite.
(*Wikimedia Commons*, Photo Jaime Ardiles-Arce).

---

[31] Jean-Pierre VERNANT, « La belle mort et le cadavre outragé », in Gherardo GNOLI et Jean-Pierre VERNANT (dir.), *La mort, les morts dans les sociétés anciennes*, Cambridge-Paris : Cambridge University Press et Maison des Sciences de l'Homme, 1982, p. 45-76.
[32] Luca SOVERINI, « Su alcuni simbolismi della tintura in Grecia antica », in Simone BETA et Maria Michela SASSI (dir.), *I colori nel mondo antico. Esperienze linguistiche e quadri simbolici*, Fiesole (Firenze) : Edizioni Cadmo, 2003, p. 67-79.
[33] Alain PASQUIER et Martine DENOYELLE (dir.), *Euphronios, peintre à Athènes au VIe siècle avant J.-C.*, Catalogue de l'exposition, Musée du Louvre, Paris, 18 septembre – 31 décembre 1990, Paris : RMN, 1990, p. 77-88 (notice de Dietrich von BOTHMER). Le cratère, provenant de Caere (Cerveteri), restitué à l'Italie, est exposé au *Museo Nazionale Cerite*.

Ces traits de comportement constituent sans aucun doute un des points où la documentation archéologique et épigraphique rejoint la tradition écrite sur les peintres classiques postérieurs[34].

Un point essentiel pour notre enquête est l'intérêt des « pionniers » pour la précision anatomique fondée sur l'observation du vivant, la recherche sur les carnations, les détails des yeux et de la chevelure, qui reposent sur la virtuosité du dessin et les ressources d'une palette chromatique fondée sur les nuances de la peinture diluée. Grâce à des raccourcis savants, la pesanteur du cadavre de Sarpédon qui s'affaisse vers la terre est contrebalancée par le mouvement des jumeaux divins, descendus sur le champ de bataille, pour enlever le corps, merveilleusement intact, à l'exception des trois blessures d'où jaillit le sang rouge[35]. La mort, couleur de pourpre, est suggérée aussi par le glacis orangé appliqué à la chevelure de Sarpédon et à celle de Thanatos, qui l'empoigne à l'épaule, près du cœur qui a reçu le coup mortel. Son œil clair, souligné par les cils, contraste avec la paupière fermée du héros et fixe le spectateur de façon inquiétante. Le dernier souffle semble s'enfuir de la bouche entr'ouverte sur les dents de Sarpédon[36]. Plusieurs détails de cette savante composition portent la trace du récit homérique, à commencer par l'armure d'Hypnos et de Thanatos, flanqués des deux guerriers troyens. En revanche, le transfert merveilleux de la dépouille, souligné par la présence d'Hermès, répond à une sémantique visuelle absente du poème. Les inscriptions montrent la connivence entre le mythe et le cercle quotidien des peintres et de leur clientèle aisée. Ainsi, dans le champ supérieur de l'image, l'acclamation de la beauté de Léagros s'intercale entre la signature du peintre et celle du potier, tandis que sur l'autre face, trois jeunes gens sont représentés en train de s'armer en présence de deux hoplites, un jeune homme et un adulte semblable au guerrier de la face principale. Tous sont identifiés par une inscription. Même s'il est difficile de préciser le détail de ces allusions, on peut souligner le lien ainsi posé entre le passé héroïque et la mort au combat des jeunes soldats, en rappelant que le chant XVI commence par la scène où Patrocle, lui-même, revêt les armes d'Achille.

La *Nekyia* de Polygnote à Delphes et la couleur des démons.

Même si les peintures réalisées par Polygnote dans la *Lesché* des Cnidiens (vers 460 av. J.-C.) ne sont connues que par la description de Pausanias[37], on

---

[34] François VILLARD, « Euphronios, les Pionniers et l'esprit de progrès », in *Euphronios ... op. cit.*, *supra* note 33, p. 25-32 ; ID., « L'apparition de la signature des peintres sur les vases grecs », *Revue des études grecques*, 115, 2002, p. 778-782.

[35] *Iliade*, XVI, v. 480-490.

[36] Un trait attribué par la tradition classique à Polygnote : Pline l'Ancien, *HN*, XXXV, 58.

[37] Pausanias, *Description de la Grèce*, X, 25-31 (environ 140 figures représentées) ; Adolphe REINACH, *Recueil Milliet. Textes grecs et latins relatifs à l'histoire de la peinture ancienne*, Paris, 1921 (rééd., Paris : Macula, 1985), p. 88-129. De nombreuses restitutions ont été proposées depuis celles de Carl ROBERT (*Die Nekyia des Polygnot*, Halle : Niemeyer, 1892 ; *Die Iliupersis des Polygnot*, Halle : Niemeyer, 1893), *cf.* Mark STANSBURY-O'DONNELL, « Reflections of Monumental Painting in Greek Vase Painting in the Fifth and Fourth Centuries B.C. », in Jerome J. POLLITT, *The Cambridge History of Painting in the Classical World*, Cambridge : University Press, 2014, p. 146-151 (avec bibliographie).

relève cependant sur l'*Ilioupersis* et la *Nekyia*, peintes à l'intérieur de la salle, quelques éléments qui font écho aux observations que l'on vient de faire sur le cratère d'Euphronios.

En situant le tableau de la prise de Troie au moment du départ de la flotte grecque, Polygnote mettait l'accent sur les survivants tout en montrant le nombre imposant de morts et de blessés. Il renforçait ainsi le lien avec la *Nekyia* peinte sur le second volet du diptyque, sur lequel on trouve un motif remarquable pour la représentation des cadavres. En effet, l'ensemble des personnages, héros épiques ou communs des mortels, initiés ou non aux Mystères, gardent leur apparence mortelle. Mais une fois passée la rive de l'Achéron, on trouve un démon, Eurynomos qui, selon les « exégètes de Delphes [...] ronge les chairs des cadavres et ne leur laisse que les os ». Pausanias souligne la singularité du démon, absent des sources épiques, et le décrit en ces termes : « Il a la peau d'un bleu qui tire sur le noir, telles ces mouches qui s'attachent aux viandes ; il montre les dents ; il est assis, et, sous ses pieds, est étendue une peau de vautour»[38].

Ce démon d'aspect cadavérique a son meilleur équivalent figuré dans la peinture funéraire étrusque. L'attestation la plus ancienne se trouve dans la tombe des Démons bleus de Tarquinia, que l'on peut dater dans le dernier tiers du Ve siècle av. J.-C. (figure 4)[39].

Fig. 4 a. Tarquinia, tombe des Démons bleus, paroi droite : voyage de la morte dans l'au-delà
(su concessione del MiBACT – Soprintendenza Archeologica, Belle Arti e Paesaggio per l'Area Metropolitana di Roma, la provincia di Viterbo e l'Etruria meridionale)

Figure 4 b. dessin de la paroi droite
(d'après G. Adinolfi, R. Carmagnola, M. Cataldi, *op. cit.* note 39, fig. 2, p. 47)

Sur la paroi de droite, est figurée une scène inédite dans le répertoire étrusque antérieur, le voyage de la morte dans l'espace intermédiaire qui

---

[38] Pausanias, *Description de la Grèce*, X, 28, 7 (tr. Ad. Reinach, ed. cit. note précédente).
[39] Gloria Adinolfi, Rodolfo Carmagnola et Maria Cataldi, « La tomba dei demoni azzurri : le pitture », in Fernando Gilotta (dir.), *Pittura parietale, pittura vascolare. Ricerche in corso tra Etruria e Campania*, Naples : Arte Tipografica Editrice, 2005, p. 45-56 ; Stephan Steingräber, « Etruscan and Greek Tomb Painting in Italy c. 700-400 B.C. », in J. J. Pollitt, *op. cit. supra* note 37, p. 94-142.

mène à la rive de l'Achéron. Un premier motif, à droite, montre deux démons. Le premier, ailé et de couleur noire, semble se poser sur un rocher sur lequel se tient un deuxième démon, de couleur bleue, la tête hérissée de cheveux roux. Il brandit deux serpents barbus et se tourne vers le nouveau venu. Au centre de l'image, la morte, dont les chairs bleues indiquent l'état cadavérique, est escortée par deux démons. L'un, ailé, de couleur noire, fixant le spectateur de ses yeux perçants, la pousse. L'autre, de couleur bleue, la tient par le poignet. À l'extrémité se tient la barque de Charon. La représentation de tout un peuple de démons, de couleur bleue, plus rarement noire, devient une constante dans l'art étrusque des IVe et IIIe siècles av. J.-C.[40] Même si leur couleur évoque celle des cadavres, on remarque néanmoins un point commun avec les images grecques liées à la mort et à l'au-delà. À l'exception de la morte de la tombe des Démons bleus, les êtres humains gardent l'apparence du vivant. Tout au plus des bandages indiquent leurs blessures, comme dans la tombe François de Vulci ou celle de l'Ogre de Tarquinia[41]. Ainsi les couleurs de la mort se trouvent-elles transférées sur des êtres intermédiaires entre le monde des hommes et celui des dieux.

La Jocaste de Silanion et le pugiliste des Thermes

Comme dans le cas de Polygnote, il est impossible d'évaluer l'incidence des recherches sur le modelé des ombres et des lumières sur la façon dont Zeuxis et Parrhasios, les deux peintres majeurs, contemporains du développement de la médecine hippocratique, avaient représenté les malades, les blessés ou les mourants. Mais on voit à plusieurs indices que leur quête d'innovation touchait aussi le thème de leurs tableaux. Avec les chairs délicates de l'enfant aux raisins ou de son Éros[42], Zeuxis s'était attaché à la peinture des femmes. Dans son œuvre la plus célèbre, l'Hélène, il avait osé, avant Praxitèle et Apelle, représenter la nudité du corps féminin[43]. Et si l'on doit croire Lucien, il avait peint avec la Centauresse l'impossible hybridation entre le corps féminin et celui d'une jument[44].

---

[40] Laurent HAUMESSER, *Le décor funéraire étrusque à l'époque hellénistique : images eschatologiques et imaginaire de l'au-delà*, thèse de doctorat, Université Paris X - Nanterre, 2006 ; A. ROUVERET, « Etruscan and Italic tomb painting, c. 400-200 B.C. », in J. J. POLLITT, *op. cit. supra* note 37, p. 241-260.

[41] A. ROUVERET, *op. cit.* note précédente, pl. 6.2 et pl. 6.5.

[42] Sur l'enfant aux raisins : Pline l'Ancien, *HN*, XXXV, 65 ; Sénèque le Rhéteur, *Controverses et suasoires*, x, 5, 27 ; sur l'Éros : scholie à Aristophane, *Les Acharniens*, v. 989-891 (A. REINACH, *op. cit. supra* note 37, p. 206-207).

[43] Cicéron, *De Inventione*, II, 1, 1-3 (ed. G. Achard, CUF, 1994) ; Pline l'Ancien, *HN*, XXXV, 64 ; Sénèque le Rhéteur, *Controverses et suasoires*, x, 5 ; Valère Maxime, *Faits et dits mémorables*, III, 7 (*ext.*), 3 (ed. R. Combès, CUF, 1995) ; Francesco DE ANGELIS, « L'Elena di Zeusi a Capo Lacinio. Aneddoti e Storia », *Rendiconti Mor. Accad. dei Lincei*, s. 9, 16, 2005, p. 151-200.

[44] Lucien, *Zeuxis ou Antiochos* ; Sandrine DUBEL, *Lucien de Samosate. Portrait du sophiste en amateur d'art*, Paris : éd. Rue d'Ulm, 2014, p. 64-76 ; A. ROUVERET, « Comment peindre l'hybridité : à propos de la Centauresse de Zeuxis », in Ruth WEBB et Florence KLEIN (dir.), *Faire voir. L'enargeia dans l'Antiquité et à la Renaissance*, Lille : Presses univ. du Septentrion, sous presse.

Parrhasios, au contraire, avait abordé de plus sombres sujets. À son nom s'attachait la légende noire, dont Michel Delon a retracé le cheminement jusqu'à Michel-Ange et Sade, à propos du vieillard torturé à mort pour représenter le supplice de Prométhée[45]. Il avait peint Ulysse simulant la folie[46], Achille guérissant Télèphe[47] et Philoctète[48], un sujet précédemment traité par Aristophon[49], le frère de Polygnote, et par le sculpteur Pythagoras de Rhégion, apprécié par les auteurs des premiers traités d'histoire de l'art, admirateurs de Lysippe, pour le réalisme de ses œuvres[50].

Or si quelques représentations de la première moitié du Ve siècle av. J.-C., tel le médaillon de la coupe du potier Sôsias (Achille soignant Patrocle) ou le *stamnos* d'Hermonax (Philoctète)[51], contemporain d'Aglaophon, permettent de saisir plusieurs expressions de la douleur grâce aux postures et aux mimiques du visage, la plupart des images de Philoctète sur la céramique attique et italiote montrent un personnage affligé[52], dont la blessure est indiquée par un bandage confectionné dans les règles de l'art, et non par le pied gonflé, d'où jaillit un sang noir, du *Philoctète* de Sophocle criant sa douleur[53]. Tout au plus sur le cratère du peintre de Dircè[54], voit-on le héros éventer sa plaie avec une plume pour indiquer la pestilence qui s'en dégage. On mesure ainsi l'écart qui s'est alors instauré entre la peinture sur céramique et les tableaux sur chevalet.

À deux reprises, en effet, Plutarque prend l'exemple de Philoctète pour souligner l'écart de nos émotions face à la réalité et à sa

---

[45] Sénèque le Rhéteur, *Controverses et suasoires*, X, 5 ; Michel DELON, « Portrait de l'artiste en assassin. Note sur Sade et Michel-Ange », *Lendemains*, 63, 1991, p. 57-60 ; ID., « Souffrance et beauté. La légende de Michel-Ange assassin », in Carminella BIONDI et *al.*, *La quête du bonheur et l'expression de la douleur dans la littérature et la pensée françaises*, *Mélanges Corrado Rosso*, Genève : Droz, 1995, p. 77-87 ; A. ROUVERET, « Parrhasios ou le peintre assassin », in Carlos LÉVY, Bernard BESNIER et Alain GIGANDET (dir.), Ars et Ratio. *Sciences, art et métiers dans la philosophie hellénistique et romaine*, Bruxelles : Latomus, 2003, p. 184-193.
[46] Plutarque, *Comment lire les poètes*, 18 a (ed. A. Philippon, CUF, 1987).
[47] Pline l'Ancien, *HN*, XXXV, 71.
[48] *Anthologie de Planude*, XIII, 111 et 113 (ed. R. Aubreton et F. Buffière, CUF, 1980).
[49] Plutarque, *Comment lire les poètes* 18 c.
[50] Pline l'Ancien, *HN*, XXXIV, 59 : « à Syracuse, on a de lui un boiteux qu'il suffit de regarder pour croire sentir la douleur de sa plaie » (tr. H. Le Bonniec). Pausanias, X, 2, 6, lui attribue la statue d'un vieillard squelettique, dédiée par Hippocrate à Delphes ; Claude ROLLEY, *La Sculpture grecque*, 1, Paris : Picard, 1994, p. 338 : « un des fantômes les plus présents de l'histoire de la sculpture ».
[51] Fr. VILLARD, *Grèce archaïque*, Paris : Gallimard, 1968, p. 333, fig. 382 ; ID., *Grèce Classique*, Paris : Gallimard, 1969, p. 246 et fig. 278.
[52] Didier FONTANNAZ, « Philoctète à Lemnos dans la céramique attique et italiote », *Antike Kunst*, 43, 2000, p. 53-69.
[53] Sophocle, *Philoctète*, v. 824-825 (plaie) ; v. 782-803 (crise de douleur) ; Philippe MUDRY, « Les voix de la douleur entre médecins et malades : le témoignage de l'Antiquité », in Jean-Christophe COURTIL et Jean-Marie PAILLER (dir.), *La souffrance physique dans l'Antiquité. Théories et représentations*, *Pallas*, 88, 2012, p. 15-26. Cicéron, *Tusculanes*, II, 19-27 (ed. J. Humbert et G. Fohlen, CUF, 1930) ; *De Finibus*, II, 94 (ed. J. Martha et C. Lévy, CUF, 1928 et 1990), reproche aux poètes de telles représentations.
[54] Cratère en cloche, Syracuse, Museo archeologico regionale, inv. 36 319, D. FONTANNAZ, *art. cit.*, *supra* note 52, pl. 11. 1.

représentation : « nous évitons comme déplaisant le spectacle d'un homme malade et couvert d'ulcères, mais nous aimons regarder le Philoctète d'Aristophon et la Jocaste de Silanion représentés avec l'aspect exact de leur corps à bout de forces et mourants »[55]. Cette observation s'inscrit en continuité avec les propos d'Aristote sur la tendance naturelle de l'homme à l'imitation et au rôle de cette dernière dans l'apprentissage, qui marque la prise de conscience de la différence qui sépare la vérité de la nature et celle de l'art : « nous avons plaisir à regarder les images les plus soignées des choses dont la vue nous est pénible dans la réalité, par exemple les formes d'animaux parfaitement ignobles ou de cadavres »[56]. La raison en est le plaisir de la reconnaissance d'une imitation parfaitement réussie. Or Aristote est contemporain de la période que les sources antiques considèrent comme l'apogée de l'art pictural, celle où Apelle, à qui l'on doit des portraits de mourants, peignait avec une telle exactitude qu'«un de ces hommes qui devinent la destinée d'après les traits du visage, qu'on appelle *métoscopes*, aurait dit, d'après ces portraits, à quel âge les personnes représentées devaient mourir ou à quel âge elles étaient mortes »[57].

Dans la deuxième allusion à la Jocaste de Silanion, Plutarque ajoute une remarque sur la nature de l'alliage. Elle souligne l'importance de la polychromie de la statuaire en bronze, dont les procédés, reposant sur le mélange, présentent une analogie beaucoup plus grande avec les techniques picturales que celles de la sculpture en marbre, qui, appliquée à la surface de l'œuvre, relève plutôt de la cosmétique[58]. Plutarque précise que pour le visage de Jocaste, « l'artiste avait ajouté, dit-on, un peu d'argent au bronze afin que ce dernier prît bien l'apparence d'un être qui trépasse et qui s'éteint »[59].

La statue de bronze, avec des incrustations de cuivre figurant un pugiliste vaincu (figure 5), reprise de l'Héraclès assis de Tarente de Lysippe, permet d'observer les chairs meurtries de l'athlète. Deux chronologies ont été proposées. Pour Paolo Moreno, la statue pourrait remonter à Lysippe et être datée vers 335 av. J.-C. En revanche, Claude Rolley maintient la datation tardive dans la première moitié du Ier s. av. J.-C., tout reconnaissant que « techniquement, rien n'empêcherait de dater la statue au IVe siècle »[60].

Afin de souligner la douleur et le dépit du vaincu, le sculpteur a travaillé la surface du bronze de manière picturale, petits plaies sanguinolentes sur l'oreille à l'aide d'incrustations de cuivre, gouttes de sang sur le bras, la cuisse, lèvres tuméfiées modelées en cuivre massif, et pour

---

[55] Plutarque, *Comment lire les poètes* 18 c (tr. A. Philippon) ; *Propos de table*, 674 a et 674 b (à propos des phtisiques) ; voir aussi Marc-Aurèle, *Pensées*, III, 2.
[56] Aristote, *Poétique* 1448 b 10 (tr. R. Dupont-Roc et J. Lallot) ; *Rhétorique* 1, 1371 b 4 ; *Parties des animaux* 645 a ; Marc-Aurèle, *Pensées*, III, 2.
[57] Pline l'Ancien, *HN*, XXXV, 88 (tr. J.-M. Croisille).
[58] Sur la collaboration entre Praxitèle et Nicias d'Athènes : Pline l'Ancien, *HN*, XXXV, 133.
[59] *Propos de table*, 674 a (tr. Fr. Fuhrmann).
[60] Conservée au Musée national romain (MNR 1055), la statue, découverte en 1885, sur le Quirinal, près des Thermes de Constantin a été restaurée entre 1984 et 1987. Paolo MORENO, *Lisippo. L'arte e la fortuna*, Milan : Fabbri, 1995, p. 100-102 ; Claude ROLLEY, *La sculpture grecque*, 2, Paris : Picard, 1999, p. 338-339, fig. 4 et 352.

réaliser l'hématome sous l'œil droit, l'artiste a utilisé un alliage différent de manière à obtenir une couleur livide qui rappelle la remarque de Plutarque sur la Jocaste de Silanion. La fracture du nez et l'affaissement des lèvres dû à la perte des dents du haut montrent clairement les altérations de la structure osseuse.

Figure 5. Rome, Quirinal, *Pugiliste*. Musée National Romain, inv. 1055
(*Wikimedia Commons.* Photo Jean-Pol Grandmont)

Le frère de Lysippe, Lysistratos, était célèbre pour ses portraits réalisés à partir d'un moulage en plâtre sur le vivant. Pline l'Ancien précise « qu'il fut le premier à exprimer les ressemblances tandis que ses prédécesseurs cherchaient à obtenir le beau idéal »[61].

La mosaïque de Lambiridi : une image de mémoire ?

Pour conclure cette analyse qui laisse deviner mieux qu'elle ne démontre les multiples aspects des corps « polychromes » de l'antiquité classique, j'évoquerai un document singulier qui met en image la relation du malade et du médecin. Découverte en 1918, en Algérie, à Lambiridi (près de Batna), la mosaïque a donné lieu à plusieurs interprétations depuis la première étude de Jérôme Carcopino, publiée en 1922[62]. L'ensemble du dossier a été réexaminé récemment par Renaud Robert, dont je reprends brièvement l'analyse[63].

La mosaïque, datée entre la fin du IIIᵉ s. et le IVᵉ siècle, décorait un tombeau quadrangulaire (3,40 m x 2,80 m), ouvert à l'ouest, qui contenait trois sarcophages. Le seul bien conservé, face à l'entrée, porte l'inscription grecque suivante : « Cornelia Urbanilla. Je repose ici, sauvée d'un grand danger, après avoir vécu vingt-huit ans, dix mois, douze jours, neuf heures. Tiberius Claudius Vitalis à son épouse ». Le motif central, qui représente la consultation médicale, est encadré par quatre compartiments semi-circulaires et soutenu par quatre figures anguipèdes de couleur noire, placées dans les angles (figure 6). Dans le compartiment occidental, une *tabula ansata* porte

---

[61] Pline l'Ancien, *HN*, XXXV, 153.

[62] Jérôme CARCOPINO, « Le tombeau de Lambiridi et l'hermétisme africain », *Revue archéologique*, 1922, p. 211-301.

[63] Renaud ROBERT, « La mosaïque "épicurienne" de Lambiridi. Une guérison par l'image ? », in Pascal BOULHOL, Françoise GAIDE et Mireille LOUBET (dir.), *Guérisons du corps et de l'âme. Approches pluridisciplinaires*, Aix-en-Provence : PUP, 2006, p. 265-282.

une inscription grecque : « Je n'étais pas, je naquis, je ne suis plus, que m'importe ! ». Dans le compartiment opposé, situé en correspondance avec le sarcophage, on voit l'image d'un cadavre, emmailloté dans un linceul blanc, avec l'inscription : *C. URBANILLAE*, puis un second cartouche portant l'inscription *EUTERPI(A)*.

Figure 6 a. Mosaïque de Lambiridi, Musée d'Alger
b. et c. détails de la précédente.
(Photos P. Blanc (Musée de l'Arles et de la Provence antiques),
d'après R. Robert, *op. cit.* note 63, fig. 2-4).

Dans le médaillon central, le médecin, la barbe et la chevelure grises, le regard sévère est assis. Drapé dans un long manteau et chaussé de sandales, il tient du bras gauche le poignet du patient et touche son menton de la main droite, tout en tenant entre ses pieds le pied droit du malade. Ce dernier, plus jeune, assis face à lui sur un tabouret, est d'une maigreur squelettique qui contraste avec le corps bien en chair (et de teinte plus foncée) du médecin, marqué par les signes de l'âge.

J. Carcopino ne retient pas l'interprétation épicurienne de la représentation et défend l'hypothèse d'une visée sotériologique de la scène. Il identifie le médecin avec le dieu Asclépios et fonde son interprétation sur les doctrines hermétiques. Renaud Robert reprend l'hypothèse épicurienne, en mettant en lumière, de façon tout à fait convaincante, le rôle spécifique de l'image dans la « conversion » philosophique. Parmi les arguments développés, la comparaison avec la mosaïque des Auteurs grecs, découverte à Autun, de la fin du IIe siècle, sur laquelle on voit les philosophes

Métrodore et Épicure, mais aussi Anacréon, accompagnés de citations, en langue grecque, est particulièrement suggestive[64].

L'image pérennise le cadavre de Cornelia Urbanilla, et non son portrait, comme dans les représentations examinées jusqu'ici, parce que la mort pour les Épicuriens est inexorable et définitive. Les démons anguipèdes pourraient représenter les peurs imaginaires éprouvées face à la mort, qui n'est rien, et l'angoisse vaine qu'elle suscite.

Devant cette image saisissante fondée sur le lieu commun philosophique de la « bonne santé de l'âme », j'aimerais simplement ajouter une dernière suggestion, celle d'une image liée à la pratique de l'art de la mémoire, largement répandu dans l'antiquité. Les sources écrites ne livrent que de rares exemples de telles images. Il est d'autant plus remarquable que l'une d'entre elles mette en scène le malade et son médecin[65]. Il s'agit de mémoriser les circonstances d'un procès où l'accusé a tué un homme en l'empoisonnant pour s'emparer de son héritage. L'image commentée par le rhéteur est la suivante : « un malade dans son lit […] l'accusé à son chevet, avec à la main droite une coupe, dans la main gauche, des tablettes et à l'annulaire des testicules de bélier ». On désignait l'annulaire comme le *digitus medicinalis*. L'image concentrait les principaux éléments de l'accusation, y compris le fait que de nombreux « témoins » (*testes*) étaient au courant du projet (*conscii*).

Le message indiqué sur le sol du tombeau de la jeune épouse, morte prématurément, semble montrer une forme de réversibilité entre le médecin, déjà marqué par l'âge, et le malade, visiblement plus jeune, que la maladie a déjà quasiment réduit à l'état de squelette.

Or la réversibilité des situations est un lieu commun des méditations sur la mort. Dans la version stoïcienne des *Pensées* de Marc-Aurèle, on note qu'à plusieurs reprises, c'est le médecin qu'il place en première ligne dans ses exemples, ainsi au livre III, composé pendant la campagne de Moravie[66], ou encore au livre IV, 48, où l'on peut lire :

> « Considérer sans cesse combien de médecins sont morts, qui ont si souvent froncé les sourcils sur leurs malades ; combien d'astrologues, après avoir prédit, comme chose d'importance, la mort d'autrui ; combien de philosophes, après mille discussions sur la mort ou l'immortalité, combien de chefs qui ont fait mourir beaucoup d'hommes […] combien de villes entières sont, pour ainsi dire mortes : Hélice, Pompéi, Herculanum et d'autres sans nombre ».

---

[64] Catherine BALMELLE et Jean-Pierre DARMON, *La mosaïque dans les Gaules romaines*, Paris : Picard, 2017, p. 177-178, fig. 225-226.

[65] *Rhétorique à Herennius*, III, 33 (ed. G. Achard, CUF, 1989) : *aegrotum in lecto cubantem faciemus* […] *et reum ad lectum eius adstituemus, dextera poculum, sinistra tabulas, medico testiculos arietinos tenentem* ; A. ROUVERET, *Histoire et imaginaire …, op. cit., supra* note 9, p. 308-309.

[66] Marc-Aurèle, *Pensées*, III, 3 et IV, 48 (tr. Émile Bréhier, Paris : Gallimard, bibliothèque de la Pléiade, 2006).

La couleur du mal :
Le lien entre la couleur et le statut du corps dans l'image médiévale (Xᵉ - XIIᵉ siècles)

Marie ASCHEHOUG-CLAUTEAUX[1]

Dans mes recherches, lorsque je regarde certains nuanciers de manuscrits médiévaux, j'ai l'impression de parcourir mon Google Actualités... Pour ce qui est de la couleur du corps, la richesse du nuancier et de l'imagerie consacrée au mal contraste avec la relative simplicité de la gamme chromatique du bien. En effet, le corps de Satan présente une richesse chromatique et iconographique que n'a pas celui du Christ. Et en remplaçant les couleurs par les nouvelles, dans mon Google Actualités c'est pareil : les mauvaises nouvelles sont omniprésentes, répétitives et décortiquées jusqu'à la nausée, les bonnes presque inexistantes, elles sont l'exception. Mais je m'égare... Je sais bien que cette comparaison entre un manuscrit médiéval et un fil d'actualités sur Google est incongrue, due probablement à une déformation journalistique, mais elle m'a aidée à mieux comprendre les enjeux chromatiques véhiculés par la représentation du corps au Moyen Âge. Pensons-nous si différemment aujourd'hui qu'il y a 1000 ans ?

Parler de la couleur, et en particulier de la couleur du mal, dans l'image médiévale d'Europe occidentale entre le Xᵉ et le XIIᵉ siècle est un sujet complexe et un pari passionnant. Les rares sources iconographiques conservées de cette période mettent en lumière l'émergence progressive et tâtonnante d'une codification de la couleur du corps. Une codification qui influencera durablement la façon dont l'homme occidental perçoit et vit les couleurs. Comment la couleur du mal est-elle *pensée* dans l'image médiévale ?

Penser la couleur

Penser la couleur... L'expression elle-même appelle à la subjectivité, à l'interprétation personnelle, à l'univers de la perception, voire de l'affectif. Selon l'historien Michel Pastoureau, la couleur est une « construction culturelle complexe »[2], elle n'a rien d'universel. Le regard de l'historien, notre regard, mon propre regard, n'échappent pas à ce relativisme. Et la façon même dont j'aborde ce sujet, par le choix du titre, les questions que je me pose et la sélection des images, est en soi une démarche subjective. Si pour la période qui me concerne il est difficile d'aborder la couleur dans l'affectif du peintre, on peut tenter de discerner quelles sont sa perception et sa réception à un moment et dans un lieu donnés. Ceci est d'autant plus

---

[1] Docteur en Histoire, École Pratique des Hautes Études (ÉPHÉ). iotamarie@gmail.com.
[2] Michel PASTOUREAU, *Une histoire symbolique du Moyen Âge occidental,* Paris : Seuil, 2004, p. 113.

parlant quand il s'agit de mettre en couleur un corps mauvais. Tenter de cerner quelle est la couleur du mal, celle qui est attribuée à la représentation d'un corps péjoratif, et quelle est la façon dont cette couleur est traitée techniquement sur la surface du parchemin, peuvent donner des indices sur la manière dont une couleur est pensée, perçue et vécue au sein d'un atelier, pour un manuscrit donné.

Prenons par exemple la figuration de Job, au folio 1v d'un *Moralia in Job* d'origine champenoise[3], ouvrage exécuté probablement dans le diocèse de Langres et datant du premier quart du XIIe siècle. Dans ce manuscrit, le choix du vert et la manière irrégulière dont cette couleur est posée sur la surface du parchemin pour peindre l'étoffe qui couvre le corps ulcéré et dévêtu de Job malade ne sont pas anodins. Le vert n'est pas une couleur isolée dans cette image, c'est la couleur du manteau des personnages, celle de la majesté divine. La couleur n'est pas portée seule, mais avec une autre nuance, très délavée et abîmée, et dont on ne peut voir aujourd'hui qu'un pâle lavis jaunâtre. Mais dans le cas de Job, le vert est posé directement sur la peau nue du malade. Aucune autre couleur ne l'accompagne. On retrouve aussi ce vert à même le corps sur la peau nue et malade d'une autre figuration de Job, au folio 5v d'un *Moralia in Job* flamand[4], un manuscrit du milieu du XIIe siècle, ainsi que sur le corps dévêtu du lépreux, au folio 97v de l'*Évangéliaire d'Otton III*[5], manuscrit germanique datant de la fin du Xe siècle. Le vert apparaîtrait comme une couleur ambivalente, et figuré seul, il aurait une place centrale dans la représentation du corps dévalorisé[6].

---

[3] Paris, BnF, Latin 15307.

[4] Paris, BnF, Latin 15675, *cf.* J. DURAND, *Recherches sur l'iconographie de Job, des origines de l'art chrétien au XIIIe siècle,* Thèse de l'École des Chartes, Paris, 1981, vol. I, p. 224 et vol. II, p. 134-135.

[5] Munich, Bayerische Staatsbibliothek, Clm. 4453, *cf.* Marie ASCHEHOUG-CLAUTEAUX, « Étude des rapports entre la couleur et le corps dans l'image médiévale : l'*Évangéliaire d'Otton III* (fin Xe siècle) », *Revista de História da Arte (Université de Lisbonne),* 1, 2011, p. 41-49 (http://revistadehistoria-daarte.wordpress.com/) ; Dominique ALIBERT, « Approche de l'iconographie politique autour de l'An mille », in *Gerberto d'Aurillac, da Abate di Bobbio a Papa dell'Anno 1000,* ed. Flavio Nuvolone, *Archivum Bobiense Studia* IV, Bobbio : Assoc. culturale Amici di Archivum, 2001, p. 701-725 ; Dr. Fridolin DRESSLER et Dr. Florentine MÜTHERICH, *Das Evangeliar Ottos III.,* Francfort / Main : Fischer, 1978 ; Éric PALAZZO, « Ottonien (art.) », in André VAUCHEZ (dir.), *Dictionnaire encyclopédique du Moyen Âge,* Paris : Cerf, vol. 2, p. 1129 ; Henry MAYR-HARTING, *Enluminure d'un livre ottonien : étude historique,* Londres, Édition Harvey Miller, 2 Volumes, 1991 ; Michel PASTOUREAU, *Couleurs, Images, Symboles,* Paris : Le Léopard d'Or, 1989.

[6] Tout au long du XIe siècle, le vert devient plus présent dans la représentation iconographique. Même si, comme toutes les couleurs, le vert est ambivalent, voire ambigu, il est connoté désormais plus positivement qu'avant. Dès le début du XIIe siècle, le vert est une couleur valorisée, mais cette promotion est plus discrète que celle que connaît le bleu au même moment (au point qu'on a pu parler de « révolution bleue »). Pour certains auteurs médiévaux, le vert est une belle couleur car c'est celle qu'on retrouve dans les prés, les bois, les jardins, une couleur perçue ainsi comme paisible. C'est aussi la couleur de la jeunesse, de l'amour et de l'espérance. Au XIIe siècle, le vert est considéré comme une couleur « moyenne » dans le vêtement liturgique, notamment dans le diocèse de Rome, dont on a gardé un témoignage intéressant écrit vers 1195 par le futur pape Innocent III, alors qu'il n'est encore que le cardinal Lothaire de Segni : le vert est ainsi réservé aux jours ordinaires et placé entre le blanc (fête de Pâques et de Noël), le noir (Vendredi Saint et jours de deuil) et le rouge

Figures 1 et 2. Paris, BnF, Latin 15675, Grégoire le Grand, *Moralia in Job* flamand, fol. 5v. *Maladie de Job* (détail) (© Marianne Besseyre)

Figure 3. Munich, Bayerische Staatsbibliothek Clm. 4453, *Évangéliaire d'Otton III*, fol. 97v, *Guérison d'un lépreux*

(Pentecôte, fêtes des apôtres et de la Croix). *Cf.* M. PASTOUREAU, *Vert. Histoire d'une couleur,* Paris : Seuil, 2013, p. 40-56.

La conservation des couleurs et les questions d'éclairage

Toute étude sur la couleur quelle qu'elle soit, doit tenir compte de deux éléments concernant plus particulièrement les images peintes : la conservation des couleurs et l'éclairage.

Quels sont les problèmes de conservation liés à l'image, et particulièrement à l'image en couleur, auxquels est confronté le chercheur ? La couleur qu'on observe aujourd'hui est une couleur modifiée par le temps, les accidents et les diverses manipulations des hommes. Cette action du temps sur l'image est à elle seule un document d'histoire. C'est le fruit de l'altération progressive des pigments et des interférences successives des hommes pour restaurer, toucher, utiliser l'image. En aucun cas, aussi bien conservées soient-elles, nous n'avons affaire à des couleurs dans leur état et leur éclat d'origine. Cela est d'autant plus vrai pour les nuances du corps, celles de la peau en particulier, qu'on observe aujourd'hui comme étant généralement claires ou délavées. Mais l'ont-elles toujours été ainsi à l'origine ? Dans l'*Apocalypse de Saint-Sever*[7], manuscrit français datant de la seconde moitié du XIe siècle, l'Ange de l'Abîme, Abaddôn, est une créature terrifiante avec une peau bleu très pâle[8]. Cette nuance contraste non seulement avec le rouge de ses yeux mais aussi avec le bleu saturé de son vêtement. Mais en regardant de plus près cette image, on remarque que la couleur posée sur la peau est très abîmée. Elle est plus visible et plus saturée sur certaines parties du corps, comme le bas de la jambe, et elle forme des sortes de « stries » qui donnent à la peau un aspect irrégulier. L'écart visuel entre la peau bleue pâle et le vêtement bleu saturé était-il si important à l'époque de la réalisation de ce manuscrit ?

Les conditions d'éclairage actuelles, et l'historien Michel Pastoureau n'a de cesse de le rappeler, sont très différentes de celles du Moyen Âge[9]. Selon la source de lumière, le mois de l'année et le moment de la journée, les nuances et la texture d'une même couleur observée ne sont pas tout à fait les mêmes. Cela rend difficile leur identification dans l'image, leur nomination sur un nuancier et enfin leur analyse. L'expérience vécue, visuelle et sensorielle, n'est pas non plus la même. Quand on observe ou qu'on peint une couleur auprès d'une fenêtre, à la lumière naturelle, un matin de juin ou une après-midi de novembre, ou à la lumière changeante d'une bougie, on n'a pas le même ressenti visuel ni matériel que celui que donne l'éclairage électrique d'une lampe, d'un écran d'ordinateur ou d'un grand écran de projection. L'éclairage électrique écrase les irrégularités de la surface peinte et la couleur n'est plus qu'une matière uniforme, inerte. Avec

---

[7] Paris, BnF, Latin 8878, François AVRIL, « Quelques considérations sur l'exécution matérielle des enluminures de l'Apocalypse de Saint-Sever », in *Actas del Simposio para el estudio de los codices del Comentario al Apocalipsis de Beato de Liebana*, Madrid : Ediciones Joyas bibliograficas, 1978, p. 263-271 ; Manuel CANDELARIO CASTILLA, *El Beato de Saint-Sever : Comentarios y ciclo de imagenes* (volume de commentaires accompagnant le fac-similé du manuscrit conservé à la Bibliothèque Nationale, le Latin 8878), Madrid : Ediciones Club Bibliófilo Versol, 2010.

[8] Folio 145v.

[9] Tous ces questionnements sont présentés dans l'ouvrage de M. PASTOUREAU, *Une histoire symbolique ... (op. cit. supra* note 2), p. 114.

une bougie par contre, la couleur semble bouger sur la surface irrégulière du parchemin, comme si elle était vivante.

Ayant passé mon enfance en Amazonie vénézuélienne, sans électricité, je suis très sensible à ces questions du rapport de la couleur à la lumière. J'ai appris à écrire, à lire et surtout à dessiner à la lumière des bougies. La nuit tombe vite en Amazonie. Et les soirées sont longues. Après le dîner, on veillait longtemps autour de l'unique table familiale, éclairée par une ou deux bougies. Et je dessinais. À la lueur de la flamme, l'espace lumineux se rétrécit autour de soi, on est seul face à son dessin et ses couleurs. Seul face à son imaginaire. Cela a beaucoup marqué mon rapport à la lumière, à la couleur et à l'image. Et aujourd'hui, j'aime imaginer ce que cela devait être comme expérience pour les artistes d'un manuscrit comme le *Beatus de Ferdinand Ier et de Doña Sancha*[10], ouvrage espagnol datant du milieu du XIe siècle, le fait de mettre en couleur cette terrifiante personnification de l'Enfer du folio 135, énorme créature nue et griffue, et dont la peau est d'un noir tirant vers le gris bleuté. Cela devait être très angoissant de voir le corps sombre et velu de cette créature danser et se débattre sous le pinceau à la lumière instable d'une bougie ! Et que dire si un coup de vent venait soudainement éteindre tout sur son passage et qu'on se retrouvait dans l'obscurité seul face à une créature aussi diabolique et inachevée ?[11]

Tenir humblement compte de la lumière et de l'état de conservation de l'image, être conscient qu'aujourd'hui nous ne voyons pas les couleurs telles qu'elles avaient été peintes à l'origine, permet de rester prudents dans l'analyse et aide à éviter le plus possible les interprétations anachroniques. Cela force aussi à garder le questionnement ouvert à de nouvelles pistes de recherche. L'interprétation historienne de la couleur doit demeurer lucide et prudente.

Le contexte iconographique

Aujourd'hui, il est de plus en plus difficile pour le chercheur d'accéder aux sources originales. La vulgarisation des images numériques, ce qui est louable et pratique pour le développement du savoir, surtout quand on n'a pas la possibilité d'être sur place, est pourtant un frein pour la consultation directe de l'image dans son manuscrit d'origine. Derrière l'écran d'ordinateur, l'image numérique et, par elle, la couleur, se dématérialisent et sortent de leur contexte. Ne pas avoir accès à ce document d'origine complexifie et peut fragiliser l'analyse chromatique. Par exemple,

---

[10] Madrid, Biblioteca Nacional, Vitr.14-2, *cf.* Mireille MENTRÉ, « Espace et couleur dans les *Beatus* du Xe siècle », *Cahiers de Saint-Michel-de-Cuxà*, 14, 1983, p. 1-18 ; *EAD.*, « Le problème de la couleur dans la peinture mozarabe », *Bulletin de la Société Nationale des Antiquaires de France*, 1985, p. 60-66 ; Joaquín YARZA LUACES, *Beato de Liébana : Manuscritos iluminados*, Barcelona : M. Moleiro Editor, 2005.
[11] Je pense ici aussi à l'expérience réalisée devant les peintures rupestres de Lascaux à la lumière d'une torche. Cela permet de comprendre ce que signifiait de peindre de telles surfaces murales à la seule lumière mouvante d'une torche : l'espace visuel pour dessiner est non seulement très restreint, mais la lumière donne vie aux figures sur le mur !

la notion de saturation et celle de contraste chromatiques, la texture de la couche peinte pouvant révéler l'usage d'un pigment en particulier, sont des éléments clés pour appréhender comment l'homme médiéval pense les couleurs. Ces notions impliquent une lecture de l'image non seulement horizontale, mais aussi en relief et en profondeur. Elles ne se comprennent que lorsqu'on a en face des yeux le manuscrit original, là où on peut voir de près la couleur posée sur la surface du parchemin.

S'il est si important de garder un contact avec le document original c'est parce que la couleur n'est jamais seule, elle s'observe, s'identifie et s'interprète en fonction des autres couleurs et des autres éléments iconographiques de l'image et du cycle illustré. La couleur est avant tout un contexte et, de ce fait, elle ne peut pas se comprendre sans le support iconographique qui la met en scène. Selon Michel Pastoureau, la couleur « ne prend son sens, elle ne "fonctionne" pleinement, du point de vue social, artistique et symbolique, que pour autant qu'elle est associée ou opposée à une ou plusieurs autres couleurs »[12]. L'historien n'a de cesse de souligner le besoin de donner la priorité au document de base, là où la couleur prend source, avant d'aller plus loin dans l'analyse chromatique. « Avant tout codage extrapictural, la couleur est d'abord codée de l'intérieur, par et pour un document donné »[13], rappelle-t-il. La couleur du corps en général, celle du corps pris en mauvaise part en particulier, fait donc partie d'un tout. Qui s'y intéresse, ne doit jamais perdre de vue le contexte iconographique et vestimentaire dans lequel ce corps est représenté. Le choix de la couleur de la peau d'un personnage peut rappeler d'une manière ou d'une autre la couleur du vêtement porté par ce même personnage ou par son entourage.

Ambivalente, la couleur peut à la fois signifier une chose et son contraire en fonction de la place qu'elle occupe dans l'image. De cette manière, dans le *Beatus de Ferdinand Ier*, au folio 187, le diable et les damnés sont représentés dans un espace clos, liquide et ardent de couleur gris clair. Satan, de très grande taille, a une peau noire saturée, cernée d'un contour rouge. D'un côté, cette nuance foncée et saturée contraste avec la peau très claire des damnés et le fond grisâtre du liquide infernal, et d'un autre côté elle rappelle l'habit noir saturé de la représentation divine mise en majesté sur la partie supérieure de l'image. Dans les Tentations du Christ, au folio 32v de l'*Évangéliaire d'Otton III,* Satan est peint dans un camaïeu de marron grisâtre, beige grisâtre et noir. Le nu du diable est intéressant car sans être vêtu, son corps n'est pas totalement nu. L'étoffe marron clair, dont la nuance est proche de celle de la peau, cache une partie du corps tout en découvrant l'autre partie. Chez lui tout n'est qu'ambivalence. La couleur sombre de la peau du diable, beige grisâtre, le noir de ses cheveux hirsutes, l'ambivalence vestimentaire, contrastent avec la couleur de la peau de Jésus, beige clair, ses cheveux marron et coiffés et son corps entièrement vêtu. Cela souligne l'écart visuel et symbolique qui sépare les deux figures. Un peu plus loin dans ce même manuscrit, dans la scène du Baiser de Judas, au folio 244v, il est intéressant de constater comment la représentation de Jésus et de

---

[12] M. PASTOUREAU, *Vert ... (op. cit. supra* note 6), p. 7.
[13] M. PASTOUREAU, *Une histoire symbolique ... (op. cit. supra* note 2), p. 117-118.

Judas forment un « couple chromatique » qui souligne l'ambiguïté du baiser. Ils portent tous les deux des tuniques claires, pourtant celle de Jésus est blanc grisâtre tandis que celle de Judas est jaune. Leurs manteaux, d'une couleur plus sombre, sont rouge violacé pour le premier et marron jaunâtre pour le second. Le contraste des couleurs vestimentaires entre les deux personnages est faible mais très subtil. Le corps de Judas épouse parfaitement celui de Jésus mais grâce à la couleur il ne s'y confond pas. Par la couleur, l'artiste semble traduire la profonde complexité du geste de Judas, à la fois traître et acteur central dans l'accomplissement des Écritures[14]. Cela contribue à mettre en lumière toute l'ambiguïté et la tension dramatique de la scène[15].

Quand on s'intéresse à la gamme chromatique du mal, il ne faut pas oublier les autres couleurs dans l'image et qu'une « mauvaise » couleur n'existe que parce qu'il y en a une « bonne ». Une couleur n'est perçue comme mauvaise, comme dévalorisée ou dévalorisante que parce qu'elle est confrontée à une autre couleur qui, elle, est bonne et valorisée.

Le nuancier du mal

Peut-on établir un nuancier particulier pour la représentation du mal dans l'image ? Dans ma méthode de travail, pour toute approche et compréhension de la couleur dans une image, dans un manuscrit ou dans un ensemble de documents peints, la constitution d'un nuancier est une étape importante. Je suis consciente que cette approche est personnelle, subjective et contextuelle. Lorsqu'on regarde et qu'on cherche à identifier une couleur, chacun apporte avec lui, consciemment ou non, sa propre histoire personnelle qui a façonné sa manière d'appréhender la couleur. Précédemment j'ai raconté comment mon enfance au Venezuela, sans électricité, avait façonné mon rapport à la couleur. Toutefois, si mon regard et l'histoire qu'il véhicule, si la lumière et ses variations, si le travail du temps compliquent la perception et l'identification de la couleur, ils ne les faussent pas. Une couleur perçue à la lumière naturelle ou vieille de plusieurs centaines d'années n'est pas « plus vraie » que celle discernée à la lumière d'une lampe électrique ou peinte la veille. Peut-être que la couleur sera plus lumineuse, plus belle, peut-être même plus facile à identifier, mais elle ne sera pas plus authentique. Car la couleur est plus que la perception, que la simple notion de coloration, elle est aussi, et surtout une idée[16].

---

[14] Lire les textes évangéliques : *Matthieu*, 26, 54 et 56 ; *Marc*, 14, 49 et *Jean*, 18, 8-10.
[15] *Cf. Matthieu*, 26, 48-49 ; *Marc*, 14, 44-45 ; *Luc*, 22, 48. *Jean* (18, 2 et 5) ne mentionne pas de baiser, il y est seulement écrit, à deux reprises : « Or Judas, qui le livrait [...] ».
[16] Je renvoie ici à l'excellent chapitre sur la couleur et les non-voyants dans le récent ouvrage de M. Pastoureau, et notamment à cet extrait : « Que des non-voyants de naissance puissent parfaitement "parler couleurs" avec des voyants invite à s'interroger sur ce que sont vraiment les couleurs. [...] Avant d'être des lumières ou des matières, avant d'être des sensations ou des perceptions, les couleurs sont des catégories mentales, des sortes de cases préconçues, prêtes à être activées, remplies, mises en œuvre, pensées, nommées, classées, sémantisées, organisées, hiérarchisées. Les voir contribue à une partie de ce remplissage et de cette mise en œuvre, mais une partie seulement », M. PASTOUREAU, *Une couleur ne vient jamais seule. Journal chromatique (2012-2016)*, Paris : Seuil, 2017, p. 36-37.

Le nuancier est à l'image ce qu'un champ lexical est au texte, il donne une indication très visuelle des tendances chromatiques dans un ensemble d'images, pour un manuscrit ou une thématique donné, ici pour la représentation du corps mauvais. Il apporte aussi des informations sur les caractéristiques de certaines couleurs, sur la manière dont elles sont utilisées, si elles sont posées en aplat, sans effets d'ombres et de lumières ou, au contraire, si elles se déclinent en de nombreuses nuances. Si percevoir la couleur et ensuite l'identifier est à la fois difficile et relatif, nommer cette même couleur l'est tout autant. Afin que l'attribution d'un nom aux différentes nuances que j'ai relevées dans mes manuscrits concernant les corps pris en mauvaise part puisse être accessible et compréhensible, j'ai privilégié l'emploi d'un vocabulaire simple, quelque fois ennuyeux, mais sans lequel la lecture de cette palette serait illisible.

	Beige grisâtre			Bleu clair pâle
	Rouge clair			Bleu clair
	Rouge moyen			Gris moyen
	Marron grisâtre			Gris verdâtre
	Marron moyen			Gris bleuté
	Marron rougeâtre			Noir grisâtre
	Marron foncé			Noir bleuté
	Vert clair			Noir

Figure 4. Le nuancier du mal : le corps péjoratif

Au regard du nuancier du mal que j'ai établi en fonction des 43 manuscrits qui composent actuellement mon corpus d'images, 7 couleurs différentes (beige, rouge, marron, vert, bleu, gris et noir), déclinées en seize nuances (beige grisâtre, rouge clair et rouge moyen, marron grisâtre, marron moyen, marron rougeâtre, marron foncé, vert clair, bleu clair pâle, bleu clair, gris moyen, gris verdâtre, gris bleuté, noir grisâtre, noir bleuté et noir saturé) composent le nuancier utilisé pour peindre les personnages négatifs. En un coup d'œil on voit que la gamme des marrons et des gris pour représenter le corps du mal est très riche, alors que celle du rouge l'est très peu. En cela, la figure du diable de l'*Évangéliaire d'Otton III*, folio 32v, est significative : à lui seul, le corps de Satan est peint dans un camaïeu de marron et de noir mettant en avant l'aspect plus foncé de ce corps par rapport à celui des autres personnages de la scène, dont celui nu du Christ baptisé, beaucoup plus clair. Dans l'*Apocalypse de Saint-Sever,* le diable est peint dans un nuancier sombre et subtil allant du bleu pâle au noir saturé en passant par les marrons et les gris.

Figure 5. Munich, Bayerische Staatsbibliothek Clm. 4453, *Évangéliaire d'Otton III*,
fol. 32v, *Baptême et Tentations du Christ*

Le nuancier permet aussi de saisir les absences chromatiques. Pas de blanc ni d'or pour le mal. Toutefois il faut tenir compte d'une chose : le nuancier est un outil, mais il ne se substitue pas à l'analyse chromatique du document de base. Il met en lumière des couleurs et des nuances de couleurs, mais il ne donne pas d'indications visuelles de la place et de la part que ces couleurs ont dans l'image. Par exemple, on trouve dans le nuancier énoncé précédemment un rouge moyen saturé aux côtés des nuances de marron et de gris. Or concrètement, dans l'image ce rouge ne touche qu'une part infime du corps péjoratif représenté : dans le cadre de mon corpus iconographique, ce rouge corporel ne concerne que les yeux terribles de l'Ange de l'Abîme, Abaddôn, au folio 145v de l'*Apocalypse de Saint-Sever…*

La peau, une couleur « naturelle » ?

Quels sont les « astuces » techniques et les choix chromatiques dont dispose le peintre pour représenter un corps mauvais et signaler une peau négative ? Ma démarche est loin d'être exhaustive et elle manque de travaux d'historiens la concernant[17]. Dans le manuscrit médiéval, la mise en couleur

---

[17] Je me permets de renvoyer ici à ma thèse de doctorat : Marie CLAUTEAUX, *Les couleurs du corps. Étude des rapports entre la couleur et le corps nu et vêtu dans le manuscrit enluminé (X^e-XIIe siècle),* sous la direction de Michel PASTOUREAU, École Pratique des Hautes Études (E.P.H.E.), Paris, 21 Décembre 2012. Un livre, tiré de cette thèse, sur les couleurs du corps dans l'iconographie médiévale sera bientôt publié aux Éditions du Léopard d'Or.

de la peau des personnages est le résultat d'un travail délicat de la part de l'artiste, un travail de mise en couleur dont l'identification, la définition et l'interprétation se révèlent complexes pour le chercheur. Ceci est d'autant plus vrai lorsqu'il s'agit de mettre en couleur une peau péjorative. Traiter de la couleur de la peau d'un corps pris en mauvaise part suppose de comprendre ce qu'est perçu comme étant une « bonne » et / ou « naturelle » couleur de peau dans la pensée médiévale et de se demander si cela a une incidence dans la représentation du corps. Si pour nous, aujourd'hui en Occident la notion de couleur « naturelle » peut sembler évidente à définir et à identifier, cela n'est pas aussi facile à discerner dans l'iconographie médiévale [18]. Lorsqu'un artiste veut mettre en couleur la peau d'un personnage, cherche-t-il vraiment à s'approcher le plus de la carnation de la peau humaine ? Ce questionnement n'est-il pas plutôt anachronique ?

Les images montrent combien la recherche d'une couleur proche de la carnation « naturelle » ne semble pas être le principal élément pris en compte pour représenter la peau des personnages, encore moins ceux qui sont pris en mauvaise part. Il n'existe donc pas une couleur, mais plusieurs nuances de couleurs tant la surface qu'occupe la peau dans une image est porteuse d'enjeux différents. Je pense ici au Satan de *l'Évangéliaire d'Otton III,* dont le corps apparaît comme l'antithèse de celui du Christ baptisé, au folio 32 v. : l'un est de petite taille, dévêtu, ambivalent et sombre, l'autre, plus clair, est intégralement nu. Malgré la nudité de ces deux corps, l'une intégrale et l'autre partielle, malgré leur rapprochement dans l'image, les trois scènes des Tentations du Christ suivent celle du Baptême, la visibilité du récit iconographique est parfaite. Je pense aussi à la représentation des deux soldats autour de la Croix du Christ au folio 52 des *Péricopes d'Henri II* [19], manuscrit réalisé vers 1007-1012 à l'abbaye allemande de Reichenau : l'un est de trois-quarts, l'autre est de profil, l'un est totalement vêtu d'une tunique blanc bleuté, d'un manteau marron rougeâtre foncé, de chausses rouges et de bottines blanches, l'autre est pieds nus et simplement habillé d'une tunique courte grise lui découvrant les jambes, l'un a la peau beige jaunâtre et les cheveux bruns, l'autre l'a d'une nuance plus sombre, beige tirant vers le marron clair, et les cheveux noirs. Le corps mauvais ne doit pas se confondre avec les autres corps dans l'image. Il ne doit pas y avoir de malentendu, il faut qu'il se voie, qu'on puisse le reconnaître, pour mieux l'exclure.

---

[18] Même si je m'éloigne ici de mon propos, il est intéressant de remarquer comment aujourd'hui l'idée de « couleur naturelle » est une notion complexe et culturelle. Par rapport à cette notion en vogue, certaines grandes marques de cosmétiques mettent en avant des gammes de couleurs dites *nudes,* issues de matières naturelles, biologiques, minérales souvent, dont les nuances rappellent les couleurs du corps et sont posées ton sur ton. L'expression même de maquillage *nude* apparaît ici comme un paradoxe, car c'est un maquillage qui ne se voit pas, ne doit pas se voir. Comment l'idée de « maquillage », qui relève de tout ce qui est artifice, peut-elle être associée à celle de naturel, authentique et non teint ? Aujourd'hui, la couleur dite et pensée comme étant « vraie », « militante » car écologique, est la couleur naturelle, celle qui est la plus proche de la carnation de la peau. Comme si la véritable couleur était, finalement, le non teint…

[19] Munich, Bayerische Staatsbibliothek, Clm. 4452, *cf.* Ingo WALTHER, Codices *illustrés : Les plus beaux manuscrits enluminés du monde (400-1600),* Paris : Taschen, 2001, p. 122-125.

Dans l'*Évangéliaire d'Otton III,* Satan, dont j'ai déjà parlé, n'est pas le seul à avoir une couleur de peau plus sombre que celle des autres personnages. Le lépreux et Lazare ressuscité l'ont aussi. La figure du lépreux, au folio 97v, est un support iconographique intéressant pour mettre en lumière les différents enjeux de la couleur de la peau. Figurer une peau malade n'est pas un travail sans conséquences. Il faut que celle-ci se remarque et, pour cela, les artistes utilisent tous les moyens techniques, iconographiques et chromatiques pour y parvenir. Le lépreux, peint le corps courbé, une corne attachée en bandoulière autour de son torse, est revêtu d'une étoffe vert clair dont le tissu semble tomber d'un moment à un autre et découvrir ainsi une partie d'une peau marron semée de taches sombres marron foncé. Tâchée et plus foncée que les autres peaux des personnages qui l'entourent, la peau du lépreux se voit davantage. Je pense au folio 6 inachevé du *Moralia in Job* flamand qui représente Job et ses amis[20]. Dans cette scène, restée au seul stade du dessin, il est intéressant de noter comment la peau malade de Job est le premier (et le seul !) élément de l'image à avoir été traité chromatiquement. On ne voit qu'elle ! Le lépreux est donc un personnage remarqué, qui fait du bruit grâce à sa corne et que, de ce fait, on tient à l'écart. Mais la figure du lépreux est-elle aussi négative que cela ? Dans les Évangiles, le lépreux, exclu par la société, bénéficie du geste guérisseur de Jésus. La couleur de sa peau n'a pas le même degré de saturation ni la même nuance que celle de Satan et la façon dont le corps du malade est dévêtu n'est pas la même que celui de Satan, la nudité n'est pas exprimée de la même manière. La figuration de Lazare, au folio 231v, est intéressante car elle tend à exprimer la pâleur du mort plus qu'à représenter un corps purement péjoratif.

Figure 6. Munich, Bayerische Staatsbibliothek Clm. 4453, *Évangéliaire d'Otton III,*
fol. 231v, *Résurrection de Lazare*

---

[20] Paris, BNF, Latin 15675, Grégoire le Grand, *Moralia in Job flamand,* folio 6.

C'est comme si le gris, associé ici au vert, exprimait le mieux l'idée de mort. De ce fait, la couleur du visage de Lazare rappelle celle de la peau beige verdâtre du vieillard indigent se réchauffant auprès d'un feu, au folio 17 v. On peut retrouver cette même nuance verdâtre sur la peau du Christ dans les *Péricopes d'Henri II,* dans la scène de la Descente de Croix, au folio 53, ou encore sur la peau des morts ressuscités, au folio 82. La couleur de Lazare n'est pas de la même nuance que celle du lépreux ni encore moins que celle de Satan, elle établirait ici un rapprochement entre la vieillesse et la mort.

Dans l'*Apocalypse de Saint-Sever,* la gamme chromatique du mal est très vaste et travaillée. Le corps nu de Satan se prête à une iconographie riche, soignée, anatomiquement et chromatiquement. Est-ce une façon d'exprimer l'aspect changeant du diable ? Si la peau des personnages qui sont pris en bonne part varie entre les nuances de blanc et de beige, la couleur de la peau des personnages diaboliques va du bleu clair très pâle au noir profond, en passant par le bleu grisâtre, marron moyen grisâtre et marron foncé. Satan, enchaîné en enfer, au folio 159, est représenté sous des traits anthropomorphes. Son corps nu est d'un bleu grisâtre, plus sombre que la peau beige clair des damnés. La nuance bleutée et délavée de la peau du diable, figuré sur la partie inférieure de l'image, contraste avec la tunique bleue saturée du Christ, sur la partie supérieure de l'image. Ces deux bleus, l'un délavé et l'autre saturé, ne sont pas porteurs des mêmes enjeux symboliques. Plus loin, au folio 193v, Satan est représenté vaincu aux côtés de la Bête et du Dragon. Son apparence ambivalente tire plutôt vers le côté bestial, et la couleur de sa peau nue est très foncée, d'un marron presque noir, très difficile à visualiser dans l'image tant la nuance du fond, d'un bleu très foncé, et de la figure sont proches. Enfin, au folio 206v, Satan, énorme et bestiale créature brûlant en enfer la gueule et les yeux grands ouverts, a un corps noir saturé, un noir qui contraste avec le rouge saturé du feu infernal et le corps nu et blanc de l'un des faux prophètes brûlant à ses côtés. Dans ce manuscrit il est intéressant de voir comment les nuances de la peau du diable varient en fonction des différentes apparences qu'il revêt allant de la représentation la plus anthropomorphe, de couleur claire et délavée, à la plus bestiale, de couleur sombre et saturée.

La représentation de Job et de Satan, au folio 5v du *Moralia in Job* flamand, mettant en scène deux nudités distinctes correspondant à deux types de peaux dévalorisées, mises en couleur et marquées différemment, pourrait résumer à elle seule tout le questionnement sur la couleur du mal. D'un côté, Job malade, partiellement nu, à la peau claire, couleur parchemin, et tâchée de points rouges et d'un autre côté, Satan, d'une nudité intégrale, bestiale, à la peau sombre, couleur bleu grisâtre, velue et rayée ; ce sont deux peaux traitées différemment. Comme je l'ai déjà signalé précédemment, Job n'est pas Satan, et sa peau, aussi dévalorisée soit elle, n'est pas diabolique. Comme le lépreux des Évangiles, Job bénéficiera de l'indulgence divine.

Dessiner le diable…

Dans ma recherche, dessiner fait partie de ma méthode de travail. Le croquis est un outil supplémentaire pour enrichir mon observation. En aucun cas il ne peut remplacer une analyse poussée du document. Mais au même titre que l'observation et les annotations de couleurs, le croquis est pour moi un outil privilégié. Au regard du grand nombre de documents iconographiques, réaliser un croquis est l'une des manières les plus efficaces pour se souvenir durablement d'un détail, d'une couleur, d'une image. Le fait de prendre le temps de s'arrêter sur une image, de l'observer, de la redessiner et enfin de la peindre aide à mémoriser les détails, à mieux en saisir le sens, à mieux comprendre humblement, ne serait-ce que très imparfaitement et de manière totalement subjective, la gestuelle de l'artiste et ce qu'auraient pu être ses intentions. C'est souvent en réalisant un croquis dans mon carnet que je remarque certains détails qui m'avaient totalement échappé dans un premier temps. Je pense ici au *Missel de Worms*[21] manuscrit probablement réalisé dans le diocèse allemand de Worms vers la deuxième moitié du Xe siècle et dont l'état de conservation de la couleur m'avait frappée. Sur le coin inférieur de l'une des peintures, une partie de la couleur jaune du fond s'était effacée, laissant visible un lavis jaunâtre. Ayant déjà expérimenté cela quand je peins, je me suis donc demandé si cette altération du fond jaune n'était pas due à la manière de travailler de l'artiste : les endroits où la peinture avait le mieux tenu pouvaient être ceux où le pinceau, trempé de couleur, avait été posé en premier. Le croquis a le mérite d'expérimenter, de vivre d'une certaine manière la couleur, de tenter de mieux comprendre en se mettant « à la place de »…

Figure 7. *Évangéliaire d'Echternach*, fol. 78 croquis M. Aschehoug-Clauteaux

---

[21] Paris, BnF, Arsenal, ms. 610, *cf. Catalogue des Manuscrits de la Bibliothèque de l'Arsenal*, Tome I (n°1-663), ed. Henry Martin et Frantz Funck-Brentano, Paris : Plon, 1885, p. 459-460 ; Léopold DELISLE, *Mémoires sur d'anciens sacramentaires*, Paris : Imprimerie nationale, 1886, p. 173, notice L ; Abbé Victor LEROQUAIS, *Les sacramentaires et les missels manuscrits des bibliothèques nationales de France*, Paris : à compte d'auteur, Tome 1, 1924, p. 62-63.

Il y aurait beaucoup de choses à dire sur la représentation du corps dans la mise en scène de la parabole du mauvais riche et du pauvre Lazare, au folio 78 de l'*Évangéliaire d'Echternach*[22], ouvrage réalisé à l'abbaye d'Echternach entre 1030 et 1050. C'est une image riche et complexe, c'est pourquoi, pour faciliter son analyse, j'ai réalisé un croquis permettant ainsi de mettre en lumière ses éléments clés. Le feuillet peint est composé de six scènes distribuées sur trois registres. Visuellement, on est face à quatre types de nudité correspondants à quatre représentations du corps. Ces différentes nudités sont-elles traitées chromatiquement et iconographiquement de la même manière ? Au registre supérieur, le pauvre Lazare est accroupi devant la porte du mauvais riche, le corps nu. Sa peau est beige jaunâtre, marquée de taches plus sombres de couleur marron. Au registre central, Lazare mort est allongé à même le sol, le corps entièrement nu. C'est une mort dépouillée dans tous les sens du terme, physiquement et symboliquement. Sa peau est d'une nuance différente, d'un beige verdâtre, de la même couleur que son âme, une petite figurine nue emportée délicatement dans un linge par des anges pour rejoindre les âmes des Justes et se poser contre le sein d'Abraham. L'âme change de nuance et de dimensions une fois au paradis et retrouve la même couleur de peau, beige jaunâtre, que celle de Lazare vivant. La couleur accompagne le changement d'état du corps, vivant à mort, et l'évolution de l'âme qui sort du corps sans vie pour aller au paradis, dans l'éternité, comme si elle retrouvait une nouvelle corporéité[23]. Enfin au registre inférieur, le mauvais riche meurt allongé sur un lit, son corps est entièrement vêtu et sa peau est de couleur blanc verdâtre. Son âme condamnée est attrapée à bras le corps et emportée par des démons noirs. Arrivant en enfer, l'âme du riche a changé de couleur, beige jaunâtre, et de dimensions, paraissant ainsi peser lourdement sur l'épaule du démon de couleur marron qui l'amène en enfer. Satan, le corps nu et marron foncé enchaîné d'un lien vert, et ses créatures sombres, noires et marron, attendent l'âme du mauvais riche. La couleur sombre et saturée du corps de Satan et des démons contraste avec la couleur claire des damnés et le rouge orangé des flammes de l'enfer. Satan et ses créatures sont un espace sombre dans l'image, un espace qui s'oppose à la couleur claire des âmes et de l'habit d'Abraham au paradis. Dans ce feuillet il y a une sorte de gradation de la couleur de la peau des personnages, allant du plus clair, blanc, puis blanc jaunâtre et blanc verdâtre, à la couleur la plus sombre, marron foncé et noir saturé. Cette gradation de la couleur de la peau se fait l'écho d'enjeux d'ordre religieux, social et moral. La couleur joue parfaitement son rôle de *langage symbolique*.

Inverser le système chromatique

Dans l'image médiévale entre les Xe et les XIIe siècles, les artistes s'efforcent de représenter le corps des mauvais de manière à ce qu'il soit

---

[22] Nuremberg, Germanisches Nationalmuseum, Hs.2°156142, *cf.* Ingo WALTHER, *Codices illustrés ... op. cit.* (*supra* note 18), p. 128-130.
[23] Lire Jérôme BASCHET, « Vision béatifique et représentation du paradis (XIe-XVe siècle) », *Micrologus*, 6, 1998, p. 73-93.

remarqué. Pour cela, ils usent de moyens diversifiés : la nudité du corps et le jeu de dévêtement, la gestuelle des personnages, son degré de pilosité, par exemple, en sont quelques uns, la couleur, ou devrais-je dire les couleurs, en sont d'autres. Si le corps pris en bonne part est généralement vêtu et a une peau peinte dans les tons clairs, blancs ou beiges, quelquefois verdâtres, le corps mauvais est multiforme et il possède un nuancier chromatique beaucoup plus riche se déclinant en de nombreuses nuances sombres.

De manière générale dans l'image, le système chromatique du corps suit une dynamique allant de la couleur la plus claire ou délavée, celle de la peau, quelque fois n'étant autre chose que le fond de parchemin laissé à nu, à la couleur la plus foncée ou saturée, celle du vêtement le plus extérieur, généralement le manteau des personnages, en passant par une couleur intermédiaire, celle de la tunique qui demeure souvent dans les tons clairs mais saturés. Mais que, dans l'image, cette dynamique chromatique vienne à être perturbée, pose question et n'est jamais anodin. Il en est ainsi avec la représentation de certains corps péjoratifs. J'aimerais donc conclure cette analyse avec la représentation du diable au folio 55v du *Missel de Worms*[24], manuscrit allemand du début du Xe siècle. Le diable est vêtu d'un long habit marron foncé et sa peau est de couleur bleue saturée. Le Christ, assis au-dessus de lui, a une peau claire, d'un beige clair, et il est vêtu d'une tunique blanche et d'un manteau bleu moyen saturé. La couleur de la peau du diable et du manteau du Christ se font parfaitement écho tout en établissant une sorte de chiasme chromatique : là où la couleur devait être claire, la peau, est plus sombre, et inversement.

Figures 8 et 9. Paris, BnF, Arsenal, Ms. 610, *Missel de Worms*, fol. 55v, *Le Christ terrassant le démon* (© Marie Aschehoug-Clauteaux)

---

[24] Paris, BnF, Arsenal, ms. 610, *cf. Catalogue op. cit. supra* note 20, p. 459-460. L. DELISLE, *op. cit. supra* note 20, p. 173, notice L. Abbé Victor LEROQUAIS, *op. cit. supra* note 20.

Par la représentation du corps, l'essentiel est de mettre en lumière un élément en particulier pour faire passer un message. Et quand il s'agit de figurer un corps mauvais cela se fait en marquant la différence. Le choix d'une nuance de peau plus sombre, plus foncée, perturbe notre lecture habituelle de l'image. Le fait que la peau soit bien plus foncée que le vêtement casse la dynamique des couleurs jusqu'à parfois arriver à inverser totalement le système chromatique du corps : la couleur la plus claire et délavée n'est plus celle de la peau nue, ou celle qui est le plus près de la peau. Et c'est parce que la peau sombre casse cette architecture chromatique du corps qui va du plus clair et du plus intime au plus foncé et plus externe, qu'elle est remarquée, qu'elle dérange et qu'elle est exclue. Penser la couleur c'est apprendre son langage.

Les couleurs du corps malade
dans la peinture espagnole du Siècle d'Or

Cristina MARINAS[1]

Le corps malade est très présent dans la peinture espagnole des XVIe et XVIIe siècles ; le corps pathologique est le corps meurtri, mutilé des saints et des martyrs, le corps affaibli des malades et des vieillards, celui des mourants et des infirmes, celui des pauvres et des indigents... C'est dans l'iconographie religieuse qu'abondent les représentations de corps souffrants, moribonds, les images de cadavres et de corps corrompus.

Mais qu'en est-il de la couleur, de la mise en couleur de ces corps ? Peut-on parler d'un usage de la couleur pour figurer la maladie, d'une « symptomatologie picturale qui donnerait à voir les signes cliniques des états pathologiques »[2] ? L'interprétation naturaliste des tableaux relève de notre regard moderne, et a donné lieu à bien des lectures médicales, qui souvent ne tiennent pas compte du contexte technique — état matériel des toiles, des pigments... —, idéologique et historique des œuvres : tel est le cas par exemple des saints et chevaliers tolédans peints par le Gréco et dont les figures pâles et décharnées sont associées depuis le XIXe siècle à diverses pathologies (folie, asthénie, dépression)[3].

Les couleurs varient avec le temps, noircissent ou se fanent ; notre perception des couleurs est aussi subjective qu'ambiguë, et nous ignorons celles des peintres et leurs publics dans l'Espagne du Siècle d'Or[4].

---

[1] Maître de conférences en histoire de l'art espagnol, École Polytechnique / UPEC (IMAGER EA 3958).

[2] Florence CHANTOURY-LACOMBE, *Peindre les maux. Arts visuels et pathologie. XIVe-XVIIe siècles*, Paris : Hermann, 2010, p. 22.

[3] En 1956, Gregorio Marañón, médecin et historien espagnol, publie une étude où il s'efforce d'expliquer par le recours au discours médical la composition formelle et le chromatisme des toiles du Gréco, en particulier la pâleur de ses figures décharnées, qu'il interprète comme les symptômes d'une asthénie liée à la dépression et à la folie : le peintre aurait pris pour modèles les fous de l'Hospital del Nuncio de Tolède : Gregorio MARAÑÓN, *El Greco y Toledo*, Madrid : Espasa-Calpe, 1956 (nouvelle édition, Barcelona : RBA Libros S.A., 2014). La vision du Gréco comme peintre fou et peintre de corps pathologiques est présente dans les premières études sur le peintre publiées en France au XIXe siècle ; ainsi Louis Viardot écrivait, à propos du *Martyre de Saint Maurice* peint par le Gréco pour le roi Philippe II d'Espagne : « Dans le *Saint Maurice*, le Gréco adopta ce dessin fantastique, ce coloris grisâtre, pâle, blafard, qui font de ses personnages autant d'ombres et de revenants... enfin tout le parti pris d'une bizarrerie vraiment maladive et qui s'étendait jusqu'à la forme de ses cadres, allongés hors de toute proportion. », Louis VIARDOT, *Les Musées d'Espagne. Guide et mémento de l'artiste et du voyageur, Suivis de Notices biographiques sur les principaux peintres de l'Espagne*, 3e édition, très augmentée, Paris : Hachette, 1860, p. 261-263).

[4] « Velázquez's viewers possessed categories of perception now lost to us, and we combine documentary and technical evidence in an effort to rebuild those categories [...] it is clear that the perception of reality is always historically determined. », Gridley MCKIM-SMITH, Greta

313

Dans cette communication je présenterai quelques peintures qui mettent en scène des corps pathologiques et j'analyserai le rendu des carnations en prenant appui sur les écrits théoriques des artistes, et sur les définitions des couleurs dans l'Espagne du XVIIe siècle.

C'est dans la représentation de la chair humaine par le coloris, que les peintres vont évoquer (ou pas) les maladies. La couleur du corps est celle de la chair, et pas encore celle de la peau, qui n'apparaît dans le discours artistique qu'au XVIIIe siècle[5], quand la médecine séméiotique cherche à déchiffrer sur la peau les maladies. La chair est la substance vivante du corps, et c'est en Italie, à Venise, dans les œuvres du Titien, que la peinture de la chair atteint cette vérité tant recherchée, celle de la *mimésis* de la nature : « Il semble que cette jambe soit de véritable chair et non de peinture [...] je crois que dans ce corps Titien a employé de la chair pour des couleurs »[6]. Couleur et vie sont associées depuis la Renaissance à la représentation picturale de la peau humaine. La peinture des carnations est soumise à une stricte codification que les artistes appliquent avec peu de variations, jusqu'au XVIIIe siècle : la représentation de la chair humaine par le coloris de la peinture dépend de l'âge, du sexe, de la fonction ou classe sociale, des mouvements des humeurs, des affects et des émotions. Dans l'Espagne du Siècle d'Or, le coloris (*colorido* en espagnol) est associé au naturalisme optique, et désigne également l'ensemble des teintes utilisées par les peintres (les différentes teintes des rouge, bleu, jaune...)[7]. Les principaux théoriciens espagnols du Siècle d'Or, les peintres Vicente Carducho[8], Francisco Pacheco[9], Antonio Palomino[10], ne traitent pas les couleurs du corps malade, tout au plus mentionnent-ils les différentes teintes de la peau provoquées par le dérèglement des humeurs. Ils sont redevables de la littérature artistique antérieure (les écrits de C. Cennini, G.P. Lomazzo, L. Dolce, Leonardo, Alberti, F. Zuccaro, G. Vasari, Michel-Ange, A. Dürer, C. van Mander), mais proposent des conseils techniques très précis, souvent absents de leurs modèles italiens, germaniques ou flamands, en particulier sur la préparation des supports, la fabrication des couleurs, l'emploi des pigments[11]. Ils prennent part aux différents débats artistiques de l'époque, défendent la primauté de la Peinture sur la Sculpture, celle du dessin sur le

ANDERSEN-BERGDOLL et Richard NEWMAN, *Examining Velázquez*, New Haven : Yale University Press, 1988, p. 63).

[5] Mechthild FEND, *Fleshing out surfaces. Skin in French art and Medicine, 1650-1850*, Manchester : University Press, 2017, p. 43.

[6] Ludovico Dolce, *Dialogo della Pittura intitolatto l'Aretino*, Venise, 1557 (cité par Jacqueline LICHTENSTEIN, *La couleur éloquente. Rhétorique et peinture à l'âge classique*, Paris : Flammarion / Champs, 1989, p. 229-231).

[7] Gr. MCKIM-SMITH, Gr. ANDERSEN-BERGDOLL et R. NEWMAN, *op. cit.* (*supra* note 4), p. 57.

[8] Vicente Carducho, *Diálogos de la pintura*, 1633, ed. Francisco Calvo Serraller, Madrid : Turner, 1979. Né à Florence, vers 1576, il mourut à Madrid en 1638.

[9] Francisco Pacheco, *Arte de la pintura*, 1649, ed. Bonaventura Bassegoda i Hugas, Madrid : Cátedra, 1990.

[10] Asciclo Antonio Palomino y Velasco, *El museo pictórico y escala óptica*, 1715-1724. Cet ouvrage comprend 3 volumes : *La teórica de la pintura* (1715), *La práctica de la pintura* (1724), *El Parnaso español pintoresco y laureado* (1724), Madrid : Aguilar, 1988.

[11] Zahira VELIZ, *Artist's techniques in Golden Age Spain. Six treatrises in translation*, Cambridge : University Press, 1986.

coloris. Pour Francisco Pacheco, le coloris est composé de trois parties :
« beauté, suavité, relief »[12]. Mais il affirme aussi : « La principale difficulté
du coloris réside dans l'imitation des chairs et la variété des couleurs et la
suavité de celles-ci »[13]. Pacheco maître et gendre de Velázquez, recommande pour le rendu des carnations la variété des teintes :

> « Il est nécessaire de varier les chairs, de faire celles des
> enfants et des jeunes hommes plus fraîches que celles des vieillards,
> de joindre ce qui est tendre et charnu à ce qui est sec et ridé, ce qui
> donne une merveilleuse consonance [...] Mais il convient d'être
> attentif aux couleurs des chairs et à la suavité, car beaucoup font des
> chairs qui semblent faites de jaspe, qui ont la couleur et la dureté du
> jaspe, et les ombres sont tellement crues que souvent elles deviennent
> complètement noires. Quelques-uns les font trop blanches, d'autres
> trop rouges ; moi, j'aimerais que la couleur soit un peu châtain clair[14],
> et j'écarterais de mes peintures les joues allumées et les lèvres de
> corail, parce qu'elles peuvent ressembler à des masques [...] Il est vrai
> qu'on doit varier les couleurs selon l'âge et le sexe, car une couleur
> convient à une jeune fille, une autre à une vieille femme, une autre à
> un vieillard, et la couleur du travailleur ne convient pas à celle d'un
> délicat gentilhomme »[15].

Les teintes sont nuancées aussi par les effets d'éclairage, et les
contrastes des différentes tonalités produisent les effets esthétiques
recherchés. Les couleurs de la santé, celles des belles carnations, sont
obtenues à partir d'un mélange de trois pigments : le carmin, le vermillon, et
le blanc de plomb[16], que les peintres appellent « fraîcheurs » (*frescores*)

---

[12] Francisco Pacheco, *Arte de la pintura*, Libro I, cap. IX, « Del colorido y sus partes », p. 396
(*op. cit. supra* note 9) : « Hicimos división del colorido en tres partes: hermosura, suavidad y
relievo [...] ».
[13] Francisco Pacheco, *Ibid.*, p. 400 : « La principal dificultad del colorido está en la imitación
de las carnes y consiste en la variedad de las tintas y en la suavidad y morbideza de ellas ». B.
Bassegoda note que ce passage est une traduction de plusieurs fragments du traité de Ludovico
Dolce, *Dialogo della pittura*, Venise, 1557.
[14] Pour décrire les teintes des belles carnations, Pacheco emploie ici le mot *trigueño* (couleur
du blé), qui est utilisé en général en espagnol pour la couleur des cheveux, et qui correspond
au français « châtain clair ».
[15] Francisco Pacheco, *Ibid.*, p. 398-399 : « También se han de variar las carnes, haciendo los
niños y mancebos más frescos que los viejos, juntando lo tierno y lo carnoso con lo seco y
arrugado, que hace una maravillosa consonancia [...] Mas conviene atender siempre a las tintas
principalmente de las carnes y a la suavidad, porque muchos hacen algunas que parecen de
jaspe así en el color como en la dureza y las sombras son tan crudas que las mas de las veces
acaban en puro negro. Otros las hacen demasiado blancas, otros demasiado rojas ; yo gustaría
que fuese el color algo trigueño y desterraría de mis pinturas las mejillas encendidas y los
labios de coral, porque tal vez parecen máscaras [...] Verdad es que las tintas se deben variar
considerando la edad y sexo, porque un color conviene a la doncella, otro a una mujer anciana,
otro al viejo, y no conviene al trabajador el que a un delicado gentil hombre ». B. Bassegoda
(*supra* note 9) note que ce texte de Pacheco est une traduction de G. Vasari, *Vite*, vol. I,
p. 179-181 (*Ibid.*, p. 398, note 7).
[16] Les pigments varient selon les peintres : « Pour le blanc, Pacheco recommande le blanc de
Venise lié avec une huile de noix ou de lin. Les relevés chez Velázquez donnent du blanc de
plomb et du carbonate de calcium [...] Cependant, pour les chairs, Velázquez suit la technique
recommandée par Pacheco : mélange de carmin, vermillon et blanc », Erik LÉVESQUE,
« Rendre la peinture vivante. La technique de la couleur de Pacheco à Velázquez », in *Les*

lorsqu'elles colorent les joues[17]. La peinture des carnations est aussi celle des tempéraments et des humeurs car « au moyen des couleurs nous connaissons le colérique, le flegmatique, le sanguin, et les affects causés par ces humeurs »[18]. Vicente Carducho évoque la maladie, sans la nommer, par des métaphores, et lui associe quelques couleurs : quand l'équilibre humoral est détruit, quand surviennent les « accidents » (changements des affects ou des humeurs), la belle couleur de la santé est modifiée :

> « L'homme est composé de corps et de matière, et la couleur
> fait partie de cette dernière, selon son tempérament et sa composition
> [...] les accidents modifient et changent cette couleur, selon la passion
> et le mouvement interne, ou mouvement extérieur, et la couleur
> s'enflamme, ou s'estompe, elle devient blanchâtre ou verdâtre, selon
> la nature de la cause, et de l'humeur, inquiétée par celle-ci ; colère,
> phlegme, sang, ou mélancolie »[19].

Il précise plus loin que : « l'homme bien conditionné d'humeurs et très sain doit avoir huit poids de sang, quatre de phlegme, deux de colère, et un de mélancolie »[20].

Antonio Palomino, un siècle plus tard, reprend la codification polychrome de la peau énoncée par Carducho et Pacheco, et la résume dans une belle formule : « Outre cette belle couleur dont il vient d'être question, il en est d'autres qui s'altèrent sous nos yeux : pâlies par l'effroi, rougies par la honte, bleuies sous le coup de la mort »[21]. Dans ce chapitre de son traité

---

couleurs dans l'Espagne du Siècle d'Or. Ecriture et symbolique, Yves GERMAIN et Araceli GUILLAUME (dir.), Paris : Presses Paris-Sorbonne, 2012, p. 364.

[17] Vicente Carducho, Diálogo 6, « Trata de las diferencias de modos de pintar, y si se puede olvidar, de las pretensiones que entre sí tienen la Pintura y la escultura : y si podrá conocer de Pintura el que no fuere pintor », op. cit. (supra note 8) p. 265 : « [...] el color de la mejilla que se hace con bermellón y carmín, que los coloristas llaman frescor »,

[18] Vicente Carducho, Diálogo 3, « De la definición y esencia de la Pintura, y sus diferencias », op. cit. (supra note 8), p. 159 ; F. Calvo Serraller signale que Carducho cite (et traduit) ici des extraits des traités de F. Zuccaro et de G. P. Lomazzo.

[19] Vicente Carducho, op. cit. (supra note 8), p. 159-160 : « El hombre consta de cuerpo y materia, y en ella vemos que está introducido el color según su temperamento y composición [...] los accidentes mudan y alteran aquel mismo color, según la pasión y moción interior, o movimiento exterior, encendiéndose o perdiéndose el color, ya blanquecino, y ya verdinegro, según la calidad de la causa, y del humor, inquietado por ella ; colera, flema, sangre o melancolía » ; F. Calvo Serraller note p. 160, note 460 de son édition que ce passage du Diálogo tercero de Carducho est inspiré de Giovanni Paolo Lomazzo, Trattato del arte della pittura, in Scritti sulle arti, ed. Roberto Paolo Ciardi, Florence : Marci e Bertolli, 2 vol., 1973-1974, T. II, Lib. II.

[20] Vicente Carducho, op. cit. (supra note 8), p. 397 : « [...] el hombre bien acondicionado de humores, i mui sano, ha de tener ocho pesos de sangre, quatro de flemma, dos de colera, y una de melancolia ».

[21] Antonio Palomino, Museo Pictórico y Escala Optica, t. II, Práctica de la pintura, Madrid : Viuda de Juan Garcia Infanzón, 1724, Libro quinto, capítulo V, « Cómo ha de comenzar a pintar el copiante, y los medios con que ha de facilitar el colorido », p. 42 : « Además de este colorido hermoso que hemos dicho, hay otros que se alteran, ya con la palidez de un susto, y ya con el sonroxo de la vergüenza, o ya con lo cárdeno de la muerte ». Le mot cárdeno a été traduit ici par « bleui » ; il désigne aussi les teintes violacées, mauves... (cf. Diccionario de autoridades, 1726-1739, T. II, 1729 : « Cárdeno / na : adj. El color morado : como el del lirio. Latin, Lividus, a, um »). L'entrée « cárdeno / na » du Diccionario de la lengua española, Madrid : Real Academia Española, 2014, précise que le mot vient du latin cardinus, der. de cardus (chardon), et signifie « color amoratado », comme la couleur des fleurs du chardon.

consacré aux techniques de la peinture, il recommande pour « l'effroi » l'emploi de l'orpiment[22] mélangé avec de l'ocre, avec peu ou pas de rouge, et juste un soupçon de carmin ; pour la « honte », de la terre rouge ou vermillon, et du carmin pour les teintes... et pour la « mort », du blanc et du noir de charbon... et : « là où il y avait des fraîcheurs, on utilisera le blanc et le noir qui produit une couleur violacée et mortifère très naturelle »[23]. Dans l'Espagne du Siècle d'Or, les noms des couleurs sont aussi les noms des pigments[24].

Les peintres représentent les pathologies diverses par la couleur mais en employant une palette chromatique limitée, celle préconisée dans la littérature artistique. Le teint des malades est blanc, jaune, sans couleur comme celui des morts (*descolorido*). La maladie est suggérée, et les aspects physiologiques sont occultés et remplacés par les gestes curatifs ; la représentation du corps souffrant doit susciter la piété et la dévotion des fidèles, en respectant les conventions de la bienséance ou du décorum. Dans le traitement des carnations, les peintres espagnols du XVIe et du XVIIe siècle s'efforcent de distinguer le corps malade du corps sain ; mais c'est une distinction souvent subtile et limitée par l'idéalisation des symptômes voulue par les règles de la convenance (l'humanité des personnages sacrés ne peut être représentée comme celle du commun des mortels). Voici deux exemples de cette distinction tempérée d'idéalisation : le premier, un tableau peint par Fernando del Rincón vers 1500 et qui représente deux des miracles attribués aux *saints Côme et Damien* : le miracle de la greffe miraculeuse de la jambe prélevée sur le corps d'un Maure (ou Ethiopien) au profit du sacristain de l'église romaine qui leur était dédiée, et le miracle du paysan endormi dans la bouche duquel s'est glissé un serpent[25]. Les deux guérisons ont lieu pendant le sommeil des malades (le sommeil réparateur des Grecs ou

---

[22] Pour la couleur jaune, les peintres utilisaient des « jaunes à base d'oxyde de fer et de jaune de Naples » mais aussi « *le jalde*, un jaune toxique à base de souffre à préparer avec l'huile de lin [...] et un pigment antique, l'orpiment fait à partir d'arsenic de plomb », Erik LÉVESQUE, *op. cit.* (*supra* note 16) p. 364.

[23] A. Palomino, *op. cit.* (*supra* note 10), p. 42 : « En el primero usará del génuli, y del ocre para mezclar en las tintas, con poco o ningún rojo, sino una puntica de carmín. En el segundo usará de la tierra roja, o bermellón, y carmín en las tintas, añadiéndoles, a proporción, más o menos, según lo pidiere la parte. Y en el tercero, usará lo más blanco y sombra, rebajando con ella misma y el negro de carbón en las tintas oscuras: y en donde había de haber frescores, usará del blanco, y negro, que hace un color cárdeno y mortífero muy natural ».

[24] Gr. MCKIM-SMITH, Gr. ANDERSEN-BERGDOLL et R. NEWMAN, *op. cit.* (*supra* note 4), p. 97. Voici la liste des couleurs (pigments) proposées par Antonio Palomino (*op. cit.* (*supra* note 10), t. II, *Práctica de la pintura*, Libro V, cap. IV, « Los colores para el olio », p. 52-53) pour la peinture à l'huile : « Los antiguos griegos, con solas cuatro colores, que nos dice Plinio, blanco, amarillo, roxo y negro, hicieron aquellas obras inmortales [...]. Mas dejando ahora estas antiguallas y el punto filosófico de los colores, sobre si son cuatro, como dicen unos o son siete, como quieren otros ; y que estos son como los principios elementales, de que se forman los demás, considerados materialmente como en la Pintura los usamos hoy, son los precisos y usuales: albayalde, bermellón, génuli, ocre claro, y oscuro, tierra roxa, sombra de Venecia, carmín fino, y ordinario, ancorca de Flandes, verdacho, tierra verde, y verde montaña, negro de hueso, negro de carbón, u de humo, añil o índico, y esmalte... ».

[25] Fernando del Rincón (Guadalajara ? Documenté entre 1491 et 1522/1525), *Miracles des saints médecins Côme et Damien*, huile sur bois, 188 x 155 cm, Madrid, Museo Nacional del Prado.

incubatio). La jambe gangrenée (ou cancéreuse, selon certaines interprétations) du sacristain alité a été amputée et placée dans le corps de l'Ethiopien (traduction en espagnol du *Mauri* ou *Æthiops* de la version latine du texte de Jacques de Voragine dans la *Légende dorée*)[26]. Une restauration récente du tableau a permis de constater que les plaies sur la jambe étaient plus nombreuses et marquées... sans doute pour souligner la gravité de la maladie et le pouvoir guérisseur des deux saints[27]. Les teintes de la peau du malade amputé sont plus claires, jaunâtres, que celle des médecins, ou celle du paysan endormi, sans doute plus proche de la guérison. Le deuxième exemple, *Naissance de la Vierge*, exécuté par Luis de Morales vers 1562-1567, représente Sainte Anne après son accouchement[28] ; une jeune fille lui offre un bol de bouillon et l'aide à se redresser dans son lit[29]. Le geste de douleur de l'accouchée relève d'un réalisme peu acceptable à l'époque pour les saints, qui « ne sont pas soumis aux lois de la faiblesse et fragilité humaines »[30] ; mais ce geste est tempéré par la fraîcheur du teint de l'accouchée... Les carnations du corps souffrant et affaibli de la mère de la Vierge sont semblables à celles des femmes qui l'accompagnent, les tonalités rosées, signe de beauté et de santé, étant même légèrement accentuées.

Au-delà de cette distinction idéalisée des corps sains et des corps malades, les peintres utilisent parfois une palette chromatique plus précise : ces couleurs sont le jaune, le blanc (ou absence de couleur, *descolorido*), le gris / bleu / violacé...

Le jaune est la couleur de la maladie, dans les textes et la peinture du Siècle d'Or espagnol : le dictionnaire de Sebastián de Covarrubias la définit en ces termes : « Jaune. Parmi les couleurs, elle passe pour être la plus malheureuse, car c'est la couleur de la mort et de la longue et dangereuse

---

[26] Jacques de Voragine, *La Légende dorée, Vie de Côme et de Damien*, ed. dir. Alain Boureau, Paris : Gallimard, « Bibliothèque de la Pléiade », 2004.

[27] Irene GONZÁLEZ HERNANDO, « El milagro de los santos Cosme y Damián, de Fernando del Rincón », Conferencia, Museo Nacional del Prado, 2017, https://youtube.be/4GcD3hL3wQA.

[28] Luis de Morales (Badajoz, vers 1510-11 - Alcántara ? 1586), *Naissance de la Vierge*, huile sur bois, 69 x 93 cm, Madrid, Museo Nacional del Prado.

[29] Pour une étude récente de ce tableau voir Elena CENALMOR BRUQUETAS, « El Nacimiento de la Virgen » in *El Divino Morales,* ed. Leticia RUIZ GOMEZ, Madrid : Museo Nacional del Prado, 2015, p. 60-64.

[30] Juan Interián de Ayala, *El pintor christiano y erudito, o tratado de los errores que suelen cometerse frecuentemente en pintar y esculpir las imágenes sagradas*, Madrid : Ibarra, 1782, t. I, I, VII, 4 (édition numérisée de la Biblioteca Virtual Miguel de Cervantes, 2001, http://www.cervantesvirtual.com/nd/ark:/59851/bmcv69d9). Interián de Ayala écrit, à propos de plusieurs peintures représentant la naissance du Christ : « Algunos representaron el sobreparto de la santísima virgen de un modo enteramente vulgar, y como que la soberana señora estaba sujeta a las leyes de la humana debilidad y flaqueza...La pintura es de este modo: vése echada en la cama la Santísima Virgen, enferma y pálida por los dolores del parto: dánle alguna bebida las comadres que le asisten ; y otras cosas de este temor, que en ningún modo pueden tolerar los corazones católicos ».

maladie, et la couleur des amoureux »[31]. Le personnage de Don Quichotte a le teint jaune et le mot « jaune » est employé souvent par Cervantes pour décrire son héros[32]. Ce jaune est polysémique, puisqu'il colore aussi le corps des morts, des amoureux, et des tempéraments mélancoliques [33] ; les peintres emploient différentes nuances de jaune pour les carnations des corps malades, les couleurs des pigments varient en fonction de l'état de conservation des tableaux et des personnages représentés.

Beaucoup sont des images de pauvres et d'infirmes, porteurs de diverses maladies, et dont le teint jaunâtre ou foncé renvoie à leur état dans la société (le teint clair est réservé aux nobles, aux princes, aux figures divines). Les pauvres sont des personnages nécessaires dans l'art religieux de l'époque, ils sont proches du Christ et servent à transmettre avec efficacité la valeur fondamentale des actes de charité pour le salut éternel. Ces toiles mettent en scène les pauvres, atteints de diverses pathologies et infirmités, et protagonistes d'un récit biblique ou hagiographique illustrant les sept œuvres de la Miséricorde, comme les tableaux peints par Bartolomé Estebán Murillo pour l'église de l'Hôpital de la Charité à Séville. Cet hôpital pour pauvres avait été fondé par la Confrérie de la Charité, sous l'impulsion de l'un de ses membres et principal bienfaiteur, Miguel de Mañara. Murillo, lui même membre de la Confrérie, exécute, entre 1667 et 1670, huit toiles représentant les sept œuvres de la Miséricorde : Moïse et le rocher d'Horeb (« donner à boire à ceux qui ont soif »), le Miracle des pains et des poissons (« donner à manger à ceux qui ont faim »)[34], le Retour de l'enfant prodige (« vêtir ceux qui sont nus »)[35], Abraham et les Trois Anges (« accueillir les pèlerins »)[36], la Libération de Saint Pierre (« visiter les prisonniers »)[37] ; trois de ces peintures évoquent le soin des malades : *Saint Jean de Dieu portant un malade* [38], *Sainte Élisabeth de Hongrie soignant les malades*[39], et *La guérison*

---

[31] Sebastián de Covarrubias, *Tesoro de la lengua castellana o española*, Madrid : Luis Sanchez, 1611 : « Amarillo. Entre los colores se tiene por la mas infelice, por ser la de la muerte, y de la larga y peligrosa enfermedad y la color de los enamorados. ».

[32] Miguel de Cervantes, *Don Quijote de la Mancha* (1605-1615), ed. Francisco Rico, Barcelone : Instituto Cervantes / Crítica, 1998, I, 37, p. 436 : « viendo su rostro de media legua de andadura, seco y amarillo... » ; II, 7, p. 678 : « flaco, amarillo, los ojos hundidos en los últimos camaranchones del cerebro » ; II, 16, p. 753 « ... ni la amarillez de mi rostro, ni mi atenuada flaqueza os podrá admirar que aquí en adelante, habiendo ya sabido quién soy y la profesión que hago.», cité par Fernando COPELLO et Inés RADA, « Corps grossier / corps policé à travers le filtre du Don Quichotte », in *Le corps dans la société espagnole des XVIᵉ-XVIIᵉ siècles,* dir. Augustin REDONDO, Paris : Publications de la Sorbonne, 1990, p. 324 : « Cette couleur de teint propre à notre hidalgo est sentie à l'époque comme un signe de mauvaise santé voire de maladie mentale ». Pour d'autres auteurs, le Quichotte a le tempérament colérique (bile jaune ou colère) : M. de Cervantes, *op. cit.*, p. 36-37, note 15.

[33] Vicente Carducho, *op. cit. (supra* note 8), *Diálogo* 7, p. 142, « De las acciones y afectos por accidentes [...] la melancolía... el color pálido y amarillo ».

[34] Hospital de la Caridad, Sevilla.

[35] National Gallery of Art, Washington.

[36] National Gallery, Ottawa.

[37] Musée de l'Ermitage, Leningrad.

[38] Hospital de la Caridad, Sevilla.

[39] Bartolomé Estebán Murillo (Seville, 1617-1682), *Sainte Elisabeth de Hongrie soignant les malades*, 1667-1670, huile sur toile, 325 x 245 cm, Séville, église Saint Georges, Hospital de la Caridad.

du paralytique (*Christ et la piscine probatique*) [40]. La sainte, traditionnellement associée au soin des lépreux, a été peinte ici par Murillo dans un contexte sévillan[41] : elle lave plusieurs enfants teigneux ; dans le coin gauche, au premier plan, un homme blessé défait ses bandages et montre ses plaies. La nudité des malades « symbolise l'état de vertu et la pureté du pauvre »[42], mais permet aussi d'évoquer les pathologies : les carnations des enfants teigneux et celles de l'homme qui gît sur le bord du tableau portent les marques et blessures de la maladie. Les figures de blessés et de paralytiques sont souvent placées par le peintre au premier plan de la composition, comme dans la *Guérison à la piscine de Bethesda* ou cette autre toile réalisée vers 1668 pour l'église des Capucins de Séville, *Saint Thomas de Villanueva donnant l'aumône*[43] ; ici l'enfant et le mendiant accroupi rassemblent sur leurs corps pâles la lumière qui éclaire la toile. Chez Murillo, la maladie est évoquée plutôt par les oppositions de tons et les effets d'éclairage que par le coloris de la chair humaine préconisée pour la figuration des pathologies (jaune ou « sans couleur », *descolorido).

D'autres artistes préfèrent des représentations respectueuses des conventions chromatiques : par exemple Vicente Carducho dans ces deux peintures qui faisaient partie du cycle de 54 toiles sur la Vie de Saint Bruno et l'Ordre des Chartreux exécuté pour la Chartreuse du Paular[44], entre 1626 et 1632 : la *Fontaine miraculeuse de la tombe de Saint Bruno*[45] et le *Père Bernard priant à la Chartreuse de Portes*[46]. Dans ces deux tableaux, les malades portent sur leur peau les marques de leur infirmité ; dans le premier, ils sont disposés autour de la tombe du saint dans une grande variété formelle et colorée : femmes, enfant, vieillards, boiteux, et carnations contrastées des uns et des autres. L'homme au bonnet rouge exhibe une plaie ensanglantée, derrière lui un malade agenouillé a le teint livide...[47]. Comme

---

[40] Bartolomé Esteban Murillo, *Guérison du paralytique à la piscine probatique de Béthesda,* 1667-1670, huile sur toile, 237 x 261 cm, Londres, National Gallery.

[41] Jonathan BROWN, *Imágenes e ideas en la pintura española del siglo XVII*, Madrid : Alianza, 1980, p. 202 : « Al igual que el hospital para leprosos que fundara Santa Isabel, la enfermería de la Caridad se especializaba en casos incurables ». J. Brown ajoute, en citant la Règle de la Confrérie : « La curación ha de ser paliativa, como limpiarles las llagas que son incurables o otras semejantes ».

[42] Peter CHERRY, « La dura realidad de la vida: pobres, marginados y el naturalismo español », *Los pintores de lo real*, Fundación Amigos del Museo del Prado, Madrid, 2008, p. 171-172 : « En Murillo, el cuerpo desnudo y sufriente de Cristo se refleja en la corporeidad de los pobres, considerados como miembros del cuerpo de Cristo ».

[43] Bartolomé Esteban Murillo, *Saint Thomas de Villanueva donnant l'aumône*, vers 1668, huile sut toile, 283 x 188 cm, Séville, Museo de Bellas Artes.

[44] Leticia RUIZ GOMEZ, « La recuperación de la serie cartujana de El Paular », in *La recuperación de El Paular*, ed. Museo Nacional del Prado, Madrid : Ministerio de Educación, Cultura y Deporte, 2013, p. 185-201.

[45] Vicente Carducho, *La fontaine miraculeuse de la tombe de saint Bruno*, 1626-1632, huile sur toile, 337 x 297 cm, Madrid, Museo Nacional del Prado.

[46] Vicente Carducho, *Le père Bernard priant à la Chartreuse de Portes*, 1632, huile sur toile, 336 x 298 cm, Madrid, Museo Nacional del Prado.

[47] María Cruz de CARLOS VARONA, « Vicente Carducho en El Paular y la elaboración de un imaginario cartujano », in *La recuperación... op. cit.* (*supra* note 44) p. 211. « En el caso de Bernardo de Portes, Carducho muestra su sepultura como si fuera una de las muchas que en su tiempo podían verse en iglesias de cualquier ciudad católica como Roma o Madrid: el velo

Vicente Carducho, le peintre tolédan Luis Tristán (1585-1624) représente le corps malade selon les codifications établies dans *La tournée du pain et de l'œuf*, peinte vers 1624 : le teint jaune du moribond s'oppose aux carnations colorées des autres malades (vieillard à droite, et femme dans la chaise à porteur, au fond) et des prêtres qui les assistent[48].

Peu de toiles évoquent les grandes épidémies de peste du XVIIe siècle, en particulier celle qui décima en 1649-50 la moitié de la population de Séville : *l'Allégorie de la peste*, peinte par Pedro Atanasio Bocanegra (1635-1689) vers 1684 est en cela exceptionnelle[49], même si le peintre a repris certains éléments de l'œuvre antérieure de Nicolas Poussin[50], *La peste d'Ashod* (1630) : de cette dernière André Félibien écrivait :

> « M. Poussin représentait ses figures avec des actions plus ou moins fortes et des couleurs plus ou moins vives selon le sujet qu'il traitait [...] Lorsqu'il a représenté un sujet triste et lugubre, comme son tableau qu'on appelle la Peste [...] toutes les couleurs sont éteintes, et à demi effacées, la lumière faible, et les mouvements de ses figures lents et abattus... »[51].

Ce jugement pourrait également s'appliquer à la toile de Bocanegra : la mort et celle que l'on appelait la « cruelle et honteuse maladie »[52], sont évoquées par les carnations jaunâtres, les couleurs « éteintes » des corps placés sur le premier plan de la toile. Les peintres s'intéressent plus à la figuration idéalisée de la maladie qu'à ses marques physiologiques ; les nombreuses représentations de *Saint Roch*, pestiféré et guérisseur, témoignent de cette occultation picturale. Le saint relève sa tunique, et montre sa cuisse où le bubon pesteux est suggéré par une tache de peinture[53],

---

que la cubre se ha descubierto y a su alrededor se disponen los enfermos que esperan recibir la gracia de los poderes milagrosos del cuerpo del santo o los exvotos presentados por éstos: lámparas de plata u otros más humildes, como figuras de cera, visibles en la pared izquierda. Es una escena muy similar a la que contemplamos en la primera parte del ciclo, en el cuadro n°27, que muestra el licor milagroso que manaba de la tumba de san Bruno ».

[48] Luis Tristán (Tolède ? 1580-85 - Tolède 1624), *La tournée du pain et de l'œuf* (*La ronda de pan y huevo*), vers 1624, huile sur toile, 130 x 169 cm, Tolède, Museo de la Santa Cruz. La toile représente trois des principales œuvres de charité accomplies par la Confrérie du Saint Refuge de Tolède, qui avait été créé à Madrid, en 1615, pour soigner les malades et les mendiants en leur offrant du pain et des œufs (Maria del Carmen IGLESIAS CANO, *El mundo que vivió Cervantes*, Madrid : Sociedad Estatal de Conmemoraciones culturales, 2005, p. 189, et cat. n°328, p. 515. Voir aussi *Guía del Museo de Santa Cruz*, Toledo, 2010).

[49] Pedro Atanasio Bocanegra (Grenade, 1635-1689), *Allégorie de la peste*, vers 1684, huile sur toile, 134 x 126 cm, Castres, Musée Goya.

[50] Nicolas Poussin (Villers, Les Andelys, 1594 - Rome, 1665), *Peste d'Ashod / Les Philistins frappés par la peste*, 1630, huile sur toile, 148 x 198 cm, Paris, Musée du Louvre.

[51] André Félibien, *Conférences de l'Académie Royale de Peinture et de Sculpture pendant l'année 1667*, Paris, 1668, *Préface*, p. 53.

[52] Voir plus haut la définition de S. Covarrubias et André Félibien, *Entretiens sur les vies et sur les ouvrages des plus excellents peintres anciens et modernes*, Paris, 1690, t. 2, p. 323-324 : « Le Poussin y a peint de quelle sorte Dieu affligea les Philistins d'une cruelle et honteuse maladie, pour avoir enlevé l'arche des Israélites et l'avoir mise dans la ville d'Azot ».

[53] Florence CHANTOURY-LACOMBE, « La tache suspectée de Saint Roch. Invention d'une iconographie de la défiance », in *Coloris Corpus*, Jean-Pierre ALBERT, Bernard ANDRIEU, Pascal BLANCHARD, Gilles BOETSCH et Dominique CHÈVE (dir.), Paris : CNRS Editions, 2008, p. 215-216 : « Le motif du bubon prend un statut informel (aspect informe) en devenant une

couleur assombrie sur une carnation colorée, comme dans la toile peinte par José de Ribera [54] vers 1631 ou, représenté de façon plus explicite, comme dans le tableau[55] peint par Francisco Ribalta (1565-1628) entre 1600-1610.

Dans l'iconographie religieuse des XVIe et XVIIe siècles, le blanc est réservé aux corps des mourants, mais aussi des morts, en particulier des saints, de la Vierge, du Christ, corps pâles et sans couleurs, car « le mort n'a pas de couleur »[56]. La peau blanche est signe de pureté, elle est la marque de la pâleur ascétique, et aussi de la divinité ; Covarrubias la définit ainsi : « Blanc. Couleur ; signifie chasteté, pureté, joie. Il y a beaucoup de passages dans les Saintes Écritures où elle est ainsi employée, et que je ne cite pas, pour ne pas fatiguer le lecteur »[57]. Mais aussi, comme le rappelle Michel Pastoureau, le blanc est « le blanc de la matière indécise, celui des fantômes et des revenants qui viennent réclamer justice ou sépulture, l'écho du monde des morts [...]. Dès l'Antiquité romaine, les spectres et les apparitions sont décrits en blanc »[58]. Voici quelques exemples de ces mourants de condition divine : la *Mort de la Vierge,* peinte par Juan Correa de Vivar[59] (1510-1566) entre 1547-1552, ou la toile exécutée par Vicente Carducho pour la Chartreuse du Paular : *Mort du vénérable Odon de Novara*[60]. Les deux mourants sont alités, et la mort imminente est annoncée par la blancheur des visages et des mains[61].

Les corps des morts sont parfois gris ou grisâtres (selon notre perception contemporaine), et si nous nous référons au texte de Palomino cité plus haut, ils ont la couleur bleue ou violacée (*cardena*) « mortifère et très naturelle obtenue du mélange du blanc et du noir » ; cette teinte sombre

---

tache de couleur, un effet de peinture dans lequel nous observons une prépondérance des couleurs rouge et noir dans la figuration. Ces deux couleurs sont d'ailleurs dominantes dans la description de la peste. Les auteurs des nombreux traités médicaux mettent l'emphase sur la couleur noire des "charbons", terme utilisé pour désigner les bubons ».

[54] José de Ribera (Játiva, Valence, 1591- Naples, 1652), *Saint Roch*, vers 1631, huile sur toile, 213,4 x 144,5 cm, Madrid, Museo del Prado.

[55] Francisco Ribalta (Solsona, Lérida, 1565- Valence, 1628), *Saint Roch*, vers 1600-1610, huile sur bois, 124 x 60 cm, Valence, Museo de Bellas Artes.

[56] Cennino Cennini, *Il libro dell'arte*, 1396-1437, ch. CXLVIII, « La manière de peindre un homme mort, les chevelures, les barbes », ed. et trd. Colette Déroche, *Cennino Cennini, Le livre de l'art*, Paris : Berger-Levrault, 1991, p. 260-261 : « Et n'applique aucun ton rosé, car le mort n'a pas de couleur ».

[57] Sebastián de Covarrubias, *op. cit.* (*supra* note 31) : « Blanca. Color ; significa castidad, limpieza, alegría. Hay muchos lugares en la Escritura Sagrada de donde se colige, que por no cansar no lo refiero ».

[58] Michel PASTOUREAU et Dominique SIMONNET, *Le petit livre des couleurs*, Paris : Seuil, coll. Points Histoire, 2015 (1e ed. 2005), p. 55.

[59] Juan Correa de Vivar (Mascaraque, Tolède, vers 1510- Tolède, 1566), *Mort de la Vierge* (*Tránsito de la Virgen*), vers 1547-1552, Huile sur bois, 254 x 147 cm, Madrid, Museo Nacional del Prado.

[60] Vicente Carducho, *Mort du vénérable Odon de Novara*, 1632, huile sur toile, 337 x 299 cm, Madrid, Museo Nacional del Prado.

[61] Inocencio CARDIÑANOS BARDECI, « Precisiones acerca del Tránsito de la Virgen de Juan Correa de Vivar », *Boletín del Museo del Prado*, 26, 2006, p. 10 : « El rostro de la Virgen aparece rígido, a manera del frío mármol, acentuado por el blanco de las sábanas y almohadones, todo símbolo de la muerte ».

est utilisée par de nombreux peintres du Siècle d'Or de préférence pour la coloration des morts qui n'ont pas de caractère sacré, comme le seigneur d'Orgaz dans *l'Enterrement du Comte d'Orgaz* peint par le Gréco[62] entre 1586-1588.

On peut ajouter à cette palette des carnations « pathologiques » une dernière teinte, qui varie, selon les peintres, entre le beau coloris de la vie, le jaune de la maladie, et la pâleur grisâtre ou violacée de la mort : la couleur des corps qui sont entre la mort et la vie, ceux des miraculés et des ressuscités. Dans la *Vision d'Ézéquiel : la résurrection de la chair*[63] peinte par Francisco Collantes, la palette chromatique des carnations permet de distinguer les cadavres, les corps décomposés, les squelettes, les figures des ressuscités... seul le prophète a la coloration de la vie. De même, pour représenter la *résurrection de Lazare*, les artistes s'efforcent de représenter tout à la fois la mort et ses couleurs, et le retour à la vie d'un corps affaibli[64].

Lorsque les peintres espagnols du Siècle d'Or représentent les infirmités, les pathologies rares, ou encore les corps meurtris des martyrs de la foi, ils se servent de la couleur pour les détails anatomiques, et cherchent à rendre par la densité des pigments les nuances chromatiques et les qualités tactiles de la peau ; les teintes des carnations sont rarement celles utilisées pour les corps mourants ou affaiblis. Dans deux œuvres de José de Ribera (1591-1652) : Le *Portrait de Magdalena Ventura*[65] et le *Pied-Bot*[66], les personnages — la femme barbue avec son époux et son enfant — dans le premier, et le jeune mendiant souriant dans le deuxième, montrent leurs infirmités, l'hirsutisme pour l'une, le pied-bot (ou paralysé suite à une hémiplégie, selon une interprétation récente) pour l'autre, mais leur teint hâlé est celui des paysans. De même le *Saint-Barthélemy*, peint, vers 1612, par un jeune Ribera[67], qui porte dans ses mains le couteau de son supplice et sa peau d'écorché, respire la santé par les teintes orangées du visage et du crâne, par le regard menaçant, la fermeté du poing qui brandit l'arme... Parmi les nombreux martyrs de saint Barthélémy attribués à Ribera, celui du Museu Nacional d'Art de Catalunya[68] est probablement le plus saisissant : par son réalisme — la précise reproduction anatomique des muscles, du derme sanglant, du corps plissé du vieillard — mais aussi par la position du

---

[62] Domenicos Theotocopoulos, El Greco (Candie, 1541-Tolède, 1614), *Enterrement du comte d'Orgaz*, 1586-1588, huile sur toile, 4,80 x 3,60, Eglise de saint Thomé, Tolède.

[63] Francisco Collantes (Madrid ? vers 1599 - 1656) *Vision d'Ezéquiel : la résurrection de la chair*, huile sur toile, 177 x 205, vers 1630, Madrid, Museo Nacional del Prado.

[64] Voir, par exemple, José de Ribera, *La résurrection de Lazare*, vers 1616, huile sur toile, 171 x 289 cm, Madrid, Museo Nacional del Prado.

[65] José de Ribera, *Portrait de Magdalena Ventura*, vers 1631, huile sur toile, 196 x 127 cm, Tolède, Fundación Medinaceli (en dépôt à Madrid, Museo Nacional del Prado).

[66] José de Ribera, *Le pied-bot*, 1642, huile sur toile, 164 x 92 cm, Paris, Musée du Louvre.

[67] José de Ribera, *Saint Barthélémy*, vers 1612, huile sur toile, 126 x 97 cm, Florence, Fondazione di studi di Storia dell'Arte Roberto Longhi.

[68] José de Ribera, *Saint Barthélémy*, vers 1644, huile sur toile, 202 x 153 cm, Barcelone, Museu Nacional d'Art de Catalunya.

corps et le regard du supplicié, tourné vers le spectateur[69] ; ici, pas de distinction entre peau, chair et peinture.

Les peintres du Siècle d'Or utilisent une palette polychrome pour le rendu pictural des pathologies ; les couleurs varient selon les contextes des récits : corps malades, affaiblis, meurtris, des saints, des martyrs, des personnages sacrés, des pauvres, des infirmes et des moribonds. Les teintes des carnations sont celles prescrites dans les textes des théoriciens : blanc, jaune, bleu (*cardeno*) sans couleur... ou rouge... Notre regard contemporain ne les perçoit pas comme sans doute elles furent conçues ; et les nommer est tout aussi subjectif.

---

[69] Harald HENDRIX, « The Repulsive Body: Images of Torture in Seventeenth-Century Naples », in *Bodily Extremities. Preoccupations with the Human Body in Early Modern European Culture,* dir. Florike EGMOND et Robert ZWIJNENBERG, Aldershot : Ashgate, 2003, p. 90.

Les couleurs du corps féminin entre vice, vertu et maladie dans la peinture des Pays Bas à l'époque moderne

Catherine VÉRON ISSAD[1]

Partons du postulat qu'à l'époque moderne, la question de la représentation et de la couleur du corps féminin vertueux, malade ou livré au vice se poserait en termes très différents suivant que l'on se trouve en pays catholique ou en pays protestant. En effet, là où la nudité du corps permet une infinité de variations expressives, la représentation du corps de la bourgeoise ou de la paysanne enfermé dans le carcan de la morale calviniste et du corset pourrait paraître une vraie gageure. Ce défi interroge le ou les statuts du corps féminin dans l'Europe du XVIIe siècle. Il questionne également sur le rôle de la couleur dans l'herméneutique visuelle de l'art pictural. Je vais tenter d'esquisser dans ce bref exposé l'utilisation de la couleur comme vecteur d'informations sur l'état de santé physique et morale de la femme dans la peinture des Pays Bas du Sud, catholiques, et des Pays Bas du Nord, protestants. Afin d'illustrer mon propos, j'évoquerai dans une première partie la femme chez Rubens, de l'idéal féminin au corps tourmenté par la possession, l'épilepsie ou l'extase. Dans une seconde partie, la peinture de genre hollandaise offrira de multiples exemples de petits tableaux représentant la femme vertueuse, malade ou débauchée, dans lesquels la couleur est un détail signifiant[2].

Alors que le thème de ce colloque est précisément la polychromie, on ne saurait taire, en abordant la peinture du XVIIe, le fameux débat de l'Académie Royale de Peinture et de Sculpture, qui portait sur la primauté ou non du coloris sur le dessin. Initiée par les Italiens de la Renaissance, cette controverse opposa au XVIIe siècle Roger de Piles, ardent défenseur de Rubens, maître du coloris, à Philippe de Champaigne[3], soutien admiratif de Nicolas Poussin, maître du *disegno.*

Il faut également souligner la distinction entre couleur et coloris propre aux artistes et aux théoriciens de l'art du XVIIe siècle. La langue italienne, espagnole ou française possède ces deux vocables qui définissent deux notions bien distinctes. Alors que la couleur est « ce qui rend les objets sensibles à la veuë »[4], par exemple un tissu rouge ou une feuille verte, le coloris correspond à l'effet d'ensemble du tableau, ce que Roger de Piles

[1] Doctorante en Histoire de l'art, HICSA – Hôtel Dieu APHP.
[2] Daniel ARASSE, *Le Détail, Pour une histoire rapprochée de la peinture,* Paris : Flammarion, Champs, Arts (1992), 2009.
[3] André Félibien, *Conférences de l'Académie Royale de Peinture et de Sculpture,* augmentées *De l'Idée du Peintre Parfait et des Traités, des Dessins, des Eftampes, de la Connoiffance des Tableaux et du Goût des Nations,* aux dépens d'Estienne Roger, Amsterdam : E. Roger, 1706.
[4] Roger de Piles, *Cours de peinture par principes,* à Amsterdam et à Leipsick, chez Arestre et Mereus libraires, chez Charles Antoine Jombert, libraire du Roi pour l'Artillerie et le Génie, à l'image Notre-Dame, 1766.

appelle « l'harmonie du tout ensemble ». Ainsi, le mot coloris réunit à lui seul l'idée d'éclat, de nuances, d'ombres, de lumière, de clair obscur, d'union des couleurs, en un mot de tous les éléments qui participent à l'harmonie d'un tableau. La beauté du coloris d'un tableau ne se confond donc pas avec la beauté des couleurs qui le composent. Roger de Piles le présente clairement : « Deux choses sont nécessaires dans le coloris, la justesse des teintes et l'art de les faire valoir ». Et encore :

> « Il faut que les couleurs et les lumières en soient un peu exagérées ; mais savamment et avec une grande discrétion. Voyez la manière dont Titien, Rubens, van Dyck et Rembrandt en ont usé : car leur artifice est merveilleux »[5].

Pierre Paul Rubens a réalisé d'immenses compositions dans lesquelles moult corps dénudés révèlent la maestria de l'artiste dans le rendu de la carnation féminine. Les scènes mythologiques se prêtent particulièrement à la représentation de nus féminins. Vénus, les trois Grâces ou Andromède en sont de parfaits exemples. Cependant, il semble que la quête de l'artiste est moins une vraisemblance que la représentation d'un idéal féminin.

Rubens a laissé un nombre considérable d'écrits. Cependant aucun traité sur son art ne nous est parvenu. Le seul écrit théorique que l'on reconnaisse comme étant de sa main consiste en un passage cité en 1708 par Roger de Piles dans son *Cours de peinture par principes*. Puis en 1773 paraît à Paris une *Théorie de la figure humaine* attribuée à Rubens par le libraire du roi Jombert[6].

Le texte est largement reconnu comme apocryphe et seuls certains passages sont considérés comme de la main de l'artiste. Parmi eux, un passage définit les proportions idéales du corps féminin qui doit être d'une « proportion élégante, [...], ni trop mince ou trop maigre, ni trop gros ou trop gras, mais d'un embonpoint modéré ». Plus loin, sont précisées les caractéristiques de la carnation féminine :

> « La chair solide, ferme et blanche, teinte d'un rouge pâle, comme la couleur qui participe du lait et du sang ou formée par un mélange de lys et de roses. Le visage gracieux, [...] le col [...] d'un blanc de neige, dégagé et sans aucun poil... [...] les fesses rondes, charnues, d'un blanc de neige, retroussées et point du tout pendantes »[7].

La *Vénus au miroir* de Rubens est caractéristique de cet idéal féminin rubénien : une longue chevelure blonde, une chair épanouie, une peau blanche et lumineuse. Le visage est rond, le front haut et blanc, le nez fin, le regard clair et la bouche d'un rouge délicat. Le rose des joues, semblable à l'unisson du lys et de la rose, est rehaussé de quelques touches bleues qui modèlent les volumes et accentuent l'éclat lumineux de la peau. La carnation

---

[5] Roger de Piles, *Cours de peinture par principes*, à Paris, chez Jacques Estienne, rue S. Jacques, au coin de la rue de la Parchemine, à la Vertu, 1708, avec aprobation et privilège.
[6] Les Jombert étaient libraires, éditeurs et imprimeurs de sciences et d'art à Paris de 1680 à 1824, à l'enseigne « À l'Image Notre-Dame ». Leur plus illustre représentant fut Charles-Antoine Jombert (1712-1784), nommé « libraire du Roi pour l'artillerie et le génie ».
[7] Pierre Paul Rubens, *Théorie de la Figure Humaine*, ed. Nadeije Laneyrie-Dagen, Paris : Aesthetica, 2003.

laiteuse de la déesse, le fond sombre et la peau noire de la servante participent à l'harmonie du tableau en formant contraste, et rendent plus éclatante encore la beauté de la déesse.

Nous pourrions multiplier à l'infini les exemples de femmes rubéniennes dont la beauté est également synonyme de santé. Leur teint lumineux, leur corps épanoui et leur pose gracieuse témoignent de l'équilibre des humeurs garant de leur bonne santé à l'instar d'Andromède[8], d'Hygie déesse de la santé (figure 1) ou de sa propre épouse[9] réputée être la plus belle femme d'Anvers.[10] La palette de l'artiste est ici caractérisée par des tons chauds, dominée par des nuances de jaune, de rose et d'ocre rehaussés de quelques touches de gris bleu.

Figure 1. Hygie, déesse de la santé,
huile sur bois, 106 cm x 73 cm, 1615, Institut of Art, Detroit

Trouve-t-on chez Rubens des représentations de femme malade ? Peintre de la vie, il ne s'est guère intéressé à la maladie si ce n'est dans le cadre de l'iconographie religieuse. Certaines de ses grandes compositions ont pour sujet principal l'apologie de saints guérisseurs. Ces œuvres sont des

---

[8] Pierre Paul Rubens, *Andromède,* huile sur toile, 196,9 x 130,8 cm, vers 1640, Getty Museum, Los Angeles, États-Unis.

[9] Rubens a trouvé en sa seconde épouse, Hélène Fourment, de 35 ans sa cadette, son idéal de beauté féminine. Il la qualifiera lui-même de plus belle femme d'Anvers. Le portrait d'Hélène à 16 ans, réalisé par Jan Boeckhorst en 1630, année de son mariage avec Rubens, témoigne de la beauté de la jeune femme. Huit ans plus tard, Rubens réalise un portrait en pied de son épouse, dénudée, drapée dans une pelisse de fourrure, portrait remarquable par la beauté sensuelle qu'il dégage.

[10] Selon la théorie médicale du XVIIe siècle, la santé (celle de l'esprit comme celle du corps) est fonction de l'équilibre des quatre humeurs du corps : le sang, le phlegme (la lymphe), la bile jaune et la bile noire (atrabile). Quand déséquilibre il y a, parce qu'une humeur l'emporte sur toutes les autres, ou que l'influence d'un élément est excessive, apparaissent alors les maladies physiques ou les troubles psychiques. Le corps exprime par des modifications notables la souffrance engendrée par ce déséquilibre.

commandes de congrégations religieuses d'Anvers, jésuites et minimes en particulier, qui utilisent les images comme moyen de propagande dans le contexte particulier de la Contre Réforme post-tridentine. L'édification des foules est soutenue par une iconographie qui doit frapper les esprits. La vie des saints et la représentation de miracles sont les thèmes de prédilection des commanditaires de Rubens qui excelle dans l'illustration de tels sujets.

Certaines œuvres, peintes entre 1617 et 1628 intéressent particulièrement notre sujet : *Saint Roch et les Pestiférés*[11], *Les miracles de Saint François Xavier*[12], *les miracles de Saint François de Paule*[13] et *les Miracles de saint Ignace de Loyola*[14]. L'ordonnancement de ces compositions fonctionnent sur un même mode : dans la partie supérieure droite du tableau l'espace est celui du divin. Dans la partie inférieure se pressent les malades et la foule des fidèles, témoins des miracles. Intercesseur miraculeux, le saint est la figure centrale de ces grandes compositions.

Intéressons-nous quelques instants aux personnages féminins, malades ou possédées Dans le tableau de saint Roch (figure 2a), trois pestiférés, deux hommes et une femme, figurent au premier plan. Ils sont allongés sur un lit de paille. Leur gestuelle indique qu'ils prient et supplient le saint d'intercéder pour leur guérison. La jeune femme, le visage tourné vers le ciel tend sa main gauche en une supplique silencieuse. Son corps est lourd, abandonné et sans force. Sa robe a glissé de ses épaules et laisse échapper un sein, dévoilant une peau marbrée. Son teint est cireux, ses yeux cernés de bleu. Le rouge de sa robe contraste avec les nuances verdâtres de sa peau.

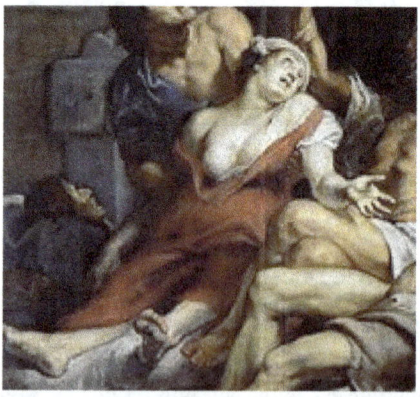

Figure 2a. Pierre Paul Rubens, *Saint Roch et les Pestiférés,* huile sur bois, 258 x 412 cm, Collégiale saint Martin, Aalst (Alost), Belgique

---

[11] Pierre Paul Rubens, *Saint Roch et les Pestiférés,* huile sur bois, 258 x 412 cm, Collégiale saint Martin, Aalst (Alost), Belgique.
[12] Pierre Paul Rubens, *Les miracles de Saint François Xavier,* huile sur toile, 535 x 395 cm, Kunsthistorisches Museum, Vienne.
[13] Pierre Paul Rubens, *Les miracles de saint François de Paule,* huile sur bois, 110,5 x 79,4 cm, vers 1627-28, Getty Museum, Los Angeles, États-Unis.
[14] Pierre Paul Rubens, *les Miracles de saint Ignace de Loyola,* huile sur toile, 535 x 395 cm, 1617-18, Kunsthistorisches Museum, Vienne.

Dans le tableau illustrant les miracles de saint François Xavier (figure 2b), au milieu des pestiférés, une jeune mère porte son enfant mort dans ses bras. Debout, elle tend vers le saint le cadavre de son nourrisson. La mère et l'enfant se distinguent par leur teint bleu, violacé, qui témoigne de l'atteinte dont ils sont victimes.

Figure 2b. Pierre Paul Rubens, *Les miracles de Saint François Xavier*, huile sur toile, 535 x 395 cm, Kunsthistorisches Museum, Vienne

On prête à François de Paule et à Ignace de Loyola la délivrance miraculeuse de possédés, ce que mettent en images les deux tableaux qui représentent le moment du miracle qui s'accomplit. Les figures qui nous intéressent sont celles de deux femmes fermement maintenues alors qu'elles semblent en pleine crise (figure 2c). Leur attitude et leur gestuelle diffèrent complètement de celle des deux pestiférées. Leur tête est violemment rejetée en arrière, leur corps se cambre, s'arc-boute sous l'influence diabolique. Elles gesticulent, lancent leurs bras en tous sens. Sous l'effet de la crise, leur visage grimace, leur bouche ouverte en un cri muet laisse apparaître une langue bleue. Les yeux sont révulsés sous les paupières mi-closes, le cou gonflé sous l'effet de la convulsion. Cependant, tout comme les pestiférées, leur teint est livide, marqué d'ombres grises et bleues.

Figure 2c. *Les miracles de saint François de Paule*, huile sur bois, 110,5 x 79,4 cm, vers 1627-28, Getty Museum, Los Angeles, États-Unis

Ces figures ont longtemps fasciné le corps médical et ont été étudiées par les plus éminents médecins du XIXe et du XXe siècle, dont le célèbre Charcot[15]. Ils ont reconnu dans ces figures des représentations de crises d'hystérie, admirant le réalisme des représentations rubéniennes. En témoigne le rapprochement que l'on peut faire entre ces figures rubéniennes et les illustrations médicales que l'on doit à Pierre Richer proche collaborateur de Charcot (figure 3).

Figure 3. Paul Richer, *Arc de cercle*, mine de plomb sur papier
in *Études cliniques sur la grande hystérie ou l'hystéro-épilepsie*,
Paris : Octave Douin, 1881-1885, planche 3, fig. 2, entre les p. 68 et 69

Chez Rubens, outre une gestuelle typique, un abandon du corps ou une hypertonie, la caractéristique visuelle principale qui permet de déterminer qu'un corps est malade, est l'utilisation d'une palette chromatique froide. Le vert, le bleu et le gris dominent, signifiant la maladie et le déséquilibre humoral.

Je terminerai cette partie par une figure particulière, celle de Marie Madeleine en extase, dont la représentation se rapproche de celles des malades. Au centre de ce très grand tableau de près de trois mètres sur deux, une jeune femme gît sur le sol de pierre, inanimée. Deux anges la soutiennent. Tout son corps est à l'abandon et elle semble exsangue. Il faut chercher dans les écrits des grands mystiques la description de l'état d'abandon total du corps qui accompagne l'extase à l'exemple de Thérèse d'Avila[16]. L'union de l'âme à Dieu s'accompagne d'un état cataleptique comparable à certaines crises d'épilepsie.

Rubens a représenté la sainte de nombreuses fois, le plus souvent éplorée au pied de la Croix, mais toujours sous les traits d'une jeune femme

---

[15] Jean-Martin Charcot, 1825-1893, médecin neurologue et anatomiste français, connu pour ses travaux sur l'hystérie et l'hypnose. En 1878, il utilise la chronophotographie afin d'étayer son hypothèse : l'extase mystique, la possession et la « grande hystérie » sont une même chose. En 1887, il publie avec Pierre Richer un ouvrage dans lequel les deux médecins étudient les figures de possédés et d'extases mystiques : Jean-Martin CHARCOT et Pierre RICHER, *Les démoniaques dans l'art*, Paris : Delahaye et Lecrosnier, 1887.
[16] Thérèse d'Avila, 1515-1582, religieuse espagnole, docteur de l'Eglise, réforma le Carmel et a laissé de nombreux écrits dans lesquels elle décrit ses expériences mystiques.

conforme aux canons esthétiques de l'artiste : sensuelle, lumineuse, aux longs cheveux blonds défaits et au teint clair (figure 4).

Figure 4. Pierre Paul Rubens, *La Crucifixion*, modelo,
huile sur toile, Rubenshuis, Anvers, photo C. I.

Or, dans le tableau de Lille, Marie Madeleine est représentée la tête rejetée en arrière, les yeux révulsés sous ses paupières mi-closes, le teint gris et blafard. Ses lèvres violacées sont entrouvertes et ses cheveux sont ternes, sans éclat. Son corps en partie dévêtu dévoile une carnation grise, pâle, et ses extrémités sont bleues. La tonalité sourde de l'ensemble du tableau participe à l'atmosphère mystique, éthérée, illustrant l'état d'abandon total à Dieu. Cette représentation a déconcerté et pendant longtemps cette œuvre a été lue comme une représentation de la mort de Marie Madeleine. En effet, traditionnellement la sainte en extase était figurée comme une jeune femme portée par des anges vers les cieux. Or, une nouvelle iconographie s'est imposée au XVIIe siècle, en lien avec les écrits mystiques de sainte Thérèse d'Avila, dans lesquels la sainte décrit ses expériences extatiques.

Les débats théologiques et médicaux ont émis toutes sortes d'hypothèses quant à la réalité mystique de ces extases et l'épilepsie a souvent été évoquée, et la figure que propose Rubens pourrait en effet s'apparenter à une crise d'épilepsie[17].

Ainsi, maître du coloris et grand observateur, Rubens met-il en scène dans d'immenses compositions une multitude de corps dénudés, qui permettent au spectateur d'identifier l'état de santé des protagonistes de la *storia* représentée. La carnation lumineuse de la déesse de la beauté ou de sa jeune épouse se teinte de blanc, de rose et d'ocre clair, couleurs chaudes qui signalent l'équilibre des humeurs. En revanche lorsque la peau devient exsangue, d'une pâleur inquiétante, qu'elle se marbre de bleu, de vert et de

---

[17] Contrairement à la crise d'hystérie, l'épilepsie se caractérise par un corps mou et catatonique.

gris, elle témoigne d'un déséquilibre, d'une maladie ou d'un désordre émotionnel ou nerveux. La lecture de ces tableaux en est facilitée, évidente, et répond à la volonté d'efficience et d'enseignement par l'image des commanditaires religieux de Rubens.

Si les corps dénudés et la peau nue permettent la mise en couleur de l'état de santé des personnages représentés, les peintres de genre hollandais du XVIIe siècle se voient contraints par la figuration de corps cachés. En effet, il existe une véritable ambiguïté, un paradoxe, une *coincidentia oppositorum*[18] dans le fait de figurer la réalité d'un corps que l'on ne montre pas, une réalité corporelle que l'on gomme, la mise en image d'un effacement ritualisé du corps[19]. C'est ce que font les peintres de genre lorsqu'ils mettent en scène des corps féminins en action dans le respect des règles sociales qui régissent la vie quotidienne. Il n'est donc pas question ici de représenter des corps dénudés. La problématique paraît simple lorsqu'il s'agit de mettre en scène la femme néerlandaise dans le rôle social qui lui est dévolu, c'est à dire en tant que femme vertueuse, avec un corps parfaitement maîtrisé, qui disparaît aux yeux du spectateur. Mais qu'en est-il lorsqu'il s'agit de mettre en image le corps malade ou le corps soumis aux dictats des vices et des perversions ?

Partons du postulat que la peinture de genre hollandaise se fonde sur une conception normée de la femme et célèbre la ménagère vertueuse, rôle dévolu à la femme dans la société néerlandaise du XVIIe siècle. La société attend de la femme un comportement général qui lui permette d'être respectable et respectée. Elle a cependant la lourde tâche de combattre tous les préjugés qui la définissent comme un être vulnérable. Ainsi, la théorie des humeurs présente-t-elle la femme comme un être instable, valétudinaire, débile de corps et d'esprit. La femme existe pour être épouse et mère et cet « utérocentrisme » conduit à l'idée que la gent féminine est dominée par sa matrice et soumise à une sensualité dévorante que seul le mariage peut canaliser. Ce discours médical rejoint ceux des moralistes et des théologiens, selon lesquels le mariage sert à assurer une descendance et surtout à protéger la société des ravages de la concupiscence féminine.

Prenons l'exemple d'une œuvre du peintre Pieter de Hooch[20] de 1658. Dans la chambre à coucher d'un intérieur bourgeois, une jeune mère vaque à ses occupations ménagères tout en veillant sur son enfant. Elle se tient debout, droite, souriant à l'enfant. Ses mains s'activent pour plier un drap. Elle fait régner l'ordre dans sa maison, à l'image de la maîtrise qu'elle apporte à son maintien et à sa tenue vestimentaire. Les éléments du décor

---

[18] La *coincidentia oppositorum* que l'on peut traduire par « ce en quoi les contraires coexistent » ou par « l'union des contraires » est une notion qui remonte aux écoles présocratiques.

[19] Voir les analyses développées par David Le Breton, anthropologue et sociologue français, professeur à l'université de Strasbourg, spécialiste des représentations et des mises en jeu des corps humains, David LE BRETON, *Anthropologie du corps et de la modernité*, Paris : PUF, 2013, p. 181.

[20] Pieter de Hooch, 1629-1684, peintre hollandais, reconnu comme figure importante de la peinture de genre.

participent à cette représentation de l'ordre par un géométrisme d'une grande rigueur et clarté. La lumière qui pénètre dans la pièce souligne sa propreté. Cette maison propre et bien tenue est, en quelque sorte, la métaphore de celle qui la dirige. Seuls, son visage souriant, ses mains et ses poignets soulignés par le blanc des manches, du col et du fichu qui couvre ses cheveux, s'offrent aux regards du spectateur. Son teint est rose et clair. Accentuant la propreté de sa tenue, le rideau sombre du lit forme un contraste chromatique avec la blancheur des pièces de son vêtement et sa carnation lumineuse. Le reste de son corps est gommé, dissimulé sous le corsage et la jupe, les cheveux retenus par un fanchon.

La composition d'Amsterdam du même artiste dégage une atmosphère similaire (figure 5) L'intérieur est certes plus cossu, mais les deux femmes, sans doute une mère et sa fille, effectuent également des taches ménagères. L'enfant qui joue près de la porte ouverte souligne encore le rôle dévolu à la femme, celui de mère. Le regard du spectateur est attiré par la richesse des tissus aux couleurs chatoyantes qui composent le vêtement de la plus jeune des deux femmes. Il existe une forme de contradiction dans le fait d'attirer le regard du spectateur par le jaune d'or de la jupe relevée et par le rouge moiré du corsage vers un corps que l'on dissimule. Car rien de plus n'apparaît de l'anatomie de ces femmes, que leur visage et leurs mains dont la blancheur laiteuse teintée de rose témoigne de leur bonne santé physique. À peine aperçoit-on le bout d'un soulier qui dépasse de la jupe bleue de la plus jeune. Là encore, le géométrisme rectiligne du décor suggère l'ordre du ménage. Ce sont les gestes mesurés, le maintien du corps et le regard chaste qui attestent de la moralité de l'épouse. Les mains sont actives car le travail est le meilleur garant de la vertu féminine : il s'oppose à l'oisiveté, mère de tous les vices. La femme honnête accomplit les tâches qui lui sont dévolues et par lesquelles elle obtient sa place dans la société.

Figure 5. Pieter de Hooch, *Scène d'intérieur*, 1663,
70 x 75,5 cm, huile sur toile, Rijksmuseum, Amsterdam. Photo C. I.

Ainsi, le corps sain exalte les vertus domestiques lorsqu'il est maîtrisé et, lorsqu'il s'efface, il ne laisse apparaître que le visage, miroir de l'âme, et les mains, symboles du travail salutaire. Qu'en est-il lorsque le désordre humoral intervient ?

La maladie féminine est un sujet privilégié des peintres de genre hollandais, particulièrement pour les artistes leydois. Gabriel Metsu[21] offre, par exemple, un portrait remarquable de femme malade. Le rendu des manifestations physiques de la maladie est parfaitement conforme aux descriptions des ouvrages médicaux de l'époque. Le plus caractéristique de ces symptômes est l'indolence. La tête repose lourdement sur l'oreiller, le teint est cireux, les yeux mi-clos sont cernés de bleu. Les mains sont inertes : la droite placée au niveau de la taille, la gauche posée au niveau du pubis. Ces mains inanimées indiquent de façon directe la cause de la maladie : une perturbation de la matrice. Il pouvait s'agir, soit de *furor uterinus*[22], soit de ce que l'on appelait à cette époque le *morbus virgineus*[23] ou maladie d'amour. Ces pathologies étaient l'objet d'une abondante littérature[24]. La cause principale médicalement admise était un désir sexuel inassouvi.

Le *morbus virgineus* ou maladie de vierge ou *chlorosis* ou encore maladie verte tire son nom du teint jaunâtre que les patientes présentaient, teint qui était lié d'après la théorie des humeurs à une pollution du sang par la bile jaune. Ces pathologies provoquaient entre autres signes, un état mélancolique. Les traitements préconisés étaient les mêmes que pour l'ensemble des pathologies de l'époque : saignées, purges, clystères et multiples remèdes à base de plantes et d'ingrédients de toutes sortes. Mais il était reconnu que dans le cadre de ces maladies féminines, l'objectif était de permettre à la femme d'assouvir ses passions. Le mariage par inclination était préconisé.

Arrêtons nous un instant sur l'anatomie et la physiologie féminines, telles que le XVIIe siècle les concevait. La représentation de l'anatomie féminine est construite à partir du modèle masculin, l'homme étant considéré comme parfait puisqu'il a été conçu à l'image de Dieu. André du Laurens, premier médecin du roi Henri IV, rassemble dans son ouvrage *Historia anatomica humani corporis*, paru dans sa version originale latine en

---

[21] Gabriel Metsu, 1629-1667, peintre né à Leyde, mort à Amsterdam.

[22] Concernant la définition du *furor uterinus*, consulter Jacques Ferrand, *Traicté de l'essence et guérison de l'amour ou de la melancholie érotique. Discours curieux qui enseigne à cognoitre l'essence, les causes, les signes et les remèdes de ce mal fantastique,* Paris : Denis Moreau, 1623, p. 75-79 et Stephan Blancarti, *Lexicon novum medicum graeco-latinum,* Amsterdam : Cornelium Boutestryn & Jordaanum Luchtmans, 1690, p. 276.

[23] Sur ce *morbus* virgineus et la chlorose, voir Jacques Ferrand, déjà cité et la contribution d'É. Samama dans ce volume. À l'époque moderne, la *chlorosis* a été décrite pour la première fois en 1554, par Johannes Lange dans son *Epistola XXI de morbo virgineo* comme une anémie qui touchait les adolescentes et les jeunes femmes. Bien qu'au XVIIe siècle le médecin anglais Thomas Sydenham préconisât déjà la prise de fer comme traitement, la *chlorosis* était classée comme une maladie des nerfs ou maladie hystérique.

[24] Il faut souligner qu'ont été édités à Leyde au moins 33 ouvrages médicaux traitant de la suffocation utérine, de la fureur utérine et de la passion hystérique, entre 1650 et 1695, en 45 ans, soit trois fois plus qu'il n'en parut à Paris en 131 ans, entre 1546 et 1677. Il s'agit là d'ouvrages spécialisés, ceux plus généraux traitant des humeurs, de la mélancolie ou des passions ne sont pas pris en compte.

1597, la somme des connaissances anatomiques de son temps. Dans cet ouvrage, du Laurens fait référence à certains de ses contemporains comme Vésale bien qu'il exprime une nette préférence pour Galien. Cet ouvrage de référence a très vite été traduit en français dès 1613, puis en néerlandais, par Jacob van der Gracht en 1634. Les planches anatomiques avec leurs légendes extraites de la seconde édition française de 1621 illustrent une vision phallocentrée des organes génitaux féminins. L'utérus, ou matrice, décrite comme « la partie honteuse externe jusqu'au fond dans lequel se fait la conception », se présente comme un phallus inversé et creux. L'ordonnancement des différents organes correspond à celui de l'homme. Par exemple, la vessie est directement rattachée par un col, au col de l'utérus. Le plus significatif est la théorie de la procréation. La femme, à l'image de l'homme, produit une semence au moment du coït, semence produite par les ovaires, appelés testicules de la femme, et qui sont perçus comme des sacs séminaux. Pour qu'il y ait fécondation, il est donc nécessaire que les deux semences, celle de l'homme et celle de la femme se rencontrent au niveau de l'utérus. C'est la théorie « séministe » qui domine jusqu'au milieu du XVIIe siècle.

La femme est donc perçue comme un homme imparfait : au chapitre VIII du livre 7, du Laurens précise que les anciens expliquaient le fait que les organes féminins ne diffèrent de ceux des hommes que par leur situation (l'une externe l'autre interne) « à raison de leur débilité naturelle et de leur complexion plus froide ».

Pour clore cette parenthèse, j'insisterai sur l'importance accordée à la matrice, directement impliquée dans les maladies féminines dont nous parlons. La matrice est donc « cette partie [...] très noble, et comme un brasier caché sous la cendre chaude » reconnue comme supérieure aux autres organes génitaux qui dépendent d'elle. Elle est en lien avec le reste du corps, et en particulier avec le cerveau par l'intermédiaire des nerfs, du Laurens parlant de cette « sympathie admirable de la matrice avec le cerveau ». Elle est comme animée d'une vie propre. Elle est perçue comme capable de sentir les odeurs qu'elles soient bonnes ou mauvaises. On accorde à la matrice une prétendue mobilité. L'auteur consacre en effet quelques pages à ces mouvements :

> « [...] La matrice quand elle est fertile erre et vague souvent par tout le ventre, montant tantôt vers le diaphragme et le foie, fontaine de vapeur gracieuse, courant tantôt vers les côtés et tantôt aussi agitée des fureurs d'amour descendant vers le bas »[25].

Ces éléments tendraient à expliquer l'étonnante multiplication d'ouvrages médicaux édités aux Pays Bas du nord et traitant de la suffocation utérine, de la fureur utérine et de la passion hystérique. Cela expliquerait également la prolifération de petits tableaux traitant de ce sujet, tableaux appartenant à la peinture dite de genre, caractéristique des artistes néerlandais. En effet, rapidement, les peintres fins[26], Jan Steen en tête, se sont emparés de ce

---

[25] André du Laurens, *Historia anatomica humani corporis*, Paris, 2e éd. française, 1621.
[26] Le terme néerlandais *Fijnschilders* est traduit en français par peintres fins et caractérise la technique délicate et précise, qu'utilisent les artistes leydois dans la représentation de scènes de genre de petits formats.

thème dans le cadre de scènes de consultation[27] qui trouvent leur apogée dans les Pays Bas du nord du XVIIᵉ siècle, en particulier à Leyde et à Amsterdam. Ces scènes illustrent cette imprégnation de la pensée médicale du XVIIᵉ siècle néerlandais. Il faut noter que la plupart de ces artistes étaient en lien avec l'université et fréquentaient le milieu médical, les médecins étant souvent clients de ces artistes.

Nous retrouvons dans cette toile, comme chez Gerritsz van Brekelenkam[28], un certain nombre d'éléments itératifs : la scène se passe dans la chambre d'une jeune femme paraissant issue de la bourgeoisie hollandaise. Au premier plan la malade est assise et tend son poignet droit à un médecin, élégamment vêtu. Sur ces toiles, les médecins sont montrés dans la pratique de leur art, avec l'essentiel des procédures permettant de poser un diagnostic selon l'enseignement hippocratique et galénique c'est à dire : interrogatoire, observation, prise de pouls et surtout examen des urines. Un troisième personnage est souvent représenté, un mari, un amant ou encore une vieille femme pouvant passer pour une mère ou une servante. Ces éléments servent donc de base iconographique à l'ensemble des tableaux que l'on regroupe sous le terme générique de scènes de consultation. Les artistes ont ensuite agencé ces éléments de diverses manières, ajoutant des détails et des personnages, ce qui a notablement modifié le sens de ces images.

Cependant l'attitude et la gestuelle des jeunes femmes représentées restent toujours assez semblables: une lassitude exprimée par un corps sans force, indolent, allant du simple malaise à un épuisement total. La pâleur et le regard fixe, les yeux dans le vague, semblent être également une constante conforme aux descriptions des ouvrages médicaux à l'instar du tableau de Gabriel Metsu, dont la malade est représentée dans un cadrage resserré avec très peu d'éléments de décor. Samuel van Hoogstaten[29] offre également un tableau dans lequel une élégante jeune femme apparaît pâle, presque livide. L'artiste a rendu sa carnation avec une finesse exemplaire. Il utilise le blanc du vêtement et du bonnet qui encadre son visage comme révélateur d'un teint maladif, gris bleuâtre, tandis que le jaune d'or de son paletot brodé rehausse le blanc immaculé de la bordure d'hermine de son vêtement.

Jan Steen propose une autre version de ce sujet datée de 1663-1664 (figure 6) La scène se passe dans la chambre d'une jeune femme de la bourgeoisie hollandaise. Au premier plan nous voyons la malade assise, appuyée sur une table et qui tend son poignet droit à un médecin qui observe attentivement un flacon d'urines. Tout cela paraît conforme à la pratique médicale de l'époque. Mais, ici, la malade présente quelques caractéristiques qui la différencient de la malade de Metsu. Certes, elle paraît apathique, mais son teint frais et ses joues roses ne prêchent guère en faveur d'une maladie. D'autres détails modifient sensiblement le sens de la composition.

---

[27] Jan Havickszoon Steen, 1626-1679, peintre de genre leydois à qui l'on doit le plus grand nombre de scènes de consultation (plus d'une quarantaine) qui soit parvenu, scènes souvent teintées d'humour grivois.

[28] Gerritsz van Brekelenkam, 1622-1669, artiste néerlandais connu pour ses scènes de genre.

[29] Samuel van Hoogstaten, 1627-1678, artiste peintre, graveur et théoricien de l'art néerlandais.

Au centre du tableau, sur le sol, est posé un récipient de terre cuite dans lequel brûle un ruban. Ce détail évoque une pratique courante qui permettait d'établir s'il y avait ou non grossesse[30] Si la jeune fille était incommodée par la fumée, on y voyait un signe positif de grossesse. D'autres détails viennent confirmer ce diagnostic : le rideau de lit ouvert, une clef pendue sur le mur, un tableau représentant Vénus et Adonis…

Figure 6. Jan Steen, 1663-1664, *La Visite du Médecin,*
huile sur bois, 40,6 x 35,5 cm, Rijksmuseum, Amsterdam. Photo C. I.

En effet, l'ensemble des indices du tableau permet de comprendre qu'il s'agit pas d'une maladie, mais d'une grossesse et que la demoiselle n'est pas aussi vertueuse que la morale le voudrait, pour preuve le profond décolleté qui laisse apparaître sa poitrine et sa main gauche, aux doigts largement ouverts, plaquée sur son sexe. D'autre part, la scène se situe dans un bordel, car la figure de la vieille femme correspond au stéréotype de l'entremetteuse, figure récurrente de la peinte de genre comique. J. Steen a largement contribué à enrichir l'iconographie de la consultation dans une surenchère de détails, poussant l'humour jusqu'à une franche grivoiserie. La version de Philadelphie est cette fois sans équivoque : la jeune femme au teint frais est une prostituée que visite le médecin, dans un lupanar. Une de ses compagnes joue de la musique, divertissement que la morale calviniste réprouvait, une autre fait entrer un visiteur. L'artiste s'est représenté sous les traits d'un jeune homme, debout près du lit, qui, s'adressant directement au spectateur, précise de façon grivoise la raison du malaise de la jeune patiente. Notre admoniteur brandit un hareng et deux oignons qui figurent le sexe masculin, ce qui provoque son hilarité.

Donc, si la position du corps des jeunes « malades », tête lourde et mains ballantes, exprime une asthénie, les éléments du décor, les personnages secondaires et surtout le teint clair, les joues roses et la bouche vermillon de ces demoiselles donnent les clefs de lecture de ces tableaux.

---

[30] Concernant ce détail se référer à Christopher BROWN, *La Peinture de genre hollandaise au XVIIe siècle, images d'un monde révolu,* Paris : De Bussy, 1984, p. 98 et Peter C. SUTTON, Marigen H. BUTLER, « Jan Steen, Comedy and Admonition », *Bulletin of the Philadelphia Museum of Art,* 78, n°337-338, 1982, p. 22.

Nous avons vu que le corps vertueux et sain est un corps maîtrisé et en action. En revanche, lorsque ce corps est soumis à un déséquilibre humoral ou à une grossesse, la femme devient incapable d'assumer le rôle qui lui est dévolu. Elle perd le contrôle de son corps et semble soumise aux dictats de sa matrice en raison de sa faiblesse naturelle. Le médecin, homme de l'art a donc pour mission de rééquilibrer les humeurs pour permettre à la femme de retrouver la maîtrise de son corps.

Contournant les codes et jouant de l'ironie comme d'un argument les artistes leydois ont créé un langage corporel qui permet d'exprimer aussi bien la vertu d'un corps sain que le corps soumis aux dictats de la douleur et de la maladie. Mais c'est sans aucun doute dans la représentation de la déchéance du corps soumis à l'emprise du vice, que le comique grivois va le mieux s'exprimer. La consultation de J. Steen montre une prostituée, mais le spectateur ne le comprend qu'en considérant l'ensemble des éléments du tableau. En revanche, dans le petit tableau du Rijksmuseum d'Amsterdam du même artiste (figure 7), nous entrons dans l'intimité d'une chambre à coucher. Le cadrage est resserré. Une jeune femme est assise sur un lit. Elle retire ses bas et se prépare à se coucher. Cette scène est clairement érotique. La jeune femme croise haut ses jambes dénudées laissant entrevoir le haut de ses cuisses et son entrejambes. Or, il ne peut s'agir que d'une prostituée comme l'indiquent la couleur rouge de ses bas[31].

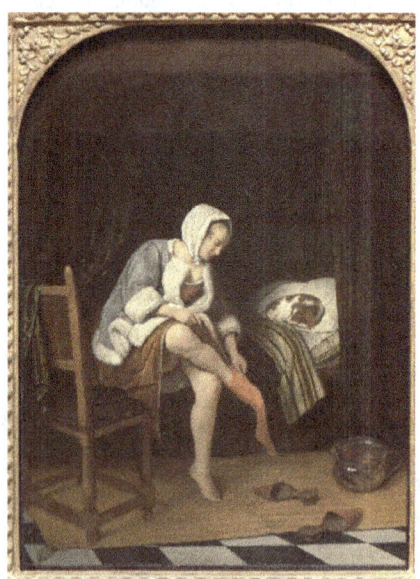

Figure 7. Jan Steen, *Une Femme à sa Toilette*, 1659-1660, 27 x 37 cm, huile sur bois, Rijksmuseum, Amsterdam. Photo C. I.

Jan Steen a poussé encore plus loin l'érotisme grivois en mettant en scène une prostituée et son client au moment de la réalisation de la

---

[31]Les bas rouges sont une constante des scènes de débauche et signalent une prostituée.

transaction, du passage à l'acte dirons-nous [32]. Allongé dans un lit à baldaquin, un homme en chemise passablement éméché comme l'indique son teint cramoisi, attire vers lui une prostituée par son jupon. Un pied sur une chaise et l'autre sur le bord du lit, elle s'apprête à rejoindre son client dans le lit. Elle a retiré ses habits et s'offre au regard, en sous-vêtements, les jambes dénudées et le décolleté plongeant. Son jupon presque transparent laisse deviner la rondeur de ses cuisses. Un petit chien, qui regarde sous le jupon de la donzelle, joue ici le rôle de l'admoniteur car il voit ce que le spectateur supposé masculin aimerait voir. Bien que nous n'assistions pas à la transaction financière, classique dans les scènes de bordel, l'environnement dans lequel évoluent les protagonistes et les nombreux détails permettent d'identifier une femme de petite vertu : les bas rouges posés sur le dossier de la chaise, la pipe posée en équilibre sur le pot de chambre sont éloquents. Dans ce cas, le dévoilement du corps et le teint rubicond de la jeune femme sont les marques du vice et la perte de la vertu.

Mais l'inconduite peut être encore menée jusqu'au paroxysme (figure 8). Dans une taverne servant de lupanar, un couple s'adonne à l'ivrognerie. Bien que le lit fait soit prêt à accueillir le couple, il semble bien que l'excès de vin rende impossible les ébats prévus. La femme est totalement ivre, inconsciente. Cette perte de conscience signe la perte totale de contrôle du corps. La prostituée ivre gît au centre du tableau. Son corps massif occupe les deux tiers de la largeur de la composition. Sa jupe mordorée colle sur ses cuisses ouvertes la livrant sans pudeur aux regards des spectateurs. Le petit chat sert d'admoniteur perfide car il indique à nouveau ce que le spectateur (supposé masculin) cherche à voir. Fidèle à sa manière, J. Steen multiplie les indices en une surenchère d'objets signifiants. Le teint écarlate et les bas rouges guident l'observateur. Le bras gauche de la dame repose sur l'entrejambes de son compagnon qui, bien qu'il soit éméché, reste toujours conscient. Cette différentiation dans les comportements est liée à l'idée que la femme est, par nature, plus fragile que l'homme et donc plus encline à subir les méfaits de l'alcool et du tabac et à se vautrer dans la fange.

Figure 8. Jan Steen, *Les Buveurs,* vers 1660,
52,5 x 64 cm, huile sur toile, Rijksmuseum, Amsterdam. Photo C. I.

---

[32] Jan Steen, *Couple dans une chambre à coucher*, 49 cm x 39, 5 cm, Musée de Breda, Pays-Bas, inv. 113-1946.

Je propose, pour conclure, une dernière image du même artiste qui offre un condensé de l'ensemble des comportements déviants. Devant une auberge de campagne, une femme ivre morte est difficilement hissée dans une brouette par un jeune garçon et un homme. Avachie, rendue veule, l'ivrogne a perdu toute conscience d'elle-même. Sa tenue est débraillée, son corsage laisse surgir un sein, le fichu défait glisse sur ses cheveux, et ses jupes relevées dévoilent des jambes gainées de bas rouges signalant la prostituée. Son teint a viré à l'écarlate. Elle est la risée des témoins de son ivresse. Adultes et enfants rient et commentent la déchéance affichée de l'ivrogne. L'inscription gravée sur le toit de l'entrée de l'auberge donne son sens au tableau : *De Wijn is een Spoter*. Il s'agit de l'extrait d'un proverbe néerlandais qui dit : « le vin est moqueur, les boissons fortes sont tumultueuses et quiconque en fait excès n'est pas sage ». La scène est, bien sûr, comique mais, comme souvent chez Jan Steen, l'avertissement moral est implicite. Le ressort comique tient, entre autres, dans le fait de montrer ce qui est interdit, en ridiculisant les protagonistes.

L'utilisation du ressort comique, voire grivois, permet de mettre en images les vices et la dépravation. Dans une société où la maîtrise du corps impose qu'il s'efface, il était perçu comme malséant de montrer ne serait-ce qu'une jambe ou un pied nu. La suggestion est donc de mise et elle est d'autant plus efficace qu'elle est plus riche que des images explicites. J. Steen utilise très souvent des procédés d'évitements comme le chat ou le chien qui voient le sexe de la prostituée alors que le spectateur l'imagine. Le paradoxe est que l'on montre et l'on cache en même temps : ce que la morale réprouve ne peut être peint que parce qu'en fait, on montre peu et l'on suggère beaucoup.

Dans le cadre de ces images c'est la couleur rouge, celle des bas de la prostituée et celle du teint de l'ivrogne, qui donne tout son sens à ces images. Le teint frais et rose signe l'équilibre tant des humeurs que du sens moral de la femme représentée, les couleurs froides, le gris, le bleu et le violet signalent un déséquilibre des humeurs et la maladie, quant au rouge, il est la couleur du vice et de l'excès, de l'absence de maîtrise des sens.

Le langage pictural dans les Pays Bas du XVIIe siècle, qu'ils soient du Nord ou du Sud, a le souci de la vraisemblance et, de fait, utilise les mêmes procédés. Le langage chromatique est similaire, bien que les différences soient plus que notables entre Rubens, peintre de très grands formats dans lesquels une multitude de corps plus ou moins dénudés s'épanouissent, et les peintres fins néerlandais qui rivalisent dans le raffinement des détails. Les couleurs chaudes et lumineuses, le blanc, le jaune, l'ocre et le rose témoignent de l'équilibre des humeurs tant chez l'épouse du maître anversois que chez la ménagère leydoise. Lorsque la maladie s'installe, que l'équilibre des humeurs se rompt, la gamme chromatique se ternit, dominée par le gris, le bleu et le mauve.

RÉSUMÉS DES COMMUNICATIONS[1]

Marie ASCHEHOUG-CLAUTEAUX, « La couleur du mal : Le lien entre la couleur et le corps dans l'image médiévale (X^e - XIIe siècle) »

La couleur dans le manuscrit médiéval des Xe et XIIe siècles est un sujet complexe. Les rares sources iconographiques conservées révèlent la mise en place progressive d'une codification de la couleur du corps. Dans ce système, la représentation du corps des mauvais retient l'attention. Quand on s'intéresse à la couleur, il ne faut jamais oublier le contexte dans lequel elle est mise en scène : une couleur dévalorisée n'existe qu'en fonction des autres couleurs dans l'image. Dans cette mise en couleur du corps, tout est fait pour que les éléments péjoratifs soient mis en lumière. Le mal doit se voir, se savoir, se remarquer. Pour cela, les artistes usent de moyens iconographiques diversifiés et efficaces pour le souligner. La couleur et la richesse de son nuancier en font partie.

« The colour of evil : the link between colour and the body in the medieval image (10th - 12th century) »

Colour in the medieval manuscripts of the 10th and 12th centuries is a complex subject. The few preserved iconographical sources reveal the progressive establishment of a codification of the colour of the body. In this system, the representation of the bodies of the wrong-doers is fascinating. When we are interested in colour, we must never forget its context : a devalued colour exists only with respect to the other colours in the image. In this colouring of the body, everything is done so that the pejorative elements are brought to light. Evil must be seen, known, noticed. For this reason, the artists use diversified and effective iconographical means to emphasise it. The colour and the richness of its colour chart are part of this process.

Mireille AUSÉCACHE, « Une sémiologie salernitaine haute en couleurs »

La sémiologie occupe une place importante dans les nombreuses œuvres rédigées à Salerne aux XIIe et XIIIe siècles. Les « signes » des maladies sont à rechercher dans l'examen des urines, des pulsations mais aussi dans la coloration pouvant survenir dans tout ou partie du corps du malade. Les médecins salernitains suivent en cela les préceptes d'Hippocrate et disposent d'un riche lexique chromatique pour distinguer les *signa* colorés. La coloration des urines mais aussi du corps du malade est toujours mise en relation avec l'humeur responsable du déséquilibre, chacune des quatre humeurs étant elle-même associée à une ou plusieurs couleurs rendue visible dans la maladie. Les différentes *practice* dont celle de Platearius et le *De signis* de Gilles de Corbeil insistent sur les *signa* et le rôle des humeurs en se basant sur les données plus théoriques contenues dans l'*Isagoge Iohannitii*. Les commentaires au *Pronostic* d'Hippocrate des maîtres Archimattheus et Maurus, le *De coloribus* d'Urso introduisent quant à eux des réflexions d'ordre physiologique pour expliquer certaines manifestations colorées des maladies.

« A brightly coloured Salernitan semiology »

Semiology occupies an important place in the numerous works written in Salerno in the twelfth and thirteenth centuries. The "signs" of diseases are to be found in the examination of the urine, pulsations but also in the colouring that may occur in all or part of the body of the patient. The doctors from Salerno follow the principles of Hippocrates and

---

[1] Les résumés, présentés par ordre alphabétique d'auteurs, sont rédigés par ceux-ci. Les textes anglais ont été supervisés par Susan Baddeley, professeur de langue et civilisation britanniques à l'UVSQ, que nous remercions très sincèrement.

have a rich chromatic lexicon to distinguish coloured *signa*. The colour of the urine or of the patient's body is always related to the humour responsible for the imbalance, each of the four humours being itself associated with one or more colours made visible in the disease. The different practices, including that of Platearius and Gilles de Corbeil's *De signis*, emphasize the *signa* and the role of humours based on the more theoretical data contained in the *Isagoge Iohannitii*. Commentaries on the Prognosis of Hippocrates from Masters Archimattheus and Maurus, and Urso's *De coloribus* introduce physiological reflections to explain some colourful manifestations of disease.

Thierry BARDINET, « Les couleurs du mal et de la maladie : pratiques magiques et examens cliniques chez les médecins de l'Égypte des pharaons »
    Cet article présente l'emploi de différents mots égyptiens se rapportant aux couleurs, afin de voir si l'opposition néfaste / bénéfique que montrent leurs emplois dans les textes religieux se retrouve dans les textes de la pratique médicale.

« The colour of evil and illness : magical practices and clinical observation by the physicians of Pharaonic Egypt »
    This paper presents the use of different Egyptian terms related to colours and discusses whether the harmful / beneficial opposition of their use in religious texts finds a parallel in texts related to medical practice.

Elisabeth BELMAS, « Toxicité, maladies professionnelles et couleur de peau à l'époque moderne (XVIe-XVIIIe siècles) »
    La présente étude a été menée à partir de différents traités et ouvrages médicaux de l'époque moderne tels *De Morbis Artificum Diatriba* (*Traité des maladies des artisans)* de Bernardino Ramazzini, médecin italien du XVIIe siècle (1633-1714) et sa traduction en langue française par Antoine-François de Fourcroy (1755-1809), médecin et chimiste, mais encore *La Médecine, la chirurgie et la pharmacie des pauvres*, publiée en 1740, à titre posthume, de Philippe Hecquet (1661-1737), professeur de médecine à la Faculté de Paris et la *Médecine domestique ou traité complet des moyens de se conserver en santé*, parue en 1769, du médecin écossais William Buchan (1729-1805), ainsi que d'un manuscrit inédit, conservé dans la *collection Amoreux* aux archives de la Faculté de médecine de Montpellier. Consacrée aux maladies « causées par des molécules qui, mêlées sous forme de vapeurs ou de poussière à l'air que les ouvriers respirent, pénètrent dans leurs organes et en troublent les fonctions », c'est-à-dire les affections consécutives au maniement de substances toxiques (minérales ou végétales), dont le recensement ne cesse de s'allonger au XVIIIe siècle, cette étude montre qu'à l'époque, les institutions savantes du royaume, parisiennes et / ou provinciales, se sont mobilisées contre les nuisances artisanales et industrielles. Elles ont encouragé les recherches sur la séméiologie et l'étiologie des pathologies professionnelles comme sur les moyens de combattre leurs méfaits par l'innovation technique, sans jamais déboucher sur une véritable politique sanitaire. Toutefois, dans l'étude des maladies professionnelles, l'attention des milieux médicaux et savants ne s'est guère appesantie sur la couleur de la peau qui constituait un marqueur, parmi d'autres, de la santé et de la maladie. Seules les lésions cutanées consécutives aux affections syphilitiques suscitaient un examen approfondi. Pour les médecins du XVIIIe siècle, le coloris de l'épiderme constituait l'un des éléments du tableau clinique, mais pas nécessairement le plus déterminant.

« Toxicity, professional diseases and the colour of the skin from the 16th to the 18th century »
    The present study was carried out on different treatises and medical works of the modern era such as *De Morbis Artificum Diatriba* (*Treatise on the diseases of craftsmen*) by Bernardino Ramazzini, a 17th century Italian physician (1633-1714) and its translation into the French language by Antoine-François de Fourcroy (1755-1809), a doctor and chemist, also *The medicine, surgery and pharmacy of the poor*, published in 1740, posthumously, by Philippe Hecquet (1661-1737), professor of Medicine at the Faculty of Paris and *Domestic Medicine or a comprehensive treatise on health preservation*, published in 1769 by the

Scottish physician William Buchan (1729-1805), as well as an unpublished manuscript preserved in the Amoreux collection in the archives of the Faculty of Medicine of Montpellier. Devoted to diseases "caused by molecules which, mixed in the form of vapors or dust in the air which the workmen breathe, penetrate into their organs and disrupt the functions", that is to say the affections consecutive to the handling of toxic substances (mineral or vegetable), whose census continues to grow in the eighteenth century, this study shows that, at the time, the scientific institutions of the kingdom, Parisian and / or provincial, mobilized against artisanal and industrial nuisances. They encouraged research on the semeiology and etiology of professional pathologies and on the ways of combating their negative effects through technical innovation, without ever leading to a real health policy. However, in the study of professional diseases, the attention of the medical and scientific communities was little concerned with the colour of the skin which was a marker, among others, of health and disease. Only the cutaneous lesions consecutive to syphilitic affections gave rise to a thorough examination. For eighteenth-century physicians, the colour of the epidermis was one of the elements of the clinical picture, but not necessarily the most decisive one.

Isabelle BOEHM, « La couleur du corps chez Galien. Coloration naturelle et couleurs modifiées dans la polychromie du vivant »

Dans l'examen médical les couleurs ont des caractéristiques spécifiques. Les couleurs « naturelles » du corps sont de « bonnes couleurs », mais si elles sont « contre nature », elles sont « mauvaises », c'est-à-dire signes de dysfonctionnement d'une partie du corps. Galien emploie des termes de couleur qui sont, pour partie, ceux du vocabulaire hippocratique. De même, les couleurs fondamentales, blanc, noir, rouge et jaune, sont associées à des éléments vitaux et aux *humeurs*. Cependant Galien est attentif à la distinction entre « couleur de base », *khrôma*, c'est-à-dire fixe, et la teinte ou le teint, c'est-à-dire la couleur susceptible de se modifier, qui est la couleur du vivant, *khroia*. Les altérations du teint à la surface du corps ou de la teinte des matières sont associées aux altérations de leurs autres qualités. Galien emploie pour désigner les teintes modifiées des adjectifs dérivés ou composés originaux. Le vivant n'est pas chez Galien caractérisé par la *polychromie*, c'est-à-dire la multiplicité des couleurs, mais par la *poikilia*, c'est-à-dire la variété des couleurs.

« The colours of the body in Galen. Natural colours and modified ones in the polychromy of the living »

In medical examination colours have specific characteristics. 'Natural' body colours are 'good colours', but if they are 'anti-natural', they are 'bad', showing signs of dysfunctioning body parts. Galen uses colour-naming terms which, in part, are from the Hippocratic vocabulary. Furthermore, fundamental colours such as white, black, red, and yellow are associated with life-bearing elements and *humours*. However Galen is careful to distinguish between 'basic colours', *khrôma*, meaning permanent, and 'shade' or 'nuance', representing a colour susceptible to change, which is the colour of the living, *khroia*. Alterations to the complexion on the body or the shade of substances are associated with their qualities. Galen uses original derived or compound adjectives to qualify changed shades. The living organism is not for Galen marked by *polychromia*, i.e. multiple colours, but by *poikilia*, i.e. varied colours.

Franck COLLARD, « Les couleurs du poison. La (dé)coloration des corps dans les écrits de vénénologie du Moyen Âge latin »

Apparue en Occident à la fin du XIIIe siècle, la littérature vénénologique vise notamment à décrire les effets des poisons sur le corps humain pour identifier les empoisonnements et déterminer leur origine. Le changement de couleur de diverses parties corporelles constitue un thème relativement présent dans ces œuvres spécialisées sans toutefois que les considérations chromatiques revêtent une importance aussi grande que dans les traités des urines. La communication étudie la place et le traitement de la *mutatio coloris* en prenant aussi en compte les phénomènes colorés affectant les empoisonneurs.

« The colours of poison. (dis)colouration of the bodies in venenological treatises in Latin Middle Ages »

Written at the end of the 13th century, western treatises on poisons aim to describe the effects of poisons on the human body in order to recognize poisoning and to know its origin. The changing colours of several parts of the body are a relatively frequent subject in these treatises but colour matters less than in the treatises of uroscopy. The paper is a study about the place of the *mutatio coloris* and about the ways in which the authors present and explain a chromatic effect that concerns not only the victim but also the poisoner.

Anne-Marie FAVREAU-LINDER, « La gamme chromatique de la lâcheté dans les traités physiognomoniques grecs »

Le foisonnement des signes et des critères qui entrent en ligne de compte dans l'examen physiognomonique laisse le lecteur quelque peu perplexe sur l'existence de principes qui régiraient l'analyse des correspondances entre trait physique et trait moral. Les traités de physiognomonie grecs antiques, au-delà de notations éparses de couleur dans la caractérisation d'une personnalité ou d'une partie du corps consacrent quelques développements spécifiques aux différentes couleurs de la peau et des yeux. L'étude de ces passages permet de poser la question de l'élaboration ou non par le physiognomoniste d'une forme de système chromatique, qui ordonnerait d'une part les couleurs les unes par rapport aux autres et organiserait de l'autre les équivalences entre couleur et trait moral. Un couple de valeurs récurrentes servira de fil directeur à cet examen, celui de la lâcheté et de son contraire le courage. La diversité des paradigmes à disposition du physiognomoniste l'amène à composer une palette chromatique de la lâcheté. Le principe de l'analogie est en effet au cœur des inférences physiognomoniques, cependant on décèle aussi ponctuellement les traces d'un raisonnement fondé sur des causes physiologiques.

« The colours of cowardice in Greek physiognomy »

When confronted with the multitude of signs and criteria to be taken into account in the study of physiognomy in the ancient world, the reader may well doubt the existence of strict principles underlying the correspondences between physical and moral features. Ancient Greek treatises on physiognomy do however include some specific developments on skin and eye colour, which lead us to ask whether or not physiognomists used some sort of colour-coding system, organising the different colours among themselves and establishing links between colours and moral characteristics. Two opposite and recurring values – courage and cowardice – enable us to test this hypothesis. The wide range of paradigms available to physiognomists led them to establish a chromatic scale of cowardice. Analogy is indeed the principle which lies behind the inference between a physical feature and a psychological one; however, physiological causes can also sometimes be mobilized in order to explain these connections.

Alessia GUARDASOLE, « La λεύκη chez Galien et les médecins byzantins »

Cette étude est consacrée à la « maladie blanche », une dermatite dont il est beaucoup question dans les textes grecs anciens, mais que nous n'avons toujours pas pu identifier précisément. Une considération diachronique des sources nous permet de cerner l'évolution du terme et des références pathologiques auxquelles il renvoie à des époques différentes. L'attention est ensuite portée à son diagnostic et à sa thérapeutique dans les textes de médecine d'époque impériale (essentiellement Galien) et byzantine (notamment Oribase, Aetius et Paul d'Égine).

« The λεύκη in Galen and in Byzantine medicine »

This study is devoted to the "white disease", a kind of dermatitis, much discussed in the ancient Greek texts, but that we still have not been able to identify precisely. A diachronic consideration of the sources allows us to define the evolution of the term and the pathological references to which it refers in different periods. We then pay attention to its diagnosis and therapy in the medical texts of the Imperial (mainly Galen) and Byzantine age (especially Oribasius, Aetius and Paul of Aegina).

Bertha M. GUTIÉRREZ RODILLA, « Les causes d'une couleur : la Peste noire »

Ce travail expose les raisons pouvant expliquer le rapport entre la couleur noire et une maladie infectieuse en particulier : la peste qui sévit au XIVe siècle, une des épidémies les plus mortifères dans l'histoire de l'humanité. Contre toute attente, les raisons de cette appellation ne sont pas si évidentes et ce travail tente de les expliquer.

« The causes of a colour : the Black plague »

There is a clear link between the colour black and the infectious disease known as Black Death or bubonic plague, one of the most lethal epidemic diseases in the history of the mankind that swept through Europe in the fourteenth century. Despite what one might think, the reasons to link the colour with this disease are not clear, and this work aims at shedding some light on the issue.

Vivien LONGHI, « Les couleurs du corps chez Platon : dignité ou indignité du teint ? »

Le teint a-t-il une place dans la philosophie de Platon ? Le thème du coloris des chairs apparaît dans des comparaisons qui soulignent la recherche de véracité dans l'enquête éthique sur le bon politique. Le rougissement des visages est aussi un signe qui lie fortement les jeunes gens à Socrate et exprime leur élan et leur ardeur philosophique nouvellement acquise. Enfin, la belle carnation, florale et lumineuse, est indissolublement liée à Eros, parce qu'elle est son moyen d'action pour séduire mais aussi parce qu'elle est l'indice et la trace de Beautés intelligibles à poursuivre.

« The colours of the body in Plato : dignity or indignity of the complexion ? »

Does complexion have any place in Plato's philosophy ? Colours of flesh appear in comparisons which underline the search for veracity in moral portraits. Blushing is also a sign which links young men to Socrates, signifying a new philosophical impulse. At last, a bright and floral complexion, typical of Eros, is highly attractive and reveals intelligible Beauties.

Maaike van der LUGT, « Les couleurs de la peau dans les commentaires sur l'*Isagoge* de Johannitius (XIIe-XIIIe siècle) »

D'une importance moindre dans la médecine médiévale que la couleur des urines, la couleur de la peau n'en est pas moins un signe que le médecin doit déchiffrer pour adapter régime et traitement à la complexion et à l'état de santé du patient. Les discussions les plus systématiques sur le sujet se trouvent dans les commentaires latins du XIIe-XIIIe siècle sur l'*Isagoge* de « Johannitius » (Hunain ibn Ishaq). Johannitius attribue les couleurs de la peau aux humeurs, en distinguant les causes internes des causes externes : le climat (responsable de la couleur « ethnique ») et les émotions. Les commentateurs de l'*Isagoge* précisent ces différentes causes, notamment le lien entre humeurs et complexions. Ils proposent aussi une typologie nouvelle des couleurs, fondée sur l'opposition entre état permanent et état passager et sur le concept de nature. Ils rapprochent la couleur ethnique de la couleur naturelle, reprenant l'adage hippocratique de la coutume comme seconde nature. Enfin, ils réduisent les cinq couleurs principales de Johannitius (noir, jaune, rouge, *glaucus*, blanc) à quatre. Dans ces systèmes, qui restent variables jusqu'à la fin du Moyen Âge, le noir ne renvoie généralement pas à la couleur des Noirs, mais à une peau mate ou grisâtre. Tant dans le système humoral qu'ethnique, la couleur optimale n'est pas le blanc, mais une couleur intermédiaire entre le blanc et le noir. Sans nier la part des stéréotypes ethniques dans la médecine médiévale, la couleur reste avant tout un signe lié à l'individu.

« The colours of the skin in the Commentaries of the *Isagoge* by Johannitius (12th-13th century) »

Albeit of less importance in medieval medicine than the colour of urine, skin colour was a sign medieval physicians had to decipher in order to adapt regimen and treatment to the patient's complexion and state of health. The *Isagoge* by « Johannitius » (Hunain ibn Ishaq) provided Latin commentators of the 12th and 13th centuries with their main incentive to discuss the topic in detail. Johannitius attributed skin colour to humours, distinguishing between internal and external causes : climate (the cause of « ethnic » colour) and the emotions. Latin commentators developed these causal mechanisms, especially the link between humours and complexions. They also proposed new typologies based on the opposition between the permanent and the temporary and the concept of nature. They likened ethnic colour to natural colour, by appealing to the Hippocratic maxim « habit is like a second nature ». Finally, they reduced Johannitius' five basic colours (black, yellow, red, *glaucus*, white) to four. In their colour systems, which remained variable until the end of the Middle Ages, black usually did not refer to sub-Saharan Africans, but to matte or grayish skin. Not white, but an intermediate colour between black and white was the ideal, in both the humoural and the ethnic system. While ethnic stereotypes definitely played a role in medieval medicine, skin colour remained predominantly a sign of the individual.

Laetitia MARCUCCI, « Couleurs et émotions dans la physiognomonie des XVIe et XVIIe siècles »

Aux XVIe et XVIIe siècles, la physiognomonie continue de s'appuyer sur des corpus anciens mais elle renouvelle également en partie ses modalités gnoséologiques et épistémologiques. La place dévolue à la couleur et aux émotions dans ce corpus manifeste les permanences et les mutations du regard de la Renaissance à l'âge classique. Deux tendances coexistent, la seconde tendant à l'emporter sur la première au fil du temps. La physiognomonie astrologique médicale traditionnelle repose sur l'étude des signes radicaux. Elle dresse des typologies et des caractérologies stables, s'appuyant sur un chromatisme restreint. La physiognomonie anatomo-pathognomonique, quant à elle, s'intéresse de plus en plus au mouvement, à l'écart et aux signes accidentels. L'ambiguïté sémiologique constitutive de la couleur en fait le support de l'expressivité des passions et de l'individualisation progressive de l'émotion. On assiste ainsi à un élargissement de la palette conceptuelle et colorée de la physiognomonie. Couleurs et émotions manifestent la transformation des fonctions traditionnelles de la physiognomonie et son fléchissement pathognomonique. L'article aborde d'un point de vue philosophique ce moment clef de l'histoire des représentations du corps et interroge les articulations conceptuelles en jeu.

« Colours et emotions in 16th and 17th century physiognomony »

In the 16th and 17th centuries, physiognomics continues to rely on ancient and traditional bodies of knowledge but it also partly renews its gnoseological and epistemological modalities. The continuity and mindset changes are made obvious by the position given to colours and emotions in this specific body of knowledge from the Renaissance to the Classical age. Two patterns are to be found, although the second one tends to gain more influence over time. The traditional, medical, astrological physiognomics is based on the study of radical signs, and it develops steady typologies and characterology, with a restricted colour range. As for the anatomo-pathognomic physiognomics, its keen interest in movement, variations, and accidental signs, is increasingly characterized. The semiological ambiguity as a constituent element of colour provides the support for the expressiveness of passions and the progressive individualisation of emotions. The physiognomic conceptual setting and range of shades are thus extended. Colours and emotions are actually evidence for the transformation of the traditional functions of physiognomics, and represent to some extent a kind of pathognomic turning point. This paper intends to shed light on this key moment of the history of bodily representations from a philosophical point of view, and to question the conceptual articulations at stake.

Cristina MARINAS, « Les couleurs du corps malade dans la peinture espagnole du Siècle d'Or »

Le corps malade est très présent dans la peinture espagnole des XVIe et XVIIe siècles ; le corps pathologique est le corps meurtri des saints et des martyrs, le corps affaibli des malades et des vieillards, celui des mourants et des infirmes, celui des pauvres et des indigents. La palette chromatique utilisée par les artistes pour figurer les pathologies est celle prescrite par la littérature artistique pour la représentation des carnations ; les couleurs (blanc, jaune, *cardeno*, bleu / violacé) varient selon les contextes iconographiques et les principes opposés de la bienséance et de la vérité.

« Shades of the sick body in Spanish Golden Century painting »

The sick body (dying saints, martyrs of the Catholic faith, ill and disabled poor and beggars...) was frequently represented by the Spanish painters of the 16th and 17th centuries ; the various pathologies are rendered through the flesh tones ; the colours, hues, pigments employed by the painters are those described in the art treatises of the period (white, yellow, *cardeno*-blue / purple / violet), and they may change according to the iconography, and the opposing principles of decorum and truth.

Laurence MOULINIER-BROGI, « La couleur des urines et la mémoire de l'eau : autour de Michel Savonarole »

L'examen des urines du patient joua longtemps un rôle important dans la sémiologie médicale. On considérait que ce fluide, également appelé « eau du corps » par euphémisme, offrait, à sa sortie de l'organisme, un enregistrement des mécanismes internes pour qui savait les lire. Parmi les critères à observer, la couleur s'imposait, par son évidence sensible. Mais ce signe n'était pas pour autant considéré par tous comme d'une fiabilité absolue, et tout au long de la période, des réserves furent émises sur le crédit à accorder à l'urine, notamment à sa couleur, et même le nombre de teintes que ce liquide pouvait revêtir fut remis en cause. Le médecin padouan Michel Savonarole qui nous retient ici est un de ceux qui exprimèrent des doutes, tout en reconnaissant le caractère nécessaire de l'examen des urines dans l'établissement d'un pronostic et d'un diagnostic.

« The colour of urine and the memory of water : about Michele Savonarole »

Examination of the patient's urine has long played an important role in medical semiology. It was considered that this fluid, also called « water of the body » by euphemism, offered, at its exit from the organism, a recording of the internal mechanisms for who ever knew how to read them. Among the criteria to be observed, colour was the first one, by its obvious sensitivity. But this sign was not considered by all as absolutely reliable, and throughout the period, reservations were expressed as to the credit to be given to the urine, including its colour, and even the number of shades that this liquid could take was questioned. The Paduan physician Michel Savonarole is one of those who expressed doubts, while recognizing the necessity of the examination of the urine in the establishment of a prognosis and a diagnosis.

Iris NAGET, « Le Prince malade : couleur et symbolique du corps royal dans les chroniques (XIe siècle- XIIIe siècle) »

La figure du Prince malade met en jeu la possible fragilité de l'autorité personnelle, l'exercice de la puissance sur ses sujets, l'interaction entre pouvoirs et états pathologiques, la personne publique et la personne privée. L'étude de la couleur dans ces descriptions pathologiques amène à s'interroger sur la portée symbolique de la maladie royale. La couleur employée dans la description du corps royal malade permet-elle d'en révéler la cause pathologique ? L'étude de la rougeur et de la pâleur des figures de Louis VI le Gros et Saint Louis, puis la figure bien portante de Philippe Le Bel permettent de dégager les enjeux d'une question à la fois symbolique, rhétorique et politique.

« The sick Prince : colour and symbol of the royal body in 11th to 13th Century Chronicles »

The status of the sick Prince encompasses several issues : a possible frailty of his authority, the exercise of power, the interaction between power and pathological states, the public persona *versus* the private person. Studying colour in the pathological descriptions leads us to wonder about the symbolic value of the king's disease. Can the historian uncover the pathological causes of the king's ailment from the colours mentioned in the descriptions of his sick body ? The study of the colours « red » and « white » concerning the kings Louis

VI the Fat and Louis IX (Saint-Louis), both sick kings, and the healthy Philip IV the Fair, reveals the stakes of a symbolic, rhetorical and political problem.

Sarah PECH-PELLETIER, « Les couleurs de l'allaitement dans les traités médicaux espagnols des XVIᵉ et XVIIᵉ siècles »

Les traités médicaux espagnols des XVIᵉ et XVIIᵉ siècles, qui abordent la question de l'allaitement mercenaire, proposent une série de critères à observer lors du choix de la nourrice. En effet, cette dernière est perçue comme un danger potentiel pour la santé de l'enfant qui lui est confié, aussi s'agit-il de bien examiner son corps à la recherche de tous les signes d'une maladie naissante ou d'un état de santé fragile qui pourraient être préjudiciables au nourrisson. Les théories sur l'origine du lait, conçu comme provenant d'une cuisson du sang des menstrues, et sur la transmission des caractéristiques physiques, humorales et morales de la nourrice à l'enfant *via* le lait qu'il consomme, font que le problème est en définitive à la fois médical et social. Aux enfants des élites, il faudrait un lait adapté à leur rang et à l'avenir qui leur est promis, ce que l'on ne peut attendre de nourrices provenant le plus souvent des couches populaires. Ne pouvant lutter contre la pratique très courante de l'emploi d'une nourrice, les auteurs, en s'appuyant à la fois sur leur parfaite connaissance des ouvrages gynécologiques et pédiatriques classiques (sources grecques, latines et arabes), et sur leur expérience personnelle de la médecine, réalisent une sorte de « découpage » du corps de la nourrice en parties à examiner, du plus visible et extérieur — l'enveloppe corporelle et quelques éléments significatifs — jusqu'au plus secret, à savoir cette sécrétion bien particulière qu'est le lait. Toute une gamme de couleurs appliquées aux chairs, aux cheveux, aux yeux, aux dents, aux seins et *in fine* au lait, soulignent l'importance de cet indice chromatique pour déterminer l'état de santé de la nourrice et, par conséquent, celui du nourrisson.

« Colours of breast-feeding in 16ᵗʰ & 17ᵗʰ century Spanish medical writings »

The Spanish medical treatises of the sixteenth and seventeenth centuries which address the issue of mercenary breastfeeding, offer a series of criteria to be taken into account when choosing a wet-nurse. Indeed, the breastfeeding nurse was perceived as a potential danger to the health of the child under her care. Thus it was considered a necessity to check her body to find signs of any incipient illness or of what would imply fragile health. Theories on the origin of milk, believed to be taken from cooked menstruation blood, and on the transmission of the physical, humoral and moral characteristics of the nurse to the child by the milk, give both medical and social dimensions to the problem. The children of the elite were meant to receive milk adapted to their rank and their future. These criteria could not be expected from nurses of popular origin. Unable to go against the common practice of mercenary breastfeeding, the authors of these theories, who relied on the classical gynecological and pediatric books, and on their personal experience of medicine, offered an examination of the body of the nurse in « parts », from the most visible to the most secret ones. The variety of colours applied then to the skin complex, to the hair, the eyes, the teeth, the breast and eventually to the milk, highlights the importance of this chromatic index to determine the state of health of the nurse and consequently, of the infant.

Stanis PEREZ, « "Incarnats merveilleux". Teint, couleur de peau et discours symbolique chez les souverains français d'Ancien Régime (XVIᵉ-XVIIIᵉ s.) »

Avec le passage à la Renaissance et la valorisation du portrait individuel et ressemblant, la couleur des visages a acquis une importance nouvelle. À la cour comme partout ailleurs, le teint devait marquer le statut social, le caractère voire l'état de santé. L'élaboration de ces stéréotypes a également concerné les souverains et leurs épouses. La blancheur proverbiale du teint des reines contrastait avec le teint hâlé de chefs de guerre impétueux et virils. Mais ce modèle, forcément réducteur, a dû s'adapter à la réalité de monarques au teint basané et que les peintres s'évertuaient à pâlir d'un coup de pinceau tandis que les mémorialistes s'en remettaient à leur plume. Avec le recul, on observe que les divergences et les rumeurs que les sources mettent en évidence (fille « noire » de Louis XIV, anomalies sur le visage de Louis XIII, teint méditerranéen du roi-Soleil, etc.) reflètent une pluralité de situation renforcée par la nécessité de respecter autant les codes esthétiques et médicaux que de flatter de puissants et illustres mécènes ou patients.

« "Marvelous incarnates". Tone, colour of the skin and symbolical discourse about French kings from the 16th to the 18th century »

With the passage to Renaissance and the valorization of individual and resembling portraits, the colour of the face acquired a new importance. At court like everywhere, the complexion was a marker of social status, character, even health status. The development of these stereotypes also concerned sovereigns and their wives. The proverbial whiteness of the queen's complexion contrasted with the tanned complexion of impetuous and virile war leaders. But this model, inevitably reductionist, had to adapt to the reality of monarchs who had a dark complexion and that the painters strove to make more pale at a stretch of brush while the memorialists carefully chose the terms they would use. In the course of time, it is observed that the divergences and the rumours which the sources highlight (Louis XIV's "black" daughter, anomalies concerning Louis XIII's face, the Mediterranean complexion of the Sun King, etc.) reflect a plurality of situations reinforced by the needs to respect aesthetic and medical codes as much to flatter the powerful and famous patrons or patients.

Antoine PETIT, « Changer de couleur. Une histoire de la Dépigmentation Volontaire »

La dépigmentation volontaire (DV), qui consiste à se dépigmenter la peau saine, est extrêmement répandue chez les personnes de teint foncé sur les cinq continents. La DV prédomine chez les femmes mais concerne aussi des hommes ; elle entraîne des complications cutanées et générales parfois sévères qui la font considérer comme un problème de santé publique. Les déterminants socio-historiques de cette pratique sont multiples ; elle s'enracine à la fois dans des traditions cosmétiques féminines, la clarté du teint apparaissant liée au genre féminin depuis l'Antiquité, et dans une hiérarchisation des peuples et des individus selon leur pigmentation cutanée, résultat entre autres des théories raciales qui avaient cours entre le XVIe et le XXe siècle en Occident. La mise au point et la diffusion à large échelle de procédés de dépigmentation efficaces tels que dermocorticoïdes et dérivés de l'hydroquinone ont favorisé la convergence entre ces deux sources de la DV, entraînant une certaine confusion.

« Changing colour. A story of Skin Lightening »

Skin Lightening (SL), which consists in inhibiting the pigmentary function of the epidermis, is a widespread habit in persons with heavily pigmented skin over the five continents. It affects mainly women, but also a significant proportion of men ; it may lead to severe cutaneous as well as systemic complications. Therefore, it has been regarded as a public health issue in several countries. This phenomenon probably has several social and historical roots ; noticeably very ancient cosmetic customs linked to the feminine value attached to a lighter skin tone from Antiquity, and a hierarchical classification of individuals and populations according to their skin tones in modern times. From the second half of the 20th century, the discovery, industrial production and wide distribution of new, very effective agents for skin depigmentation (such as potent and very potent dermocorticosteroids and hydroquinone derivatives) precipitated the spread of SL across the world, inducing some confusion between these two main motives for practicing it.

Johan PICOT, « La palette chromatique de la lèpre dans les sources du tribunal de la Purge (XVe-XVIe siècles) »

À la fin du Moyen Âge, les couleurs corporelles sont tenues comme des indices de bonne santé. Toute variation chromatique est associée à un dérèglement humoral pouvant entraîner l'apparition de maladies telle que la lèpre. Parmi les nombreux témoignages disponibles sur le sujet, le corpus produit par le tribunal de la Purge offre le plus d'intérêt. Juridiction royale installée en Auvergne sous l'impulsion de Philippe le Bel, la cour exerce une compétence vouée à la mise à l'écart des lépreux au moyen d'une procédure médico-légale originale ayant laissé un fonds documentaire particulièrement riche aux XVe-XVIe siècles. Deux types de sources permettent de prendre la mesure de l'importance de la couleur corporelle des lépreux : les enquêtes et les rapports médicaux. Une palette de cinq couleurs principales (rouge, noir, gris, jaune et blanc), développées en sous catégories (clair / foncé), apparaît dans ces archives et autorisent la population et les médecins à qualifier les malades de lépreux. Les coloris servent à décrire les lésions observées, à présenter le degré d'avancement de la pathologie, voire à identifier un type de lèpre précis. Cependant, l'étude chromatique n'est pas déterminante et ne peut conduire, seule, au diagnostic de lèpre. En effet, comme le rappellent les autorités universitaires, la maladie se manifeste de plusieurs manières et ne peut être nommée d'après un indice isolé ; son identification repose sur la concurrence d'une multitude de signes (univoques et équivoques).

« Chromatic shades of leprosy in the archives of the "tribunal de la Purge" (15th-16th Centuries) »

At the end of the Middle Ages, body colours were held to be indications of good health. Any chromatic variation is associated with a humoural disturbance that could lead to diseases such as leprosy. Among the many testimonials available on the subject, the corpus produced by the « Purge » offers the most interest. A Royal jurisdiction installed in Auvergne under the impetus of Philip the Fair, the court exercised a competence dedicated to the setting aside of lepers by means of an original medico-legal procedure which left a particularly rich documentary collection in the 15th-16th centuries. Two types of sources make it possible to measure the importance of the body colour of lepers: investigations and medical reports. A palette of five main colours (red, black, gray, yellow and white), divided into subcategories (light / dark), appears in these archives and allows the population and doctors to qualify patients as lepers. The colours are used to describe the lesions observed, to present the degree of advancement of the pathology, or even to identify a specific type of leprosy. However, the chromatic study is not decisive and can not lead, alone, to the diagnosis of leprosy. In fact, as the university authorities point out, the disease manifests itself in several ways and can not be named after an isolated indication ; its identification is based on the conjunction of a multitude of signs.

Ivan RICORDEL, « Pertinence des manifestations colorées du corps comme indices d'empoisonnement pré- ou *post-mortem* »

L'observation attentive des variations chromatiques du corps et de ses fluides parmi l'ensemble des symptômes possibles d'un empoisonnement, fut une pratique utile pour son diagnostic. La disponibilité récente de moyens analytiques fiables d'identification des toxiques responsables a rendu de plus en plus obsolète la prise en compte de ce type de signes. Toutefois, l'identification formelle d'un toxique, notamment dans un cadavre, n'est pas la preuve absolue d'empoisonnement. Les signes cliniques et l'examen des couleurs conservent toute leur pertinence pour étayer le diagnostic. Une revue des principales manifestations corporelles chromatiques signifiantes sur le sujet vivant ou sur son cadavre impliquant les poisons est présentée en sept groupes rapprochés par le type d'effets produits.

« Relevance of coloured body manifestations as indications of pre- or post-mortem poisoning »

Among all possible symptoms of poisoning, careful observation of the chromatic variations of the body and its fluids was a useful practice for its diagnosis. The recent availability of reliable analytical means for the identification of the toxicants responsible has made the consideration of such signs increasingly obsolete. However, the formal identification of a poison, especially in a corpse, is not absolute proof of poisoning. Clinical signs and colour examination are still relevant to support the diagnosis. A review of the main significant chromatic body manifestations on the living subject or on its corpse involving poisons is presented in seven groups delimited by the types of effects produced.

Joëlle RICORDEL, « La couleur de la peau : auxiliaire dans le diagnostic des maladies selon Avicenne »

Poètes, historiens, commentateurs de langue arabe ont vanté et dépeint la couleur des corps qui s'est avérée être un facteur de catégorisation d'un groupe d'individus ou d'un individu dans un groupe. Les médecins l'ont adoptée comme un critère dans la description de certaines affections. C'est le cas d'Avicenne, qui dans de nombreux chapitres du *Canon*, voit, dans les modifications du teint ainsi que dans les taches et cicatrices de la peau, un signe utile au diagnostic comme on peut le noter à la lecture de nombreux passages du *Canon* et principalement dans le chapitre 7 du livre IV, intitulé « À propos de la peau, quant à sa couleur ».

« The colour of the skin: auxiliary in the diagnosis of diseases according to Avicenna »

Arabic poets, historians and commentators have extolled and painted the colours of the body using them as a way of categorizing a group of individuals or one individual in a group. Physicians have adopted it as a criterion in the description of various deseases. So did Avicenna who, in many chapters of his *Canon*, considers the modifications of the complexion and the spots and scars of the skin as presenting symptoms for a diagnosis. This emerges in many chapters of the *Canon* and mainly in book IV, chapter 7, entitled « About the skin, regarding its colour ».

Myriam ROLLAND-PERRIN, « Sublime clarté de la chevelure médiévale »

Quand elle est rapportée à un personnage masculin, la chevelure blanchissante, indice de vieillissement, est valorisée en tant qu'elle manifeste sa sagesse et son expérience, comme l'indique notamment l'adjectif chenu. Dès lors qu'il s'agit d'un personnage féminin, elle renvoie à la décrépitude et à la laideur. La maladie, de manière générale, entraîne l'alopécie mais peut parfois se manifester par un noircissement du cheveu. Est ainsi mise en évidence du point de vue capillaire une bipolarité chromatique entre le clair et le foncé, chargée d'implications morales.

« Sublime lightness of the medieval hair »

When associated with a male character, white hair is valued in Medieval literature, as a sign of wisdom and experience. When associated with a female character, it denotes decrepitude and ugliness. Some diseases cause alopecia but can also sometimes induce blackening of the hair. From a capillary point of view, a chromatic bipolarity between light and dark is obvious, with moral implications.

Agnès ROUVERET, « Représenter le corps souffrant : couleur, peinture et sculpture dans l'Antiquité classique »

Bien que la perte des œuvres célèbres mentionnées dans les sources écrites, empêche d'établir un corpus consistant, une convergence remarquable entre les acquis de la recherche sur la médecine antique et la découverte d'originaux contemporains de la période d'excellence de la peinture grecque, permet d'aborder la question du « corps polychrome » sous un angle renouvelé. C'est le cas de la couleur de la peau (*andreikelon*), critère majeur du diagnostic médical comme de l'art du peintre. Plusieurs de ses variations en fonction du genre, de l'âge ou de l'appartenance sociale sont analysées. On s'attache ensuite à la couleur de la mort, d'abord la « belle mort du héros », la mort « couleur de pourpre » (*Iliade*, XVI, v. 330-334) et son expression figurée sur le cratère d'Euphronios figurant la mort de Sarpédon, puis la mort « bleue tirant sur le noir », celle du démon Eurynomos peint par Polygnote à Delphes (Pausanias, X, 28, 7), dont les plus proches équivalents se trouvent dans la peinture funéraire étrusque. La statue du pugiliste du Quirinal, enfin, permet d'analyser les marques de la douleur inscrites dans le bronze. On revient en conclusion sur un pavement en mosaïque découvert à Lambiridi, en Algérie. Il figure une consultation médicale, qui a donné lieu à plusieurs interprétations fondées sur les croyances spirituelles et philosophiques face à la mort. On propose à titre d'hypothèse que le message exprimé pourrait prendre ici la forme d'une « image de mémoire », suivant une pratique courante dans l'Antiquité.

« Representing the suffering body : colour, painting and sculpture in classical Antiquity »

Since the famous masterpieces mentioned in the literary sources relating to ancient art are lost, making it quite impossible to build up a substantial corpus, nevertheless a remarkable convergence between the results of the inquiries about ancient medicine and the discovery of original works dated in the period when the art of painting was at its best in Greece, allows us to study the problem of the « polychromatic body » in a new way. That is the case, in the first place, of the colour of the flesh (*andreikelon*), which is a major criterion for the doctor's diagnosis and for the painter's art. Some of its variations according to gender, age, or social hierarchy are studied. Next, the colour of death is considered. The first example is the hero's « beautiful death », called « purpled death » by Homer (*Iliad*, XVI, v. 330-334) and the way it is expressed on the krater depicting Sarpedon's death, signed by Euphronios. The second is the « bluish-black death », the colour of Eurynomos, the demon painted by Polygnotus at Delphi (Pausanias, X, 28, 7), of which similar images are present in Etruscan funerary painting. Finally, the pugilist of the Quirinal allows us to analyze the marks of pain expressed in the bronze body. The conclusion is centered on a mosaic pavement discovered at Lambiridi in Algeria. It shows a doctor's consultation, which has been interpreted in different ways related to spiritual and philosophical beliefs towards death. We suggest as an hypothesis that the message as it is depicted could be an « image of memory », according to usual practise in antiquity.

Evelyne SAMAMA, « Constance, l'empereur "verdâtre" : couleur, santé et pouvoir »

Le surprenant *cognomen*, Chlore (*Chlôros*, « verdâtre ») accolé, environ trois cents ans après son décès, au nom d'un empereur romain de la Tétrarchie, permet de mettre en évidence le jeu subtil des Grecs sur les adjectifs de couleurs dont le sens est bien plus complexe qu'une simple teinte.

« Constantius, the "greenish" emperor : colour, health et power »

The surprising surname, Chlôros, given, three centuries after his death, to a Roman Emperor, shows that colour terms, used by Greek and Byzantine authors, were rich in significations, and not only coloured ones.

Catherine VÉRON ISSAD, « Les couleurs du corps féminin entre vice, vertu et maladie dans la peinture des Pays Bas à l'époque moderne »

Cette communication s'intéresse à la représentation du corps féminin sain, malade ou soumis au dictat du vice dans la peinture des Pays Bas du Sud et du Nord au XVIIᵉ siècle et, plus particulièrement sur le rôle de la couleur dans l'herméneutique picturale.

« The colours of the female body : vice, virtue, and illness in the 16th and 17th century painting of the Netherlands »

This paper deals with the representation of the female body, healthy, or sick, or submitted to the diktat of vice in the painting of the southern and northern Netherlands in the 17th century. Particular stress is put on the role of colours in the pictorial hermeneutics.

BIBLIOGRAPHIE SOMMAIRE[2]
Selon un classement thématique

1. Ouvrages généraux

ALBERT Jean-Pierre, ANDRIEU Bernard, BLANCHARD Pascal, BOETSCH Gilles et CHEVÉ Dominique (dir.), *Coloris Corpus*, Paris : CNRS Éditions, 2008

BLANCHARD Pascal, BOETSCH Gilles et CHEVÉ Dominique (dir.), *Corps & couleurs*, Paris : CNRS Éditions, 2008

BONNIOL Jean-Louis, *La couleur comme maléfice. Une illustration créole de la généalogie des Blancs et des Noirs*, Paris : Albin Michel, 1992.

COULOUBARITSIS Lambros et WUNENBURGER Jean-Jacques (dir.), *La Couleur*, Bruxelles : Ousia (J. Vrin / Peeters), 1993

KLEIN Yves, *Corps, couleur* [exposition Centre Georges Pompidou, Paris, 2006], 2006

LEWIS Bernard , *Race et couleur en pays d'Islam*, Paris : Payot, 1982

MEYERSON Ignace, *Problèmes de la couleur*, Paris : SEVPEN- EPHE, 1957

PASTOUREAU Michel, *Bleu. Histoire d'une couleur*, Paris : Seuil, 2000

PASTOUREAU Michel, *Couleurs, images, symboles. Études d'histoire et d'anthropologie*, Paris : Le Léopard d'or, 1989

PASTOUREAU Michel, *Noir : histoire d'une couleur*, Paris : Seuil, 2008

PASTOUREAU Michel, *Rouge : histoire d'une couleur*, Paris : Seuil, 2016

PASTOUREAU Michel, *Une couleur ne vient jamais seule. Journal chromatique 2012-2016*, Paris : Seuil, 2017

PASTOUREAU Michel, *Vert : histoire d'une couleur*, Paris : Seuil, 2013

PASTOUREAU Michel, DOLLFUS Pascale, JACQUESSON François, *Histoire et géographie de la couleur*, Paris : Le Léopard d'or, 2013

PASTOUREAU Michel et SIMONNET Dominique, *Le petit livre des couleurs*, Paris : Seuil, coll. Points Histoire, 2015 (1ᵉ ed. 2005)

PETIT Antoine, « La dépigmentation volontaire : réalités, interprétations, résistances », *L'autre (Cliniques, cultures et sociétés)*, 8, 1, 2007, p. 95-108

STAROBINSKI Jean, « Sur la chlorose », *Romantisme*, 31, 1981, p. 113-130

2. Livres concernant la période antique

ANDRÉ Jacques, *Étude sur les termes de couleur dans la langue latine*, Paris : Klincksieck, 1949

CARASTRO Marcello (dir.), *L'antiquité en couleurs, Catégories, pratiques, représentations*, Grenoble : Jérôme Millon, 2009

ESSER Albert, « Augen u. Haarfarben der alten Griechen », *Klinische Monatsblätter für Augenheilkunde* 85 (1930), p. 551

GRAND-CLÉMENT Adeline , *La fabrique des couleurs. Histoire du paysage sensible des Grecs anciens (VIIIᵉ-début du Vᵉ siècle av. n. è.)*, Paris : de Boccard, 2011

IRWIN Eleanor, *Colour Terms in Greek Poetry*, Toronto : Hakkert, 1974

---

[2] N'ont été retenus dans cette bibliographie que les livres et articles portant spécifiquement sur la couleur du corps ; on n'y trouvera donc aucun ouvrage d'histoire, de philologie, de littérature ou de médecine. Elle rassemble la plupart des ouvrages cités dans les notes ainsi que des références générales résultant des recherches des deux éditeurs de ce volume. Les sources figurent dans l'index *infra*, p. 355 *sqq*.

PIGEAUD Jackie (dir.), *La couleur, les couleurs, XIe entretiens de la Garenne-Lemot*, Rennes : PUR, 2007

ROLLAND Marie-Claire, *La peau humaine dans la littérature romaine*, Thèse d'études latines et néolatines, Université de Rennes-II, 2017

ROUVERET Agnès, DUBEL Sandrine, NAAS Valérie (dir.), *Couleurs et matières dans l'Antiquité : textes, techniques et pratiques*, Paris : éd. Rue d'Ulm, 2006

VILLARD Laurence (dir.), *Couleurs et vision dans l'Antiquité classique*, Rouen : Public. de l'Univ. de Rouen, 2002

3. Livres concernant la période médiévale

BENEDICTOW Ole J., *The Black Death. 1346-1453. The Complete History*. Woodbridge : Boydell Press, 2006

BÉRIAC Françoise, *Histoire des lépreux au Moyen Âge. Une société d'exclus*, Paris : Imago, 1988

CHANDELIER Joël et ROBERT Aurélien, « Nature humaine et complexion du corps chez les médecins italiens de la fin du Moyen Âge », *Revue de Synthèse*, 134, 2013

JACQUART Danielle, *Recherches médiévales sur la nature humaine. Essais sur la réflexion médicale (XIIe-XVe s)*, Florence : Sismel, edizioni del Galluzzo, 2014

MOULINIER-BROGI Laurence, *L'Uroscopie au Moyen Âge. « Lire dans un verre la nature de l'homme »*, Paris : Honoré Champion, 2012.

PARAVICINI BAGLIANI Agostino (dir.), *Black Skin in the Middle Ages*, Florence : Sismel, edizioni del Galluzzo, 2014

La pelle umana, The Human Skin, Micrologus 13, 2005

TOUATI François-Olivier, *Maladie et société au Moyen Âge. La lèpre, les lépreux et les léproseries dans la province ecclésiastique de Sens jusqu'au milieu du XIVe siècle*, Bruxelles : De Boeck Université, 1998

4. Livres concernant la période moderne

CHANTOURY-LACOMBE Florence, *Peindre les maux. Arts visuels et pathologie. XIVe-XVIIe siècles*, Paris : Hermann, 2010

GERMAIN Yves et GUILLAUME Araceli (dir.), *Les couleurs dans l'Espagne du Siècle d'Or. Ecriture et symbolique*, Paris : Presses Paris-Sorbonne, 2012

KNIGHT Leah, *Reading Green in Early Modern England*, Farnham : Ashgate, 2014

SMITH Bruce R., *The Key of Green. Passion and Perception in Renaissance Culture*, Chicago : University Press, 2009

TOMSIN Philippe, *Léonard Defrance. Les broyeurs de couleurs, leur métier et leurs maladies*, Liège : éd. du Céfal, 2005

INDEX AUCTORUM OPERUMQUE

358

INDEX NOMINUM

INDEX VERBORUM POTIORUM[1]

---

[1] Cet index, qui inclut les mentions dans les notes, ne prétend évidemment pas à l'exhaustivité. Les noms **corps, couleur, chromatisme, maladie et santé** n'ont pas été repris pour éviter de l'alourdir. Les occurrences relevées sont celles qui mettent le mot en rapport avec la couleur.

TABLE DES MATIÈRES

HISTOIRE DE LA MÉDECINE
AUX ÉDITIONS L'HARMATTAN

Dernières parutions

LA NEUROCHIRURGIE EN AUVERGNE
Quarante années fondatrices (1953-1993)
Jacques Chabannes
Préface de François Resche
A partir de 1950 la neurochirurgie connait un véritable essor et s'organise au sein des structures hospitalières des grandes villes. Jacques Chabannes nous présente la période fondatrice de la neurochirurgie à Clermont-Ferrand, ainsi que ses principaux acteurs. Un témoignage unique puisque l'auteur a rencontré ces premiers neurochirurgiens, a été formé par eux et à contribué lui-même à l'essor de cette spécialité, tant sur le plan national qu'international.
(Coll. Médecine à travers les siècles, 124 p., 14 euros)
ISBN : 978-2-343-14768-0, EAN EBOOK : 9782140087899

LA MÉDECINE TRADITIONNELLE À MADAGASCAR
Pierrette Ravaonirina Mbola Morel
Préface de Louis Mansaré Marikandia
La médecine traditionnelle dispose d'un environnement magique et fascinant, relaté dans cet ouvrage à travers de multiples expériences de terrain, incluant sources orales et iconographie. Le lecteur est invité à découvrir les méthodes employées par les tradipraticiens, dont le but commun est de faire découvrir la santé à leurs semblables. Il est question ici d'interroger le rôle et le devenir de cette pratique en tant que système de soins dans le cadre d'une multithérapie, pour donner aux patients le choix d'une rencontre entre tradition et modernité.
(504 p., 45 euros)
ISBN : 978-2-343-12728-6, EAN EBOOK : 9782140045561

MORT DE LA CLINIQUE
Analyse de la fracture du système de santé
Michel Derrière Bass
Une médecine sans clinique est-elle encore humaine ? C'est la question posée par Michel Bass devant la crise profonde que traverse notre actuel système de santé. Procédures, protocoles, recommandations, traçabilité, evidence based medicine, gestion du risque, télémédecine, robotisation, transhumanisme : la médecine est désormais envahie par la technoscience d'une part, mais également par le marché et le management, au risque de se perdre.
(Coll. Psychanalyse et civilisations, 264 p., 27 euros)
ISBN : 978-2-343-15314-8, EAN EBOOK : 9782140100437

LIVE SURGERY
Alerte sur une pratique médicale dangereuse
Philippe Liverneaux
Une « Live Surgery » est une chirurgie en direct. Ainsi, pendant un congrès de chirurgie, une opération est retransmise sur grand écran. Tout en opérant, le chirurgien répond aux questions de la salle. Les opérations chirurgicales ont toujours attiré un public avide de sensations fortes et inspiré de nombreux artistes. Aujourd'hui, des sociétés savantes ferment les yeux sur la « Live Surgery », malgré des complications voire des morts en direct. Cet essai a pour but de lancer une alerte sur les risques encourus par les patients au cours d'une telle pratique. Faut-il interdire ou règlementer la « Live Surgery »?
(Coll. Ethique et pratique médicale, 110 p., 13 euros)
ISBN : 978-2-343-15466-4, EAN EBOOK : 9782140097454

HISTOIRE DE LA RELATION MÉDECIN-MALADE
Analyse autour des concepts d'information, de consentement et d'autonomie du patient
Sous la direction de Élodie Petitjean et Olivier Petitjean - Préfaces de Stéphanie Hennette-Vauchez et de François Bricaire

Le présent livre épluche la jurisprudence et recueille de nombreux témoignages pour prendre le lecteur par la main et le faire voyager au travers des siècles, du Moyen Âge jusqu'à aujourd'hui, avec quelques étapes marquantes, notamment : les grands procès fondateurs de la responsabilité médicale, la pleine autonomie existe-t-elle ?, le patient souhaite-t-il toujours être informé ?, le refus de consentir, le malade psychiatrique, le sujet dément, la protection du volontaire lors des essais cliniques, les préjudices subis, quelle information donner ?, comment et sous quelle forme ?

(Coll. Ethique et pratique médicale, 1080 p., 70 euros)
ISBN : 978-2-343-15238-7, EAN EBOOK : 9782140097447

LES SARCOMES OSSEUX CHEZ L'ENFANT
Une longue histoire
Michel A. Germain
Préambule du Professeur Georges Casanova - Préface du Professeur Dominique Poitout

À travers une approche historique précise qui rappelle qui est Ewing, le découvreur d'un type de sarcome infantile, et quels sont les différents éléments et autres acteurs intervenus dans la thérapeutique de cette pathologie. L'auteur s'attarde ici sur les transplants autologues de fibula vascularisée qu'il a utilisés précocement. Dans une analyse critique et historienne des procédés chirurgicaux fréquemment utilisés, il expose sa technique propre tant pour les membres que pour la mandibule. Xavier Riaud

(Coll. Médecine à travers les siècles, 172 p., 18 euros)
ISBN : 978-2-343-15315-5, EAN EBOOK : 9782140095504

INDUSTRIE PHARMACEUTIQUE : QUEL AVENIR ?
L'exemple de l'Algérie
Lillia Arezki
Préface de Thierry Garcin

Le marché du médicament est un enjeu économique, sociétal et éthique majeur dans l'industrie, mais la mondialisation contraint les firmes pharmaceutiques à rechercher de nouveaux marchés. Cependant, ce secteur situé au coeur des innovations technologiques est soumis à des règles strictes ; les stratégies d'implantation dans ces nouveaux marchés doivent donc être finement définies, notamment dans les pays émergents. Cette étude apporte des éléments de réponse en prenant le cas particulier de l'Algérie, pays monoculture ayant les hydrocarbures pour seule réelle ressource.

(Coll. Raisonance, 170 p., 18 euros)
ISBN : 978-2-343-15299-8, EAN EBOOK : 9782140095351

LES MOTS DE LA PHARMACIE
Une histoire linguistique de la pharmacie
Tithnara Sun

La place du pharmacien doit se discuter en considérant l'histoire de ses activités. Les conceptions attachées au médicament au cours des derniers millénaires sont accessibles par le vocabulaire fondamental de la pharmacie, par les mots désignant le médicament ainsi que le lieu, l'art ou la science, et le professionnel qui lui sont associés. Dans la perspective des enjeux de la définition de la pharmacie, cet ouvrage analyse ce vocabulaire dans plusieurs langues, son histoire et son interprétation.

(Coll. Acteurs de la Science, 304 p., 30 euros)
ISBN : 978-2-343-15202-8, EAN EBOOK : 9782140095016

L'INFORMATION DU PATIENT EN MÉDECINE NUCLÉAIRE
Dire et comprendre
Jean-Marc Israël

Lorsqu'un malade bénéficie d'un examen d'imagerie médicale, il semble indispensable qu'il en connaisse le résultat. Comment aborder le patient, que lui dire, et qui peut ou doit lui parler ? Cette version particulière du colloque singulier, de la rencontre malade-médecin, impose une réflexion qui aborde aussi bien les notions légales ou réglementaires qu'un regard sur la psychologie du patient, les angoisses éventuelles des soignants ou les nécessités médico-économiques qui s'imposent au monde de la santé.

(Coll. Ethique et pratique médicale, 104 p., 12,5 euros)
ISBN : 978-2-343-14795-6, EAN EBOOK : 9782140094293

VOYAGE À TRAVERS LA PSYCHIATRIE STÉPHANOISE 1975-2015
De l'envie de changer le monde à l'imagerie cérébrale
Gilles Damas Froissart

Voici un panorama des idées, des techniques, et des conceptions des soins. Il met en perspective le passage du modèle asilaire à la prise en charge de la personne ; et examine l'évolution de la pédopsychiatrie publique et associative dans ses réussites et les déchirements. L'auteur interroge également l'avenir de la discipline et ses enjeux : comment réguler l'augmentation des demandeurs aux urgences psychiatriques ? Quelle place accorder à la psychiatrie médicolégale ? Comment soigner les nouvelles pathologies addictives et avec quels moyens financiers ? Quelle place accorder à la psychanalyse dans la formation des psychiatres ?

(Coll. Ethique et pratique médicale, 212 p., 21,5 euros)
ISBN : 978-2-343-14797-0, EAN EBOOK : 9782140092244

HISTOIRE DE LA FACULTÉ DE MÉDECINE ET DES HÔPITAUX DE LILLE
Philippe Scherpereel, Marc Decoulx, Gérard Biserte

La Faculté de médecine de Lille fut créée en 1875. Bien avant la loi Debré, les concepteurs du Centre hospitalier universitaire de Lille eurent l'idée de réunir en un même lieu l'hôpital et la faculté qui constituent, après bien des mutations racontées dans cet ouvrage, l'un des principaux CHU et la plus importante faculté de médecine de France. Après avoir rappelé l'histoire de Lille et de ses hôpitaux, l'ouvrage abordera le développement des disciplines universitaires médicales et la vie des enseignants.

(Coll. Médecine à travers les siècles, 394 p., 38,5 euros)
ISBN : 978-2-343-14857-1, EAN EBOOK : 9782140093784

FÉMININ PLURIEL
Mémoires et réflexions d'un accoucheur gynécologue
Tanguy Kervran

À travers une expérience de 35 ans de vie professionnelle comme obstétricien, Tanguy Kervran nous invite à partager ses souvenirs, ses réflexions, ses interrogations, ses émotions, relatives aux prodiges de la grossesse et de la naissance. Il s'interroge sur l'évolution de la gynécologie et obstétrique. Il souligne à travers son expérience l'intrication entre la santé et la maladie, le corps et l'esprit.

(Coll. Ethique et pratique médicale, 304 p., 29 euros)
ISBN : 978-2-343-14149-7, EAN EBOOK : 9782140093111

FRÉDÉRIC CHOPIN (1810 - 1849)
Un musicien de génie atteint d'une maladie rare, la mucoviscidose
Michel A. Germain

Chopin est mort il y a 170 ans et personne ne s'est sérieusement interrogé sur sa maladie, ni sur la cause de son décès. Beaucoup de médecins considèrent sa maladie respiratoire comme étant la tuberculose pulmonaire. Michel Germain, à la lecture des archives de l'époque, est convaincu qu'il s'agit d'une maladie génétique : la mucoviscidose. Tous les symptômes se recoupent : taille petite et poids plume, infections et affections respiratoires avec toux chronique et intolérances digestives, probable stérilité, hémoptysies avec essoufflement, etc. Tout y est, même ses antécédents familiaux.

(Coll. Médecine à travers les siècles, 142 p., 15,5 euros)
ISBN : 978-2-343-14652-2, EAN EBOOK : 9782140086854

MÉDECINS ET POLITIQUE
Galerie de portraits de médecins politiciens à travers les âges
André Julien Fabre
Préface du Professeur Iradj Gandkbakhch

Les médecins se sont toujours intéressés à la politique. Cette participation a pris, au fil des siècles, les caractères les plus divers, de simple conseiller à dirigeant laissant une empreinte forte dans la vie politique du pays. C'est une galerie de portraits de plus de 300 médecins politiciens, de l'Antiquité à nos jours (de Che Guevara, à Céline et Littré), qui est présentée dans ce livre. Les politiciens vont-ils prendre le contrôle de la médecine ? Médecins et politiciens sont en effet condamnés à travailler ensemble.

(Coll. Médecine à travers les siècles, 286 p., 29,5 euros)
ISBN : 978-2-343-13018-7, EAN EBOOK : 9782140077166

PARTICULARITÉS ÉPIDÉMIOLOGIQUES ET THÉRAPEUTIQUES DES CANCERS GYNÉCOLOGIQUES ET UROLOGIQUES AU CAMEROUN
Jean Yomi
Sous la direction de - Préface d'André Mama Fouda

Cet essai cherche à relever l'essentiel des particularités sémiologiques et cliniques de la pathologie cancéreuse au Cameroun. Il décrit également les limites et les lacunes des diagnostiques, des bilans, des extensions et des traitements. Cet ouvrage propose une étude du cancer indispensable afin de mieux lutter contre.

(Coll. Harmattan Cameroun, 158 p., 17,5 euros)
ISBN : 978-2-343-13816-9, EAN EBOOK : 9782140059780

MÉMOIRES SINGULIÈRES, MÉMOIRES PLURIELLES
À l'heure du dataïsme et de l'intelligence artificielle
Marc-Williams Debono

Sans mémoire, la vie n'aurait aucun sens. C'est ce que veut montrer ce livre en interrogeant tour à tour l'intelligibilité de l'univers, la plasticité du cerveau, la géométrie des formes et la singularité du vivant. En corollaire, la mémoire évolutive sous-jacente à la naissance de la pensée symbolique, les arts de la mémoire, la littérature proustienne, les souvenances divines, et enfin la mémoire augmentée et ses conséquences sur notre appréhension du monde. Cette nouvelle donne constitue le point d'achoppement des interrogations portées par les auteurs dans un esprit transdisciplinaire : il s'agit avant tout de défricher les mémoires et de ne pas opposer dataisme et plasticisme pour donner à voir, si tant est qu'elle éclose, une mémoire « posthumaine » digne de ce nom.

(Coll. Colloques et rencontres, 220 p., 25 euros)
ISBN : 978-2-343-13959-3, EAN EBOOK : 9782140069246

ACCOMPAGNER LES MALADES D'ALZHEIMER
Manuel pour l'aidant
Guide bilingue français-arabe
Omar Samaoli

Ce petit guide français-arabe apporte des conseils pratiques destinés aux intervenants et à l'entourage des personnes atteintes de la maladie d'Alzheimer. Conçu comme un instrument pratique et abondamment illustré, il s'adresse plus spécifiquement à un public issu de l'immigration, de plus en plus concerné par les problématiques du vieillissement.

(86 p., 15 euros)
ISBN : 978-2-343-13624-0, EAN EBOOK : 9782140065163

Structures éditoriales du groupe L'Harmattan

L'Harmattan Italie
Via degli Artisti, 15
10124 Torino
harmattan.italia@gmail.com

L'Harmattan Hongrie
Kossuth l. u. 14-16.
1053 Budapest
harmattan@harmattan.hu

L'Harmattan Sénégal
10 VDN en face Mermoz
BP 45034 Dakar-Fann
senharmattan@gmail.com

L'Harmattan Mali
Sirakoro-Meguetana V31
Bamako
syllaka@yahoo.fr

L'Harmattan Cameroun
TSINGA/FECAFOOT
BP 11486 Yaoundé
inkoukam@gmail.com

L'Harmattan Togo
Djidjole – Lomé
Maison Amela
face EPP BATOME
ddamela@aol.com

L'Harmattan Burkina Faso
Achille Somé – tengnule@hotmail.fr

L'Harmattan Côte d'Ivoire
Résidence Karl – Cité des Arts
Abidjan-Cocody
03 BP 1588 Abidjan
espace_harmattan.ci@hotmail.fr

L'Harmattan Guinée
Almamya, rue KA 028 OKB Agency
BP 3470 Conakry
harmattanguinee@yahoo.fr

L'Harmattan Algérie
22, rue Moulay-Mohamed
31000 Oran
info2@harmattan-algerie.com

L'Harmattan RDC
185, avenue Nyangwe
Commune de Lingwala – Kinshasa
matangilamusadila@yahoo.fr

L'Harmattan Maroc
5, rue Ferrane-Kouicha, Talaâ-Elkbira
Chrableyine, Fès-Médine
30000 Fès
harmattan.maroc@gmail.com

L'Harmattan Congo
67, boulevard Denis-Sassou-N'Guesso
BP 2874 Brazzaville
harmattan.congo@yahoo.fr

Nos librairies en France

Librairie internationale
16, rue des Écoles – 75005 Paris
librairie.internationale@harmattan.fr
01 40 46 79 11
www.librairieharmattan.com

Lib. sciences humaines & histoire
21, rue des Écoles – 75005 Paris
librairie.sh@harmattan.fr
01 46 34 13 71
www.librairieharmattansh.com

Librairie l'Espace Harmattan
21 bis, rue des Écoles – 75005 Paris
librairie.espace@harmattan.fr
01 43 29 49 42

Lib. Méditerranée & Moyen-Orient
7, rue des Carmes – 75005 Paris
librairie.mediterranee@harmattan.fr
01 43 29 71 15

Librairie Le Lucernaire
53, rue Notre-Dame-des-Champs – 75006 Paris
librairie@lucernaire.fr
01 42 22 67 13